La grande histoire des Français sous l'occupation

La grande histoire des Français sous l'occupation
1939-1945

Plan général

1

LE PEUPLE DU DÉSASTRE

2

QUARANTE MILLIONS DE PÉTAINISTES

3

LES BEAUX JOURS DES COLLABOS

4

LE PEUPLE RÉVEILLÉ

5

LES PASSIONS ET LES HAINES

6

LA GUERRE CIVILE

7

LE DUR ÉTÉ DE LA LIBERTÉ

DU MÊME AUTEUR

Histoire :

La grande histoire des Français sous l'occupation :
1. Le peuple du désastre (Robert Laffont).
2. Quarante millions de pétainistes (Robert Laffont).
3. Les beaux jours des collabos (Robert Laffont).
4. Le peuple réveillé (Robert Laffont).

La vie des Français sous l'occupation (Fayard).
Le 18 juin 1940 (Fayard).
Pétain avant Vichy (Fayard).

Romans :

Une fille de Tel-Aviv (Del Duca).
Le ghetto de la victoire (Grasset).

Reportages :

Israël... Israël (Domat).
Croix sur l'Indochine (Domat).
Le monde de long en large (Domat).
J'ai vu vivre Israël (Fayard).

Critique littéraire :

Louis Emié (Sèghers)
(en collaboration avec Albert Loranquin).

Albums :

Quatre ans d'histoire de France (Hachette).
Aquitaine (Réalités, Hachette).

HENRI AMOUROUX

La grande histoire des Français sous l'occupation.

V

les passions et les haines

Avril - Décembre 1942

ÉDITIONS ROBERT LAFFONT
PARIS

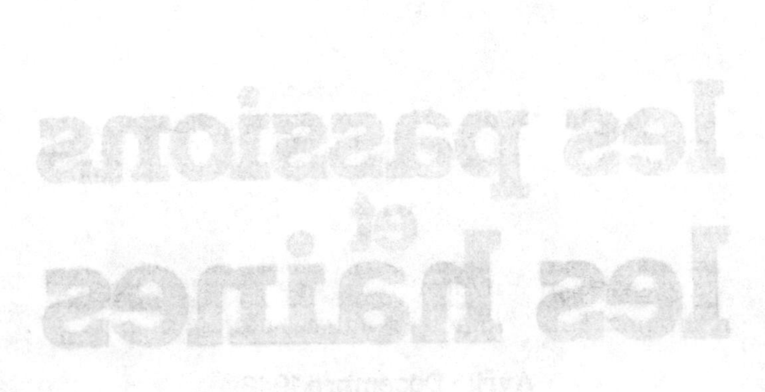

Si vous désirez être tenu au courant des publications de l'éditeur de cet ouvrage, il vous suffit d'adresser votre carte de visite aux Éditions Robert LAFFONT, Service « Bulletin », 6, place Saint-Sulpice, 75279 Paris Cedex 06. Vous recevrez régulièrement, et sans engagement de votre part, leur bulletin illustré où chaque mois, vous sont présentées toutes les nouveautés que vous trouverez chez votre libraire.

ISBN 2-221-00130-3 (édition complète)
ISBN 2-221-00813-8 (volume 5)

SOMMAIRE

Pour Guy Raïssa

Les passions et les haines ne prennent pas naissance et ne s'achèvent pas avec l'année 1942. Elles demeurent inséparables des années d'occupation, comme elles le sont de toutes les époques révolutionnaires. Mais la guerre dont on sait désormais qu'elle sera longue, dont on voit, en 1942, qu'elle a changé de style et de rythme, exige de l'Allemagne toujours davantage d'hommes, toujours davantage de matériel, si bien qu'au mépris du sort des populations, il lui faudra mobiliser à son profit toutes les ressources des territoires occupés.

L'Allemagne nazie se lancera également dans une vaste entreprise de mobilisation idéologique et policière puisqu'elle accélère la recherche, la poursuite, l'enfermement, la déportation, la mise à mort enfin, non seulement de ceux qui, malgré la défaite, s'affirment courageusement ses adversaires, mais encore de ces millions de juifs, dont l'élimination scientifique lui paraît indispensable à sa victoire comme au triomphe de sa doctrine.

Qu'il s'agisse de l'effort de guerre, de la lutte antisémite, de la chasse aux communistes, de la répression des activités des mouvements de résistance, de la mise en condition de l'opinion, la volonté d'efficacité de l'Allemagne nazie va se trouver brutalement accrue par les difficultés, puis par les premiers échecs graves, si bien qu'elle sera naturellement conduite à demander toujours davantage, dans les faits comme dans les mots, aux hommes de gouvernement et aux chefs de partis qu'elle a installés, ou dont elle a accepté qu'ils s'installent, dans les territoires qu'elle contrôle.

Pour la France, l'année 1942 restera donc, essentiellement, celle du retour au pouvoir de Pierre Laval. Retour au pouvoir qui coïncide avec l'exaspération des exigences allemandes, avec les réquisitions de main-d'œuvre, avec l'intensification des persécutions antisémites, les rafles de juillet et d'août, la misère de Drancy, les départs pour Auschwitz.

Que Pierre Laval ne soit ni responsable ni comptable de tout, qu'il se soit efforcé de limiter les prétentions allemandes tout en les approuvant officiellement, qu'il ait livré, avec ses faibles moyens et sa méthode ambiguë, des combats de retardement aussi bien contre l'occupant que contre les extrémistes de la collaboration, c'est certain, mais, plus dense, plus cohérent, plus agressif dans l'attitude et le vocabulaire que Darlan son prédécesseur, Laval devient, dès son discours du 22 juin consacré à la Relève et dont on ne retient qu'une phrase sur la victoire de l'Allemagne, immédiatement antipathique aux Français malheureux et dont il semble, moralement, aggraver encore les malheurs.

On ne saurait toutefois limiter l'année 1942 au retour de Laval. En aggravant les mesures antisémites, en développant, grâce à la presse qui lui est fidèle, une propagande de meurtre racial, en obtenant sans trop avoir à le solliciter, du moins au début, le concours de Vichy pour son entreprise de haine, l'Allemagne donne licence à toutes les âmes basses de se révéler, de s'exprimer et de se « libérer » à travers des dizaines de milliers, ou des centaines de milliers — nul ne fera jamais le compte — de lettres de délation postées à l'adresse de la Kommandantur locale ou du commissariat général aux Questions juives.

Véritable cancer des âmes, la délation n'est certes pas un phénomène lié aux années d'occupation. Elle est de tous les âges et de tous les pays. Elle est de la Venise des doges où des lions de pierre ouvrent toutes grandes leurs gueules pour avaler les billets anonymes. Elle est de Moscou où il suffit de prononcer la formule consacrée Slovo i diélo *(parole et action) pour être entendu par la police de Pierre le Grand. Elle est de la Révolution française et, pour la ville de Lyon, un ouvrage imprimé à Lausanne en 1795 met en parallèle noms des dénonciateurs et noms des dénoncés. Affreux tableau de chasse ! Mais, je possède également, pour les semaines qui suivent la Libération dans le département des Landes, un document indiquant la « liste des individus à arrêter » avec, là aussi, en regard, les noms des délateurs.*

La délation est de l'occupation comme elle sera de la Libération. Elle est d'hier. Elle est d'aujourd'hui. A la délation privée, vengeance amoureuse ou professionnelle, s'ajoute en effet, dans de très nombreux pays, officiellement encouragée, la délation d'Etat. En France même, où un arrêté du 18 avril 1957 précise le montant des primes de délation accordées (mais non déclarées, donc non imposables), il existe plusieurs centaines de personnes qui, sans appartenir à la police ni à l'administration des Douanes, exercent ainsi le peu reluisant, mais très rémunérateur, métier d'indicateur.

Mais le délateur de 1942, s'il veut l'argent, ne se contente pas de l'argent.

Sa passion et ses haines, soudain légitimées par la propagande de l'occupant et de ses collaborateurs, le poussent à exiger des vies humaines.

Il n'écrit pas d'ailleurs à une administration avec laquelle le fraudeur de la ligne de démarcation ou de l'étoile jaune pourrait conclure un « arrangement », c'est à « Monsieur le chef de la Gestapo » qu'il adresse sa lettre.

« Il y eut des choses inouïes. Un mari remercia ceux qui venaient de le faire veuf. Une fille mena les meurtriers à la cachette de sa mère. Un pauvre homme, déjà dépouillé, mis tout à nu, avait échappé, caché sous l'arche d'un pont ; la nuit, il court chez sa femme. Mais jamais elle n'ouvrit ; elle le laissa dans la rue. »

C'est de Michelet, décrivant les horreurs de la Saint-Barthélemy. En 1942 également, des filles dénoncèrent leur mère, des maris leurs femmes et bien des portes demeurèrent fermées au malheur... Mais bien des portes vont s'ouvrir. L'excès des persécutions va provoquer enfin des réactions de charité dans ces masses que les premières mesures antisémites avaient laissées indifférentes sinon approbatrices. Comme l'on pourra, dans le domaine militaire, parler du tournant de Stalingrad, on pourra, dans le domaine de la sensibilité française, parler du tournant d'août et de septembre 1942, lorsque évêques, curés, pasteurs, sortant d'une réserve politique traditionnelle, dénoncent des crimes contre l'humanité dont ils sont loin encore de soupçonner toute l'ampleur.

Ainsi cette terrible année 1942 que beaucoup, en souvenir des disparus, évoquent toujours avec tremblement, sera-t-elle à la fois celle où s'exaspèrent les passions et les haines, et celle de prises de conscience encouragées par le retournement de la situation militaire, puisque le IIIe Reich, possible vainqueur au printemps, apparaît, au début de l'hiver, après El Alamein et avant Stalingrad, comme un probable vaincu, tandis qu'à la suite du débarquement de novembre en Afrique du Nord c'est en quelques minutes que vont disparaître zone libre, Flotte, armée, Empire, toutes ces réalités sur lesquelles le régime de Vichy et Philippe Pétain lui-même avaient fondé tant d'illusions...

Paris, octobre 1981.

PREMIÈRE PARTIE

ON JETTE L'ÉCORCE

« On presse l'orange et on en jette l'écorce... »

FRÉDÉRIC II parlant de Voltaire.

LAVAL — Si vous trouvez que les choses vont mieux depuis que vous avez le pouvoir. Si vous vous imaginez que vous avez accru le rayonnement de la France.

MAX ANDRÉ *(membre de la Commission d'Instruction, lors du procès de Pierre Laval).* — La France occuperait une autre place dans le monde, si vous n'aviez pas été là.

LAVAL — Si je n'avais pas été là, la France serait morte... En tout cas un grand nombre de Français seraient morts, qui sont encore vivants.

Yves-Frédéric JAFFRÉ
« Les derniers propos de Pierre Laval ».

1
LAVAL REVIENT

« Je suis rentré au gouvernement sachant que ma tâche serait effroyable, qu'elle serait redoutable... »

Pierre LAVAL,
au procès du maréchal Pétain

Le jeudi 26 mars 1942, le général Laure, secrétaire général du chef de l'Etat, mais surtout, depuis 1917, ami fidèle de Philippe Pétain, regagne son bureau à l'hôtel du Parc et commence à rassembler ses dossiers en vue d'un prochain départ.

Pour manifester sa mauvaise humeur, il s'était retiré depuis deux jours dans sa chambre de l'hôtel Sévigné et avait décidé de n'en sortir que pour rendre officielle sa démission.

Pourquoi cette brutale prise de position d'un homme aussi constamment dévoué au Maréchal ? La raison donnée peut sembler puérile : querelle de préséance. Le 24 mars, sans lui demander son accord, ni même l'informer, Bernard Ménétrel a introduit René de Chambrun dans le bureau du chef de l'Etat. Or, il a été entendu qu'aucune audience ne serait accordée sans le visa de Laure. Qu'importe que Chambrun, alors âgé de 11 ans, ait vu pour la première fois Pétain en 1917, lorsque son père, colonel chargé de faire la liaison entre le général Pershing et le général Pétain, lui demande d'être le compagnon de jeux du jeune Warren Pershing. Qu'importe qu'il ait, en compagnie de Warren Pershing, assisté à l'entrée victorieuse des troupes franco-américaines dans Metz libéré et conserve de ce jour l'un de ses plus beaux souvenirs d'enfant : Pétain, l'impassible, l'indéchiffrable, saisissant un casque à pointe, l'en coiffant et s'écriant : « C'est fini, on les a eus, les boches ! » Et qu'importe qu'en 1931 il ait servi d'interprète au Maréchal lorsque, à l'occasion du 150e anniversaire de la bataille de Yorktown, Philippe Pétain est allé représenter la France aux Etats-Unis.

Ce qui importe, en revanche, c'est qu'il soit le gendre de Pierre Laval.

Sur l'instant, Laure ne s'y est pas trompé : la visite de Chambrun à Philippe Pétain laisse présager une rencontre imminente avec Laval. Il en a eu confirmation, le 26, par du Moulin de Labarthète.

— Vous aviez raison. Le Maréchal part en ce moment, avec Ménétrel, pour rencontrer Laval en forêt de Randan. Darlan ira, dans l'après-midi, à un autre rendez-vous mystérieux. Et je suis, comme vous, tenu à l'écart de ces conversations.

Or, pour du Moulin et pour Laure, Laval c'est un peu le diable.

L'homme qui, usant de ruse, d'intelligence et de promesses, exposant avec une émotion sincère les très réelles menaces allemandes et célébrant avec infiniment de talent ses vertus de négociateur, enjôlera Pétain, dont le caractère est de plus en plus mal protégé par une majestueuse mais combien fragile enveloppe, réduira ses défenses et, assez rapidement, le conduira à lui demander de revenir au pouvoir. Ses vœux de revanche sur les hommes du 13 décembre s'en trouveraient comblés. Mieux encore, il aurait la possibilité de faire enfin une grande politique, en rupture avec la politique à la petite semaine de Darlan et d'insérer, à une place honorable, la France dans cette Europe dont il ne doute pas qu'elle doive être dirigée par l'Allemagne.

Comme le supposait Laure, René de Chambrun a effectivement joué le rôle d'intermédiaire.

Au Maréchal qui l'a reçu, il a déclaré, en effet, que son beau-père désirait l'entretenir d'un sujet capital pour la survie de la France et a proposé d'organiser rapidement, en accord avec Ménétrel, une entrevue secrète.

Le 26 mars, dans la forêt de Randan, Pierre Laval fera donc au

Maréchal le récit de l'entretien qu'il vient d'avoir avec Goering. Dans le même temps, il amorcera le processus qui le conduira au pouvoir. Et à sa perte.

La rencontre entre Laval et Goering s'était étrangement décidée à la fin d'un déjeuner réunissant le colonel S.S. Knochen, Achenbach, Adrien Marquet, maire de Bordeaux, et Pierre Laval. Marquet avait été l'organisateur du repas *à la demande de Pierre Laval* soucieux de protéger son incognito et d'échapper à la surveillance des policiers de Darlan. C'est du moins la raison qu'il allait donner à Marquet[1].

— Quand je suis à Paris, l'amiral Darlan est très curieux de ce que je fais. Je te demande d'inviter, comme pour me rencontrer, le Dr Knochen et M. Abetz[2]. Ainsi, je n'aurai pas l'air d'intriguer contre l'amiral Darlan.

Sur ce que fut ce déjeuner, nous possédons une note tapée à la machine, corrigée de la main de Laval, qui, sous le titre « Entretiens avec le maréchal Goering en mars 1942 au Quai d'Orsay », donne une version parfaitement crédible des faits :

> « Je fus invité par Marquet, en mars 1942, à une petite réunion avec quelques Français (ligne raturée) et quelques Allemands, le lieutenant Achenbach, de l'ambassade d'Allemagne, et le colonel Knochen, des S.S. Nous parlâmes des difficultés chaque jour croissantes qui opposaient le gouvernement français et les autorités allemandes, et nous regrettions l'absence, entre nous, d'une politique clairement définie.
>
> Marquet me suggérait d'avoir à prendre une part plus active devant l'opinion sur ces problèmes. Je protestai, ne voulant pas m'engager, je me disais dans l'ignorance où nous étions des véritables intentions de l'Allemagne vis-à-vis de la France.
>
> J'avais appris la présence à Paris du maréchal Goering et je dis que l'occasion était bonne pour avoir avec lui une explication nécessaire.

1. C'est au cours de son procès, le 28 janvier 1948, que M. Adrien Marquet fournira d'abondants détails sur ses rencontres de mars 1942 avec Laval qui lui aurait, d'ailleurs, offert un ministère. Au cours des interrogatoires, Marquet n'avait pas parlé de ce repas. Il ne l'évoquera que lorsque le président Noguères fera mention d'un document qu'il vient de retrouver dans le dossier Laval et dans lequel figure le nom de Marquet.

2. La présence d'Abetz est douteuse.

Le colonel Knochen me dit que le maréchal Goering était déjà reparti mais, à la fin du déjeuner, me prenant à part, il me demanda de ne pas quitter Paris, car il croyait pouvoir me ménager pour le surlendemain un rendez-vous avec Goering qui devait revenir.

Je différai mon départ pour Châteldon et, le samedi, je reçus un coup de téléphone m'annonçant la visite du colonel Knochen. Il venait me chercher avec un officier de l'état-major du maréchal [Goering] *et ils me conduisirent au Quai d'Orsay. L'entrevue devait être secrète*[1]... »

Le bureau dans lequel Laval pénètre était le sien, en 1935, lorsque, ministre des Affaires étrangères du gouvernement Flandin, il suivait avec inquiétude les débuts du réarmement allemand et s'efforçait d'établir — aussi bien avec l'aide de l'Italie qu'avec celle de l'Union soviétique — un réseau d'alliances faisant obstacle aux prétentions du IIIe Reich.

Il accueillait alors les visiteurs.

C'est Goering qui l'accueille.

Un Goering rogue et désagréable qui demeure peut-être encore sur l'impression de cette entrevue de Saint-Florentin (1er décembre 1941) au terme de laquelle il a fini par demander à Pétain : « Je voudrais bien savoir qui est ici le vainqueur et le vaincu ? » ; un Goering qui n'a pas été dupe des manœuvres des Français au moment où, Rommel menacé en Afrique, il a convoqué le général Juin à Berlin[2] pour le prier d'étudier un accord sur le ravitaillement et surtout un accord sur le principe d'un combat mené en commun contre les Anglais ; un Goering constamment exaspéré par le marché noir sévissant en France

---

1. Révélé seulement au moment du procès Marquet, ce texte semble avoir été ignoré des historiens de l'occupation.

2. Le général Juin a remplacé le général Weygand à Alger et c'est à ce titre qu'il se trouve convoqué par les Allemands. Le 20 décembre 1941, à la demande d'un accord militaire en Afrique du Nord, le gouvernement français fait une réponse favorable, mais en l'assortissant de conditions inacceptables pour l'Allemagne.

et par la façon, à ses yeux trop habile, dont les Français s'accommodent des rigueurs de l'occupation.

— Nous nous sommes trompés, dit-il en substance, lorsque nous avions cru que nous pouvions rechercher avec votre pays une collaboration sincère. Nous avons révisé notre politique et, désormais, nous traiterons la France en fonction des sentiments d'hostilité qu'elle ne cesse de nous manifester.

Laval, dont les paroles sont traduites par le général Hanesse, ancien attaché de l'air à Paris, a beau répondre que rien ne devrait, à l'avenir, opposer la France et l'Allemagne, que la paix serait facile à construire, l'Alsace et la Lorraine, elles-mêmes, ne pouvant pas constituer un obstacle infranchissable pour le Reich, puisqu'il aura la tâche immense d'organiser l'Europe, Goering va s'entêter et répéter que, l'expérience s'étant révélée concluante, la France, désormais, sera traitée comme elle doit l'être.

Il termine sur des mots dont il pense peut-être qu'ils seront un frein mais qui, au contraire, accéléreront et scelleront le destin de Pierre Laval.

— Si le Maréchal vous offre de revenir au pouvoir, refusez. Ce serait pour vous trop tard ou beaucoup trop tôt. Vous avez été pour nous un ennemi honnête. Nous nous retrouverons peut-être un jour après la guerre, quand la paix sera signée, et alors vous pourrez défendre les intérêts de votre pays.

Goering a précisé à Laval que leur entrevue devait rester secrète, même vis-à-vis de l'ambassade d'Allemagne, mais, lorsque son interlocuteur lui demandera s'il peut informer le maréchal Pétain d'une conversation capitale pour l'avenir de la France, il répondra affirmativement.

Mais, informer Pétain, n'est-ce pas informer Ménétrel, Laure, du Moulin, Darlan, les ministres, plonger tout le petit monde de Vichy dans une agitation d'autant plus grande que, déformées, les menaces de Goering se trouveront amplifiées ?

Goering, Laval le confirmera, n'a jamais parlé de la Pologne. Qu'importe, on lui fera dire : « Nous avons vu clair, nous allons vous poloniser. Vous allez passer au régime de la Pologne puisque votre gouvernement se moque de nous et s'éloigne de la politique de Montoire[1]. »

1. Paul Marion, à son procès le 10 décembre 1948

Si l'on en croit les amis de Pierre Laval, Vichy aurait été alors comme une fourmilière brutalement fouillée par le bâton de Goering.

— Le Maréchal apprenant cela [la conversation avec Goering] a été bouleversé. J'aime mieux dire que tout le monde l'a été car, à Vichy, les gens qui étaient le plus contre la politique de la collaboration... se sont tous affolés.

C'est la thèse de Paul Marion qui présente Laval comme le sauveur, la « mesure de protection ultime pour éviter le pire [1] ».

— Laval ne vient pas en disant « Je suis l'homme de [la campagne d'Abetz] ». Il vient devant nous en disant : « Je barre la route aux entreprises de Goering, à la polonisation, au massacre des otages », car nous étions étranglés à ce moment-là, nous étions noyés dans le sang, nous n'obtenions plus rien.

C'est également, on l'imagine, la thèse de Laval évoquant ces jours dramatiques et affirmant qu'après l'avoir entendu le Maréchal, troublé et inquiet, lui avait immédiatement demandé des conseils et son concours, cependant que l'amiral Darlan, reçu dans l'après-midi du 16 à Châteldon, l'avait prié, de la part du chef de l'Etat, de revenir au gouvernement.

> « Je refusai. J'étais pressé par tous les membres de ma famille de ne revenir au pouvoir sous aucun prétexte.
>
> Je n'ai jamais connu un tel trouble dans ma conscience. Il est difficile parfois de trouver le vrai chemin où le devoir doit vous conduire. Je comprenais les raisons invoquées par les miens... Mais il suffit qu'on invoque mon intérêt personnel pour que j'accomplisse à mes risques et périls mon devoir vis-à-vis de notre pays. Je me jugeais gravement coupable de me dérober si, par ma présence, par mes actes et par mes propos, je pouvais atténuer un peu la misère de la France et des Français. »

Certes, ces mots sont dits alors que, déjà, dans sa cellule, l'ombre de la mort plane sur Pierre Laval.

---

1. Alfred Fabre-Luce écrira : « Seize mois plus tôt, une telle nouvelle (celle du retour de Laval) eût annoncé un adoucissement de notre infortune. Cette possibilité (déjà restreinte à l'origine) a disparu. L'Allemagne nous en prévient et Laval se garde d'ouvrir aux Français de faux espoirs... Mais du moins nous évitons le pire : la rupture avec l'Allemagne, la mise en question de l'unité nationale » *Journal de la France*.

Peut-on absolument les récuser pour autant ?

Quel que soit le jugement que l'on porte sur un homme politique, il est impossible de ne pas prêter attention à certains accents lorsqu'ils s'inscrivent dans la logique de la vie et de l'action, même lorsque l'on sait qu'ils ne reflètent pas le personnage tout entier.

Avec des moyens certes discutables, Pierre Laval, qui ne croit pas à la victoire des Anglo-Saxons, poursuit, en mars 1942 encore, un but sur lequel il n'a jamais varié et qu'il définira peut-être le plus sincèrement lorsque, en novembre 1943, il s'exprime devant des hommes de sa race et de son tempérament : les maires du Cantal.

Comme eux, il est attaché au sol natal jusqu'à faire à Hitler, qui s'en moque sans doute, un exposé sur le rôle géologique et politique du Massif Central dans l'Histoire de France. Comme eux, plus économe encore qu'âpre au gain, il imagine qu'un pays se gère un peu comme une ferme, considère ses bêtes et ses champs comme partie de l'univers familial[1], comme eux, enfin, il hait la guerre, orage plus destructeur que le plus violent orage.

— Hier encore, j'étais à Paris. J'ai eu des conversations avec les Allemands. Elles se sont prolongées tard dans la nuit ; elles n'étaient pas faciles, ces conversations. Elles ne sont jamais faciles. Voyez-vous, j'essaie chaque jour de faire le maximum pour que nous subissions le minimum de dommages et, lorsque le soir vient, j'ai l'impression souvent d'être pris entre les deux branches d'une tenaille et quelquefois je me demande avec tristesse quelle branche — l'allemande ou la française — m'a fait ce jour-là le plus souffrir, mais jamais je ne me décourage, car je n'ai qu'une ambition, qu'un but, un seul, vers lequel je me dirige comme une espèce de somnambule : essayer de tout faire pour sauver notre pays en réduisant chaque jour ses souffrances, faire que la terre qui appartient aux pères reste encore à leurs enfants et qu'elle s'appelle toujours la Terre de France...

Somnambulisme. Le mot, qui, non sans raison ici, rime avec funambulisme, doit être pris au sérieux à l'instant où Laval, revenant

---

1 A son avocat, Me Jaffré, Laval dira ces mots qui ne sont pas de circonstance : « Savez-vous ce qui me manque le plus ici ? Ce sont les miens, bien entendu. Mais, les miens mis à part, ce qui me manque le plus, ce n'est pas de ne point faire de politique, c'est de ne pas voir mes bêtes et mes champs. J'ai eu dans ma vie des ambitions politiques, ça ne fait pas de question. Mais, au fond, je reste un paysan. Cela non plus ne fait pas de question. La terre, voilà ce que j'aime. Car elle est la source de tout... »

au pouvoir, tout le monde s'accordera paradoxalement à célébrer son réalisme.

Somnambulisme ? Sans doute. Angélisme ? Certainement pas.

Le retour au pouvoir de Laval ne sera nullement le fruit de je ne sais quel affolement du Maréchal et de son entourage, accoutumés, depuis juillet 1940, aux menaces allemandes ou d'une réaction de dévouement patriotique de Pierre Laval se jetant dans l'aventure précisément parce que Goering le lui déconseille, mais bien le résultat d'un travail de plusieurs semaines. Les Allemands vont y tenir un grand rôle. Et Laval lui-même, moins dénué d'ambition qu'il veut bien le dire, à la façon de ces hommes que les charges accablent et qui meurent le jour où ils en sont délivrés.

C'est au mois de février 1942 que l'ambassade d'Allemagne a nettement posé la question du remplacement de Darlan par Laval.

Abetz n'aime pas l'Amiral. A juste titre, il le soupçonne de préférer traiter et régler les problèmes avec les militaires de l'hôtel Majestic qu'avec les diplomates de la rue de Lille. Il sait d'ailleurs qu'aux grands projets il préfère une politique au jour le jour, influencée, chez un homme qui a l'habitude de « prendre le vent », par le déroulement des opérations militaires. Aussi, à Achenbach qui séjournera à Vichy du 24 au 27 février et sera reçu à quatre reprises à la table du Maréchal, donnera-t-il consigne d'évoquer, en termes sans équivoque, la nécessité d'un retour de Pierre Laval et de ne pas craindre d'agiter la menace d'un *gauleiter*.

Le Pr Grimm, venu, au nom d'Hitler, exiger qu'il soit mis fin à ce procès de Riom qui tourne à la confusion de ses inventeurs [1], tiendra le même langage.

Que les Allemands soient partagés cependant sur l'opportunité du retour de Laval, et surtout sur la politique à suivre envers la France, n'a rien de surprenant.

A ceux qui estiment — Goering, le général Speidel [2], le colonel

1. *Cf.* p. 29.
2. Rapportant une conversation avec le général Speidel qui a eu lieu entre le 20 et le 25 mars 1942, Fernand de Brinon lui fait dire : « Pour le moment, nous ne

Schewseder, chef d'état-major du général von Stülpnagel — que, ne pouvant rien accorder encore à un homme qui leur est favorable, ils n'ont aucun intérêt à le voir s'user au pouvoir, s'opposent, autour d'Abetz, ceux qui jugent le moment venu de prendre une revanche sur les responsables de ces événements du 13 décembre 1940 dont Fernand de Brinon écrira que s'ils constituaient « une offense contre le Führer et un crime contre l'avenir de la France », qu'ils ont, en revanche, « sacré » aux yeux de l'occupant un politicien considéré, jusqu'à sa défaite de décembre et à sa brève arrestation, comme un « maquignon du parlementarisme ».

Avant le coup de maître de mars-avril 1942, bien des coups d'essai avaient été tentés. Mais l'entrevue de Pierre Laval et de Philippe Pétain, à la Ferté-Hauterive, en janvier 1941, n'avait conduit, le temps d'un communiqué, qu'à une réconciliation de façade. Les représailles d'Abetz contre la ligne de démarcation, ses velléités d'installer à Paris un gouvernement « français » totalement contrôlé, avaient obtenu d'autant moins d'effet[1] que, le 5 février 1941, Ribbentrop allait donner à son bouillant et trop imaginatif ambassadeur l'ordre de « faire en sorte que Laval reste en zone occupée et que l'affaire Laval soit traitée avec Vichy de telle façon qu'aucune entente ne se réalise pour le moment entre Laval et Vichy ».

Les criailleries de la presse de Paris, les suggestions de Brinon écrivant, en avril 1941, à Pétain : « Il faut... dans un certain délai, préparer le retour de M. Pierre Laval comme un événement normal et non comme une contrainte », l'offensive de Laval, en juillet 1941, pour être nommé ministre de l'Intérieur, étaient restées vaines en apparence. En apparence seulement car tout ce qui paraît alors glisser, sape et dégrade la position de Darlan, position d'autant plus difficile à

pouvons faire de la politique avec votre pays. Toutes nos préoccupations sont tendues vers la guerre contre la Russie, nous préparons une nouvelle offensive dont nous attendons des succès importants. M. Laval aurait tort de vouloir revenir, nous ne pouvons rien lui donner... »

1. Cf. *Les Beaux Jours des collabos,* p. 153 et suiv. Il faut toutefois rappeler que Pierre-Etienne Flandin sera la victime indirecte de ce 13 décembre qui l'amène au pouvoir... et l'en fait partir quelques semaines plus tard.

défendre que, face à un occupant soupçonneux, exigeant et pressé par la nécessité, le temps, loin de tout arranger, gâte tout.

Jaloux d'une autorité qui, bien souvent, lui échappe, ayant beaucoup à faire pour conserver la confiance du Maréchal qui, au moins autant qu'insaisissable, se montre influençable, Darlan, au fil des mois, s'est trouvé en butte à des critiques de plus en plus nombreuses et de plus en plus vives. Elles portent autant sur sa politique d'apparence incohérente envers l'occupant que sur ses méthodes de commandement qui lui aliènent beaucoup de ceux qui n'appartiennent pas à la Marine nationale. Elles visent un goût du faste qui s'accommode mal de l'officielle austérité de Vichy, beaucoup de vanité, la volonté mal dissimulée d'éloigner de la personne du Maréchal tous ceux qui servent le chef de l'Etat et dont il s'imagine qu'ils ne peuvent que desservir l'Amiral [1], un réalisme très différent de celui de Laval, le réalisme du quotidien, qui finit par donner du personnage une image de versatilité et d'opportunisme qui ne correspond nullement à une réalité infiniment plus complexe.

Or, depuis les derniers jours de décembre 1941, les relations entre le Reich et la France se sont considérablement dégradées, si l'on veut bien considérer pour ce qu'il vaut cet épisode intervenu en janvier 1942 et dont Robert Aron, dans son *Histoire de Vichy,* a dit ce qu'il fallait penser. Interprétant, sollicitant, déformant la pensée d'Hitler, Abetz fera croire pendant quelques jours à Vichy que l'Allemagne est prête à accorder de nombreuses concessions à la France et, interprétant, sollicitant, déformant la pensée de Pétain, très inexactement relayée par un Benoist-Méchin aussi désireux qu'Abetz de donner à la collaboration une dimension hors du commun, Abetz tentera de faire

---

1. Dans une lettre au Maréchal en date du 27 juillet 1941, Darlan insistera sur « le désordre des esprits particulièrement dans les milieux dirigeants » et il attaquera le général Weygand, Loustaunau-Lacau, le colonel Groussard « qui a bien été chargé d'une mission officieuse en Angleterre avec votre consentement », le Dr Ménétrel, le général Lacache, le colonel Ronin, chef du S.R. de l'Air, le général La Laurencie et l'ancien ministre Lémery qui est, lui aussi, un ami du Maréchal, Jeantet, le Dr Baron, Estèbe, membre du cabinet civil du Maréchal, du Moulin de Labarthète...

Il termine sa lettre en « rappelant » au Maréchal que les « services de renseignements de l'armée ont une activité pour le moins étrange, totalement ignorée du ministre de la Guerre » et en lui demandant, s'il lui conserve sa confiance, de bien vouloir « l'affirmer avec force, publiquement ».

croire à Hitler que la France de Vichy est enfin décidée à déclarer la guerre aux Etats-Unis et à l'Angleterre.

Ni Abetz ni Benoist-Méchin n'expriment correctement les vues de leurs gouvernements respectifs. D'ambassadeurs, ils se sont mués en négociateurs. De négociateurs, ils vont se couler dans l'uniforme de chef d'Etat.

Par romantisme, passion de jouer un grand rôle et de se faire l'instrument de grands changements, par foi dans l'avenir de la collaboration, mais aussi par l'effet de ce dérangement d'esprit fréquent chez des hommes de qualité qui s'estiment souvent supérieurs à leur mission, les voici, prenant leurs hypothèses pour des certitudes, leurs désirs pour des réalités, condamnés à prêter aux autres leurs pensées et à transmettre non ce qui leur a été dit, mais ce qu'ils souhaitent qu'on leur ait dit, jusqu'à l'instant où s'effondrera tout leur habile et fragile château de cartes.

Que la tentative d'Abetz et de son « associé » Benoist-Méchin — retenue cependant à charge contre le gouvernement de Vichy par le Parquet de la Haute Cour de justice, lors des procès Benoist-Méchin et Bouthillier — corresponde seulement à la construction diplomatique de deux esprits habités des mêmes chimères, obligeant — comble de l'art ! — le Maréchal et Darlan à fournir des réponses embarrassantes et dilatoires à des questions qu'Hitler n'a jamais posées, Robert Aron, je l'ai dit, en a fait la démonstration. Il faut également remarquer que ce soi-disant projet de collaboration militaire se serait curieusement et paradoxalement inséré en pleine « petite guerre » entre la France et l'Allemagne.

Au début de 1942, en effet, le discours de vœux du Maréchal a provoqué un net refroidissement dans les relations entre les deux pays. S'évadant du conformisme habituel à ce genre de texte, le Maréchal a pris à partie les « hommes de Paris » au même titre que ceux de Londres. « J'ai le devoir d'appeler déserteurs tous ceux qui, dans la presse comme à la radio, à Londres comme à Paris, se livrent à d'abjectes besognes de division. » Il a évoqué « l'exil partiel » auquel il est « astreint », la « demi-liberté » qui lui est « laissée », il a lancé également un émouvant appel à l'aide. Tenant pour nul les attaques contre les gaullistes de Londres, dont elle pense qu'elles sont obligatoires, n'accordant crédit qu'aux coups portés aux collaborationnistes de Paris, l'opinion française fera un succès à des paroles qui bénéficient de l'interdiction de parution dont elles sont immédiatement l'objet en zone occupée.

Loin d'être un acte isolé, le discours du Maréchal reflète une position générale qui, dans un Vichy où l'influence de l'amiral Leahy va grandissant (*L'Œuvre* s'indigne que ses propos soient « évangile quotidien[1] »), se traduit par l'opposition à des mesures de concentration industrielle libérant la main-d'œuvre pour l'Allemagne, mais également par une guérilla quotidienne ayant la valeur de ces combats de retardement dont il serait fou d'attendre la victoire mais qui embarrassent l'adversaire.

Il y a plus. Dans un monde où les symboles sont des armes, Pétain et Darlan refuseront de se rendre au mois de mars 1942 à Paris où doivent se dérouler les obsèques des victimes d'un violent bombardement de la Royal Air Force sur les usines Renault, de Boulogne-Billancourt. Ils ne sont certes pas insensibles au malheur des familles mais, ayant appris que les Allemands ont envisagé de faire rendre les honneurs par leurs troupes aux six cents cercueils rangés sur la place de la Concorde[2], ils n'accepteront pas de cautionner une cérémonie de piété populaire qui prendrait l'allure d'une manifestation de propagande anti-anglaise.

Ces résistances qui irritent les Allemands et excitent la colère des collaborationnistes (en mars Luchaire publie, dans *Les Nouveaux Temps*, un éditorial intitulé *L'Agonie de Vichy*) demeurent ignorées ou méprisées d'une population qui ne connaît et ne veut connaître que les restrictions alimentaires, les tracasseries et les humiliations quotidiennes, la dénonciation des gaullistes, la persécution des juifs, la lutte contre les communistes, les tribunaux d'exception, les exécutions d'otages et toutes ces mesures dont les Allemands portent la responsabilité, mais auxquelles Vichy s'associe trop souvent, et sans que l'on puisse distinguer encore (car le temps de l'Histoire n'est pas venu) ce qui est fait sous la contrainte de ce qui est librement consenti.

---

1. Et Roosevelt, de son côté, affirme que jamais les relations des Etats-Unis avec le gouvernement de Vichy n'ont été meilleures.

2. C'est du moins l'explication que le général Laure donne au refus de Pétain. Les obsèques auront lieu de façon traditionnelle et c'est Barthélemy, garde des Sceaux, qui représentera le Maréchal à la cérémonie de Notre-Dame.

En juin 40, sur les routes de l'exode, en juillet 40 dans l'humiliation de la défaite, les Français, à la recherche de responsables, auraient vraisemblablement applaudi à des condamnations qui eussent sévèrement et rapidement frappé des parlementaires. Il ne manquait même pas d'excités pour réclamer des exécutions publiques.

Mais, lorsque, le 9 février 1941, s'ouvre le procès de Riom, les esprits ont évolué. Ceux-là mêmes qui désiraient que soit ouvert le procès des responsables s'indignent qu'il ait lieu sous le regard et le contrôle de l'occupant, et surtout que trois des cinq accusés : Daladier, Blum, Gamelin, aient, à l'instant où ils comparurent, ÉTÉ CONDAMNÉS, cinq mois plus tôt[1], par le Maréchal sur le simple avis d'un Conseil de justice politique dont il a nommé tous les membres !

Comment cette parodie de justice, qui scandalise les adversaires de Pétain, ne gênerait-elle pas ses partisans[2] ? Avocats et accusés exploiteront d'ailleurs leur avantage moral pour se muer en accusateurs. Si le procès de Riom ne contribue pas à la réhabilitation des hommes politiques, il va du moins faire la preuve qu'ils ne sont pas les seuls à porter la charge de la défaite.

Le général Gamelin a, certes, dès les premiers instants, annoncé qu'il garderait le silence, mais Léon Blum, mais l'ancien ministre de l'Air Guy La Chambre, mais le contrôleur général Jacomet, mais Daladier, Daladier surtout, attaquent et accablent ces témoins dont on s'attendait à ce qu'ils les accablent. Ayant reconquis en un tournemain son ascendant de président du Conseil, Daladier traitera en cancres des généraux intimidés, affligés de déplorables pertes de mémoire et qui, lui devant souvent leur élévation, se gardent de le critiquer.

Aussi est-ce avec beaucoup de brio, même et surtout lorsqu'il prend des libertés avec la réalité, que Daladier expliquera la guerre perdue non par le manque, mais par le mauvais emploi du matériel.

Insistant sur la diffusion des responsabilités, il n'hésitera pas à mettre nommément en cause le maréchal Pétain pour son action au Conseil supérieur de la Guerre et au ministère de la Guerre.

---

1. 15 octobre 1941.

2. Le général Laure, dans son journal, écrit ainsi à la date du 17 octobre 1941 que, sans pouvoir intervenir dans une décision prise et publiée (celle du Conseil de justice politique), il « s'en attriste » : « Apaisement, écrit-il aussi, je ne crois pas que les conseillers du Maréchal en l'occurrence — j'ignore toujours quels ils sont — l'obtiennent par les mesures qu'ils ont ainsi provoquées. »

Sans doute la censure, qui interdit toute allusion au rôle de Pétain comme toute attaque contre Hitler, empêche-t-elle la publication de comptes rendus objectifs. Mais comment pourrait-elle faire barrage aux rumeurs, aux « on-dit », aux échos des feuilles clandestines, aux informations diffusées par Londres, rumeurs, « on dit », échos, informations, qui toutes et tous attribuent le beau rôle aux accusés.

Si bien que la décision d'Hitler, le 15 mars 1942, de mettre fin à un procès qui tourne à la déroute de ceux qui voulaient que les « politiciens » soient jugés pour avoir déclaré la guerre à l'Allemagne, et non point pour l'avoir perdue, sera accueillie avec soulagement par Vichy, alors même qu'elle apporte une preuve supplémentaire de sa subordination.

Mais, dans la désagrégation du climat moral, le procès de Riom, mal engagé, mal mené, arbitrairement restreint à quelques hommes, à quelques dates, alors qu'en vérité les culpabilités étaient innombrables et que leurs origines ne dataient pas toutes du Front populaire, allait représenter une importante étape.

De ce malaise, difficilement perceptible au milieu des acclamations qui accueillaient toujours le maréchal Pétain, mais dont on pouvait prendre conscience en s'éloignant du cœur de Vichy et des rassemblements légionnaires, l'un de ces proches de Pétain, dont la fidélité ne faisait pas obstacle à la lucidité, l'écrivain d'extrême droite René Gillouin [1], devait témoigner dans une très longue lettre personnelle écrite le 1er janvier 1942 et qui s'efforçait de dresser le bilan — déséquilibré — de la Révolution nationale.

A l'actif, Gillouin notait la création de la Légion, les encouragements à la famille, le statut de la paysannerie, la Charte du travail, la réforme de l'enseignement mais, sous sa plume, le passif l'emportait. Imitation servile « des institutions et des méthodes du vainqueur », institution « d'un régime essentiellement policier, fondé sur la délation, la violence et l'arbitraire », « abjecte législation antisémite, qui

1. Laval ne pardonnera pas à Gillouin ce mot, effectivement cruel : « un Fouché ? Non, un fouchtra », et l'écrivain devra, en avril, se réfugier en Suisse

n'est ni humaine, ni chrétienne, ni française et qui laissera une tache indélébile sur le régime nouveau », clan des « ja » remplaçant le clan des « yes », politique étrangère infléchie « dans le sens d'une soumission inconditionnelle aux exigences du vainqueur... vomie, d'ailleurs, par le peuple entier dont l'instinct, dans ces circonstances difficiles, a montré infiniment plus de clairvoyance et de jugement que la spécieuse raison des faux sages et des trop habiles ».

Ces mots qui semblaient empruntés à la littérature gaulliste la plus rude se trouvaient sous la plume d'un homme qui, en appelant du Maréchal mal informé au Maréchal mieux informé, le pressait d'accomplir une véritable Révolution nationale s'il ne voulait pas, le jour du départ des Allemands, voir son gouvernement « balayé par l'émeute aux cris alternés de “ A bas les traîtres ! A bas les voleurs ! ” ».

De quelle résistance, de quelles initiatives le Maréchal est-il précisément capable encore, alors qu'il va se trouver, une fois de plus, au cœur de la bataille ?

Traçant en 1978 un portrait respectueux de Philippe Pétain, l'amiral Auphan, témoin et acteur qui ne dissimule ni sa fidélité ni sa « vénération », allait écrire qu'en 1942 le Maréchal avait conservé un « équilibre de santé physique et mentale que beaucoup de chefs d'Etat d'aujourd'hui ou d'hier pourraient ou auraient pu lui envier », mais il reconnaîtra l'affaiblissement de la créativité intellectuelle, une moindre résistance à la fatigue et il ajoutera que toutes ces qualités d'intelligence, de caractère et de cœur qui, dans l'autre guerre, avaient assuré ses succès « s'étaient assagies et comme sublimées jusqu'à leur extrême simplicité ».

Darlan, qui n'aime pas la littérature, sera plus sévère ou plus net. Dans une note, écrite immédiatement après les événements d'avril, il signalera que « le manque de décision et [la] versatilité [du Maréchal] ont considérablement augmenté depuis décembre 1941 ».

Ajoutant qu'il n'avait jamais « pu éclaircir [les] véritables sentiments [du Maréchal]à l'égard de M. Laval », il allait dresser ce tableau des relations contradictoires et houleuses entre Pétain et Laval, relations qui s'éclairent cependant à la lumière des pressions allemandes, de l'accroissement des difficultés, mais également de l'amoindrissement des facultés de résistance du chef de l'Etat, amoindrissement connu de tous ceux qui l'entourent et que les plus entreprenants, ou les plus ambitieux, savent utilement mettre à profit.

« En juin 1940, il l'appelle [Laval], le congédie, le rappelle ;
— En juillet 1940 et jusqu'au 30 octobre, il ne jure que par lui ;
— Le 13 décembre 1940, il le congédie brutalement ;
— Le 18 janvier 1941, il déclare qu'il n'existe plus de malentendus entre eux, mais il ne veut pas le reprendre ;
— En février 1941, il lui fait demander de revenir comme ministre d'Etat ;
— De février 1941 à mars 1942, il déclare ne pas vouloir entendre parler de Laval ;
— Le 28 mars 1942, il lui accorde une entrevue spectaculaire, après laquelle il lui demande sa collaboration ;
— Le 2 avril, il lui déclare qu'il ne peut accepter son concours ;
— Le 13 avril, il l'accepte comme chef civil du gouvernement ;
— Le 17 avril, il le nomme chef du gouvernement.
— Depuis, en privé, il déclare qu'il le surveille et est prêt à s'en débarrasser. »

Darlan aurait pu enregistrer bien d'autres variations encore. D'heure en heure, en mars et avril 1942, Pétain se trouvera, en effet, ballotté entre les avis des amis et les avis des ennemis de Pierre Laval ; il sera soumis aux menaces de l'ambassade d'Allemagne qui, pour n'être pas nouvelles, n'en sont pas moins angoissantes ; il se trouvera influencé par les mises en garde de l'ambassadeur américain, le « match » ne se réduisant pas à un simple combat entre sa volonté et celle de Laval, mais, par-delà ces adversaires mineurs, à un duel germano-américain, les « deux Grands » faisant, du retour ou du non-retour de Laval, une question de principe et le signe évident de leur victoire ou de leur défaite.

Le 30 mars, Pétain reçoit l'amiral Leahy.

L'ambassadeur américain, porteur d'un ultimatum de Roosevelt, signifie au Maréchal qu'un retour au pouvoir de Pierre Laval conduirait à la rupture des relations franco-américaines. Lorsqu'il repart, Leahy a reçu de Pétain l'assurance que Laval ne serait pas rappelé.

Et c'est exact... pour l'heure. Le Maréchal s'oriente, en effet, vers une combinaison « de juste milieu » dans laquelle Darlan et Laval également écartés, le pouvoir serait confié au garde des Sceaux Barthélemy. Le colonel d'aviation Fonck, vieil ennemi en 1918, puis vieil ami, après la guerre, du maréchal Goering, et que l'on a déjà vu mêlé aux tractations qui précèdent Montoire, est chargé de porter secrètement à Goering une lettre précisant cette position.

Le 2 avril, le chef de l'Etat informe donc Laval qu'il n'a nullement l'intention de lui offrir la direction des affaires et l'on pourrait croire le conflit terminé si, le lendemain, toute la presse ne publiait un habile communiqué de Laval, qui constitue une option sur le pouvoir.

Dans ce texte, Pierre Laval écrit « qu'initiateur de la politique de Montoire et estimant que la situation extérieure de la France s'aggrave de jour en jour », il a cru de son devoir de s'entretenir des problèmes de l'heure avec le Maréchal. Le nom de Darlan n'étant jamais cité, Laval se présente, à l'opinion, sinon en successeur, du moins en seul interlocuteur des Allemands.

Pour rappeler son existence, et dans l'espoir fou de faire reculer les Allemands, Darlan va prendre alors une initiative indigne d'un *midship :* mettre Krug von Nidda au courant de l'ultimatum de Roosevelt.

Autant agiter une étoffe rouge !

Divisés quant à l'opportunité de la solution Laval, les Allemands l'auraient peut-être abandonnée devant une intelligente résistance française. Mais, dès l'instant où les Américains s'en mêlent, ils ne peuvent que l'imposer.

Passé la trêve pascale — 4, 5, 6 avril —, Hitler fera donc connaître sa volonté à Abetz qui, le 9, dira à Fernand de Brinon que, désormais, il n'existe plus, pour le Maréchal, que deux possibilités : se plier aux ordres de Roosevelt, ce qui entraînera immédiatement de graves conséquences pour la France et les Français, ou accepter le retour de Laval, synonyme d'un renforcement de la collaboration.

A Vichy, Krug von Nidda, chargé de faire la même communication à Darlan, s'offrira, en terminant, le luxe de donner communication à l'Amiral de cette lettre que Pétain, par l'intermédiaire de Fonck, avait adressée à Goering et qui jetait les bases, l'on s'en souvient, d'un ministère dont Laval était effectivement exclu.

Mais également Darlan !

Comme au cours des crises qui avaient précédemment secoué Vichy, on assistera donc à un ballet désordonné d'hommes politiques, de diplomates, de journalistes, de conseillers, français et allemands, évoluant au milieu de ces rumeurs incontrôlables qui sont la marque d'une époque où la censure, si elle étouffe la vérité, ne peut rien contre le mensonge.

C'est vainement que « les hommes du Maréchal » adopteront, une fois encore, une tactique de « repli élastique » à base d'arguties juridiques et d'astuces subalternes qui ne peut réussir face à des adversaires en faveur desquels, depuis le début d'avril, l'Allemagne s'engage résolument. On le constatera sans tarder. En accord avec le Maréchal, Darlan avait offert à Laval de prendre le ministère des Affaires étrangères. Les deux hommes espéraient qu'à l'exemple de ce qui s'était passé après le 13 décembre 1940, où il avait refusé le portefeuille de l'Agriculture ou celui de la Production industrielle comme indignes de ses talents, Pierre Laval refuserait les Affaires étrangères et que l'on en serait quitte avec lui.

C'est effectivement ce qui semble se passer, Laval exigeant la direction totale du gouvernement ; mais lorsque, le 13 avril au matin, Darlan voudra quitter Vichy pour aller remettre au général von Stülpnagel une lettre du Maréchal informant le chef de l'administration militaire en France que le refus de Laval met, cette fois, et définitivement, un terme aux discussions, Abetz, alerté par Krug von Nidda, interdira à l'amiral Darlan, vice-président du Conseil, ministre des Affaires étrangères, de la Marine et de la Guerre, successeur désigné du Maréchal, l'accès de la capitale française !...

Darlan privé de rencontrer à Paris von Stülpnagel, et peut-être de l'amener à renoncer à l'opération Laval, c'est Fernand de Brinon qui, dans l'après-midi de ce même 13 avril, va gagner Vichy. Partisan résolu et actif du retour au pouvoir de Pierre Laval, il a conféré jusqu'à 3 heures du matin avec Achenbach et Abetz, et arrive bien décidé à emporter une décision dont il sait qu'elle repose sur la volonté malléable du chef de l'Etat.

Reçu par Darlan qui lui communique la lettre du Maréchal qui n'a pu être remise à von Stülpnagel, mais que le Maréchal a l'intention de faire transmettre à Hitler par les soins de notre délégation de Wiesbaden [1], Brinon s'écrie que ce serait une erreur de donner suite à cette idée :

— Elle représente précisément ce que le Führer ne veut pas, c'est-à-dire le désir d'attendre, j'en ai eu la certitude cette nuit même par les communications échangées entre l'Ambassade et le Quartier général.

Quelques minutes plus tard, Brinon, qui a convaincu, ou croit avoir convaincu, Darlan que seul le retour de Laval pourrait mettre fin à la crise, fait le siège du Maréchal. Il reprend son exposé, exprime sa conviction « que la solution de la collaboration Laval-Darlan est la solution optima » et s'entend répondre par Philippe Pétain — du moins l'a-t-il affirmé — :

— Il y a longtemps que c'est mon avis, c'est ma solution. Il faut donc que vous parliez avec Laval, poursuit Pétain en s'adressant à Darlan. Quand l'avez-vous vu ?

— Samedi dernier, je crois.

— Eh bien, il faut le revoir ! Allez-y tout de suite avec Brinon.

Etrange rencontre que celle de Darlan et de Laval.

Selon le récit de Fernand de Brinon, il semble qu'elle ait été essentiellement consacrée à un échange de vues sur ce 13 décembre 1940 dont le souvenir habite toujours l'esprit de Laval et dont la blessure est loin d'être cicatrisée.

— J'ai des défauts, je suis un animal, mais j'ai de l'instinct. Je vais vous parler franchement. On m'a dit que vous étiez un des principaux responsables du 13 décembre et que c'est vous qui aviez pris la tête de la délégation qui a été chez le Maréchal pour l'informer du complot.

Protestation de Darlan. S'il a bien conduit une délégation de ministres chez le Maréchal, il ne l'a fait que « comme le plus ancien ».

1. Le Maréchal avait réclamé la transmission de cette lettre à Wiesbaden en apprenant l'interdiction faite à Darlan de se rendre à Paris. Mais Bernard Ménétrel qui, la veille, se trouvait à Paris, où il avait été reçu par Abetz et Brinon, avait conseillé d'attendre l'arrivée de Brinon avant de prendre une décision définitive.

S'il a bien pris la parole, c'était pour exposer « le sentiment de certains », mais sans prendre parti lui-même !...

Ces rappels historiques — que Darlan fait avec quelque gêne — conduisent naturellement Laval à préciser que, tout en étant sans rancune, il lui sera impossible de collaborer avec les ministres du 13 décembre, et qu'il désire obtenir la totalité du pouvoir afin de n'être pas exposé au renouvellement de pareille aventure.

— Le Maréchal n'acceptera pas, réplique Darlan.

C'est ce que l'on verra...

Lorsque, le 14, Laval sortira du bureau du Maréchal, après une conversation de deux heures, il sera entouré par les fonctionnaires du ministère des Affaires étrangères venus saluer « l'homme qui monte ». Le communiqué officiel qui suivra leur montrera que leur flair ne les a pas trompés : il ne laisse aucun doute sur la prochaine constitution d'un gouvernement Laval.

C'est donc assuré du succès que Laval regagne Paris.

Fernand de Brinon, qui a sa part dans ce succès — et y gagnera le titre de secrétaire d'Etat auprès du chef du gouvernement —, s'éloigne lui aussi. Il prend place dans la voiture de l'Allemand Schleir. Comme il n'a pas eu le temps de déjeuner, il emporte, et le note avec cette satisfaction que les petites choses procurent parfois presque à l'égal des grandes, un petit carton de sandwiches « commandés spécialement pour [lui] par le Maréchal ».

A son arrivée, il se rend immédiatement à l'ambassade d'Allemagne pour donner le compte rendu des événements. « La satisfaction est générale [1]. » Ce sont là des mots qui enlèvent toute illusion, s'il était possible d'en avoir encore, sur la part prise par les Allemands dans le retour au pouvoir de Pierre Laval.

Au déjeuner qui réunit le lendemain, au Cercle européen, Laval, Déat, Brinon, Guérard, la satisfaction encore est générale et c'est dans une certaine euphorie que les quatre hommes discutent longuement de la formation du prochain ministère, ministère aussi difficile à consti-

1. Fernand de Brinon, *Mémoires.*

tuer que ceux d'avant-guerre puisque, même en ces heures graves, où le pouvoir semble réserver plus de périls que de gloire, les ambitions s'entrechoquent et les intérêts s'affrontent encore[1].

Cependant qu'à Paris quatre hommes mettent sur pied la combinaison ministérielle — ils poursuivront leurs conversations fort tard dans la nuit —, à Vichy, quatre hommes s'efforcent de leur faire échec.

A Pétain qui précise qu'il rappelle Laval dans le seul espoir « d'éviter aux Français des malheurs et des souffrances », Moysset, Bouthillier, Romier, Darlan répondent que les risques d'un refus sont bien moins grands que les risques d'une acceptation des exigences allemandes.

Darlan explique qu'à la veille de l'offensive de printemps en Russie il est exclu que le commandement allemand immobilise en France « les dix ou douze divisions nécessaires à l'occupation de la zone libre » ; Bouthillier, et en cela il voit juste, qu'en réinvestissant Laval le Maréchal se donnera un premier ministre inamovible ; Moysset, qu'il faut gagner la fin de l'année 1942 sans rien changer des structures gouvernementales françaises.

Le Maréchal est-il particulièrement sensible à cette prophétie de Moysset : « L'Allemagne a perdu la guerre. Elle entraînera dans son gouffre tous ceux qui auront marché ou semblé marcher dans son sillage. Prenez garde, monsieur le Maréchal, de ne pas survivre à votre gloire », qui rejoint l'avertissement donné par Gillouin le 1er janvier 1942[2] ? Vers dix heures du soir en tout cas — à l'heure où, à Paris, Brinon va chercher à la gare le gouverneur général Brévié à qui Laval désire offrir le secrétariat d'Etat aux Colonies —, le chef de l'Etat décide de la tactique la plus habile pour en finir (une fois encore en finir...) avec Laval. Comme il ne saurait être question de lui opposer une fin de non-recevoir catégorique, il se retranchera derrière des divergences fondamentales sur les principes du gouvernement et sur les hommes qui doivent les appliquer. Faisant tout pour aboutir à un constat de non-conciliation, il sera alors très à l'aise pour dire à Laval que, désormais, toute collaboration est devenue impossible.

---

1. A ce propos, on peut faire remarquer que, si Marquet affirme, lors de son procès, avoir refusé tout poste ministériel avant même la crise d'avril, Brinon écrira qu'il réclamait, le 15 avril, « le ministère de l'Empire ».
2. *Cf.* p. 30.

C'est compter sans la force de séduction et la volonté de pouvoir de Pierre Laval.

Arrivé à 12 h 5 dans un Vichy dont l'animation, brusquement, rappelle celle de juillet 1940, lorsque le gouvernement se constituait et que, dans le malheur, des fortunes se nouaient, que des fortunes se dénouaient, Laval entreprend immédiatement le siège du Maréchal. Il se bat avec des arguments parfois déconcertants.

Comme Pétain désire conserver le bon technicien Berthelot aux Travaux publics, il réplique :

— Il n'y a pas besoin de technicien aux Travaux publics. Je le sais, ça a été mon premier poste.

— En ce temps-là, ce n'était pas comme aujourd'hui, murmure, désabusé et désarçonné, ce chef de l'Etat qui a toujours cru aux vertus de la compétence.

Mais Berthelot ne saurait être accepté par Laval. Bouthillier et Caziot, en faveur de qui Pétain va se battre pendant vingt-quatre heures, pas davantage. N'ont-ils pas été mêlés — tare inexpiable — au complot du 13 décembre ?

Au cours du déjeuner, comme le général Serigny évoque le risque de rupture avec les Etats-Unis, Fernand de Brinon entend le Maréchal répliquer avec résignation :

— Il me fera agréer tous ses ministres.

Si encore il ne s'agissait que des ministres de Laval ? Mais le Dr Michel, chef de la Section économique de l'administration militaire allemande en France, intervient, par exemple, pour s'opposer à la nomination de Gignoux comme secrétaire d'Etat à la Production industrielle. Le poste ira à Jean Bichelonne, mathématicien prodigieux, « esprit presque anormal par sa puissance de travail et sa mémoire exceptionnelle[1] », évoluant loin des réalités, oubliant — héros, avant la lettre, du *Pont de la rivière Kwaï* — que ses victoires sur les difficultés servent d'abord la machine de guerre allemande.

Opposé à l'entrée au gouvernement d'Abel Bonnard, Jacques Benoist-Méchin et Paul Marion, Pétain livrera un dernier baroud d'honneur.

---

1 Robert Aron, *Histoire de Vichy*.

En entendant Laval citer les noms de ses futurs collaborateurs, le Maréchal a dit qu'il ne voulait pas d'Abel Bonnard — qu'il appelle *la Gestapette* — au poste de ministre de l'Education nationale.

Il juge indigne que cet inverti ait la responsabilité de l'éducation de la jeunesse française, rôle qu'il aurait, lui, Pétain, aimé tenir dans le ministère Doumergue de 1934.

Et, lorsque Brinon, dans l'espoir de faire agréer Bonnard, célébrera son talent littéraire et insinuera qu'il est victime des potins des salons académiques, le chef de l'Etat, amateur de jolies femmes, devenu apôtre des vertus familiales, répliquera d'un ton sec que « tout le monde est au courant » et que le talent n'a jamais été une excuse pour qui donne le mauvais exemple.

Il se verra cependant obligé de ratifier ce choix surprenant que Maurice Martin du Gard explique avec subtilité par la volonté de Laval d'avoir enfin auprès de lui un « académicien de choc », un faible qui a découvert la force et en est tombé amoureux, causeur de salon promu tribun par la grâce du P.P.F. dont les troupes l'avaient acclamé.

Pour Benoist-Méchin qu'il n'aime pas et juge pro-allemand [1], comme pour Paul Marion, ancien communiste dont il pense, à tort, qu'il a tenu la rubrique des « Gueules de vaches [2] » dans *L'Humanité,* Pétain obtiendra que, secrétaires d'Etat auprès du chef du gouvernement, ils n'assistent pas au Conseil.

Bien mince victoire !

En revanche, il n'est pas négligeable que quelques fidèles échappent à la tempête qui emporte aussi bien les « hommes du 13 décembre » que les collaborateurs personnels du chef de l'Etat, puisque du Moulin de Labarthète, dont Laval a demandé l'éloignement, est déjà parti pour Nice et que le général Laure, mettant son projet à exécution, quittera Vichy le 20 avril.

Mais comme ils sont peu nombreux, ces fidèles ! Dans son *Journal,* Laure n'en dénombre que cinq : Romier, ministre d'Etat, mais Romier, déjà gravement malade, ne tardera pas à succomber ;

1. Selon Brinon (*Mémoires*), Pétain lui aurait déclaré que, si Benoist-Méchin était nommé secrétaire d'Etat aux Affaires étrangères, les trois quarts des fonctionnaires donneraient leur démission ou refuseraient d'être en contact avec lui.

2. Rubrique consacrée dans le quotidien communiste à la vie dans les casernes et plus particulièrement à la critique des officiers. Dans le gouvernement Laval, Paul Marion aura la responsabilité de la propagande.

Barthélemy, garde des Sceaux ; Auphan, à la Marine ; Barnaud, aux Relations économiques franco-allemandes ; Musnier de Pleignes, aux Anciens Combattants[1].

On l'a sans doute remarqué, le général Laure ne compte pas Darlan au nombre des proches du Maréchal.

Dans une note sur la « crise d'avril », Darlan, se donnant le beau rôle, allait, à son habitude, résumer en quelques mots simples ces jours troubles et complexes :

> « L'Amiral désirait se retirer totalement, mais le Maréchal, ne voulant pas demeurer isolé, insista pour qu'il consentît à rester remplaçant éventuel et successeur désigné du chef de l'Etat. Si l'Amiral n'acceptait pas, le Maréchal menaçait de se retirer.
> « Dans ces conditions, l'Amiral accepta, mais refusa de faire partie du gouvernement. »

Darlan, il est vrai, demeure le successeur désigné du Maréchal. Le 17 avril, il est même nommé commandant en chef des forces de Terre, de Mer et de l'Air, promotion qui satisfait son ambition mais irrite le général Bridoux, tout neuf secrétaire d'Etat à la Guerre.

Que Darlan dispose désormais, comme l'explique Bridoux, de la totalité des forces françaises, qu'il ait la haute main sur les services de renseignement et puisse mensuellement utiliser à son gré dix millions de fonds secrets n'inquiète pas Laval, philosophiquement indifférent aux questions militaires, puisque l'Amiral se trouve politiquement éliminé. Il n'assistera au Conseil des ministres que lorsqu'il sera convoqué et il sera rarement convoqué par Laval. Chef du gouvernement, ministre de l'Intérieur, des Affaires étrangères, donc des relations avec l'Allemagne, enfin de l'Information, Laval ne craint plus la répétition de la mésaventure du 13 décembre. Plus solitaire et plus secret que de coutume, il traite ses ministres, dont beaucoup —

1. A cette courte liste, il faut ajouter Jean Jardel qui, à la demande de Lucien Romier, acceptera, comme directeur du Cabinet civil du Maréchal, la succession de du Moulin de Labarthète.

Bonnafous, le Dr Grasset, Cathala — sont de vieux amis politiques, en collaborateurs dociles, ses collaborateurs directs, parmi lesquels on serait bien en peine de désigner une éminence grise — l'opinion du facteur de Châteldon ayant souvent plus d'influence sur lui que celle d'un fonctionnaire haut placé [1] — en commis voués à des tâches d'un intérêt médiocre.

Quant au Maréchal, il a, par l'acte constitutionnel n° XI, confié à Pierre Laval « la direction effective de la politique intérieure et extérieure de la France » et, ce faisant, s'est, partiellement, « dessaisi de ses pouvoirs ». Quelques journaux de zone occupée, s'étant servis de cette formule trop précise pour définir la situation, se verront rappeler à l'ordre par Paul Marion, mais de masquer la vérité ne l'a jamais fait disparaître.

Ainsi, le même Philippe Pétain, qui, le 18 avril, avait écrit à Darlan : « Vous savez bien que vous avez toute ma confiance et que je ne puis envisager l'idée que vous ne conserviez pas la direction du gouvernement », s'est-il vu condamner à vivre un 13 décembre 1940 à l'envers.

Le 19 avril, dans un message inspiré par Laval, tripatouillé par Brinon et revu par Krug von Nidda [2], il fait savoir aux Français que, « dans un moment aussi décisif que celui de juin 40 » (eh ! quoi, en sommes-nous revenus là ? sont en droit de se demander tous ceux qui n'ont oublié ni les horreurs de la guerre ni les humiliations de la défaite), il se retrouve « avec M. Pierre Laval pour reprendre l'œuvre nationale et d'organisation européenne, dont nous avions ensemble jeté les bases ».

Sans doute Laval a-t-il trop de pouvoirs pour nourrir désormais quelques craintes mais, se souvenant que ses négligences, sa désinvolture et un désintérêt trop manifeste envers les possibles réactions du chef de l'Etat n'ont pas été étrangères, jadis, à sa chute, il s'imposera une heure de conversation quotidienne avec le Maréchal. Heure de pénitence. Elle lui pèse, l'humilie, « Briand, dira-t-il à Jacques

1. La réflexion est de Charles Rochat, secrétaire général du ministère des Affaires étrangères.

2. « Il [le Maréchal] accepte le texte de son message, écrit Brinon. Il y a pourtant un incident sur " européenne ", j'obtiens le mot " organisation " et je rapporte le texte que l'on fait communiquer par Krug. Je pars à 6 heures. A peine arrivé à Paris, Ménétrel me téléphone. Il s'agit de faire disparaître " organisation européenne ". Je promets mon avis pour le lendemain matin ; finalement, le mot est maintenu — l'objection principale venant de la dactylo. » Fernand de Brinon, *Mémoires*.

Guérard, ne le ferait pas, il avait plus d'orgueil que moi », mais elle lui permet, grâce à son talent d'avocat et à son habileté de politicien, de faire céder les résistances lorsqu'elles se présentent et, toujours, de quitter le bureau de Pétain en affirmant qu'il a « expliqué » sa politique et qu'elle est « approuvée ».

Le retour de Laval a été salué avec enthousiasme par la presse de Paris, exceptionnellement autorisée à paraître le dimanche 19 avril *Le Petit Parisien,* qui annonce l'événement avec un titre souligné d'un fort trait rouge et occupant toute la largeur de la première page, affirme, sous la plume de Claude Jeantet que, si, « dès 1934 et 1935, on avait laissé faire et suffisamment secondé Pierre Laval, la France n'aurait connu ni la guerre ni la défaite ». *Au Pilori,* après s'être félicité du départ de Xavier Vallat, Serge Huard, Caziot, Carcopino, du Moulin, Charbin, Marchandeau et Borotra, hommes dont l'hebdomadaire ne cessait de dénoncer la politique anti-allemande, voit en Laval « le dernier espoir du pays ». Sous la signature de Brasillach, Laval, dans *Je suis partout,* devient « le chef Pierre Laval », cependant qu'Alphonse de Chateaubriant, dont le lyrisme ne recule devant aucun excès de plume, écrit dans *La Gerbe* du 23 avril :

> « A l'heure qu'il est, à l'heure qui sonne, 18, 19 avril 1942, nous le déclarons, nous Français, et nous le déclarons parce que nous le savons, le retour de Pierre Laval sauve la France du plus grand danger.
>
> Les cloches de Reims, les cloches de Bourges, les cloches d'Amiens, les cloches de Chartres, les cloches de Vézelay, les cloches d'Orléans et de Tours peuvent sonner. Cette phrase n'est pas aujourd'hui, ici, littérature, et un journaliste peut carrément l'écrire ! Il y a quelque chose d'arrêté au-dessus de nos têtes, l'approche de la condamnation qui s'annonçait à l'Est et qui, une fois arrivée sur nous, n'eût plus laissé au peuple aucune espérance. »

Cet homme, en l'honneur de qui Alphonse de Chateaubriant demande que sonnent les cloches de Reims, de Chartres et d'Orléans, n'a jamais compté, avant la guerre, au nombre des partisans de l'Allemagne. Il a été, au contraire, de ceux qui ont réclamé le paiement des réparations, travaillé à l'établissement d'une alliance antihitlérienne réunissant des nations aux régimes aussi différents que l'Italie et l'U.R.S.S., et le 16 mars 1939, devant la Commission des Affaires étrangères du Sénat, il a dénoncé la périlleuse politique d'expansion du Reich [1].

Or, c'est à lui qu'il appartient désormais de régler, seul, face à l'Allemagne, les problèmes nés d'une guerre perdue, une guerre qu'il n'avait pas voulue, non par germanophilie mais par pacifisme, et de le faire au moment même où les victoires de la Wehrmacht peuvent entretenir encore de grandes illusions mais où, déjà, avec l'entrée des Etats-Unis dans le conflit, se sont mises en route ces forces qui conduiront à l'effondrement final du IIIe Reich.

En 1940, après la rencontre de Montoire, Laval n'avait pas été l'homme du double jeu et c'est bien ce qui a provoqué sa chute. Il ne le sera pas davantage en 1942.

Il le dira à Jacques Barnaud, délégué général aux Relations économiques franco-allemandes qui, le 17 novembre 1942, lui remet sa démission.

— Moi, que voulez-vous, je joue la partie comme si les Allemands devaient gagner la guerre ! Les Allemands gagneront-ils la guerre ? Je n'en sais rien, je ne suis pas Mme de Thèbes [2] ! Plus ça va, moins je crois que c'est vrai !... Mais j'estime qu'un double jeu, en politique, ça ne signifie rien. Il y a deux hommes qui peuvent rendre service à leur pays : c'est le général de Gaulle et moi. Si les Allemands gagnent la guerre, ou peuvent arriver à une paix de compromis, faisons actuellement avec eux une politique loyale qui ne soit pas une politique de marchandage, et peut-être pourrai-je rendre encore service à mon pays et discuter avec les Allemands un traité de paix honorable. Si les Allemands sont battus, le général de Gaulle reviendra. Il a avec lui —

1. « Nous sommes entre Français. Ce qui se passe est abominable... C'est un cri d'indignation qui monte en présence d'une situation pareille. Aujourd'hui, l'Allemagne, qui a perdu la guerre, possède des territoires plus étendus que ceux qu'elle avait avant 1914... Il n'y a qu'un moyen pour empêcher Hitler de s'emparer de l'Europe, c'est de faire la chaîne de Londres à Paris avec Rome, Belgrade, Budapest, Varsovie, Bucarest, Moscou, sinon c'est l'Allemagne qui gagnera. »
2. Célèbre voyante.

je ne me fais aucune espèce d'illusion — 80 ou 90 % de la population française et moi je serai pendu !... Qu'est-ce que ça peut bien me faire ?...

« Si les Allemands gagnent la guerre... »

Lorsque Laval dit ces mots, le débarquement anglo-américain en Afrique du Nord a ébranlé la conviction d'un certain nombre de ceux qui croyaient à la victoire allemande, mais Laval, presque jusqu'à la fin, conservera un doute entretenu par l'attitude des dirigeants allemands et par leur foi dans le triomphe des armes secrètes[1].

Mais, beaucoup plus qu'à la victoire allemande, il croit à la négociation. Ne comprenant pas le caractère profond d'Hitler, habitant, selon le mot de Fabre-Luce, un « monde différent », n'imaginant pas que le Führer puisse aller jusqu'au bout de sa logique et de son discours, s'attachant d'autre part à décourager l'engagement américain avant qu'il ne devienne effectif[2], se montrant sceptique sur la capacité de réaction américaine jusqu'à déclarer à Robert Murphy que le sort de l'Europe sera réglé avant que les Etats-Unis « se décident à se décider », considérant, sans doute, la clause de « reddition sans condition » adoptée par les Alliés, en 1943, comme un crime contre l'Occident, Pierre Laval n'arrive pas à concevoir la nécessité d'une lutte à mort au terme de laquelle les nations, héritières de la même civilisation, se retrouveraient fracassées, au seul bénéfice du communisme.

La phrase essentielle, celle qui expliquera non toute la politique qu'il fera, mais toute la politique qu'il aurait souhaité faire, il la prononcera quelques jours après son retour au pouvoir : « Agir de telle façon que l'Allemagne ne soit pas trop forte pour nous étreindre,

---

1. Laval racontera à l'un de ses avocats, Me Jaffré, qu'un officier français, revenant du front de l'Est, lui avait dit avoir assisté à une expérience terrifiante. « Les Allemands avaient transporté, sur une petite voiture, une bombe jusqu'au milieu d'une forêt assez vaste. Puis on avait fait retirer tout le monde à plusieurs kilomètres. L'explosion avait été terrible, et toute la forêt avait été rasée. »

2. Dans un « Message aux Américains et aux Français », qui sera publié sous forme de brochure en 1941. Il s'agit, en réalité, d'une interview accordée au journaliste américain Ralph Heinzen, correspondant de l'agence United Press. Ce texte développe longuement l'idée que les Etats-Unis, avant de se précipiter dans la guerre, devraient méditer l'exemple « d'un pays ami, qui, en septembre 1939, a été lancé dans une guerre perdue d'avance ». Dans ce même texte, il affirmera que la France n'a nul besoin d'être délivrée.

mais de telle façon que le bolchevisme ne puisse pas, lui, nous supprimer. »

Cette paix négociée, il l'appelle de tous ses vœux en songeant au destin de l'Europe, mais également en songeant à son destin personnel.

Lorsque, le 27 avril, il reçoit l'amiral Leahy qui, ayant perdu sa femme, va regagner dans quelques jours les Etats-Unis, il lui déclare non seulement que sa politique est fondée sur la réconciliation avec l'Allemagne victorieuse ou vaincue, mais encore que, tout en étant décidé à ne rien faire contre les intérêts américains, il se refusera à aider si peu que ce soit au triomphe du communisme.

— Cette guerre, poursuit-il, est une guerre civile dont Staline sera le seul vainqueur si les démocraties continuent à lutter contre le Reich. Il est de l'intérêt des Etats-Unis, comme de l'Europe, qu'elle prenne fin le plus rapidement possible... Parmi les chefs de gouvernement non belligérants, je suis le seul, avec le général Franco, qui, pendant la guerre, se soit entretenu avec le Chancelier. Je suis le mieux placé pour avoir des contacts personnels avec le Chancelier.

Parce qu'il a rencontré Mussolini, Staline, Hitler, le pape, bien d'autres grands personnages encore, au cours d'entretiens auxquels le petit-fils de l'aubergiste-voiturier de Châteldon accorde sans doute plus d'importance encore qu'ils n'en ont eu ; parce qu'il croit, selon le mot de De Gaulle, que, comme il n'est d'événements qui ne se puissent tourner, il n'est « point d'hommes qui ne soient maniables » ; parce qu'il fait confiance enfin à son bon sens et à son flair paysan, à des astuces éprouvées de politicien, à son habileté proverbiale à « couper la poire en deux », Laval, comme Talleyrand en 1814, espère, de sa position de vaincu, tirer un jour une éclatante supériorité.

Lorsqu'il dit à Hitler : « Vous avez voulu gagner la guerre pour faire l'Europe. Il fallait faire l'Europe pour gagner la guerre », il a un mot qui fait songer à celui de Talleyrand, reprochant à l'empereur de Russie de ne vouloir renoncer à aucune de ses conquêtes, « Europe ! malheureuse Europe ! sera-t-il dit que vous l'aurez perdue ». Mais il ne sera pas Talleyrand.

Et Paris ne sera pas Vienne en 1814, ville folle de son corps, dans laquelle des hommes, pour oublier vingt ans de révolution et de guerres, qui donnaient soudain aux peuples le goût de follement revivre, se réunissent en une conférence où les raffinements de la conversation et de la table — ce sont des cuisiniers que Talleyrand réclame à Louis XVIII — comptent davantage encore que les subtilités de la diplomatie.

Pas Talleyrand donc, bien que son mot : « On peut critiquer mes méthodes, on ne peut pas me reprocher mes mobiles » eût pu être dit par l'Autre. Mais ses adversaires, qui sont légion, confondront méthodes et mobiles dans la même réprobation.

S'il est adversaire déterminé du double jeu, cela ne veut certes pas dire qu'il soit partisan de tenir tout ce qu'il promet.

Dans un débat souvent dramatique où il n'a pour seule ressource que sa ténacité et sa patience, pour seule force que son pouvoir de convaincre, il s'efforce, sinon de donner le moins possible, du moins de donner des paroles que ses collaborateurs sont chargés de ne pas traduire en actes ou, plus exactement, de traduire le plus lentement possible en actes.

Mais les Allemands finissent toujours par leur rappeler le « oui » du Président et, s'il paie en mots, comme il se vante de le faire devant les critiques, il le fait en un temps où les mots sont des actes, où les mots sont plus douloureux que des actes et où les Français, insensibles aux avantages d'une politique de présence, parce qu'ils ne peuvent mesurer tous les inconvénients d'une politique d'absence, souffrent des mots de Laval au moins autant que de ses actes.

Ciano, dont l'intelligence et la psychologie sont rarement prises en défaut, écrit, au moment où Laval revient au pouvoir : « C'est le résultat de longues manœuvres faites par les Allemands à notre insu... Mais une chose est certaine : Laval ne représente pas la France et, si les Allemands croient pouvoir gagner, grâce à lui, le cœur des Français, ils se trompent une fois de plus très grossièrement [1]. »

---

1. Que vaut ce sondage effectué, à Paris, par M. Jacques Dourdin, dans les trois jours qui suivent le retour au pouvoir de Pierre Laval ?

Les résultats qui se trouvent dans Hoover : *Vie de la France sous l'occupation*, t II, p. 771, sont les suivants :

A la question : « Croyez-vous que Pierre Laval puisse travailler dans l'intérêt de la France ? » :

40 % des personnes interrogées ont répondu « oui »,
11 % ont dit qu'elles l'espéraient mais qu'elles attendaient des actes,
15 % ont répondu « non »,
24 % ont dit n'avoir pas d'opinion.

M. Dourdin communiqua ce sondage très favorable — qui relevait de sa seule

A peine installé au pouvoir et alors qu'il aurait pu espérer un délai de grâce de quelques semaines, Pierre Laval va se trouver bousculé par les événements, aux prises avec des situations imprévisibles ou non, mais qui, toutes, auront pour résultat d'atteindre son crédit aussi bien auprès des Allemands qu'auprès du maréchal Pétain et surtout auprès de cette opinion publique que les préfets, dans leurs rapports d'avril, décrivaient comme moins intéressée par l'expérience Laval qu'attentive, dans le domaine du ravitaillement et de la libération des prisonniers, aux résultats positifs dont tous les partisans du nouveau chef du gouvernement affirmaient qu'ils seraient la conséquence naturelle.

Or, trois événements vont renverser les espérances et détruire les illusions. Ils ont nom : évasion du général Giraud ; installation, en France, d'un commandement supérieur des S.S. ; menaces de réquisition de la main-d'œuvre conduisant à l'institution de la Relève et au discours du 22 juin.

On comprend bien mal, aujourd'hui, l'importance que devait revêtir tant pour les Allemands, et pour le premier d'entre eux, Hitler, que pour les Français, l'évasion du général Giraud.

L'incapacité et la naïveté politique dont Giraud, en place en Algérie, devait faire preuve face à de Gaulle, la manière, dénuée d'élégance, c'est le moins que l'on puisse écrire, dont il allait bientôt être écarté de tout, contribueraient à l'éliminer rapidement de la mémoire collective des Français ou bien à ne laisser de lui qu'une image falote et presque ridicule.

Sans doute ce soldat à l'honnêteté et au patriotisme indiscutables, au courage physique plus grand, on le verra au moment du procès Pucheu, que le courage civique, cet homme d'un autre temps et d'une autre guerre, ne méritait-il pas plus cet excès d'indignité qu'il n'avait mérité cet excès d'honneur ; mais son aventure, entre 1940 et 1945,

---

initiative — à Pierre Laval qui ne cacha pas son scepticisme et lui déclara : « Il ne me soucie pas d'être populaire. Si je voulais acquérir la popularité, je tournerais le dos à mon devoir vis-à-vis de la France. »

porte témoignage du passage d'un siècle à un autre : celui où il ne suffit pas aux généraux d'être braves sur le terrain, mais où il faut également qu'ils aient la tête politique.

Et Giraud ne l'avait pas.

En octobre 1908, le colonel Pétain, son professeur à l'Ecole de guerre, l'avait noté défavorablement : « peu travailleur, manque d'entrain, a une confiance en soi qui ne paraît pas justifiée ».

A défaut de goût pour le travail, la guerre allait permettre au capitaine Henri Giraud de prouver qu'il avait de la constance dans le courage. Blessé le 30 août 1914, sur le champ de bataille de Guise, au cours d'une charge à la baïonnette, laissé pour mort, la poitrine percée d'une balle, ramassé le lendemain par des brancardiers allemands, il s'évadera le 30 octobre de l'hôpital de campagne d'Origny-Sainte-Benoîte, grâce à la complicité de son infirmière française, Mlle Lemaire [1]. Pendant plusieurs semaines, il se cachera à Saint-Quentin — s'offrant cependant le « luxe » d'aller assister à une parade des troupes allemandes qui se déroule en présence de Guillaume II —, puis réussira à passer en Belgique, en Hollande, et arrivera en France en février 1915 pour reprendre bientôt sa place au front et terminer la guerre commandant, cinq fois cité à l'ordre de l'armée et officier de la Légion d'honneur.

Après la guerre, c'est encore la guerre que Giraud fait, cette fois, au Maroc et dans des conditions qui lui valent une nouvelle blessure ainsi que la cravate de commandeur de la Légion d'honneur. Colonel, puis général en 1930, c'est au Maroc que Giraud établira une réputation de baroudeur à laquelle sa taille — 1 m 85 —, sa moustache vaniteuse, son goût pour les parades, son nationalisme teinté d'antisémitisme et jusqu'à ses sentiments religieux hautement proclamés, ajoutent encore de l'éclat.

En 1940, après avoir commandé cette 7e armée lancée imprudemment au secours de la Hollande, il est placé à la tête de la 9e armée qui

1. Ce qui permettra à Abetz d'écrire, bien plus tard : « On peut, à ce sujet, se demander si des sœurs de la Croix-Rouge allemande auraient été, de même, admises dans les hôpitaux militaires français et anglais du front ! »

vient d'être enfoncée et, sous le choc des blindés allemands, dispersée à Sedan.

A peine arrivé et alors qu'en automitrailleuse il prend contact avec ses unités bousculées, le voici capturé par des chars dont les équipages l'informent que les avant-gardes allemandes sont déjà à Abb-é-ville.

— On dit Abb-e-ville, fait sentencieusement remarquer Giraud.

Rapportant plus tard cette observation inattendue, Abetz remarquera que l'interlocuteur de Giraud n'était certainement pas venu en France pour prendre des leçons de prononciation !

Quoi qu'il en soit, voici Giraud enfermé, en compagnie d'une centaine d'autres officiers, dans le château-forteresse de Koenigstein. Vieux généraux pour la plupart, de ceux dont Juin, captif avec eux, dira « qu'ils laissent tomber leur lorgnon dans le potage ». Généraux résignés. Et, sur cette résignation, nous avons, hélas ! la lettre du général d'armée Bourret — ce général dont Brinon assurait à Goebbels que, « franc-maçon, mais aimé de la troupe », il pourrait être utile aux intérêts franco-allemands.

Ecrivant à Brinon, le 3 juillet 1942, c'est-à-dire après l'évasion de Giraud, Bourret, lui aussi captif à Koenigstein, parlera du « petit clan haineux et de discorde » qui s'était formé autour de Giraud [1].

Ils sont bien peu nombreux, en effet, ceux qui imaginent regagner la France autrement que par la grâce d'un congé médical ou d'une libération sollicitée par le Maréchal. Giraud est de ceux-là. Dès la séance de photographie d'identité, il fait en sorte que le résultat soit particulièrement médiocre et refuse de se prêter à une autre séance [2].

Se remettant à l'étude de l'allemand et, grâce aux journaux qui détaillent complaisamment les moyens de la victoire du Reich, réalisant quotidiennement une synthèse militaire discutée avec d'autres captifs, établissant, grâce à des camarades libérés, un système de correspondance avec sa femme qui tient la liaison avec des officiers du Service de renseignement de Vichy, tissant un câble de quarante-cinq mètres de long, rassemblant patiemment argent, vivres, vêtements, Giraud, qui a alors soixante-trois ans et souffre toujours des suites de

1. Dans cette même lettre, il évoquera ce « chafouin de Laure », ce « bas intrigant de La Laurencie », « cette loque de Verdillac »...
2. Cette mauvaise photo sera effectivement diffusée au moment de son évasion, en avril 1942.

ses blessures, réussira, le 17 avril 1942 — veille du jour où Laval revient au pouvoir —, une évasion extraordinaire [1].

En quelques secondes, il descendra, en effet, à la force des bras jusqu'à un rocher situé quarante mètres plus bas que le chemin de ronde d'où il est parti.

Son succès final sera dû autant au sang-froid avec lequel, recherché par toutes les polices, il voyage en chemin de fer et, au passage des gendarmes, s'entretient assez passionnément avec des officiers de la Wehrmacht pour décourager les interruptions, qu'à l'héroïsme des résistants, alsaciens pour la plupart, qui, de refuge en refuge, le conduiront jusqu'en Suisse.

L'évasion de Giraud n'aurait pu être qu'un banal incident, comme il s'en produit dans toutes les guerres, tout juste digne de figurer dans un ouvrage sur les évasions célèbres. Elle allait faire l'effet d'une bombe. L'évoquant dans son *Histoire d'une politique franco-allemande,* Abetz écrira, en effet, que l'événement allait provoquer au Quartier général du Führer une série de répercussions comparables à celles qui avaient été occasionnées par le 13 décembre 1940, et qu'elle avait constitué « le grain de sable qui stoppa définitivement les efforts de rapprochement » franco-allemand, alors même que l'arrivée au pouvoir de Laval pouvait lui donner un nouvel élan [2].

Aussi surprenant que paraisse la confusion, Hitler, qui a lu en traduction *Vers l'armée de métier,* de Charles de Gaulle, prend Giraud pour l'auteur d'un livre apprécié et voit en conséquence en lui le chef militaire le plus remarquable de tout le camp allié.

— Pourquoi, dira-t-il à Abetz, après le débarquement américain en Afrique du Nord, pourquoi avez-vous laissé courir Giraud ? Ce général vaut trente divisions.

La réaction d'indignation d'un homme qui croit — à tort — que Giraud a donné sa parole de ne jamais s'évader et d'un chef militaire qui surestime les talents de son prisonnier explique le montant élevé de

---

1. Il l'a racontée dans *Mes évasions* (Fayard éditeur). Deux autres généraux, Bruneau et Gaillard, s'étaient précédemment évadés de Koenigstein mais avaient été repris à proximité de la Suisse.

2. L'évasion de Giraud — et son refus de revenir en Allemagne — sera également à l'origine de la disgrâce d'Abetz, Keitel dénonçant à Hitler la faiblesse de l'ambassadeur.

Deutsches Kriminalpolizeiblatt

(Sonderausgabe)

Herausgegeben vom Reichskriminalpolizeiamt in Berlin

Erscheint täglich mit Ausschluß der Sonn- und Feiertage | Zu beziehen durch die Geschäftsstelle Berlin C 2, Werderscher Markt 5—6

15. Jahrgang | Berlin, den 22. April 1942 | Nummer 4261 a

Nur für deutsche Behörden bestimmt!

A. Großfahndung.

100 000 RM Belohnung.

Entwichener französischer General aus dem Lager Königstein (Elbe).

Nachtrag zur Neuausschreibung in Nr. 4258 a, zum FS Dresden vom 18. 4. 42 und zum Blitz-FS Nr. 5400 vom 20. 4. 42.

Für die Wiederergreifung des am 17. (nicht 14.) 4. 42 aus Oflag in Königstein (Elbe) entwichenen französischen Armeeführers, General Giraud, Henry, 18. 1. 79 Paris, ist eine Belohnung von 100 000 RM ausgesetzt worden.

Beschr.: 1,82 – 1,85 m, schlank, graue Haare, grauer Schnurrbart, spricht leidlich Deutsch mit französischem Akzent; trägt möglicherweise helle bräunliche Stiefelhose. G. und Abdruck des rechten Zeigefingers sind hierunter abgebildet.

Die Wiederergreifung ist von größter Bedeutung. Die Fahndung ist unter Einsatz aller Kräfte der Sicherheitspolizei (Kripo und Stapo), der Schutzpolizei und der Gendarmerie, der Wasserschutzpolizei, des Zollgrenzschutzes, des NSKK., der SA., der SS., des RAD., der Forstbeamten und der sonst etwa zur Verfügung stehenden Kräfte durchzuführen. Die Kräfte sind nach den örtlichen Alarmplänen der KPLStellen heranzuziehen. Durch Einsatz besonderer Streifen in Zügen, Bahnhöfen und sonstigen Verkehrsmitteln sind umfassende Verkehrskontrollen durchzuführen. Die Fahndung ist bis auf Widerruf auf das [illegible] und unter Einsatz aller verfügbaren Kräfte durchzuführen. Jede auf den Flüchtigen bezügliche Wahrnehmung ist der KPLSt Dresden, die für die Fahndung federführend ist, und dem Reichskriminalpolizeiamt unverzüglich mitzuteilen.

Von einer Veröffentlichung durch Presse oder Rundfunk ist abzusehen.

Der Chef der Sicherheitspolizei und des SD

I. V.

gez. Nebe,

SS-Gruppenführer und Generalleutnant der Polizei.

Henry Giraud
[illegible]

Abdruck des rechten Zeigefingers.

la prime promise (100 000 marks[1]) à qui fera arrêter le général français. Elle explique également l'intensité des démarches qui vont être faites auprès de Giraud pour qu'il accepte de regagner l'Allemagne et, sinon la forteresse de Koenigstein, du moins un confortable hôtel berlinois.

Abetz écrira qu'il avait convaincu Hitler d'accorder à un million de prisonniers français trois semaines de permission dans leur famille et, selon l'ambassadeur d'Allemagne, Keitel aurait reçu des ordres pour que les services ferroviaires de la Wehrmacht organisent, sur neuf mois, l'étalement de ces voyages.

Ce projet, s'il s'était réalisé, aurait constitué pour Pierre Laval un « don de joyeux avènement », aurait influencé favorablement le Maréchal, et, plus encore, l'opinion française. Aussi Abetz et Laval, dans leurs efforts pour faire revenir Giraud en Allemagne, utiliseront-ils surtout l'arme psychologique que constituent les malheurs des prisonniers de guerre et de leurs familles.

Arrivé à Lyon dans la soirée du 25 avril, après un court passage en Suisse, où il a eu le temps d'être publiquement accueilli en héros par le colonel Masson, chef des services secrets de la Confédération, Giraud sera reçu le 29 par le Maréchal qui, deux heures durant, l'interrogera sur la situation de l'Allemagne. Effectifs, matériel, longueur des fronts, longueur des lignes de communication nourrissent une conversation au terme de laquelle Giraud affirmera :

— L'Allemagne ne peut plus être victorieuse. Elle peut avoir des succès. Elle en aura cette année encore en Russie, mais elle ne mettra pas la Russie hors de combat. Il s'agit donc d'être prêt à rentrer en ligne quand la courbe commencera à descendre et, pour cela, il faut

1. Traduite en francs, cette somme représentait alors deux millions, c'est-à-dire trente-cinq à quarante années d'un salaire moyen.

nous appuyer sur l'Amérique qui, avec son potentiel énorme, est seule capable de nous équiper.

Giraud cite même la date à laquelle, avec l'aide américaine, la flotte française et l'armée d'Afrique pourront reprendre le combat : la fin de l'année 1942 ou le printemps 1943.

— Vous avez pleinement raison, répond Pétain [1]. L'Allemagne ne peut pas gagner la guerre. Il faut en tirer pour nous les conséquences qui s'imposent. Votre conception de l'aide américaine est juste. Je suis d'ailleurs resté en excellents termes avec l'Amérique. L'amiral Leahy était un ami pour moi et son successeur est très convenable. C'est à cette porte-là qu'il faut frapper, le moment venu.

Alors, tout va bien ?

Non, tout va mal, car le Maréchal achève en demandant, puis en ordonnant à Giraud d'aller rendre visite à Laval. Il est attendu à 18 heures.

Le chef du gouvernement ne s'intéresse aucunement aux propos que lui tient Giraud. Effectifs, essence, communications, tout ce qui passionnait le Maréchal semble moins important au chef du gouvernement que la poursuite d'une politique qui sera influencée, cependant, par l'évolution des événements militaires. Or, l'évasion de Giraud gêne la politique de collaboration de Laval.

Certes, un prisonnier a le droit de s'évader, poursuit en substance le chef du gouvernement, mais Giraud n'est pas un prisonnier comme un autre. Son prestige et sa notoriété font que son arrivée en France et sa présence à Vichy constituent autant d'événements fâcheux. Pourquoi ne rentrerait-il pas volontairement en Allemagne ? Giraud, qui s'attendait à des compliments pour son évasion, contemple Laval avec ahurissement et lui demande « s'il a bien réfléchi à l'énormité de sa proposition ».

Oui, Laval a parfaitement réfléchi et, le 30 avril et le 1er mai encore, il va répéter à Giraud que, toute la politique de collaboration se trouvant en cause, il doit se sacrifier pour le salut de son pays. Le 2 mai, Giraud est convoqué à nouveau à Vichy. Dans le bureau du Maréchal, cette fois, Laval lui fait lire un télégramme de Berlin exigeant qu'il rentre sans plus tarder en Allemagne dans l'avion de Ribbentrop. Il ne sera pas traité en prisonnier de guerre, mais aura la

1. C'est du moins ce que Giraud lui fait répondre dans *Mes Evasions*

possibilité d'occuper, dans la capitale du Reich, un appartement de l'hôtel Adlon.

Abetz, de son côté, est venu attendre Giraud à Moulins, point de franchissement de la ligne de démarcation. C'est Laval et Darlan qu'il voit arriver. Devant les deux hommes désappointés, puisque Giraud a refusé de les suivre, l'ambassadeur évoque non seulement les mesures qui NE SERONT PAS prises en faveur des prisonniers de guerre mais encore les mesures qui SERONT PRISES CONTRE EUX. Et, le 5 mai, après l'échec des négociations, la Commission d'armistice allemande de Wiesbaden informera, en effet, le gouvernement de Vichy que toutes les facilités et faveurs accordées aux prisonniers de guerre français vont être abolies, qu'aucune libération ne pourra plus intervenir et que les généraux prisonniers seront conduits dans des forteresses et internés dans des casemates...

Au terme de leur entretien, Abetz et Laval décident cependant d'effectuer une dernière tentative en direction de Giraud. On lui offrira d'être le second de Scapini, ambassadeur auprès des prisonniers de guerre. Mais comment imaginer Giraud second ? Sans joie, bien convaincu des risques à venir, il accepterait de REMPLACER Scapini, non d'être son subordonné. C'est ce qu'il répond à Darlan et Laval revenus à Moulins. Le président du Conseil téléphone alors à Abetz qui attend toujours la réponse de l'évadé de Koenigstein. Pourquoi n'exposerait-il pas lui-même à Giraud toutes les raisons qui rendent souhaitables son retour et tous les avantages qu'il en obtiendrait ?

Après quelques tractations téléphoniques, car Giraud réclame d'Abetz l'assurance qu'il ne tombera pas dans un piège, le général, symboliquement encadré par Laval et Darlan [1], s'éloigne en direction de Moulins où il arrive à 21 heures.

Dans sa poche, il a mis un petit browning.

Il n'aura pas à s'en servir. Abetz, qui l'accueille fort courtoisement, a demandé au général Marcks qui, en mai 1940, se trouvait en

1. Darlan se montrera dans toute cette affaire, très réservé et, à plusieurs reprises, il appuiera visiblement Giraud.

Hollande, face à Giraud et, depuis, a perdu un bras en Russie, de l'assister. De ce renfort, il attend que le militaire séduise le militaire, que, faisant appel à cette solidarité supposée régner entre soldats, il convainc Giraud de retourner en Allemagne. Le général français ne se montrera cependant pas plus sensible à la présence de Marcks qu'au discours d'Abetz insistant sur les avantages de la collaboration et sur les périls du bolchevisme.

La promesse d'un appartement à l'hôtel Adlon, d'une position de premier plan au sein de la mission Scapini, ou de la direction du camp des aspirants de Koenigsberg où, dit Abetz, il pourrait « exercer une influence morale et intellectuelle considérable sur les futurs cadres de l'armée française » le laisse également indifférent.

A un moment cependant, Giraud semble hésiter, prêt de se rendre aux raisons d'Abetz. C'est entendu, il reviendra en Allemagne. A une condition : une seule condition. Surpris et ravi, se faisant fort d'obtenir du Führer ce que le général demandera, Abetz le presse de parler. Que veut-il ? Giraud répète alors la proposition qu'il avait déjà faite spontanément le 30 avril à Laval, et sur laquelle il a eu le loisir de suffisamment méditer pour savoir que jamais elle ne serait acceptée par les Allemands. Que le Reich libère tous les prisonniers mariés, y compris les officiers d'active, et, à défaut de l'hôtel Adlon, il rejoindra un camp d'Allemagne.

— Et combien sont-ils ? demande Abetz.

— De quatre à cinq cent mille, répond Giraud sur un ton qu'il s'efforce de garder calme, et presque innocent, tout en sachant que sa proposition va soulever la colère et l'ironie d'Abetz.

— Il y a des généraux qui sont utiles à leur patrie, d'autres qui lui sont néfastes.

C'est sur ces mots désabusés que l'ambassadeur d'Allemagne clôt l'entretien et c'est librement que Giraud regagne Vichy ; Laval lui faisant seulement remarquer que, décidément, son entêtement n'arrange pas les choses [1].

Dans les jours qui suivront, l'offensive d'intimidation et de charme se poursuivra. Abetz a immédiatement vu que Giraud n'avait pas

1 Fernand de Brinon regrettera que Vichy n'ait pas fait arrêter Giraud...

l'envergure qu'on lui prêtait trop généreusement à Berlin. Mais, comme il ne réussit pas à en persuader son ministre, il va imaginer un plan qui conduira l'évadé à se dévoiler. Un pilote français, dont l'on serait sûr, lui proposerait de le conduire clandestinement en Afrique du Nord pour y soulever armée et population. En cas d'acceptation, l'avion ferait demi-tour, irait se poser en zone occupée où il serait aisé, alors, de confondre ce général qui avait sans cesse manifesté son désir de « mettre ses pantoufles » et sans cesse affirmé qu'il n'entreprendrait rien contre l'Allemagne. Affirmation que Giraud renouvelle par écrit dans cette lettre du 4 mai signée à la demande du Maréchal et que Vichy utilisera en novembre 1942, au moment de son passage en Afrique du Nord, afin de prouver qu'il a trahi sa parole[1].

Le 6 mai, l'ambassade ayant reçu l'ordre de ne plus s'occuper de l'affaire Giraud, il ne sera pas donné suite au plan quelque peu rocambolesque d'Otto Abetz, mais, au cours du mois, directement ou indirectement encore, Giraud sera prié de regagner l'Allemagne. Le 21 mai, le Maréchal, Laval et le ministre plénipotentiaire Rahn feront, auprès de lui, une dernière démarche, Rahn allant jusqu'à lui dire que l'Allemagne serait heureuse de le voir diriger en Afrique la « coopération franco-allemande », cependant que Pétain, visiblement fatigué, évoquera pour l'inciter à revenir sur sa décision la nécessité d'établir un meilleur climat entre la France et l'Allemagne.

Si elles ne font pas changer Giraud d'avis, toutes ces propositions et

---

1. Dans cette lettre — qu'il ne reproduira pas dans son ouvrage —, Giraud exprime non seulement son loyalisme envers le Maréchal, mais encore il se déclare « en plein accord » sur la politique menée par le chef de l'Etat vis-à-vis de l'Allemagne et donne sa « parole d'officier » de ne rien faire qui puisse gêner en quoi que ce soit « vos rapports [ceux du Maréchal] avec le gouvernement allemand ou entraver l'œuvre que vous avez chargé l'amiral Darlan et le président Laval d'accomplir sous votre haute autorité ».

Le 9 novembre 1942, postée à Marseille, Giraud, au moment de partir clandestinement pour Alger, adressera à Pétain une nouvelle lettre dans laquelle se trouvent ces mots : « Aujourd'hui, j'estime l'heure trop grave pour rester spectateur. Je crois qu'il se présente pour notre patrie une chance inespérée de sortir de la guerre avec honneur. Je suis sûr d'ailleurs de votre pensée profonde, mais, plus libre que vous, je puis aller préparer en Afrique ce que vous achèverez vous-même en France.

« Je n'ambitionne rien que de voir la résurrection de mon pays. J'y consacre les biens et les forces qui me restent. Je vous demande de bien vouloir me garder votre estime et me considérer toujours comme un de vos plus dévoués et plus respectueux subordonnés. »

sollicitations lui donnent, plus encore, conscience de son importance et de son prestige.

Comment, en voyant l'intérêt qu'Hitler, Abetz, Pétain, Laval attachent à sa personne, comment en proposant, plus ou moins sérieusement, de « faire payer » son retour en Allemagne par la libération de 400 000 prisonniers, comment en apprenant que son évasion a provoqué dans l'armée de l'armistice et dans les milieux de la résistance politiquement non organisée (ce sont, de loin, les plus nombreux) un « véritable délire[1] », comment ne se sentirait-il pas appelé à un destin national?

C'est en avril et mai 1942 que Giraud se forge cette conviction, qui éclatera en octobre et novembre lorsqu'il prétendra imposer aux Américains non seulement son plan de guerre, mais également son autorité sur les armées de la coalition débarquées en Afrique du Nord.

En revenant au pouvoir, Laval (et ses partisans partageaient sa conviction) imaginait « éviter le pire ». Le mot a été trop souvent dit et écrit pour n'être pas retenu.

Or, à peine en place, il voit la situation se dégrader sérieusement.

Le 12 mai, impatient d'avoir des contacts au sommet avec l'occupant, il a envoyé à Ribbentrop, pour qu'elle soit communiquée à Hitler, une lettre dans laquelle, pour arriver « à une réconciliation et à une entente étroite avec l'Allemagne », il propose que la jeunesse française soit mobilisée au profit des usines allemandes[2]. Il sollicite, en revanche, d'être aidé pour se trouver en mesure de « créer un terrain psychologique qui puisse faciliter son action ».

La réponse de Ribbentrop, après s'être fait attendre — elle est du 26 mai —, lui laissera peu d'illusions. Après avoir énuméré, suivant une méthode familière à Hitler, toutes les occasions perdues par la France, Ribbentrop achève en effet son message en annonçant que le gouvernement du Reich ne pourra plus, à l'avenir « tenir compte dans

1. C'est un mot de Claude Bourdet (*L'Aventure incertaine*) qui note l'évolution d'une partie de la résistance de droite qui voit en Giraud « un chef plus à sa convenance » que de Gaulle.
2. Au chapitre suivant, j'évoquerai plus longuement cette lettre importante.

ses décisions des espoirs et des promesses, mais exclusivement des réalités ».

Laval désirait l'aide allemande afin que soit créé « un climat psychologique » favorable.

Les Allemands, loin de la lui accorder, l'accableront et Abetz, manifestant sa déception, écrira : « Berlin paraissait s'être juré d'étouffer toute politique constructive avec la France. »

Tandis que le secrétaire d'Etat Backe vient à Paris exiger une sensible augmentation des livraisons alimentaires, les ministres du Reich Speer et Dorpmüller réclament, en supplément des livraisons déjà faites, 1 000 locomotives, 30 000 wagons, ainsi que le transfert en Allemagne de 2 500 kilomètres de rails avec leurs aiguillages et leurs signaux ; le conseiller d'Etat Schieber désire une considérable augmentation du programme de fabrication de la poudre et le gauleiter Kaufmann s'emploie à affréter, pour les besoins allemands, 200 000 tonnes de navires marchands français basés dans les ports méditerranéens.

Mais c'est dans le domaine de la lutte contre la Résistance que la pression allemande se montrera la plus vive.

Le 28 avril, en effet, dix jours après le retour de Pierre Laval au gouvernement, Hitler informe Pétain de la prochaine installation à Paris d'un commandant supérieur des S.S., le général Oberg, et l'informe que « le gouvernement français doit donner immédiatement les ordres nécessaires à l'administration française pour que celle-ci collabore correctement et sous menace des plus graves sanctions avec les services allemands ».

La décision d'Hitler date en réalité du 9 mars 1942. Assurant le triomphe du parti nazi sur l'armée, elle donne au chef supérieur des S.S. et de la police le pouvoir absolu pour tout ce qui touche à la police, à la « consolidation du germanisme » et aux « mesures d'exception contre les criminels », le commandant en chef de la Wehrmacht n'ayant à lui adresser d'instructions que lorsque « la sûreté militaire du pays » occupé est en jeu et que des opérations militaires sont en cours [1].

---

1. Dans ses *Mémoires,* Brinon écrit qu'à plusieurs reprises il a expliqué à l'amiral Darlan, qui s'inquiétait de la prochaine nomination d'Oberg, qu'il s'agissait d'une affaire intérieure allemande, « que rien ne sera [it] pratiquement ajouté à ce qui existait déjà, mais que [c'était] la sanction grandissante de

Le 5 mai, avec deux mois de retard sur la décision d'Hitler, Oberg arrive donc en France et s'installe 57, boulevard Lannes, dans de vastes locaux. Et, le 6, Vichy est informé de l'arrivée du général Heydrich, émissaire personnel du Führer, envoyé à Paris pour expliquer et commenter aux Français le but et la portée des mesures allemandes, y compris de celle qui, en avril, a fixé le nombre des otages à exécuter après chaque attentat : vingt, dont cinq à fusiller immédiatement ; le nombre des otages à déporter : cinq cents, et les milieux parmi lesquels il faudrait « recruter » les victimes, qui seront juives, communistes mais également choisies parmi les « éléments aryens, asociaux, souteneurs, criminels et gens du même acabit [1] ».

Qui est Heydrich ?

Depuis septembre 1941, le « protecteur du Reich » en Bohême-Moravie, poste auquel il a été nommé, à 37 ans, en septembre 1941, et, à ce titre, le responsable d'atroces représailles ? Oui, mais également l'homme qui, depuis 1931, à la tête du Service de Sécurité (*S.D.* [1]), est chargé de neutraliser toutes les oppositions au nazisme ; le policier dont les renseignements ont facilité à Hitler, au cours de la « Nuit des longs couteaux [3] », l'élimination des dirigeants des Sections d'assaut d'Ernst Röhm ; l'éminence grise d'Himmler ; l'organisateur de l'incident de Gleiwitz qui a permis à l'Allemagne de se prétendre attaquée par la Pologne [4] ; l'inspirateur du décret « Nacht und Nebel » qui rendra possible la livraison à la Gestapo de toutes les personnes arrêtées dans les pays occupés par l'Allemagne ; enfin le successeur probablement choisi par Hitler si l'attentat du 27 mai 1942 ne l'avait, après tant de ses victimes, précipité à son tour au royaume des morts.

---

l'influence du Parti dans la conduite de la guerre et du rôle de plus en plus important joué par Himmler auprès du Führer ».

1. Instructions du Führer transmises par le Q.G. et adressées à l'ambassadeur Abetz le 11 avril 1942.

Au mois d'avril, il y a eu, en France occupée, six attentats individuels.

2. *Sicherheitsdienst.*
3. Le 30 juin 1934.
4. Un commando de S.S. et de droits communs déguisés en soldats polonais a pris d'assaut la station de radio de la petite ville allemande de Gleiwitz.

Un homme redoutable et redouté.

Intellectuellement, un homme sortant de l'ordinaire.

René Bousquet, qui l'a eu en face de lui, n'hésitera pas à dire qu'il avait, dans les milieux des S.S., « par son courage et par d'autres qualités, un ascendant et un prestige que, nous Français, nous ne pouvons pas mesurer », et le colonel Paillole évoquera « le destin hors série de " l'archange du mal ", génie du renseignement et de l'action politique clandestine [1] ».

Arrivé à Paris, Heydrich a décidé de recevoir, outre le général Oberg, Darquier de Pellepoix, commissaire général aux Affaires juives, Hilaire et René Bousquet, secrétaires généraux au ministère de l'Intérieur [2].

On sait qui est Heydrich.

René Bousquet — 33 ans — est préfet de la Marne lorsque, en avril 1942, Pierre Laval le convoque à Vichy. Depuis septembre 1940, il occupe son poste en menant, avec ténacité et succès, une action anti-allemande quotidienne qui est le fait de nombreux préfets, mais également une action antivichyssoise qu'il manifeste en protégeant les juifs, les communistes, les francs-maçons, et cette double action sera reconnue, en juin 1949, par la Haute Cour de justice qui l'acquittera du chef d'atteinte aux intérêts de la défense nationale et le relèvera pour actes de résistance d'une peine de cinq ans de dégradation nationale.

Aussi est-ce sans aucun enthousiasme qu'il finit par accepter, au ministère de l'Intérieur, le poste de secrétaire général à la police [3].

— J'ai besoin d'un fonctionnaire musclé pour tenir tête à Paris, aux Allemands, et j'ai besoin d'un fonctionnaire républicain pour m'aider, dans la mesure du possible, à remettre de l'ordre à Vichy.

Cette phrase de Laval, qui résume une longue conversation au cours

---

1. *Dictionnaire de la Seconde Guerre mondiale.*

2. Il refusera d'accorder un entretien à Laval. Il ne vient pas pour discuter mais pour imposer.

3. Tant au cours de l'instruction qu'au cours du procès Bousquet, un long débat devait s'instaurer sur la véritable étendue des pouvoirs de l'accusé. Pour le procureur général Frette-Damicourt, René Bousquet était, en théorie et en droit, « le chef suprême de l'ensemble de la police française », tandis que René Bousquet affirmait n'avoir eu sous son autorité que la direction générale de la police nationale au ministère de l'Intérieur, les services extérieurs restant placés sous l'autorité des préfets.

de laquelle il a été question de l'entretien avec Goering, des menaces qui planent sur la France et de la volonté du chef du gouvernement de contenir les ambitions des partis de la collaboration, entraînera finalement l'adhésion de Bousquet.

Le 6 mai, à Paris, ce sont donc deux hommes jeunes, intelligents et tenaces, également habitués au commandement et à la discussion, qui vont s'affronter durant plusieurs heures en présence d'Oberg et de plusieurs officiers allemands[1].

Que désire Heydrich ?

Non seulement que le général Oberg, qui a « la responsabilité de tout ce qui touche à l'ordre public et à la sécurité intérieure dans la zone occupée », soit scrupuleusement obéi de l'administration française, « conformément aux droits qui appartiennent à la puissance occupante », mais encore que la police française, avec laquelle jusqu'alors les Allemands n'ont pas eu de contacts directs, soit entièrement réorganisée car « la répression en matière politique notamment ne peut être assurée dans des conditions satisfaisantes, avec le concours des éléments actuels ».

Pour mettre rapidement sur pied une « police nouvelle », spécialisée et composée de militants offrant toutes garanties, il sera nécessaire, dit encore Heydrich, de désigner des responsables choisis « hors de l'administration et recrutés, comme les forces dont ils disposeront », soit au sein des partis de la collaboration, soit au sein d'un parti unique, dont Hitler — puisque Heydrich parle en son nom — se dit prêt à accélérer la réalisation.

Ces décisions, qui légitiment certains des arguments employés par Laval pour justifier son retour, auraient pour conséquence de dépouiller le gouvernement français de quelques-uns de ses pouvoirs essentiels, transférés aux chefs des partis de la collaboration, c'est-à-dire, avant tout, à Jacques Doriot, qui a entrepris, depuis le début d'avril, un véritable « tour de France » du pouvoir. René Bousquet s'en indigne et déclare à Heydrich qu'il ne comprend pas les raisons de sa convocation.

— J'ai le sentiment que la notification qui m'est faite met, dans le même temps, fin à l'exercice de mes fonctions.

1. De 17 heures à 22 heures environ. C'est grâce aux révélations faites par René Bousquet, lors de son procès, que les historiens ont été informés de la teneur de cette conversation.

Homme neuf, s'adressant à un homme qui vient pour la première fois en France, René Bousquet, peu à peu gagné par l'importance de son sujet, se remémorant tous les problèmes vécus comme préfet de la Marne et n'ayant pas d'autre solution (c'est son mot) que de se montrer courageux, va faire le procès de l'occupation sur un ton qui, au fil du discours, deviendra de plus en plus violent jusqu'à atteindre les limites de l'exaspération.

— Moi qui ne suis pas un collaborateur, moi qui n'approuve pas votre régime, qui suis un fonctionnaire français, qui ne peut être qu'un fonctionnaire français défendant la convention d'armistice, je vous dis que vous nous placez dans l'impossibilité de demeurer à notre poste. Pourquoi nous demander, pourquoi nous imposer des choses que, vous Allemands, vous ne feriez pas ?...

A ce moment, dans un geste, imprévisible sans doute pour un Français, mais comme, en d'autres circonstances, et par exemple face à d'anciens combattants de la Grande Guerre, les Allemands ont pu en avoir sans que cela modifie nécessairement leur comportement final, Heydrich se lève, se met au garde à vous et dit :

— C'est un langage d'homme, monsieur Bousquet, je comprends, en effet, quelle est votre émotion. Mais, alors, que proposez-vous ?

Bousquet, qui croit pouvoir saisir cette « manifestation de sympathie [1] », pour obtenir une atténuation des conditions d'occupation, réplique :

— Je n'ai rien à proposer. Vous me faites venir ; je vous dis simplement que tout ce que je viens d'entendre, c'est de la folie, que le problème français est à l'inverse de tout ce que vous venez d'exprimer, que le problème n'est pas de savoir nous mettre en tutelle, que le problème est d'arriver à mettre fin à toute une série d'exactions que les services allemands commettent sans cesse en zone occupée.

Après avoir longuement évoqué le drame des représailles, après avoir même raconté comment, en uniforme de préfet, il est allé porter des fleurs tricolores sur la tombe de deux otages, Bousquet dit des mots qu'à plusieurs reprises, au cours de la conversation, il répétera avec des variantes de peu d'importance.

— Les mesures que vous prenez ne sont pas à la hauteur d'un grand pays ni d'un régime puissant ; ce sont les mesures d'un pays qui

1. Ce sont ses mots lors de son procès

redoute l'avenir ; ce sont des gestes d'exaspération et des gestes absolument inutiles.

Après une interruption de séance de dix minutes environ, au cours de laquelle il est vraisemblable qu'il a pris contact avec Berlin, Heydrich revient pour déclarer :

— Monsieur Bousquet, j'ai appris beaucoup. Vous êtes courageux. Vous m'avez parlé, dans des conditions qui m'ont ému, des questions des otages et des représailles. Je crois, en effet, qu'il faudrait mettre fin aux otages et aux représailles, mais je ne peux pas, moi, prendre d'engagement. Tout ce que je peux vous dire, c'est que, venu à Paris pour appliquer un ordre du chancelier d'Allemagne, j'accepte que cet ordre soit différé. Je vais aller rendre compte à Berlin.

Heydrich ne reviendra pas à Paris. A Prague, le 27 mai 1942, il sera blessé mortellement par des parachutistes tchèques venus de Londres, mais Bousquet exploitera sa conversation — qui a eu plusieurs témoins allemands — pour limiter, dans la mesure du possible, les représailles décidées en application du code des otages [1].

Sur ce que devait être ensuite sa rencontre avec Oberg, Bousquet déclarera plus tard :

— Ce qui m'a sauvé et ce qui a sauvé bien d'autres Français, c'était la possibilité que j'avais de dire, parlant d'un homme qui était mort [Heydrich] : « Lui m'avait compris !... » Ce qui était une manière de dire : « Vous autres, vous ne comprenez rien !... S'il était là, s'il était devant moi, il me comprendrait. Cet homme était venu avec mission d'appliquer un ordre d'Hitler. Eh bien, il a compris qu'il ne le fallait pas, qu'il ne devait pas le faire. Par conséquent, vous qui déclarez être ses fidèles, ses disciples, soyez au moins aussi intelligents que lui et essayez, avec moi, de comprendre que la situation de la France est devenue intolérable. »

De cette lutte menée pied à pied pour faire en sorte que la police française ne se trouve jamais directement engagée aux côtés de la police allemande, qu'elle n'ait pas obligation de désigner des otages, que les ressortissants français, coupables de délits POLITIQUES et de

---

1. Code qui fait suite aux premiers attentats, ceux d'octobre 1941. Le même jour, le 25 octobre, Pucheu, ministre de l'Intérieur, prescrit aux préfets de fournir les listes d'otages réclamées par les *Feldkommandanturen,* tout en attirant l'attention des autorités allemandes sur l'impossibilité dans laquelle les préfets se trouvent de désigner eux-mêmes des otages susceptibles d'être exécutés.

délits de droit commun, non directement dirigés contre l'armée et les autorités d'occupation, soient jugés par les autorités administratives ou judiciaires françaises, selon la loi française, et que les décisions d'Hitler transmises par Heydrich le 6 mai se voient, sinon annulées, du moins légèrement adoucies, quels vont être les résultats ?

Il est très difficile de dire ce qui a été épargné si l'on sait ce qui n'a pu être sauvé. Et ceux qui n'ont pu être sauvés.

Bousquet affirmera cependant avoir obtenu la grâce de vingt otages en déclarant aux Allemands qu'ils ne pouvaient être exécutés en représailles d'attentats commis, quelques jours plus tôt, sous le gouvernement Darlan, alors que maintenant Laval vient de prendre le pouvoir ; puis de cent autres, en rappelant à Oberg son entretien avec Heydrich.

Mais on ne saurait retenir pour valable l'affirmation de Marion à son procès : « Un fait : l'arrivée de Laval au pouvoir a détendu les questions allemandes pendant quelques mois. Plus de fusillades d'otages. »

Le mois de mai 1942 est d'ailleurs, en zone occupée, un mois d'activité résistante assez intense. Pour Paris, huit attentats importants ont lieu contre les installations occupées par les troupes allemandes ou contre des soldats ennemis [1] et, dans certains départements normands, les F.T.P. se manifestent par des attaques de détachements allemands et des sabotages [2].

En représailles, et pour Paris seulement, cinq otages sont fusillés le 8 mai, quinze le 19, quinze le 23 et, parmi ces otages, se trouvent des hommes comme Politzer, Solomon, Daniel Decourdemanche (Jacques Decour), Cadras, Dallidet, cependant que « trente communistes, juifs

1. C'est également en mai (le 31) qu'auront lieu les manifestations de la rue de Buci, organisées par le parti communiste. Cf. *Le Peuple réveillé*, p. 301 et suiv.

2. Il existe en revanche des départements où l'activité militaire de la Résistance est presque nulle. En Gironde, par exemple, pour les mois d'avril, mai, juin, juillet, août, septembre 1942, soit en six mois, les rapports préfectoraux signalent seulement deux attentats non mortels contre des officiers ou soldats allemands et six attentats contre les biens de l'armée d'occupation, dont quatre pour le seul mois de mai.

A Langon, en franchissant en fraude la ligne de démarcation, un agent venu de Londres blessera cependant mortellement trois douaniers allemands avant de se suicider par le poison.

Toujours pour la Gironde, pendant ces six mois de l'année, on dénombrera cinq exécutions d'otages (le 30 avril) et huit exécutions pour détention d'armes ou espionnage.

et personnes sympathisantes » ont été exécutés à Caen après le déraillement de trains de permissionnaires allemands.

L'intensification de la lutte des communistes contre les forces d'occupation n'est pas niable, pas plus que n'est niable l'intensification de la lutte anticommuniste. Au sein du Parti, elle conduira d'ailleurs Auguste Lecœur à exiger brutalement de tous ses camarades qu'il soit mis fin aux « méthodes criminelles de facilité et de paresse qui avaient coûté la liberté et la vie » à grand nombre de militants.

Le 10 juillet, paraîtra — sous la signature d'Oberg — ce texte allemand qui, sous la dénomination de « peine de familles », rend tous les proches parents d'un saboteur non capturé responsables de l'attentat et les frappe des peines qu'il aurait dû subir. Bien que non appliqué dans toute son effroyable rigueur ce document donne une idée des moyens utilisés pour la répression.

> 1. Tous les proches parents masculins en ligne ascendante et descendante, ainsi que les beaux-frères et cousins à partir de dix-huit ans seront fusillés ;
> 2. Toutes les femmes du même degré de parenté seront condamnées aux travaux forcés ;
> 3. Tous les enfants, jusqu'à dix-sept ans révolus, des hommes et des femmes frappés par ces mesures seront remis à une maison d'éducation surveillée.

Vichy, de son côté, par les lois du 7 et du 20 août, rendra passible de la peine de mort la détention d'explosifs, la constitution de dépôts d'armes et l'usage d'un émetteur de radio clandestin.

Terrible mois d'août au cours duquel se multiplient attentats et représailles. A Paris, manifestation organisée au marché de la rue Daguerre par le parti communiste pour protester contre le mauvais ravitaillement et au cours de laquelle deux agents de police et un soldat allemand sont tués ; attaque d'une formation de la Luftwaffe qui se rend à sa culture physique matinale [1] ; attaque à la bombe d'un hôtel occupé par les Allemands près du métro Iéna ; assassinat de 2 soldats devant la caserne Tirpitz ; attentat contre un cinéma où Déat prend la parole [2], oui, mais aussi 93 otages exécutés le 11 août.

1. 2 soldats allemands tués, 15 blessés.
2. Un tué, 22 blessés.

Et 116 « terroristes communistes » passés par les armes au milieu de septembre, en représailles, notamment, de l'explosion qui a ravagé le Soldatenkino Palace, faisant 8 morts et 31 blessés.

Non, il n'est pas possible de suivre Paul Marion lorsqu'il affirme : « L'arrivée au pouvoir de Laval a détendu les questions allemandes pendant quelques mois. Plus de fusillades d'otages. »

Et comment les habitants de la région parisienne, qui ont interdiction totale de circuler le dimanche 20 septembre 1942 entre quinze heures et vingt-quatre heures, pourraient-ils soupçonner que le climat des relations franco-allemandes est à la détente [1] ?

Si la presse de la collaboration a accueilli avec des cris de triomphe le retour de Laval, la presse de la résistance communiste et non communiste laisse éclater sa stupéfaction et sa colère. Dans le numéro du 11 avril 1942 de ***Libération,*** François Berteval (qui est le socialiste Christian Pineau) avait écrit des lignes témoignant des hésitations de l'époque et du crédit que certains opposants faisaient encore — malgré tout — au Maréchal comme à l'homme du moindre mal. « Il faut choisir. Si vous le faites, monsieur le Maréchal, nous saurons oublier tout : votre terreur blanche, nos camarades exécutés, votre lâcheté de deux ans. Nous serons derrière vous. »

Mais, le 18 avril, le ton de Christian Pineau a totalement changé. « Maintenant, nous y sommes. Après deux ans d'atermoiements, d'enfantillages étoilés, de roses mascarades, voici que la guerre tombe sur Vichy comme un rideau de fer... Nous n'avons plus de gouvernement, pas même l'ombre fatale des généraux impuissants et des tartufes sans courage. L'Etat français est mort. Vive la nation. »

Et, à une réunion de Combat qui suit le retour de Laval, l'énervement sera si vif que Pierre-Henri Teitgen proposera qu'en représailles il soit demandé aux Anglais de venir bombarder Vichy !...

---

1. Evoquant les mesures prises à Paris et qui ont permis, selon elle, « de protéger contre les terroristes des populations qui ne demandent qu'à travailler dans le calme », *L'Œuvre* du 21 septembre décrira en ces termes le spectacle de la rue : « Bientôt, on ne rencontrait plus, en dehors de la police et des soldats de l'armée d'occupation, que des médecins, des travailleurs des transports et du ravitaillement qui, de cent mètres en cent mètres, étaient priés de montrer leurs laissez-passer spéciaux et leurs cartes d'identité. »

Les résistants ne sont pas les seuls à s'émouvoir et à imaginer le pire. Des hommes qui ont longtemps suivi Pétain se détachent.

Elles sont de l'armateur Jean Fraissinet, membre de ce Conseil national que le chef de l'Etat avait créé par la loi du 24 janvier 1941 mais dont les peu fréquentes réunions et les très discrètes prises de position ne pouvaient établir un véritable lien entre Vichy et les Français[1], ces phrases désabusées extraites d'une lettre du 22 avril 1942 adressée au Maréchal :

> « J'ai longtemps lutté contre moi-même. Je voulais douter de ce qui me paraissait être l'évidence. Contre vents et marées, je voulais espérer encore. Chaque fois que vous me faisiez l'honneur d'une audience, je retrouvais ma foi. Mais de récents événements, le pullulement d'indices concordants ont aggravé l'ébranlement de cette foi.
>
> « Je ne crois pas notamment au dilemme dans lequel le chef du gouvernement déclare vouloir enfermer sa politique extérieure. Malgré votre présence, la France évolue vers un nouveau destin et cette évolution me paraît se poursuivre sur des plans fort éloignés de vos positions de départ et certainement non moins éloignés de mes convictions profondes[2]. »

Parmi les centaines de milliers de Français qui, le 1er mai, vont manifester en zone non occupée, en se rassemblant sur les places publiques à Lyon[3], Nice, Toulouse, Saint-Etienne, Clermont-Ferrand, Sète, Avignon, avec un tel élan (la vaillance individuelle se décuplant par contagion) que Jean Moulin, dans son rapport à Londres, pourra dire qu'il s'agit de la « première manifestation concertée au sein de la Résistance... organisée par le mouvement

---

1. Le 22 mars 1941, le Maréchal ayant signé le décret d'application de la loi du 24 janvier, le Conseil national, qui réunit 192 membres, peut commencer à fonctionner.

Le travail se fait à l'intérieur des Commissions spécialisées, mais le Conseil national, n'ayant que voix consultative, n'obtint une véritable audience ni auprès du Maréchal et des ministres ni auprès des citoyens et, à partir d'avril 1942, il cessera de se réunir.

2. Le 23 juin 1942, c'est-à-dire au lendemain du discours de Pierre Laval et à cause de ce discours (*cf.* p. 93), M. Fraissinet donnera sa démission de membre de la Légion française des combattants et de la Révolution nationale.

3. Selon le préfet, il y aurait eu 100 000 manifestants à Lyon.

ouvrier », combien, quelques mois plus tôt, acclamaient encore Pétain ?

Des foules assemblées, les cris qui jaillissent, il est vrai, ne visent pour l'instant que Pierre Laval.

Ce Pierre Laval à qui, le 27 mars, le général Speidel avait dit :

— Ne revenez pas, vous ne pourrez rien obtenir de nous », ce Pierre Laval dont les Américains, qui ne nourrissent plus d'illusions, se détournent, que les Anglais accablent et dont le retour au pouvoir va faire que leur débarquement à Madagascar, alors possession française, se déroulera, à partir du 5 mai, dans l'indifférence générale [1], ce Pierre Laval que les extrémistes allemands et français de la collaboration commencent à critiquer si vivement que la presse de la résistance, elle-même, en prendra conscience [2].

Ce Pierre Laval, enfin, que son discours du 22 juin en faveur de la Relève des prisonniers, donc des départs d'ouvriers français pour l'Allemagne, mais aussi, mais surtout en faveur de la victoire allemande, va totalement couper de l'opinion française et enfermer dans une tragique solitude.

---

1. Au contraire de ce qui s'était passé, un an plus tôt, en Syrie. Après une résistance qui coûta à la marine française 114 tués et disparus et à l'armée 180 morts, les combats cessèrent à peu près complètement, les Anglais se contentant pendant longtemps d'occuper Diego-Suarez.

2. Dans le numéro du 3 juin de *Libération*, on trouve, en effet, ces mots : « Ils [les Allemands] l'ont, à diverses reprises convoqué à Paris, lui rappelant qu'il n'est pas un homme indispensable et que l'équipe Doriot-Déat est déjà prête à le remplacer et à faire régner sur le pays un régime de terreur. »

12

« JE SOUHAITE LA VICTOIRE DE L'ALLEMAGNE PARCE QUE... »

« La guerre est en quelque sorte un moyen légitime d'acquérir des esclaves. »

ARISTOTE.

Plus encore que des soldats, la guerre moderne exige des travailleurs. Hitler l'a toujours su. En juin 1939, alors que le conflit mondial n'a pas encore éclaté, le Conseil de défense du Reich prévoit d' « importer » des centaines de milliers de Tchèques. Quelques semaines plus tard — le 27 août —, le Führer demande à Mussolini des travailleurs italiens. Ce sera, précise-t-il, « dans cette lutte difficile, la meilleure aide que vous et votre peuple puissiez me donner ».

Cependant, la rapidité des victoires de Pologne, de Norvège, de Hollande, de Belgique et de France ; l'immense butin saisi ; la mise à la disposition de l'économie du Reich des économies des cinq pays vaincus ; la modicité des pertes allemandes en hommes comme en matériel, tout va contribuer à masquer longtemps la gravité des problèmes qui se poseront fatalement à l'Allemagne lorsqu'il lui faudra passer de la guerre éclair à la guerre longue contre des adversaires démographiquement toujours plus nombreux et industriellement toujours plus puissants.

Ce n'est qu'après les premiers mois de l'offensive contre la Russie soviétique qu'apparaîtront clairement les besoins de l'armée et de l'industrie et que naîtra l'inquiétude. Pour lutter contre l'espace et contre les armées russes, l'Allemagne a besoin de machines que ses hommes, mobilisés, ne sont plus en état de construire. Par la conviction ou la force, il lui faut donc rassembler sur son sol des millions de travailleurs étrangers dont le labeur retardera le drame final, mais ne l'évitera pas.

Elle reprendra donc les traditions de la guerre précédente. Dans la zone occupée en 1914-1918 — et ces souvenirs ont, en 1940, accéléré l'immense mouvement de l'exode — l'occupant avait, en effet, non seulement évacué les populations civiles qui se trouvaient proches du front, mais les avaient déportées et utilisées à son gré. Des hommes de Chaulnes, envoyés en Allemagne retrouvèrent ainsi 400 mobilisables de Fourmies, des habitants de Cateau-Cambrésis, de Bavay, de Lille, de Roubaix, de Tourcoing, de Douai. A partir de 1915, les ordonnances allemandes sur le travail forcé n'épargneront ni les jeunes filles de quinze ans, ni les gamins de douze ans condamnés à vivre dans des conditions d'insalubrité et de misère physiologique aggravées par la longueur de la guerre et des restrictions plus rudes encore pour les Français occupés que pour la population civile allemande [1].

Entre 1940 et 1944, c'est par étapes que les Français passeront du volontariat au travail obligatoire, de la signature donnée à la signature forcée.

Entre les 589 Français employés à la date du 1er décembre 1940 par la fonderie d'Essen et les 760000 ou 800000 travailleurs — il est impossible, on le verra, de s'accorder sur un chiffre — qui sont présents le 30 septembre 1944 sur le territoire du Reich, rien ou presque rien de commun. Des années se sont écoulées, modifiant les sentiments des uns, les exigences des autres.

Les Allemands, en occupant la France, ont mis à leur service son économie et son agriculture. Taux de change exagérément favorable au mark ; pillage individuel des magasins, collectif des entrepôts ; remise en route des usines de guerre ; prétentions sur la bauxite, l'aluminium, le phosphate, le charbon, le minerai de fer ; tout ce qui est comportement ordinaire du vainqueur, pressé de se payer de ses

1. Sur ce point, on lira avec intérêt l'excellent ouvrage de Marc Blancpain, *Quand Guillaume II occupait la France*.

fatigues et de se nourrir sur le pays vaincu, je l'ai dit dans mes livres précédents. Mais les hommes demeurent assez longtemps épargnés. S'il est vrai qu'à Lille 300 hommes ont été, en décembre 1940, arrêtés à la sortie des cinémas, puis « invités » à se présenter à la gare en vue de leur envoi en Allemagne, il est vrai, également, que, devant les protestations du gouvernement français, le départ prévu n'a pas eu lieu. Pas plus qu'il n'aura lieu à Douai et à Valenciennes d'où plusieurs travailleurs devaient être envoyés à Metz, c'est-à-dire dans une région annexée par l'Allemagne hitlérienne.

Si, à de très nombreuses reprises, à partir de l'automne 1940, la délégation française auprès de la Commission allemande d'armistice signale au gouvernement la désinvolture avec laquelle les occupants ferment des chantiers de reconstruction des ponts ou de déblaiement des immeubles sinistrés, pour obliger les ouvriers français ainsi débauchés à se rendre dans le Pas-de-Calais où Luftwaffe, Kriegsmarine, Wehrmacht construisent des aérodromes, des abris, des fortifications, ces contraintes que Vichy s'efforce de faire annuler [1] n'ont rien à voir avec celles qui vont suivre, et les Français, qui, au nombre de 850 000 [2] directement, et par millions indirectement, travaillent pour l'occupant, du moins ne quittent pas le sol natal.

A quelques très rares exceptions près (notamment dans la région de Dunkerque), les travailleurs qui partent de France le font d'abord volontairement. Alors qu'au 19 septembre 1940 le nombre des chômeurs s'élève à 1 060 000, dont plus de 500 000 pour la seule région parisienne, comment ne seraient-ils pas appâtés par de hauts salaires ?

Hauts salaires qui, dans un autre siècle, ont, également, constitué un argument. Lisez cette affiche rédigée, ou tout au moins signée, par des Allemands collaborateurs. Elle invite les citoyens de Mayence, occupée en 1793 par les armées de Custine, à répondre favorablement aux appels d'un service du travail français et républicain, désireux d'obtenir de la main-d'œuvre pour de futures fortifications :

---

1. François Lehideux, commissaire général au chômage, puis, jusqu'au 20 avril 1942, secrétaire d'Etat à la Production industrielle, refuse ainsi à plusieurs reprises de la main-d'œuvre aux occupants qui en réclament pour les travaux militaires à Beauvais (19 décembre 1940), Brest, Lorient, Châtellerault, Saint-Nazaire (29 décembre 1940), Brest et Lorient à nouveau (20 janvier 1941).

2. D'après Jackel, *La France dans l'Europe de Hitler* et pour le printemps 1942. Sur ces 850 000 Français, 170 000 sont employés dans les services de la Wehrmacht, 275 000 à la construction de fortifications, 400 000 à des fabrications d'armement.

« Croyez-vous que, si les Autrichiens et les Prussiens avaient pris Mayence, ils vous traiteraient aussi fraternellement ? Non ! Ils enverraient un détachement de soldats dans chaque village d'où les paysans ne viendraient pas volontairement. Au lieu d'argent, ils ne vous donneraient que des injures comme à des chiens. Les paysans du Trévisois, on les fait travailler aux remparts sans le moindre salaire ; les Français, au contraire, vous demandent votre travail en échange d'un bon paiement ; ils ne vous font pas de mal et il faut que nous apprenions que ce n'est pas de bon cœur que vous allez à l'ouvrage ! Pourquoi ?... N'aimez-vous pas mieux faire librement quelque chose que d'y être contraints par la force ?... »

Les Français de 1941 sont également soumis à une littérature journalistique qui, en zone occupée, présente le travail en Allemagne sous le jour le plus aimable. Bien avant la Relève et son orchestration de propagande, hebdomadaïres et périodiques parisiens insisteront sur l'égalité de traitement des ouvriers français, « reçus en qualité d'hôtes », et des ouvriers allemands.

Les lettres, publiées en nombre, célèbrent toutes les conditions de vie (nourriture appétissante et copieuse, salaire avantageux, confort du logement, camaraderie) faites aux travailleurs français. Et, tout d'abord, elles exaltent cette découverte : la douche pour tous et la propreté allemande.

Bitterfeld, 24/2/1941.

« Nourriture saine et abondante, chambre très propre, chauffée et pourvue d'une armoire. Les douches, lavabos, w.-c. mis à notre disposition sont d'une telle netteté que je dois avouer que c'est la première fois que je vois de telles installations... »

Berlin, 20/7/1941.

« (...) La première impression que j'ai éprouvée en arrivant à l'entreprise fut la bonne tenue et la mise propre et soignée des ouvrières et ouvriers allemands. »

Alex Laugé écrira : « Les vestiaires sont vastes et bien aérés ; pour nous nettoyer, car à Berlin, après le travail, on se nettoie, il y a des douches chaudes, des lavabos avec eau chaude, comme on n'en voit pas à Paris. »

Et Eva Leprun, qui travaille à Bad Cannstatt, ne tarit pas d'éloges sur sa patronne, « une grande dame très distinguée », qui, dès son arrivée, lui a fait prendre un bain dans sa baignoire.

A cette propreté allemande, certains (qui sont loin d'être tous des admirateurs inconditionnels de l'Allemagne) opposeront bientôt la saleté française. Un ouvrier, dont la lettre, en date du 12 juillet 1942, est publiée par l'hebdomadaire *Le Pont* et qui travaille à Berlin, s'est posté un samedi après-midi dans les lavabos de son camp. Sur les 100 Français qui ont défilé devant lui, 9 seulement ont pris une douche ; 11, torse nu, se sont lavé tête, poitrine, bras, mains, jambes et pieds ; 14 se sont lavé le visage, les bras, les mains ; 19 se sont lavé la tête, le visage, les pieds, les mains ; 42 se sont lavé le visage et les mains ; 5, seulement le visage sans retirer veste ni casquette.

Recensement fastidieux qui vaut ce qu'il vaut, qui entre, sans doute, dans le cadre de la propagande allemande, mais qui correspond trop à la réalité pour être passé sous silence.

« Vraie nourriture de rêve », « la cuisine est un bijou », « vous voyez donc qu'on n'est pas malheureux ; au contraire, on est mieux que chez nous », « le salaire moyen s'élève à 240 marks par mois, ce qui permet à l'ouvrier français sérieux d'économiser environ 150 marks par mois sans s'imposer de grandes privations. A ce jour, j'ai envoyé à ma femme 233 marks (4 460 francs) pour cinquante jours de présence ». Ces phrases, qui se font l'écho des thèmes les plus souvent rebattus, je les relève dans un petit opuscule intitulé *Lettres d'Allemagne écrites par des ouvriers belges et du nord de la France*, imprimé à Bruxelles, non daté, mais publié certainement avant juin 1942.

Mlle Jeannine Cardinet écrit-elle de Berlin le 12 mai 1941, c'est pour vanter la salle de restaurant « claire, nette et propre, des fleurs sur toutes les tables ». Le dimanche précédent, avec ses camarades d'Epernay, elle s'est rendue dans un « gentil petit café » où de jeunes Allemands les ont invités à leur table.

L'usine dans laquelle travaille Jacqueline Prévost offre à ses collaborateurs français « de jolies promenades aux alentours de

Berlin », ainsi que des billets de cinéma gratuits. Et *L'Illustration* du 31 janvier 1941 consacre un reportage important — illustré par trois photos — à l'histoire d'une jeune Française, que sa claire chevelure a fait surnommer « Mademoiselle Blondine », et qui se réjouit de vivre et de travailler à Berlin. Ce Berlin d'avant les grands bombardements que Pierre Empoux décrit avec un tel enthousiasme que sa lettre (vraie, arrangée ou inventée) est largement utilisée par les services allemands de propagande.

> « Je me plais bien à Berlin, la vie est belle, Berlin est joli et gai, il y a de la musique dans tous les cafés et tout le monde rigole, et l'on a de quoi manger ; je mange le matin en me levant, je casse la croûte à 9 heures ; à midi je mange une croûte, vers 4 heures une autre, en sortant de l'usine, le soir, je remets ça, et si je rentre tard encore une petite croûte avant de me coucher ; on a des cartes pour tout... »

Le problème de la nourriture, traditionnellement important pour les Français, l'est davantage encore en période de restrictions. Aussi, Marc Augier, en reportage pour *La Gerbe* dans une usine de l'A.E.G. où travaillent 177 Français et 22 Françaises, lui consacre-t-il, le 27 mars 1941, un éloquent passage. Il fait connaître à ses lecteurs le menu du repas qui a été servi à ses voisins de table, des ouvriers français et allemands : bouillon, morceau de viande « large comme la main », ragoût de pommes de terre et de choux. « Aucun pays du monde ne sait accommoder les choux comme l'Allemagne... Nous avons repris quatre fois des choux, sans que le rouge nous monte au visage : la consommation des légumes est d'ailleurs libre. Une marmelade termine ce repas qui est taxé un demi-mark, c'est-à-dire trente minutes de travail pour l'ouvrier. »

On comprend que le 100 000ᵉ ouvrier français volontaire pour l'Allemagne, ce pays de cocagne, ait été fêté par la presse de la collaboration !... Il s'appelle Edouard Lefèvre et *Le Cri du peuple* publie, le 20 novembre 1941, sa photo sur trois colonnes. Le poing sur la hanche, le visage ne respirant pas l'intelligence, le béret vissé sur le crâne, l'homme « s'entretient », comme le précise la légende de la photo, avec deux officiers allemands qui le dépassent d'une tête et qui doivent avoir hâte que prenne fin la corvée. Ou la comédie.

Bien avant juin 1942, des tracts à l'intention des travailleurs français précisent donc :

> *Que vous est-il demandé ?*
> *de travailler dans la dignité,*
> *de travailler le plus possible.*
> *En France, si vous y avez du travail*
> *En Allemagne, si la France ne peut momentanément pas vous occuper.*
> *Qu'importe le lieu de travail !*

et, à l'intention des femmes françaises, la propagande rappelle que « le chômage, pour [les] fils, pour [les] maris, pour [les] fiancés », c'est la ruine des familles et du pays. Dans la perspective de la mise en train du programme de « répartition rationnelle de la main-d'œuvre » que prépare le gouvernement et qui rendra « disponible un grand nombre de travailleurs », il leur est demandé d'inciter leurs époux ou leurs fils à se renseigner auprès de l'Office de placement allemand sur les possibilités offertes par un vainqueur dont la générosité, on l'a vu, est sans cesse et partout célébrée.

Reprenant les thèmes déjà exploités dans les lettres des volontaires, des affiches insistent sur l'égalité des salaires, sur la liberté de correspondance [1], le droit aux congés payés, les avantages sociaux (allocation pendant huit semaines aux familles nécessiteuses).

Même travail, même salaire, mêmes droits

Trois idées systématiquement reprises et parfois non sans intelligence de la psychologie des occupés comme dans ce texte intitulé « Un ouvrier allemand te parle ».

> Travailleur français ! L'ouvrier allemand te parle !
> Son langage est dur, comme la loi de son travail. Il ne veut être ni ton ennemi ni ton ami, il connaît ta situation *et il sait que tu*

1. Il est cependant précisé que les lettres ne peuvent dépasser quatre pages.

doutes de la sincérité de beaucoup de paroles et d'écrits[1]. Pourtant, il t'invite à la réflexion : prêteras-tu l'oreille à la propagande juive ou à ses paroles ? Il s'en remet à ta décision... Il [le travailleur allemand] ne t'apporte ni programme ni résolution, il t'apporte du travail et du pain. »

« Le spectre du chômage hante tes nuits... » L'image est utilisée d'autant plus cyniquement que tous les préfets de zone occupée signalent, à partir de février 1942, que la propagande massive faite auprès des chômeurs s'accompagne de fermeture d'usines ou de refus d'allocations aux chômeurs qui boudent « l'invitation » au voyage en Allemagne.

Février-mars 1942... C'est le moment des premiers bilans désastreux. En Russie, certaines divisions du 2e corps d'armée, qui se bat entre Leningrad et Moscou, ne comptent plus que 5 000 soldats et les compagnies 50 hommes ; le froid se montre plus redoutable que le feu des Russes et l'O.K.W., au 31 mars, a dû rayer des effectifs combattants plus d'un million d'hommes, dont 223 553 tués, 799 389 blessés et 51 663 prisonniers, cependant que la campagne d'hiver a ruiné la Luftwaffe obligée de ravitailler les armées dans des conditions atmosphériques détestables, qui ont entraîné la perte de nombreux appareils difficilement remplacés.

Cette aviation allemande qui avait frappé de stupeur le monde et disloqué tant d'armées adverses, voici, en effet, qu'elle manque d'appareils : la production stagne : 11 800 appareils construits en 1941 contre 10 800 en 1940 et 8 300 en 1939, cependant que les usines américaines, d'où n'étaient sortis que 2 195 avions de guerre en 1939, en ont fabriqué 19 445 en 1941 avant d'atteindre le chiffre fabuleux de 95 272 en 1944[2].

Le temps approche donc où, en France, le volontariat se révélera

1. Je souligne intentionnellement.

2. Voici d'ailleurs les nombres d'avions construits par les différents belligérants pendant les années de guerre. A eux seuls, ils expliquent la défaite

insuffisant aux yeux d'occupants soucieux d'augmenter rapidement la capacité de production de leurs usines.

Ces volontaires, quel a, d'ailleurs, été leur nombre entre août 1940 et juin 1942 ? Officiellement, les Allemands annoncent 184652 ; les journaux de l'époque écrivent 150000, mais l'administration française n'en recense que 82000 à la date du 1er juin 1942 (alors que le départ du 100000e a été fêté en novembre 1941 !). Certains auteurs[1] écrivent même 62000 mais ils arrêtent leur recensement en mars 1942, alors qu'à la même date 134000 Hollandais, 122000 Belges, 63000 Danois se sont déjà portés volontaires pour le travail en Allemagne[2].

184652 ? 150000 ? 82000 ? 62000 ? Il est impossible de faire un choix entre des chiffres aussi différents. Faut-il également admettre, avec l'administration française, que, sur 82000 volontaires, 45000 permissionnaires ont « oublié » de revenir dans leur usine allemande, ce qui ramènerait à 37000 seulement le chiffre des Françaises et des Français présents en Allemagne en juin 1942 ?

Même si ce dernier chiffre — 37000 — me paraît inférieur à la réalité, il témoigne en tout cas de l'indifférence ou de l'hostilité de Vichy face à l'offensive de séduction des officines de recrutement hitlériennes.

Il n'en reste pas moins que les Allemands, même si leur supériorité

---

allemande et illustrent la capacité de progression géométrique des usines américaines.

	Allemagne	*U.S.A.*	*G.-B.*	*U.R.S.S.*
1939	8300	2195	7000	
1940	10800	6028	15000	
1941	11800	19445	20100	
1942	15600	47675	23671	8000
1943	25550	85443	26263	18000
1944	39800	95272	29220	30000

Etats-Unis et Grande-Bretagne fourniront 25000 avions, dont 10000 chasseurs, à l'U.R.S.S.

1. Jacques Evrard, notamment, d'après des sources allemandes.

2. Imprécision des chiffres. D'après l'Institut Hoover (p. 40), le nombre des travailleurs français aurait été de 153000 en juin 1942, mais 77000 seulement seraient au travail. Il y aurait eu, à la même époque, 300000 Italiens, 140000 Tchèques, 131000 Belges, 96600 Hollandais

militaire leur fait oublier, sur l'instant, toute notion d'urgence, présentent leurs exigences.

Vichy doit tout d'abord à leur demande modifier une loi du 13 septembre 1940 conçue contre l'Angleterre et contre de Gaulle, mais que l'administration utilisait contre l'Allemagne puisqu'elle interdisait aux Français de s'expatrier pour s'employer dans des usines de guerre. Vichy doit accepter qu'en zone occupée les services de recrutement allemands soient considérés comme des employeurs ordinaires, mais René Belin, secrétaire d'Etat au Travail, qui s'opposera toujours aux exigences allemandes[1], précise que seuls les chômeurs peuvent être volontaires pour l'Allemagne. Quand l'occupant « suggère » que le temps de travail hebdomadaire soit augmenté, ce qui aggravera le chômage, Belin et le gouvernement le réduisent à 35, 32, voire 28 heures.

Sans doute, avec le temps, René Belin se verra-t-il contraint d'assouplir ses positions. Encore le fera-t-il avec le maximum de discrétion, conservant, par exemple, un caractère ***strictement confidentiel*** à sa note du 29 mars 1941[2] qui prévoit, pour les volontaires, la garantie de l'ancienneté de service dans l'emploi occupé en France, huit semaines d'allocation temporaire aux familles et qui s'achève sur ces mots : « L'Allemagne contribue à la diminution du chômage en France en donnant aux travailleurs qui y demeurent la possibilité de travailler en Allemagne... Il convient de collaborer loyalement avec les services allemands dans leur effort pour recruter la main-d'œuvre. »

Phrase de circonstance, concession de style inévitable, dira plus tard Belin. C'est plus que vraisemblable.

Evoquant à son procès, le 20 juillet 1948, la visite qu'il fit à Vichy, en octobre 1941, Gaston Bruneton, qui devait devenir le premier directeur du service de la main-d'œuvre, allait déclarer :

— Je vis successivement les différents services de Vichy ; tous me dirent que la question (celle de la vie et du travail des volontaires) ne les intéressait pas.

---

1. René Belin sera mis hors de cause, le 29 janvier 1949, par un arrêt de la Commission d'Instruction de la Haute Cour et sans avoir eu à comparaître

2. Les Allemands espéraient et souhaitaient qu'elle soit largement répercutée afin qu'elle contribue à accélérer le recrutement. La circulaire Belin ne paraîtra au *Journal Officiel* qu'un an après sa rédaction (1er avril 1942)

Et il est exact que Belin ne participera nullement aux travaux qui aboutiront à la loi du 26 mars 1942 et à la création du service de la main-d'œuvre française en Allemagne [1].

Beaucoup plus encore que de la volonté allemande, ce service naîtra de l'initiative de Gaston Bruneton, ingénieur-conseil passionné de social, chrétien mystique et naïf, animé du goût du risque et de l'engagement [2]. Responsable de l'usine familiale de Gennevilliers, Bruneton a participé à des conférences organisées par les services économiques allemands et il a pris contact avec des permissionnaires français déçus de n'avoir trouvé, en Allemagne, ni aide matérielle ni aide morale. Après avoir bombardé un Vichy totalement indifférent de notes sur « ce qu'il faudrait faire », Bruneton s'est trouvé tout naturellement conduit à solliciter des Allemands la possibilité de visiter des camps de travailleurs français. Ce qu'il a vu, en octobre et novembre 1941, dans une douzaine des camps mal organisés où les Français se trouvent livrés au bon vouloir de délégués P.P.F. et R.N.P. [3], l'encouragera à réclamer avec plus d'insistance encore que soit enfin créé un service social qui, obligatoirement et même si telle n'était pas l'intention première, servira cette politique de recrutement pour l'Allemagne que Bruneton fournit inconsciemment en arguments.

Sous la signature du capitaine de corvette von Tirpitz, un rapport de l'automne 1941 indique notamment que les relations de Bruneton avec le délégué aux chantiers maritimes auprès de l'amiral commandant en France sont excellents. Il dépeint l'industriel non seulement comme un « ami de la collaboration », mais surtout comme un homme qui a une « attitude positive à l'égard de l'embauchage d'ouvriers français pour l'industrie allemande ».

---

1. Ce service sera placé sous le contrôle de M. Benoist-Méchin.
2. Le mysticisme de Bruneton sera considéré comme une explication et comme une excuse par la Haute Cour de justice qui, en juillet 1948, tiendra également compte de sa très belle conduite pendant la guerre de 1914-1918. Lieutenant d'infanterie, observateur pour l'artillerie, Gaston Bruneton s'était fait attacher dans un arbre le 1er juillet 1915 pour pouvoir continuer son observation « quoi qu'il arrive ». Grièvement blessé quelques heures plus tard, il obtint à cette occasion la troisième de ses sept citations. Bruneton sera condamné à quatre ans et six mois de prison.
3. Ces délégués (avant tout des militants politiques) sont au nombre de 500 lorsque Gaston Bruneton entre en fonction.

« L'assistance aux chômeurs en France n'a pas, suivant la conception de Bruneton, poursuit le texte allemand, saisi le problème dans toute son envergure.

Elle se contente d'employer les chômeurs dans des travaux publics comme la construction des routes, l'abattage du bois dans les forêts, etc.

Pour se conserver une corporation ouvrière, il est nécessaire, de l'avis de Bruneton, que celle-ci, si elle manque de travail, soit employée dans des entreprises correspondantes. Si, durant des années, des ouvriers qualifiés se trouvaient employés à un travail non spécialisé et si on faisait pour les jeunes aussi peu que ce qu'on fait aujourd'hui, cette corporation ouvrière mourrait et, en même temps surtout, la production de qualité de la France. »

Ce thème, dont Bruneton est incontestablement l'un des inventeurs, la propagande de la collaboration le reprendra. Il deviendra, dans *Paris-Soir :* « Les bons ouvriers savent à quel point un long chômage leur est nuisible en risquant de leur faire perdre la main. »

De même, Bruneton, nommé le 6 avril à la tête du service de la main-d'œuvre française en Allemagne, fait-il, à l'occasion d'un voyage en Allemagne, des déclarations qui anticipent sur ce que, bientôt, Pierre Laval dira avec davantage de vigueur. Devant ses délégués — ils ne sont encore que sept — et les officiers allemands, il parle en effet du « creuset où se fait l'Europe », du « continent uni auquel nous aspirons », qui ne se réalisera que grâce au « coude à coude du travail ».

Ce ne sont, on l'imagine, ni les articles de la presse de la collaboration ni les propos d'un Bruneton qui incitent l'Allemagne à exiger de la France, et plus encore des autres pays vaincus, davantage d'hommes mais, avec la découverte des ravages provoqués par la campagne d'hiver en Russie, celle du désordre qui règne dans les services du ministère du Travail et de l'inefficacité relative d'une industrie d'armement dont le ministre Speer, qui a remplacé Todt en février 1942, écrira qu'elle était restée « au stade artisanal ».

Jugement qui aurait fort surpris les vaincus de 1940 mais qui est exact si l'on compare l'industrie allemande à cette industrie américaine dont, toujours selon Speer, la puissance était soit ignorée, soit sous-estimée d'hommes que l'on aurait pu croire tout occupés de la guerre et qui, en 1942 encore, faisaient, pour leur plaisir et pour leur gloire, bâtir de vains monuments[1].

Aussi n'est-ce pas un hasard mais presque un symbole si la nomination de Fritz Sauckel comme « plénipotentiaire au recrutement et à l'emploi de la main-d'œuvre » intervient le 21 mars 1942. Le jour où débute le printemps et où la Wehrmacht peut espérer en avoir terminé avec les horreurs de l'hiver russe.

Lorsqu'Hitler informe Sauckel de sa nomination, il lui fait observer qu'il ne devrait plus exister de problème de main-d'œuvre pour l'Allemagne et lui rappelle ce qu'il avait déjà déclaré le 9 novembre 1941 :

— Les territoires qui travaillent directement pour nous comprennent plus de 250 millions d'hommes ; il est un fait certain, c'est que nous devons parvenir à atteler ces hommes au travail sans ménagement.

Sans ménagement... C'est un mot d'ordre que Sauckel n'aura aucune peine à faire sien.

Parlant du « plénipotentiaire au recrutement », Laval dira qu'il n'a jamais connu interlocuteur aussi rude. Court sur pattes, grossier de traits, de langage, de caractère et d'âme, accusant de trahison tous ceux qui lui résistent (il n'hésitera pas à dire de Laval qu'il fait « du sabotage pur et simple »), sans aucune subtilité politique et nullement désireux d'en faire preuve, ce nazi de la première heure, *gauleiter* de Thuringe en 1927 puis, en 1933, gouverneur de la province, ne s'embarrasse nullement de francophilie, d'amour de la littérature ou des beaux-arts. Fait prisonnier en 1914, il n'a pas traversé les grandes épreuves de Verdun et de la Somme qui, sentimentalement, rapprochent parfois les adversaires de 1940.

Indifférent aux méthodes, il ne s'intéressera qu'aux résultats[2].

---

1. Speer reprochera à Hitler d'avoir voulu épargner au peuple allemand les épreuves que Churchill imposait aux Anglais. Alors qu'en 1914-1918, le recrutement des femmes allemandes avait été intensif, il écrira qu'il existait toujours, dans le Reich de la Seconde Guerre mondiale, 1 400 000 aides-ménagères.

2. « Jusqu'au printemps de l'année 1943, écrira cependant Speer, nous avions fort peu de profit de la production industrielle française. Le recrutement forcé de la main-d'œuvre, organisé par Sauckel, nous avait apporté plus de déboires que

Placé théoriquement sous l'autorité de Goering, mais ne dépendant en réalité que du Führer, il a la possibilité de « donner des directives aux plus hautes autorités du Reich, à leurs sections et à leurs organismes affiliés, au protecteur du Reich (pour la Bohême-Moravie), au gouverneur général (de Pologne), au commandant en chef et aux chefs des administrations civiles » pour toutes les questions qui concernent la main-d'œuvre employée dans les territoires du Reich. Son pouvoir est considérable : embauche, salaires, placement, distribution, transfert et mise au travail de la main-d'œuvre, y compris des prisonniers de guerre employés à des travaux civils ; il est le maître du destin de dizaines de millions d'hommes et de femmes à travers l'Europe occupée.

Lorsqu'il est nommé, l'amiral Darlan est toujours en place. Trois semaines plus tard, Pierre Laval sera chef du gouvernement.

Y a-t-il relation entre la nomination de Sauckel et celle de Laval ? On a certes écrit que le refus opposé par l'Amiral au départ des travailleurs français pour le Reich avait été l'une des raisons pour lesquelles les Allemands avaient exigé son retrait et négocié le retour de Laval. Ce n'est pas certain. Dans ses notes succinctes mais précises sur les origines de la crise d'avril 1942, Darlan n'évoque nullement des exigences allemandes en « matériel humain [1] ».

> « La campagne de printemps étant proche, écrit-il, l'Allemagne, craignant de voir un second front à l'ouest, désire assurer ses arrières.
>
> Elle hésite entre l'asservissement ou la " collaboration ".
>
> L'ambassade d'Allemagne à Paris préfère la seconde solution.
>
> Entente secrète entre elle et certains membres du gouvernement qui s'abouchent avec M. Laval.
>
> Venue d'Achenbach à Vichy.
>
> Rencontre entre le Maréchal et Laval.
>
> Le " coin " étant enfoncé, action persistante de l'ambassade d'Allemagne en faveur de M. Laval, mais avec le désir non seulement de me ménager, mais de me voir collaborer. »

---

d'avantages. » Speer était hostile, en mars 1942, à la candidature de Sauckel au poste laissé libre par la mort de Todt et partisan de celle de Karl Hanke, *gauleiter* de Basse-Silésie.

1. Ces notes ont été publiées par Alain Darlan, *L'amiral Darlan parle.*

Au chapitre des « Causes immédiates secondaires », Darlan signalera la jalousie du Maréchal à son égard ainsi que des divergences de vues sur les modifications qui devraient être apportées au gouvernement.

De son côté, le scrupuleux général Laure ne précise à aucun moment que les Allemands fassent pression pour obtenir des travailleurs. Des chevaux, oui, des hommes pas encore. Dans son journal, le 28 février, il écrit : « La situation est tendue avec l'Allemagne dont les sourires trompeurs se sont effacés et qui nous étreint par ses réquisitions : après les 52 000 chevaux, ils exigent maintenant la livraison de 40 000 camions et de 400 locomotives. Nous résistons de notre mieux. »

Et Nicolle, qui tient quotidiennement dans *Cinquante Mois d'armistice,* journal des ragots aussi bien que des vérités, signale, lui aussi, des demandes allemandes portant uniquement sur des produits alimentaires et industriels.

Comment croire que, si les Allemands avaient exigé, au début de février, 600 000 ouvriers français pour le 31 mars, comme Maurice Martin du Gard l'affirme dans sa *Chronique de Vichy*[1], que, si le Conseil des ministres du 15 février en avait longuement débattu, Darlan n'en ait rien dit, Laure n'ait rien écrit et que rien n'ait filtré des débats portant sur un pareil sujet ?

En réalité, le Reich a bien soulevé, dès l'automne de 1941, la question de la concentration des entreprises françaises, dans l'espoir qu'hommes et matières premières seraient ainsi économisés[2] ; il a bien donné à ses *Feldkommandanturen* locales la possibilité de fermer des

---

1. Le chiffre de 600 000 hommes n'apparaît que dans *La Chronique de Vichy*. Martin du Gard le cite à deux reprises : p. 180 (édition de 1975) et p. 187, « le 31 mars approche, la date fatidique. On a l'impression que Sauckel attendra longtemps ses 600 000 ouvriers français ». Or, Sauckel vient d'être nommé à son poste par Hitler le 21 et il est douteux qu'il ait eu le temps de se préoccuper encore de la situation française.

2. Le gouvernement français prendra alors l'initiative d'une loi (celle du 17 décembre 1941) dont François Lehideux, ancien secrétaire d'Etat à la Production industrielle, écrira qu'elle supposait une procédure suffisamment compliquée, grâce à l'interposition, entre industries françaises et services allemands, de plusieurs organismes administratifs jouant un rôle retardateur, pour n'aboutir que dans des cas très rares . Au moment du retour au pouvoir de Pierre Laval, aucun projet n'avait été conduit à terme.

usines[1] ; il s'est bien efforcé d'attirer sur son sol des volontaires et a réclamé, le 24 janvier 1942, une déclaration du gouvernement de Vichy favorable au travail en Allemagne, déclaration qui n'est pas encore publiée à l'instant où Sauckel est chargé de mission, mais, jusqu'au retour au pouvoir de Laval, les contraintes ne se sont exercées que de façon « indirecte », pour reprendre le mot qui sera celui des collaborateurs de Jean Bichelonne, ministre de la Production industrielle[2].

Au mois de mars 1942 — le 18 —, le Dr Michel, chef des services administratifs du commandement militaire en France, a bien fixé à 150 000 le nombre des ouvriers spécialistes qui devraient partir en Allemagne, mais aucune mesure de coercition n'est envisagée et, parlant du vœu du Dr Michel, la Commission consultative des dommages et réparations, réunie après la Libération, évoquera seulement une « contrainte indirecte par menace de chômage », ce chômage que les Allemands peuvent créer à volonté en privant les usines françaises de matières premières ou en obligeant le gouvernement de Vichy à augmenter les horaires de travail.

Tout commence donc en avril 1942. Laval ne revient pas au gouvernement pour satisfaire les exigences de Sauckel et les volontés d'Hitler, mais il y a coïncidence entre la nomination de Sauckel et son retour. Comme il y a coïncidence entre son retour et l'arrivée à Paris du général Karl Oberg, commandant supérieur des S.S. qui arrive précédé d'une lettre d'Hitler à Pétain dans laquelle le chef de l'Etat, on l'a vu[3], lit ces lignes : « Le gouvernement français doit donner immédiatement les ordres nécessaires à l'administration française pour que celle-ci collabore correctement, et sous menace des plus graves sanctions, avec les services allemands. »

S'il n'a pas vocation de s'intéresser plus particulièrement aux travailleurs, Oberg, bras armé de Sauckel, ayant la responsabilité de

1. Par l'ordonnance du 2 février 1942, mais aucune mesure ne sera prise avant le 4 juillet 1942.
2. Hoover Institute, *La vie de la France sous l'occupation,* tome I, p. 41.
3. *Cf.* p. 58.

tout ce qui touche à l'ordre public et à la sécurité intérieure dans la zone occupée, fera respecter ses ordres et poursuivra ceux qui prétendraient s'y soustraire.

Il y a enfin coïncidence entre le retour de Laval et le discours prononcé le 26 avril par Adolf Hitler. Discours d'une importance exceptionnelle puisque le Führer, pour la première fois, reconnaît l'échec de la campagne d'hiver. Parlant du repli effectué en Russie dans des conditions « extrêmement difficiles », évoquant les températures de – 47° et même – 52°, comparant 1941 à 1812, Hitler déclare certes à ses compatriotes : « Nous avons maîtrisé une situation qui, il y a 130 ans, avait brisé un autre homme », mais l'aveu des échecs, en portant un coup au triomphalisme hitlérien, permet également d'abandonner un certain nombre de mensonges diffusés par une propagande qui avait trop longtemps laissé croire que le Reich pouvait triompher seul, à la fois du communisme et du capitalisme.

Si Laval n'était pas revenu au pouvoir, Darlan se serait trouvé en présence des mêmes problèmes, posés par les mêmes événements, des mêmes exigences présentées par les mêmes hommes. Il est impossible de savoir comment il aurait réagi. En revanche, nous n'ignorons rien des demandes allemandes et des réactions de Pierre Laval.

Demandes connues pour l'essentiel par Laval quelques jours avant son arrivée au pouvoir. Le 1er avril, il dit, en effet, à Pierre Nicolle que tous les efforts des Allemands « portent actuellement sur le recrutement massif de la main-d'œuvre française au bénéfice des entreprises allemandes », demandes précisées par les Allemands le 6 avril, et surtout le 19, au lendemain de la formation du nouveau ministère. René Belin parti, son successeur au secrétariat d'Etat au Travail, Hubert Lagardelle, syndicaliste rêveur et qui ignore encore tout des dossiers, se voit immédiatement réclamer 400 000 travailleurs par le Dr Gosse, l'un des adjoints d'Abetz, ce qui, semble-t-il, le préoccupe moins que la mise en chantier de la Charte du travail, œuvre qui tient au cœur du maréchal Pétain.

De son côté, Sauckel, après avoir rappelé le nécessaire blocage des salaires dans tous les pays occupés par l'Allemagne, ou soumis à son influence, décide, dès le 20 avril, que l'Allemagne et ses alliés doivent « exploiter à fond... toutes les ressources des pays conquis, tant en main-d'œuvre qu'en matières premières et en produits agricoles ». Ses buts et les moyens pour les atteindre sont simples : « Tous ces gens doivent être nourris, logés et traités de manière à produire un rendement aussi grand que possible avec la plus faible dépense... L'utilisation totale de tous les prisonniers de guerre, ainsi que d'une quantité énorme de nouveaux travailleurs civils étrangers, hommes et femmes, est devenue une nécessité indispensable. »

Menacé par Sauckel, Pierre Laval se tourne alors vers Ribbentrop. Dans l'espoir d'ouvrir enfin cette négociation globale à laquelle les Allemands se dérobent, il adresse, le 13 mai 1942, au ministre des Affaires étrangères du Reich, une lettre qui nous paraît aujourd'hui stupéfiante. Lettre dans laquelle il offre cette collaboration effective des travailleurs que Sauckel exige et cette collaboration des soldats que l'Allemagne ne réclame pas. Lettre d'allégeance totale si Laval n'y insérait une phrase sur la nécessité pour l'Allemagne de créer un « terrain psychologique » favorable à la collaboration, phrase dans laquelle on peut voir l'esquisse de la Relève. Lettre que Laval imagine sans doute fort habile dans la mesure où, devançant les exigences adverses, plaçant la France presque sur un pied d'égalité avec son vainqueur de 1940, à qui elle offre son aide pour la victoire finale, elle doit lui permettre de donner moins que ce qui lui est demandé et de recueillir la récompense de tant de bonne volonté affirmée et affichée.

> « J'ai pris, à un moment difficile, la responsabilité de la direction de la politique française, sous la haute autorité du maréchal Pétain. Vous connaissez mes vues sur les relations que je désire voir s'établir entre nos deux pays. Elles doivent être à base de loyauté et de confiance. Les Français savent que je veux rechercher et épuiser tous les moyens d'arriver à une réconciliation et à une entente étroite avec l'Allemagne... Afin de protéger l'Europe d'une bolchevisation qui détruirait notre culture jusque dans ses bases, l'Allemagne s'est préparée à une lutte gigantesque. Le sang de sa jeunesse va couler. Je voudrais que vous sachiez que le gouvernement français ne reste pas indifférent à l'ampleur immense des sacrifices auxquels votre pays consent volontairement et, dans notre malheur, je voudrais vous dire, spontanément et simplement, que la France est disposée, selon ses possibilités et sans aucun ajournement, à contribuer pour sa part à vos efforts... *Je souhaite, en conséquence, que des Français aussi nombreux que possible prennent dans vos usines la place de*

ceux qui partent pour le front de l'Est[1]. Les Français sont attachés à leur sol, mais je sais qu'ils seront prêts à le quitter pour une tâche dont la signification historique et nationale leur aura été démontrée. *Je ferai de mon mieux dans ce sens et je vous prie de m'aider en vue de créer un terrain psychologique qui puisse faciliter mon action*[1]. La France est représentée de façon symbolique sur le front de l'Est par sa Légion antibolchevique. Il serait possible d'en augmenter les effectifs et le gouvernement a décidé de donner à tous les anciens et futurs volontaires l'assurance que leurs intérêts personnels et que ceux des membres de leurs familles seraient protégés avec équité. Je prie Votre Excellence de bien vouloir soumettre cette lettre au Führer comme témoignage de la sincérité du gouvernement français[2]. »

Le thème de la solidarité franco-allemande dans la lutte contre le bolchevisme ainsi affirmé, les uns donnant leur travail, les autres offrant leur sang, sera constamment exploité dans les mois qui vont suivre. Par Pierre Laval lui-même dont l'antibolchevisme n'est nullement de comédie. Le 4 juillet 1941, devant une quinzaine de maires de la banlieue parisienne et quelques hauts fonctionnaires de la préfecture de la Seine, n'a-t-il pas déclaré, à la fin du repas qui s'est tenu au Perroquet vert, que le communisme représentait pour la France le danger capital ?

— Imaginez un seul instant la victoire de la Russie et le déferlement de ses hordes sur notre sol. Ce serait la fin de notre civilisation.

Et son premier discours de chef du gouvernement, en avril 1942, ne comporte-t-il pas cette phrase : « Ainsi, nous voilà placés devant cette alternative : ou bien nous intégrer, notre honneur et nos intérêts vitaux étant respectés, dans une Europe nouvelle et pacifiée... ou bien nous résigner à voir disparaître notre civilisation. » Ne comporte-t-il pas également cette interrogation, graine qui ira grandissant et se

1. Je souligne intentionnellement.
2. Ribbentrop répond, on le sait (cf, pp. 57 et 58) qu'il apprécie « comme il convient la bonne volonté » de Pierre Laval, mais qu'il est « tout naturel que le gouvernement du Reich ne puisse pas se laisser influencer par des espoirs et des assurances, mais exclusivement par les actes de la politique française ». C'est donc au nom des « actes » que l'Allemagne va accélérer ses exigences.

développant dans son esprit : « Croyez-vous que, s'ils étaient vainqueurs, les Soviets s'arrêteraient à nos frontières ? »

Jusque dans sa prison [1], le bolchevisme demeurera toujours à ses yeux « pire que l'hitlérisme ».

« Quand l'Allemagne aura été écrasée, dira-t-il un jour de 1944 où les affaires des armées allemandes vont particulièrement mal, les bourgeois de Paris, les capitalistes de Londres et de New York se trouveront devant l'immense puissance du bolchevisme. Le monde occidental aura perdu son bouclier. Tel est le beau travail qu'auront accompli Churchill, Roosevelt, de Gaulle. Je connais Staline, c'est le plus fort de tous. Il exploitera à fond les chances de victoire que lui a si légèrement procurées l'Amérique.... »

En mai 1942, on n'en est certes pas encore là. Les Allemands, flattés par les victoires revenues avec le soleil, se préparent à publier des bilans glorieux mais trompeurs puisque, si les pertes soviétiques y sont clamées [2], tout y demeure obscur des pertes allemandes. Cependant même si Pierre Laval ne peut soupçonner que, dans six mois, seront intervenus, en Afrique du Nord et à Stalingrad, ces grands événements qui bouleverseront toute l'histoire du monde, n'est-il pas assez informé pour savoir qu'Hitler, n'ayant pas gagné la guerre à la fin de l'automne 1941, se trouve engagé dans une aventure à l'issue incertaine ?

Le thème « sang allemand-travail français » sera largement exploité tout au long de cette journée du 30 mai au cours de laquelle les représentants de tous les Comités d'organisation de l'industrie, rassemblés à l'Hôtel Matignon, entendent Bichelonne, secrétaire d'Etat à la Production industrielle, Lagardelle, secrétaire d'Etat au Travail, et Pierre Laval.

---

1. « Le bolchevisme est en marche, dira-t-il à l'un de ses avocats, Me Jaffré. Et, même avec leur bombe atomique, les Américains auront du mal à le stopper. »

Au journaliste américain Ralph Heinzen, il a souvent affirmé que les Américains ne connaissaient pas le communisme et qu'ils regretteraient « amèrement » d'avoir fait confiance à la Russie comme alliée.

2. En juin 1942, l'Allemagne annoncera avoir capturé 4 500 000 prisonniers soviétiques, détruit 27 000 chars, 24 000 avions et 30 738 pièces d'artillerie.

Pour ces trois hommes, il s'agit de faire comprendre à leurs auditeurs que les temps ont définitivement changé et que, longtemps retardée, la concentration industrielle est désormais à l'ordre du jour.

L'occupant avait précédemment classé les usines et entreprises françaises en quatre catégories : entreprises *Rüstung,* placées sous contrôle allemand et travaillant pour son industrie de guerre ; entreprises prioritaires *Vorzugsbetrieb,* œuvrant partiellement pour l'Allemagne ; entreprises prioritaires, dont la production sera réservée aux Français ; enfin toutes les autres entreprises : celles dont la production n'est ni utile à l'Allemagne ni indispensable à la France et qui, aujourd'hui, sont menacées de fermeture immédiate.

Bichelonne, « major des majors de Polytechnique, une pièce rare pour musée des cerveaux, une sorte d'Inaudi de la mathématique appliquée à l'économie [1] », explique que les ouvriers mis en chômage pourront, soit se reclasser dans l'industrie, soit se diriger vers l'agriculture, option, on le verra, qui leur sera très vite retirée, soit enfin « contracter un engagement de travail en Allemagne et contribuer, par un volontariat auquel il n'a jamais été question de porter la moindre atteinte, à rendre très réelle une coopération constructive dans le cadre de la politique européenne définie par le chef du gouvernement [2]. »

Pierre Laval prend la parole le dernier. Insistant sur les exigences allemandes : 350 000 hommes dont 150 000 spécialistes, il s'efforce de prouver que le départ de ces ouvriers permettra à la France de « s'associer à l'œuvre gigantesque qui s'accomplit en Europe ». A ceux qui seraient tentés toutefois par quelque résistance passive, il laisse entendre clairement que les manifestations de mauvaise volonté ne feraient qu'irriter inutilement l'occupant.

Un occupant qui multiplie et accentue ses pressions.

Ces quinze premiers jours de juin sont des jours de tension extrême. Un ravitaillement déplorable, l'inquiétude des milieux agricoles devant les déficits prévisibles et les difficultés de la soudure prochaine, l'intensification d'une répression policière qui multiplie les victimes

---

1. D'après de Calan, son directeur de cabinet.
2. Ces paroles de Bichelonne sont du 3 juin, mais il est très vraisemblable que, le 30 mai, il a prononcé à peu près les mêmes mots. « Ici Londres » « exploitera » le 27 juillet 1942 la conférence du 30 mai en en donnant un « compte rendu » dans lequel est lancée l'idée d'une prochaine « réquisition » de la main-d'œuvre.

sans venir à bout de l'activité gaulliste et communiste, des bruits de débarquement prochain sur les côtes françaises, la prise de conscience générale que le conflit mondial en arrive à ce point où l'Allemand n'est plus assuré d'un succès qui, deux ans plus tôt, paraissait presque fatal et qu'il a résolu de changer brutalement de méthodes, tout contribue à faire que la première entrevue entre Laval et Sauckel se déroule, le 16 juin, dans un climat tendu.

Sur une rencontre qui allait durer environ huit heures, nous possédons deux comptes rendus : un texte allemand incomplet [1] et le témoignage de Pierre Laval. Un Pierre Laval qui découvre en Sauckel un interlocuteur sur lequel ni son intelligence, ni sa force de conviction, ni sa dialectique n'ont prise.

« Jusqu'au jour de la première visite de Sauckel, devait-il écrire dans son *Mémoire en réponse à l'acte d'accusation,* je n'avais pas encore mesuré tout ce que pouvait avoir de douloureux notre situation. »

Le chef du gouvernement entame le débat en faisant remarquer à Sauckel que la convention d'armistice ne contient aucune clause concernant l'envoi de travailleurs français en Allemagne et que les exigences allemandes ruineront l'espoir de réconciliation entre les deux pays. Cette réconciliation qu'il n'a cessé de souhaiter jusque dans les jours difficiles, dont il s'est toujours fait le défenseur, un défenseur qui, le 13 décembre 1940, a payé politiquement le prix de ses options et pour laquelle, le 27 août 1941, lors de l'attentat de Versailles, il a failli donner sa vie.

« J'ai dit et redit, poursuit Laval, tout ce qui pouvait être dit sur le ton qui convenait... Que pouvais-je faire d'autre ? La Wehrmacht occupait la France et Sauckel avait les moyens d'agir ; il était décidé à obtenir des ouvriers, même par la contrainte, même par la force. »

C'est alors que le chef du gouvernement imagine, si l'on épouse son récit, de lier départ des ouvriers et retour de ces prisonniers qui sont, on le sait, la grande et constante préoccupation de Vichy.

Mais est-ce bien à cet instant que Laval invente la Relève ? Je ne le pense pas. Avant que le mot soit prononcé, l'idée habite de nombreux esprits.

1. Texte publié pour la première fois par Jacques Evrard : *La déportation des travailleurs français dans le IIIe Reich.*

Ainsi au mois de mai 1942, la Commission de contrôle postal des prisonniers de guerre intercepte[1] des lettres qui ne laissent aucun doute sur les sentiments de leurs auteurs. Sous la plume d'une femme de Saint-Etienne, on peut lire : « ... Ceux qui, ici, continuent à vivre normalement pourraient bien aller prendre vos places. J'ai envie depuis longtemps d'aller le dire au Maréchal », tandis que, pour une Lyonnaise, les femmes devraient marcher sur Vichy : « On est à bout, on se fiche de nous comme, de vous, la plupart des gens. Puisqu'il faut des travailleurs là-bas, on n'a qu'à vous remplacer. » Enfin, un médecin du Cannet, récemment libéré, écrit à l'un de ses camarades : « Il règne ici une débauche de mauvaise volonté qui fait mal au cœur. Si vous saviez combien la mentalité des K.G. est plus noble que celle de la plupart des gens... Comme le Maréchal gagnerait à ce qu'un échange soit fait entre vous et tous ces mauvais Français. »

Dans un reportage sur « l'Allemagne en guerre », publié le 15 mai 1942 par *le Petit Parisien,* André Algarron, après avoir évoqué les « 150 000 ouvriers qui apportent leur contribution à l'effort européen du Reich » et dépeint leurs conditions de vie, sans d'ailleurs trop en cacher les côtés désagréables, termine ainsi : « Une politique française intelligente devrait tendre à faire occuper ces places [celles que les travailleurs allemands ont dû abandonner pour partir pour le front] par des travailleurs de chez nous. Mais surtout pas par la contrainte, pas par la menace... J'ajoute que des conversations que j'ai eues à Berlin m'autorisent à écrire que le sort des prisonniers pourrait se régler tout autrement si la main-d'œuvre française venait apporter un concours massif, volontaire et fraternel à la production allemande. »

Enfin, le 14 juin, Pierre Nicolle se fait l'écho des discussions qui ont eu lieu la veille à l'occasion d'un important déjeuner de presse présidé, à Paris, par Laval : faudra-t-il, dans les prochains jours, adopter comme thème de propagande la lutte contre le bolchevisme ou la « relève de nos prisonniers internés depuis deux ans » ? Voici ce dont les convives ont débattu.

Quoi qu'il en soit, Laval réclame à Sauckel pour chaque ouvrier expatrié le retour d'un prisonnier.

« Il n'en est pas question », réplique Sauckel, qui poursuit dans un demi-sourire :

1. Documents inédits datant tous du début du mois de mai 1942.

— Vous savez bien que, depuis l'évasion du général Giraud, toutes les libérations de prisonniers français ont été interdites par le chancelier Hitler.

Alors quoi? Entre les deux hommes, également acharnés, la discussion se poursuit, Laval déclarant qu'il ne voit pas comment il lui sera possible d'obtenir des sacrifices du peuple français si, en retour, il ne peut rien offrir, Sauckel répétant que les besoins de l'Allemagne sont immenses, les ordres d'Hitler formels et qu'il possède le moyen d'obtenir par la force ce qui ne lui serait pas accordé d'assez bonne grâce.

Peut-être est-ce à cet instant que la fatigue, l'émotion et l'angoisse de la situation provoquent, chez Pierre Laval, une syncope qui n'a rien de diplomatique.

Lorsque le Français a repris ses esprits, le débat recommence, sans doute avec une âpreté moins grande. Ici le témoignage de Laval et le texte allemand ne concordent pas.

D'après Pierre Laval, Sauckel, ébranlé à la fin par les prières et les raisonnements, aurait promis de téléphoner à Hitler et, *le lendemain,* aurait annoncé que le départ pour l'Allemagne de 150 000 spécialistes entraînerait le retour de 50 000 prisonniers, des paysans en majorité.

— Il est impossible, aurait-il ajouté, d'envisager la Relève un pour un, car l'opération pour l'Allemagne deviendrait négative, puisque les prisonniers français travaillent tous en Allemagne [1].

Le compte rendu allemand est différent. Hitler aurait donné son accord dès le 6 juin à la libération d'un prisonnier pour trois spécialistes. Que Sauckel n'en dise rien immédiatement à Laval relève de la stratégie ordinaire.

A Laval, témoignant sa reconnaissance, Sauckel, toujours d'après le texte allemand, réplique qu'un recrutement accéléré constituera la meilleure preuve de la volonté de la collaboration du gouvernement français.

1. Ce qui est en grande partie exact. A l'occasion d'une visite de la mission Scapini, on trouve, dans l'hebdomadaire *Pour nous,* un article dans lequel P. Letremble, évoquant la libération, lente à venir, écrit : « Nous sommes obligés de tenir compte des besoins économiques allemands, nous sommes intégrés dans l'économie de guerre du Reich. »

« Laval annonça, poursuit le compte rendu allemand, qu'il avait envisagé la solution pratique suivante : probablement vendredi ou samedi, il ferait un discours au peuple français où il décrirait le geste du Führer comme un acte grand et décisif pour la reprise de la politique de collaboration et ferait appel au sentiment de solidarité de la classe ouvrière pour les camarades se trouvant en captivité en Allemagne... »

Vendredi 19 ? Samedi 20[1] ? Non. Laval parlera à la radio le lundi 22 juin. Discours important mais qui, pour la sensibilité populaire comme pour l'histoire elle-même, se trouvera réduit à un seul membre de phrase. Terrible, il est vrai : « Je souhaite la victoire de l'Allemagne. »

Laval commence par rappeler les efforts de son gouvernement pour l'amélioration d'un ravitaillement toujours déficient. Aux Français malheureux qui songent d'abord à leur pain quotidien, il déclare qu'aussi rudes que soient ces problèmes ils ne sauraient masquer le problème essentiel : celui du sort que le vainqueur réservera à la France.

« Notre génération ne peut pas se résigner à être une génération de vaincus. Je voudrais que les Français sachent monter assez haut pour se mettre au niveau des événements que nous vivons.

C'est peut-être une des heures les plus émouvantes qui se soient inscrites dans l'histoire de notre pays.

Nous avons eu tort en 1939 de faire la guerre. Nous avons eu tort, en 1918, au lendemain de la victoire, de ne pas organiser une paix d'entente avec l'Allemagne. Aujourd'hui, nous devons essayer de le faire... Ma présence au gouvernement a une signification qui n'échappe à personne, ni en France ni à l'étranger.

J'ai la volonté de rétablir avec l'Allemagne et avec l'Italie des relations normales et confiantes.

De cette guerre surgira inévitablement une nouvelle Europe. On parle souvent d'Europe. C'est un mot auquel, en France, on n'est pas très habitué. On aime son pays parce qu'on aime son

1 Ces dates ont bien été primitivement envisagées par Laval

village. Pour moi, Français, je voudrais que demain nous puissions aimer une Europe dans laquelle la France aurait une place qui serait digne d'elle.

Pour construire cette Europe, l'Allemagne est en train de livrer des combats gigantesques. Elle doit, avec d'autres, consentir d'immenses sacrifices et elle ne ménage pas le sang de sa jeunesse. Pour la jeter dans la bataille, elle va la chercher à l'usine et aux champs.

Je souhaite la victoire de l'Allemagne parce que, sans elle, le bolchevisme, demain, s'installerait partout. »

Après avoir réaffirmé que la politique qu'il vient de définir peut seule garantir la survie de la France dans le monde qui s'élabore, Pierre Laval poursuit en avouant que, depuis deux mois, « les événements ne [l'] ont guère favorisé ».

Sans doute sa présence au gouvernement pouvait-elle laisser croire « qu'une amélioration sensible de nos rapports avec l'Allemagne rendrait moins dures pour la France, pendant cette période d'armistice, les conséquences de notre défaite ». Mais les suites du 13 décembre, les erreurs du précédent gouvernement, l'évasion du général Giraud ont tout compromis et l'ont placé en position d'infériorité.

Débute alors la seconde partie du discours : celle dans laquelle Laval explique la part que les Français pourront prendre, par l'apport de leur travail, à une victoire dont ils précipiteront l'échéance.

Après avoir exposé les avantages accordés aux travailleurs volontaires pour le Reich, le chef du gouvernement poursuit :

« C'étaient les soldats, pendant la guerre, qui exposaient leur vie pour protéger le labeur des ouvriers. Aujourd'hui, par une de ces péripéties émouvantes qu'amènent les grands drames, ce sont les ouvriers qui peuvent rendre aux combattants le bien qu'ils ont reçu d'eux.

C'est la Relève qui commence. Ainsi s'établissent dès maintenant entre les collectivités humaines les plus importantes de notre pays les sympathies profondes sur lesquelles se constituera notre société nouvelle.

Ouvriers de France ! C'est pour la libération des prisonniers que vous allez travailler en Allemagne ! C'est pour notre pays que vous irez en grand nombre ! C'est pour permettre à la France de trouver sa place dans la nouvelle Europe que vous répondrez à mon appel.

... La reconnaissance de la nation montera vers vous. »

L'allocution s'achèvera sur l'évocation de cette République, « plus jeune, plus humaine, plus forte », qui surgira d'un désastre que la France aura réussi à surmonter et du socialisme qui s'instaurera partout en Europe. Enfin, pour respecter la tradition et les habiletés de l'époque mais également pour donner davantage de poids à ses propos, Laval enchaîne le Maréchal à son char : « Je vous parle ce soir en son nom [1]. »

Comment Laval a-t-il été amené à écrire et à prononcer la phrase : « Je souhaite la victoire de l'Allemagne parce que, sans elle, le bolchevisme, demain, s'installerait partout. »

Nous le savons, ou croyons le savoir, par sa déposition du vendredi 23 août 1945, faite au cours du procès du maréchal Pétain ainsi que par le témoignage de M. Rochat.

Au premier président Mongibeaux, Pierre Laval explique tout d'abord les raisons qui, à ses yeux, justifient sa déclaration en faveur de la victoire allemande.

— J'ai besoin dans toutes les négociations qui vont s'ouvrir, qui étaient déjà ouvertes avec M. Sauckel, d'avoir un minimum d'autorité pour parler aux Allemands. J'ai besoin qu'ils sachent, qu'ils croient que je joue un jeu honnête avec eux, parce que, s'ils doutent de moi, alors les exigences se feront plus dures et les prises plus sévères. Alors, je prononce ce mot et j'écris cette phrase : « Je crois et je souhaite la victoire de l'Allemagne, parce que, sans elle, le bolchevisme, demain, s'installerait partout en Europe. »

Pour les jurés, Laval analyse ensuite ses habitudes de travail : ses discours ne sont jamais écrits d'un premier jet. En homme harcelé, il note, jour après jour, des phrases, des idées générales, de plus ou

1. Ce qui est faux, le Maréchal se refusera à accorder son patronage à la Relève.

moins longs passages, qu'il reprend ensuite pour les coudre les uns aux autres et les mettre ainsi définitivement en forme.

Une exception cependant : le discours du 22 juin jailli de sa plume sans méditation préalable.

— Ce jour-là, pressé par je ne sais quoi, et tenant pour je ne sais quelle raison à prononcer le jour même ma déclaration radiodiffusée, je l'ai écrite et je n'ai pas, comme je le faisais auparavant, laissé passer une nuit ou deux nuits sur un papier, car j'ai toujours remarqué qu'on rectifie toujours un document quand on le relit après vingt-quatre ou quarante-huit heures. Cette fois-là, je ne l'ai pas fait; j'ai écrit cette phrase.

Cependant, Laval décide de lire « son papier » à M. Rochat, secrétaire général aux Affaires étrangères, qui fut autrefois son chef de cabinet, mais également celui de Barthou, de Flandin, de Delbos.

Quand il en arrive à « la phrase », Rochat l'interrompt :

— Monsieur le président, à votre place, je ne la prononcerais pas.

— Pourquoi ?

— Vous n'êtes pas obligé de la prononcer, puisque la France est en position d'armistice.

— Vous avez certainement raison, mais cette phrase, moi, je la prononce pour d'autres raisons politiques. Il s'agit, par un mot, un geste, par un éclat, par quelque chose, de provoquer de la part de l'Allemagne un mouvement qui l'empêche de dire que le gouvernement français doit être molesté. [Mais,] puisque vous me faites cette observation, si vous voulez, nous allons monter ensemble chez le Maréchal. Venez avec moi chez lui. C'est lui qui tranchera [1].

Voici donc Laval et Rochat en présence de Philippe Pétain. Laval lit le passage incriminé, Rochat développe ses observations et il est en train d'insister sur les dangers d'une phrase qui blessera la sensibilité des Français lorsque Pierre Laval l'interrompt :

— Je veux bien faire une concession et couper la poire en deux. Je vous propose, monsieur le Maréchal, de supprimer l'un des deux termes. Je retirerai les mots « je crois » et je ne laisserai que : « je souhaite [2]. »

---

1. Ces deux dernières phrases depuis « Venez avec moi... » sont extraites de la déclaration faite à notre ambassadeur en Suisse par M. Rochat pour lequel les avocats du Maréchal n'avaient pu obtenir un sauf-conduit, déclaration lue à l'audience du 11 août 1945. Rochat précise que c'est lui qui est allé trouver Laval pour lui faire part de son indignation et non Pierre Laval qui est venu à lui.
2. Déclaration de Rochat.

Rochat ayant observé que le verbe « souhaiter » avait, psychologiquement et politiquement, plus de portée que le verbe « croire », se déroule une discussion que le Maréchal place, inconsidérément, sur le terrain... de l'Ecole de guerre. Laval n'étant pas *militaire,* ignorant tout du développement possible du conflit qui se déroule entre l'Allemagne et ses adversaires, n'a pas le droit de dire « je crois » et de donner ainsi à ses auditeurs des assurances qu'aucune compétence ne viendrait soutenir.

— Si j'étais à votre place, dit le Maréchal à Pierre Laval, je rayerais en tout cas « je crois [1] ».

Ce sera fait. Ne demeurera, dans le discours, que ce « je souhaite », selon Laval lui-même, « goutte d'acide sulfurique qui allait tomber sur l'épiderme de gens qui souffraient [2] ».

Nous connaissons la position de Pierre Laval et celle de Rochat. Voici celle du maréchal Pétain. A la fin de l'audience du 3 août 1945 et alors que Laval a quitté la salle, il prend la parole, fait exceptionnel dans un procès tout au long duquel il demeurera fidèle à sa politique du silence.

M. LE PREMIER PRÉSIDENT. — Je voudrais demander au Maréchal, s'il veut répondre, quelle réaction il a eue devant la phrase...

M. LE BÂTONNIER PAYEN. — Il est en train de me le dire, monsieur le président.

M. LE PREMIER PRÉSIDENT. — Qu'il le dise, s'il veut le dire. C'est une question assez importante.

M. LE MARÉCHAL PÉTAIN. — J'ai eu une réaction très violente quand j'ai entendu dans le discours cette phrase de M. Laval : « Je souhaite la victoire de l'Allemagne. »

« Il [Laval] a dit tout à l'heure qu'il était venu me trouver avec M. Rochat, qui représentait le ministère des Affaires étrangères pour me montrer cette phrase. Eh bien ! Jamais M. Rochat n'aurait accepté de maintenir cette phrase, et j'étais d'accord avec lui.

1. Déclaration de Rochat. La déposition de Pierre Laval est pratiquement identique. « A votre place, je supprimerais " Je crois à la victoire de l'Allemagne ". Alors, j'ai retiré " je crois " et j'ai laissé " je souhaite ". »

2. Au procès de 1945, dans les attendus condamnant Philippe Pétain à la peine de mort, la Haute Cour rappellera donc « qu'un des premiers actes de Laval, redevenu ministre, était de proclamer, sans protestation du chef de l'Etat et même d'accord avec celui-ci : " Je souhaite la victoire de l'Allemagne. " ».

« Et puis, alors, quand je l'ai entendue à la radio — je croyais que c'était fait, qu'il avait arrangé l'affaire, quand j'ai entendu que cette phrase était répétée à la radio, j'ai bondi.

« Je ne me suis pas rendu compte. Je croyais que c'était supprimé et je suis navré qu'elle soit restée. »

On connaît toutes les pièces du dossier. Celles sur lesquelles, jusqu'à présent, les historiens ont travaillé, leur récit tenant à peine compte de la protestation assez ambiguë, il est vrai, du Maréchal, et acceptant la version d'un Pierre Laval remplaçant « je crois » par « je souhaite » pour ne pas contrarier, chez Philippe Pétain, cette manie du mot juste dont, depuis toujours, il tirait gloire.

Et si les choses étaient plus compliquées ? Et si Pierre Laval n'avait pas attendu le 22 juin 1942 pour verser « une goutte d'acide sulfurique » sur l'épiderme des Français ?

Consultant la collection du *Petit Parisien,* j'ai relevé, en effet, dans un article de Jean Benedetti, *publié le 18 juin 1942,* en première page, première colonne, le passage suivant, jusqu'à aujourd'hui resté inaperçu :

> « Devant les présidents de cent cinquante comités d'organisation, M. Pierre Laval déclarait le 31 mai dernier [1] :
>
> — A l'œuvre gigantesque qui s'accomplit au profit de la communauté européenne, les Français doivent s'associer par leur travail en France et hors de France.
>
> Plus récemment encore, le chef du gouvernement affirmait : “ *Je crois à la victoire de l'Allemagne et je la souhaite* [2]. ” »

Plus récemment ? Il ne m'a pas été possible de préciser davantage la date, mais tout s'éclaire lorsque l'on sait que l'article de Benedetti est le compte rendu d'une manifestation, qui s'est tenue dans une salle de

1. En réalité le 30.
2. Je souligne intentionnellement.

la Société de Géographie sous la présidence de Fernand de Brinon. Voici d'ailleurs comment l'article du *Petit Parisien* se poursuit [1] :

> « Ces dernières paroles de M. Pierre Laval, le délégué général du gouvernement dans les territoires occupés, M. de Brinon, les a rappelées hier matin, à la salle de la Société de Géographie... à l'occasion d'une intéressante journée d'études ayant pour objet le problème de la main-d'œuvre française en Allemagne.
>
> — Ce langage, il l'avait [Laval] déjà tenu devant l'ambassadeur des Etats-Unis. Et il l'a tenu en plein accord avec le maréchal Pétain. *J'approche souvent le chef du gouvernement. Je ne suis pas reçu une seule fois qu'il ne me dise : " Le dur et magnifique combat contre le bolchevisme est un combat nécessaire et de tout mon cœur je souhaite le succès de l'Allemagne*[2] ". »

Dans *L'Œuvre* du 18 juin, le texte consacré à la manifestation de la Société de Géographie est moins long, moins personnel que celui du *Petit Parisien,* mais, sur le fond, il ne diffère pas et, dans la bouche de de Brinon, le journaliste place cette phrase : « *Maintes fois le président Laval m'a dit : " Je crois à la victoire allemande et je la souhaite*[3]. " »

Ainsi les mots « Je crois à la victoire de l'Allemagne et je la souhaite » se trouvent-ils écrits dans *Le Petit Parisien* et dans *L'Œuvre* dès le 18 juin et placés dans la bouche de Pierre Laval... *Un Pierre Laval qui ne les aurait de son propre aveu couchés sur le papier que le 21 ou le 22, qui ne les a prononcés, en tout cas, que le 22 !*

Ainsi l'idée que le chef du gouvernement français n'hésite pas à se dire favorable à un succès militaire du Reich se trouve-t-elle fortement exprimée par Fernand de Brinon le 17 juin et rapportée par plusieurs quotidiens parisiens [4], cinq jours avant qu'elle ne se trouve officialisée par le discours du 22.

1. L'article est ainsi titré : « La main-d'œuvre française/sera notre participation pacifique/à la victoire de l'Europe contre le bolchevisme./A son rang, à sa place, notre/pays doit aider à cette victoire »/affirme M. de Brinon. « A la veille des combats qui vont décider de/notre sort à tous, nous demandons à la France/ une preuve de solidarité : son travail »/ déclare le ministre Rahn.
2. Je souligne intentionnellement.
3. Je souligne intentionnellement.
4. *Le Matin,* qui consacre, sur deux colonnes, une information à la manifestation patronnée par de Brinon, ne rapporte pas la phrase citée par *Le Petit Parisien* et par *L'Œuvre.*

La spontanéité d'écriture dont Pierre Laval a longuement fait état dans sa déposition au procès Pétain apparaît, dans ces conditions, comme une mystification ; la décision de demander au Maréchal son avis comme la quête d'une couverture morale.

Que le discours du 22 juin et sa phrase capitale aient été médités et même prémédités, en voici d'autres preuves.

Dans La *Chronique de Vichy,* Maurice Martin du Gard écrit qu'après avoir entendu depuis la rue l'essentiel du discours de Laval, il s'est rendu à l'hôtel du Parc pour réclamer le texte intégral.

« Je vois B... à qui je dis ma surprise, mon émotion. Il ne les partage pas...

— « Oui ou non... vouliez-vous un *gauleiter ?* Le président se sacrifie, il sacrifie sa popularité en tout cas, sciemment, pour maintenir à distance les Allemands et nous les concilier. C'est pour endormir Sauckel. Pour que nos ouvriers ne partent pas. IL A MÉDITÉ QUATRE JOURS SUR CETTE PHRASE AVEC C..., AVEC R..., AVEC M...[1]. »

C..., R..., M... reparaîtront dans *La Chronique de Vichy,* le 9 mai 1944. Laval, parlant à Martin du Gard qui évoque la phrase sur la victoire de l'Allemagne, alors que cette victoire paraît bien compromise, s'entend répondre :

— ... Cela ne m'a pas fait plaisir à dire, la phrase. ON AVAIT TRAVAILLÉ DESSUS, DES JOURNÉES[1], R... et C..., M... et d'autres[2].

Dans ses scrupuleuses *Ephémérides,* Pierre Limagne, de son côté, commence ainsi le récit de la journée du 22 juin : « Laval répète devant le micro les propos tenus à certains journalistes, il y a quelques jours. »

Enfin, et surtout, Pierre Laval, parlant à l'un de ses défenseurs, Me Yves-Frédéric Jaffré, adoptera une position en contradiction avec les déclarations faites au cours du procès Pétain, mais sans doute plus proche de la vérité.

Revendiquant « la phrase » à laquelle son nom est lié et qui, avant comme après sa mort, l'a si souvent desservi, Pierre Laval n'en fait plus une phrase de hasard, hâtivement jetée sur le papier, discutée,

---

1. Je souligne intentionnellement.
2. R..., C..., M... Plusieurs noms étant possibles, on n'en citera aucun. Quatre jours de « méditation » avant que la phrase ne soit écrite pour être lue à la radio, cela mène au 18/19 juin ; donc, il est fort possible que le journaliste Jean Benedetti ait été de ceux auprès de qui Pierre Laval a essayé la phrase.

presque par charité, avec le maréchal Pétain, mais un *argument* dans le cadre d'une audacieuse et téméraire opération de séduction politique rendue indispensable par la gravité du désaccord franco-allemand.

— On peut penser de moi ce qu'on voudra. Mais mes adversaires eux-mêmes savent que je ne me comporte pas comme un enfant ou comme un impulsif qui parle sans réfléchir. La fameuse phrase qu'on me reproche, dont on tente de m'accabler, je ne l'ai pas lâchée au hasard, dans un entraînement subit. Je déclare qu'elle était parfaitement préméditée. Dès l'instant où se dessinait mon retour au pouvoir, j'avais réfléchi, non seulement à la politique de défense pied à pied de la France contre les exigences grandissantes des Allemands, MAIS AUSSI À CE QU'IL FAUDRAIT QUE JE DISE POUR LEUR FAIRE AVALER CETTE POLITIQUE-LÀ. EST-CE QUE VOUS POUVEZ SUPPOSER QUE C'EST DE GAIETÉ DE CŒUR QUE J'AI LANCÉ UNE PHRASE PAREILLE ? Est-ce que vous pouvez penser une seconde que je n'y ai pas réfléchi jour et nuit dans les semaines qui ont précédé mon discours ? Que je n'ai pas pesé le pour et le contre ? Que je n'ai pas été tiraillé et même écartelé par des sentiments contraires ?... J'étais parfaitement conscient de ce que je faisais lorsque j'ai parlé à la radio. Je n'ignorais pas que mon propos allait révulser et meurtrir de nombreux Français devant qui je ne pouvais pas m'exprimer explicitement. Je n'ignorais pas qu'on ne verrait que cette phrase dans mon discours — *que je n'avais fait moi-même, d'ailleurs, que pour cette phrase-là*[1] — et qu'elle allait susciter des commentaires passionnés. Je n'ignorais pas qu'à Londres on s'en saisirait pour s'en faire contre moi une arme trop facile...

En effet, Londres s'est emparé de « la phrase ». Et sans tarder.

A peine Laval a-t-il parlé, Schumann réplique.

Il est 21 h 25, le 22 juin 1942, l'émission « Honneur et Patrie » débute sur ces mots de fureur volontairement non maîtrisée.

---

1. Je souligne intentionnellement. Laval dira également à Marion : « Je suis engagé avec le *gauleiter* Sauckel dans une lutte effroyable. Si les Allemands ne me croient pas sincèrement partisan de l'ordre européen et de leur victoire, ils me refuseront tout. Ce que j'obtiens, je l'obtiens par mon crédit personnel. »

Toutefois, en 1944, effectuant un rapide séjour à Belfort avant d'être entraîné contre son gré en Allemagne, Laval se demandera s'il a bien fait de « lâcher tant de mots pour obtenir quelque chose ».

> « “ Je souhaite la victoire de l’Allemagne. ” Avant même d’avoir prononcé cette phrase, Laval s’était exclu de la France. Avant même d’avoir prononcé cette phrase, Laval s’était condamné à mort. Pourquoi donc son discours de tout à l’heure sonnait-il, à toutes les oreilles françaises, comme une circonstance aggravante ? Sans doute parce que, jusqu’à présent, on n’avait jamais vu dans l’histoire un Judas doublé d’un maître chanteur et triplé d’un négrier. »

Négrier ! Londres assurera la fortune du mot. « Laval le négrier » dit, le 23 juin, Georges Boris parlant à 21 h 31. « Désormais, ajoute-t-il, les deux mots sont inséparables ; le qualificatif demeurera accolé au nom comme un stigmate indélébile. Vous y veillerez. Jamais plus le nom de Laval ne devra être prononcé seul ou sans que l’écho réponde aussitôt : négrier. »

Et Boris d’achever sur ces mots qu’il souhaite voir se transformer en slogan : « Femmes de France, prenez garde ! Le négrier convoite vos hommes. »

Le 28 juin, c’est Georges Buisson, secrétaire de la C.G.T., qui, à 21 h 25, lance un appel à la résistance contre « le mensonge de la Relève ». « Les Français savent maintenant que les décrets sur le travail obligatoire, sur le recensement, sur le certificat obligatoire de travail ont été promulgués par Laval et contresignés par Pétain pour faciliter la rafle des ouvriers de France au profit des ennemis de la France. »

Le 19 août, au cours de l’émission « Les Français parlent aux Français », les deux speakers qui alternent apprennent à leurs auditeurs que les ouvriers partant pour l’Allemagne ne trouveront sur place ni vêtements de travail ni chaussures, qu’ils se verront « accablés d’impôts et de charges multiples » et que, démunis, dans un pays affamé, ils ne pourront survivre sans l’appoint des colis venus de France ; que leurs lettres seront censurées et qu’ils n’obtiendront des permissions qu’avec l’assentiment écrit du chef de l’entreprise, de la police et de l’office de placement allemand.

1re VOIX. — Mais alors, si le chef de l’entreprise, la police allemande ou l’office de placement refuse le visa, l’ouvrier ne peut s’en retourner. Il est donc prisonnier.

2e VOIX. — Oui, chaque travailleur français partant pour le Reich se constitue prisonnier civil.

1re VOIX. — Mais les travailleurs français sont trop intelligents pour ne pas voir le piège que leur tendent les nazis et les traîtres.

2e VOIX. — Et c'est pourquoi nous leur disons avec confiance...

1re VOIX. — N'allez pas en Allemagne !

En France, il n'est nul besoin de la radio anglaise pour que le discours de Laval soit mal reçu.

Lorsque Maurice Martin du Gard entend la phrase fatale, voici son réflexe : « Diable ! Voilà des choses qu'on ne dit pas ! L'opinion lui semblait favorable. Elle espère tout de cet homme simple qui a une telle réputation d'habileté. Cette phrase va lui causer un tort considérable... »

A la date du 22 juin Pierre Limagne note de son côté dans ses *Ephémérides :* « Du discours d'aujourd'hui, l'on retiendra une phrase : " Je souhaite la victoire de l'Allemagne. " En entendant cette déclaration, les Français ont vu rouge ; si bien qu'ils ne remarquèrent pas combien la formule " Je souhaite " manquait d'assurance. Et quand la musique a attaqué *La Marseillaise,* chacun s'est précipité sur son poste de radio pour tourner le bouton et ne pas laisser notre hymne national accompagner tant d'ignominie. »

De son côté, Nicolle, un ami de Laval cependant, en voyage à Paris, le 22 juin, signale que le discours « a été dans l'ensemble fort mal accueilli » et que « la phrase concernant la victoire allemande a été presque unanimement critiquée ».

Si le général Serrigny, vieil ami de Pétain, peu suspect de « lavalisme », voit très exactement la manœuvre du chef du gouvernement et l'explique, à la date du 23 juin, bien avant que Laval lui-même songe à la commenter [1], il n'en marque pas moins qu'il a été atterré et l'a dit au

1. Serrigny dans *Trente Ans avec Pétain* note le 23 juin : « Tout cela me semble une gigantesque comédie destinée à gagner du temps... Il (Laval) s'est compromis en paroles pour éviter des actes, car il sait d'avance que les cadres économiques ne le suivront pas. »

Maréchal en ajoutant que, s'il venait à Paris, « il serait copieusement sifflé ».

Tout cela est vrai.

Cependant, est-on sûr qu'en dehors des cercles sincèrement collaborationnistes, et de tous ces hommes qui approuvent sur ordre, il ne se trouve pas des Français anti-allemands pour s'inquiéter du sort réservé à la France en cas de victoire soviétique ?

Si ces hommes et ces femmes n'avaient pas existé, « Ici Londres » aurait-il consacré, le 31 juillet 1942, une longue émission aux problèmes que pose à tous ces anticommunistes de France, qui n'en sont pas pour autant prohitlériens, l'alliance avec le communisme ?

Le responsable de l'émission, Jacques Brunius (Jacques Cottance), dont on sait les attaches de gauche, cite la longue lettre d'une Bretonne écrite le 18 juin, donc antérieure au discours de Laval, lettre dans laquelle se trouve soutenue la thèse selon laquelle il serait bon que « les Allemands battent péniblement les Russes et sortent si épuisés de cette lutte que les Alliés puissent les achever[1] ». La seconde partie de l'émission de Brunius sera donc consacrée à combattre une idée plus répandue qu'on ne l'imagine aujourd'hui même si, dans un conflit de type manichéen, elle ne trouve et ne peut trouver aucun moyen de s'exprimer[2].

---

1. On étonnerait beaucoup cette correspondante et les journalistes de Londres en leur disant que Pierre Laval n'est pas loin de partager cette position.

Parlant le 9 novembre 1943 devant les maires du Cantal, il affirme bien que, si l'Allemagne s'effondre, le désordre s'installera peu à peu en Europe. « Il s'installera en Allemagne, dans les Balkans, en Italie. » Mais il ajoute : « J'aime mon clocher, j'aime mon village, j'aime toutes les pierres de chez moi, mais je ne veux pas que le désordre s'installe chez nous et je voudrais agir de telle façon que l'Allemagne ne soit pas trop forte pour nous étreindre, mais de telle façon que le bolchevisme ne puisse pas, lui, nous supprimer. »

2. Galtier Boissière, *Mémoires d'un Parisien,* écrit : « Le 3 juillet (1941), grand discours de Staline, défenseur des libertés opprimées et qui veut soustraire les peuples d'Europe à l'esclavage. *On n'ose pas ouvrir le bec,* mais, tout de même, quelle dérision d'entendre ainsi discourir le dictateur qui, en s'alliant avec Hitler, en août 1939, a automatiquement déclenché le cataclysme. »

Dans *La nuit finira* Frenay écrit, en faisant allusion au discours de Laval : « Cet appel à la nation est diaboliquement habile. 1 800 000 Français sont prisonniers en Allemagne ; leurs familles ne vont-elles pas souhaiter que ces paroles soient

Cependant, sensible au discrédit qui atteint le discours de Laval, la propagande officielle va s'efforcer de remonter le courant.

En zone non occupée, les journaux ont reçu l'ordre (consigne n° 427) de présenter le discours du chef du gouvernement « en tête de première page avec un titre de cinq colonnes au moins » et, dès le 23, une note d'orientation explique aux directeurs et rédacteurs en chef que le message radiodiffusé du président Laval « exige des commentaires qui ne sauraient être épuisés en un seul article ». Chaque journal étant invité « à accomplir par ses propres moyens l'effort maximum », on signale cependant aux responsables de presse que, pour « appuyer au maximum l'appel du président Laval concernant le recrutement de la main-d'œuvre française pour l'Allemagne », ils recevront des textes, de la documentation, des thèmes d'articles et, « le cas échéant, des articles ». Ainsi, ceux dont l'inspiration serait courte, ou la mauvaise volonté évidente, se trouveraient-ils privés d'excuses.

Préfets régionaux, préfets, délégués à la Propagande, inspecteurs divisionnaires et inspecteurs du travail, inspecteurs généraux, représentants de la Production industrielle, directeurs d'office de placement sont avertis, le 30 juillet, que la presse ne devra pas « relâcher un seul instant son effort ».

Il faudra donc des articles toujours plus nombreux et toujours plus persuasifs. On demandera aux journalistes d'insister sur les avantages matériels que présente le travail en Allemagne. Qu'ils fassent miroiter le bénéfice que les ouvriers peuvent tirer de « départs groupés », mais qu'ils se gardent de fournir des informations erronées... ou trop exactes. Qu'ils veillent ainsi à ne jamais indiquer les proportions entre ouvriers volontaires et prisonniers libérés, ce qui serait cause de bien des désillusions, et qu'ils ne laissent jamais croire aux femmes que, partant pour l'Allemagne, elles peuvent obtenir la libération de leur mari captif.

Hebdomadaires, les « notes d'orientation », signées de Roland

---

entendues ?... La crainte du bolchevisme est bien réelle, Laval ne l'ignore pas, et sa référence à l'unité européenne contre le communisme peut trouver dans l'opinion de profonds échos. »

Lapeyronnie, directeur du Centre d'information du travail français en Allemagne, permettent de prendre une idée exacte des efforts de la propagande en faveur de la Relève. Et des difficultés qu'elle rencontre.

La note d'orientation du 14 août, qui fait suite à l'arrivée du premier train de libérés, demande que les commentateurs soulignent « l'unanimité de la presse française dans les deux zones qui est le reflet de l'unanimité profonde de l'opinion sur la justice et le bienfait de l'œuvre sacrée de la Rélève [1] ». Une autre note fait obligation aux journalistes de signaler que les prisonniers libérés sont des hommes valides « et non pas des malades comme le déclare la radio anglaise » et comme l'affirment les communistes dans des tracts intitulés, en région lyonnaise, « chair à travail, chair à canon ». Enfin, les rédacteurs en chef sont invités à mettre en valeur, dans le discours de Pierre Laval, les passages qui ont trait au devoir de solidarité que remplissent les ouvriers, à l'adhésion des prisonniers à la politique gouvernementale, à la tâche difficile qui incombe au chef du gouvernement.

On souffle à l'oreille des journalistes des thèmes « originaux ». Ainsi, la note du 21 août leur fait-elle remarquer, pour qu'ils en fassent bon usage auprès de leurs lecteurs, que « certains ouvriers, surtout des jeunes, se décident à partir pour l'Allemagne, poussés par le goût du changement et de l'aventure. C'est là une tendance qui doit être encouragée. La jeunesse française devenait casanière ».

Quotidiennement sollicitée, la presse obéit quotidiennement. *Le Petit Parisien* du 1er juillet 1942 annonce qu'un prisonnier libéré habitant la région lyonnaise a décidé de repartir volontairement ; Le 2 juillet, le même journal publie la photo de Gabriello, de Lys Gauty et de Fréhel revenant d'un voyage en Allemagne au cours duquel ils se sont produits devant des travailleurs français. Le 4, interview de Jules Lincot, hier métallurgiste dans une usine de la banlieue parisienne, aujourd'hui tourneur et tourneur heureux (« on ne redoute pas

1. Unanimité de commande puisqu'elle est imposée par le ministère de l'Information en zone non occupée et par les services allemands en zone occupée !

toujours, comme chez nous, de voir surgir le contremaître ») dans la région de Munich[1]. Dans le numéro du 4, encore, de nombreuses précisions sur le sursis accordé d'office aux jeunes en âge d'être incorporés dans un chantier de jeunesse s'ils choisissent d'aller travailler en Allemagne, sur la prime spéciale d'équipement (1 000 francs) accordée à ceux qui se présentent avec des vêtements et des chaussures de travail en bon état, sur « l'empressement » dans les bureaux d'embauche.

Lit-on *Le Petit Parisien* du 6 juillet, on éprouve d'ailleurs l'impression d'un mouvement général et enthousiaste : « Aux travailleurs de l'industrie mécanique et métallurgique de toutes catégories, aux ouvriers d'entretien, aux électriciens, etc., dont l'engagement prépare les premières libérations, se joignent les ouvriers de toutes les autres professions qui partent souvent, c'est significatif, en compagnie de leurs patrons, de leurs ingénieurs, de leurs agents de maîtrise. »

La propagande pour le travail en Allemagne gagne naturellement les annonces classées. Bien que le mot « Allemagne » tarde à être écrit[2], qui doute, en vérité, de la destination que devront prendre ces « ouvriers et ouvrières de la métallurgie et du bâtiment ainsi que travailleurs (hommes et femmes) de toutes autres professions ayant fait apprentissage ou non », qui sont priés de se présenter à La Chope du Nord où ils pourront prendre connaissance des « conditions avantageuses » qui leur seront proposées ?

Le Petit Parisien du 9 juillet 1942 publie le texte d'un télégramme émanant d'ouvriers français (ou plus exactement de leurs délégués), texte remerciant « le président Laval pour les courageuses paroles prononcées le 22 juin ». Le 28 juillet, c'est un reportage, signé Mariane de Rochcau, sur Elie Gervais, gamin de seize ans désireux de s'engager comme manœuvre mais à qui les ateliers de construction

1. Jules Lincot se plaint cependant des baraquements mal tenus par leurs occupants français, comme il se plaint des trafics « plus ou moins moraux » auxquels se livrent ses camarades.

2. Ce n'est guère avant le mois de septembre 1942 que les annonces seront suivies de la formule « Ouvriers français, participez à la Relève », ou de précisions sur la destination finale. Ainsi cette annonce publiée le 7 septembre 1942 par *La Dépêche de Brest* : « On demande pour Brest et pour l'Allemagne mineurs et manœuvres, conditions spéciales pour l'Allemagne, bonne nourriture et logement. Entreprise Wisoka, 40 bis, rue Armor, Saint-Pierre Quilbignon. »

aéronautique, 132, avenue de Clamart, à Issy-les-Moulineaux[1], vont permettre d'apprendre un métier avant qu'il ne quitte la France. *Le Pont,* publication collaborationniste à l'intention des prisonniers de guerre, donne, le 12 juillet, une description idyllique de l'activité du bureau de placement allemand de Lyon-La Guillotière. Le 27 avril, les occupants ont reçu, en effet, de Vichy l'autorisation d'ouvrir des bureaux à Lyon, Toulouse et Marseille, mais également dans des villes de moindre importance comme Annemasse.

> « Il est à peine neuf heures du matin et déjà se presse aux portes une copieuse et remuante cohue qui discute avec animation les conditions d'embauche et les chances d'être accepté... Les candidats ? Ils nous paraissent issus des milieux les plus divers : ouvriers métallurgistes en premier lieu, ensuite ouvriers et ouvrières du textile que le manque de matières premières a réduits au chômage ; puis toutes sortes de petits artisans plus ou moins éprouvés par la dureté de ce temps et qui nourrissent l'espoir de retrouver une situation stable leur permettant de faire vivre leur nichée[2]. »

Les journaux de zone occupée signalent presque unanimement[2] et amplifient toutes les initiatives : que la direction d'une usine de produits chimiques de la région bordelaise décide d'attribuer une prime de 1 000 francs à chaque volontaire et ce minuscule événement a droit à la première page[4]. De même insiste-t-on sur la décision prise, par le *gauleiter* Sauckel, d'engager pour les usines allemandes des cuisiniers de nationalité française[5].

La presse fait d'ailleurs à une réalité décevante un sort glorieux : une photo publiée par *L'Œuvre,* en date du 15 août 1942 et représentant « l'animation matinale devant le bureau d'embauche du

1. Les Ateliers d'Issy-les-Moulineaux sont placés sous direction allemande.
2. Que la misère soit à l'origine de nombreux engagements, le prouve un rapport (inédit) de l'inspecteur Julien, d'après lequel, à Lyon, le 23 et le 24 juin, au bureau d'engagement de la rue Garibaldi, 80 % des engagés sont des Nord-Africains en chômage, heureux de se voir proposer des salaires horaires allant de 17,65 francs (chauffeur de chaudière) à 24,60 francs.
3. Il existe toutefois des exceptions. C'est ainsi que *Le Matin* ne publie aucun article d'importance sur la Relève entre le 3 et le 29 juillet 1942.
4. *Le Matin,* 30 juillet 1942.
5. *Dépêche de Brest,* 28 juillet 1942 notamment.

quai d'Orsay », montre ainsi une foule de... vingt-deux personnes.

C'est que la Relève connaît bien des difficultés. Et dès les premiers jours. Le préfet de Seine-et-Oise note, en juillet 1942 : « Chez une population ouvrière, qui, pendant des années, a été quotidiennement excitée contre le fascisme et l'hitlérisme et qui rend maintenant l'occupant responsable de toutes ses misères, il n'est pas surprenant que la perspective d'aller travailler en Allemagne, fabriquer directement ou indirectement un matériel destiné aux troupes qui combattent la Russie, n'ait pas soulevé un bien grand enthousiasme. »

Pour un préfet satisfait — celui de la Gironde qui espère enregistrer « aux environs du 10 août » le 5 000e départ pour l'Allemagne —, tous les autres, en juillet, font part de leur déception. Déception qui ne fera que croître. En septembre, ils se montrent unanimes : les retours de prisonniers sont trop peu nombreux pour susciter l'enthousiasme. En octobre, le préfet de Loire-Inférieure signale à son ministre que « la propagande faite dans la presse au sujet de la Relève et du départ des ouvriers français en Allemagne donne souvent des résultats contraires à ceux attendus ».

Les délégués à l'Information ont, certes, visité les principaux centres industriels, déployé, dans tous les départements, « une intense activité », mais les résultats sont minces. Comme sont minces les résultats des efforts de séduction de la propagande allemande : personne, à Châtellerault, pour prendre part au repas organisé par les autorités allemandes pour 200 ouvriers spécialisés de la manufacture d'armes et pour leur famille. En prévision de cette manifestation, les occupants avaient cependant demandé le déblocage de stocks de viande, de vin, ils avaient loué un piano et retenu les services d'un pianiste. Vains efforts.

Le 9 juillet 1942 — dix-sept jours seulement après le discours de Laval —, lors de la réunion du Comité d'information ouvrière et sociale, la liste des raisons qui expliquent les réticences ouvrières est établie. Au premier plan, la médiocrité des conditions matérielles de vie, un évident manque de confiance dans la parole du Führer, enfin l'influence d'une propagande gaulliste, communiste et anglaise très active.

Après avoir écouté le discours de Laval, Henri Frenay, qui a immédiatement compris le danger que représente le chantage aux prisonniers, adresse une instruction aux chefs de région de *Combat* et une autre à la rédaction du journal du mouvement afin que soit violemment attaqué « Laval, le marchand d'esclaves, l'homme qui souhaite la victoire d'Hitler ».

Tiré à 80 000 exemplaires, le clandestin *Combat* dénoncera donc « la criminelle comédie de la Relève » et demandera aux Français d'employer les chômeurs « à la campagne, dans [leurs] jardins, dans [leurs] maisons ».

L'Humanité a la même attitude. C'est dans un numéro du 10 juillet 42 que se trouve racontée l'histoire des ouvriers d'une petite usine récemment fermée (aucune autre précision n'est donnée) à qui l'inscription au chômage a été refusée. « On leur indiqua qu'ils devaient partir en Allemagne, ce à quoi ils ripostèrent en partant à la campagne chez des paysans qui les ont accueillis. Ces ouvriers aident les paysans, ils vivent et ils ont la satisfaction de ne pas prolonger l'existence du bandit Hitler. »

« Ouvriers, partez à la campagne », c'est le slogan de *L'Humanité* clandestine du 31 juillet qui annonce que, devant l'échec du plan Laval, « les boches se préparent à réquisitionner les affectés spéciaux et à faire des razzias d'ouvriers ».

> « Affectés spéciaux, partez à la campagne, travaillez chez les paysans ou enrôlez-vous dans les groupes de F.T. et P.
>
> « Camarades ouvriers, n'allez pas en Allemagne, résistez, luttez, par tous les moyens contre les recruteurs d'esclaves... »

Le mot « maquis » n'est pas encore écrit, mais les maquis sont en train de naître. Comme se perfectionnent rapidement les moyens de la Résistance.

En septembre 1942, *L'Humanité* conseille des manifestations dans les gares : « Aidez les ouvriers à se sauver, entraînez les femmes à obstruer les voies, tous les voyageurs seront avec vous. Si on vient vous chercher chez vous, défendez-vous avec vos voisines, sortez les racoleurs à coups de balai, rossez-les. »

De son côté, *Ici Londres* multiplie les appels à la résistance.

« Chaque ouvrier français se rendant dans le IIIe Reich libère un ouvrier allemand qui ira sur le front russe [1]... » « Chaque travailleur

1. Les communistes utilisent également les mêmes arguments. « L'ouvrier français qui part dans les usines du Reich ne fait pas la relève des prisonniers ; il fait la relève des ouvriers boches qui sont envoyés sur le front de l'Est où les armées hitlériennes se font décimer », *L'Humanité* du 25 juillet 1942.

français se rendant en Allemagne, c'est un otage pour les nazis[1]... »
Ces phrases répétées à chaque émission, l'affirmation que les périls courus lors des bombardements sont, en Allemagne, plus grands qu'en France, qu'il serait plus simple de travailler dans des usines françaises pour l'Allemagne plutôt que de s'expatrier vont entraîner, en réaction, de la part du Centre d'Information du travail français en Allemagne la publication d'un petit catéchisme.

Travailler en France plutôt qu'en Allemagne ?

Non, car « la difficulté des transports empêche d'approvisionner les usines françaises en matières premières ».

Les bombardements de l'aviation alliée ?

Ils ne sont pas plus fréquents que sur les banlieues ouvrières de Billancourt, d'Argenteuil, de Rouen.

Les difficultés matérielles rencontrées par les familles des volontaires ? Le gouvernement français garantit aux familles des avantages substantiels tels que le demi-salaire et le service de la main-d'œuvre française en Allemagne (18, rue de Madrid) se met à leur disposition pour les conseiller, pour les aider.

Mais, en vérité, seul un retour MASSIF de prisonniers de guerre aurait été susceptible d'ébranler le scepticisme des ouvriers français et de contrebattre efficacement la propagande anglaise.

Cette propagande qui fait, à bon escient, remarquer que la proportion des prisonniers rapatriés ne sera pas de *un pour trois* volontaires mais de *un pour cinq,* puisque les non-spécialistes (les Allemands en réclament 100 000) ne comptent pas pour la Relève et n'entraînent pas *un seul* retour.

De un pour cinq ? Ou même de un pour douze. C'est ce que Maurice Schumann explique le 13 août.

— Nous vous disions avant-hier : la Relève, telle que Laval la définit, cela consiste à maintenir vingt-quatre prisonniers de guerre sur vingt-cinq dans les stalags et les oflags et à troquer le vingt-cinquième contre dix ouvriers, dix prisonniers de l'armistice. D'après les chiffres donnés à Vichy même, cette proportion monstrueuse — un Français libéré pour dix Français livrés — est encore supérieure à la honteuse réalité. En effet, la statistique officielle dressée par la compagnie négrière[2] porte que, depuis le premier appel de Laval jusqu'au

1. 6 juillet 1942.
2. Schumann parlera aussi, le 14 septembre, de « la traite des Blancs »

1er août, 38 000 travailleurs ont pris le chemin de l'Allemagne, dont 8 000 ont été reconnus par l'ennemi comme ouvriers qualifiés. Or, comme il faut trois ouvriers qualifiés pour libérer un prisonnier, cela revient à dire que la livraison de 38 000 ouvriers entraîne la libération de 2 700 prisonniers... 2 700 pour 38 000, soit à peu près un pour douze. »

Le pourcentage trop restreint des libérés ; le fait que la Relève — et la presse reçoit l'ordre d'insister constamment sur ce qui est plus qu'un détail — ne saurait être individuelle, mais collective, un frère ne pouvant faire revenir un frère ; les retards apportés aux premiers rapatriements ; la priorité accordée au retour des prisonniers paysans au détriment des ouvriers, plus utiles à l'Allemagne ; la contre-propagande des Résistants, tout contribue à l'échec rapide de l'idée lancée le 22 juin par Pierre Laval.

3
DE L'ÉCHEC DE LA RELÈVE AU S.T.O.

Rien n'a été négligé, cependant, pour faire de l'arrivée du premier train de prisonniers libérés un succès de propagande et un succès populaire.

Le « premier train » pénètre en gare de Compiègne le 11 août 1942 mais, pour faire patienter des milliers de familles qui sont en droit d'espérer même si, jusqu'au dernier moment, nul ne connaît le nom des libérés [1], la presse a déjà annoncé l'arrivée de ce premier train le 5, le 8 et le 21 juillet !

Il arrive enfin, après qu'à la frontière ceux qui sont désormais des ex-prisonniers ont été salués par M. Wahrburg, représentant du *gauleiter* Sauckel, qui a souligné, comme il se devait, que les rapatriements seront toujours liés aux départs des travailleurs français.

Le 12 août, tous les journaux de zone occupée rendent compte avec effusion d'un événement dans lequel les collaborateurs les plus sincères veulent voir un acte au moins aussi important que Montoire. Huit colonnes et quatre photos en première page du *Petit Parisien,* cinq colonnes et quatre photos dans *Le Matin.* Et voici, particulièrement intéressant, jusque dans ses « clichés » journalistiques, le reportage paru dans *L'Œuvre.*

---

1. Des listes ont été envoyées dans les camps par le ministère de l'Agriculture. Et dans la feuille *Le stalag vous parle,* on peut lire, à la date de novembre 1942 : « L'homme de confiance communique : invité par les autorités allemandes à soumettre les cas intéressants qui pourraient concerner la Relève, il m'a été précisé de donner la préférence, dans les catégories, aux agriculteurs. »

« 8 heures. Gare du Nord... sur la voie 21, un long train spécial, véritable paquebot sur rails, va transporter, au-delà du Rhin, des ouvriers et ouvrières qui vont travailler en Allemagne : le train de la Relève.

... Maintenant, le train roule, il a sans doute hâte de se rendre à un sérieux rendez-vous. Il doit, en effet, se croiser, en gare de Compiègne, avec le premier train de prisonniers libérés, grâce à cette Relève dont on espère tant. Cette rencontre symbolique, d'une garde montante et descendante sans armes, se devait d'être marquée par une manifestation officielle... Un important service d'ordre maintient les curieux à une distance respectueuse de la gare. Les cinéastes chargent leurs appareils, les radio-reporters disposent leurs micros... A 9 h 55, sans se faire annoncer et sans faste, comme s'il s'agissait d'un service régulier normal, un train vient se ranger le long du quai, côte à côte avec celui des ouvriers.

Ce train, malgré les apparences, n'est pas un train comme les autres. Les voyageurs, dont on aperçoit les calots et les vestes kaki, voyagent sans billets... Ils ont mieux en poche : un modeste papier portant plusieurs cachets... Cet imprimé, sans valeur apparente, vaut pourtant une fortune : c'est la liberté !... M. Pierre Laval, veston noir, pantalon rayé, cravate blanche, l'air soucieux [1], s'avance... Visiblement ému, le chef du gouvernement jette un regard sur les prisonniers et les ouvriers qui fraternisent et les salue de la main. Et aussitôt des cris de " Vive Pétain ! Vive Laval " retentissent. »

Le discours de Pierre Laval, prononcé en présence de Benoist-Méchin, de Scapini, de Paul Morand, de Chambrun, de Ritter, délégué de Sauckel, du conseiller d'ambassade Schleir et du lieutenant-colonel Schwendemann, est dénué d'optimisme : « Comme je voudrais pouvoir dire des paroles d'espérance à tous ceux qui restent dans les camps... Une politique de compréhension, conforme aux intérêts de la France, comme celle de Montoire, aurait pu accélérer leur retour. Elle était trop audacieuse pour être comprise et spontanément acceptée par tous. C'est pour tenter de reprendre cette politique

1. Plusieurs journalistes et personnalités officielles noteront l'air préoccupé de Pierre Laval.

que je suis aujourd'hui au pouvoir et, si je me heurte à des difficultés, je reste néanmoins toujours confiant. Dans les combats gigantesques et victorieux, le Reich engage tous ses hommes. L'heure des libérations massives est passée et l'Allemagne a besoin de main-d'œuvre... » Il est vrai que Laval répond à Ritter qui a évité de donner des précisions sur les libérations futures. Il est vrai, surtout, que Laval n'ignore ni l'échec de la Relève ni l'ambition des nouveaux plans allemands de prélèvement de main-d'œuvre.

Tandis que le train des ouvriers s'éloigne en direction de l'Allemagne, les ex-prisonniers sont conduits dans une annexe de la gare où, après avoir pris une douche, ils sont habillés, reçoivent du tabac, un peu d'argent, des vivres pour vingt-quatre heures, la possibilité de prévenir leur famille grâce à une formule de style télégraphique : « Retour captivité Compiègne, en bonne santé, arriverai probablement le... »

Puis, par groupes de cent ou deux cents, les passagers du train [1] seront acheminés vers leurs provinces respectives. Sur les wagons qui les transportent alors, toujours les mêmes inscriptions. Calligraphiées, elles témoignent davantage de l'efficacité de la propagande que de la joie — incontestable — des rapatriés : « VIVE PÉTAIN », « VIVE LAVAL », « NOUS RENTRONS GRÂCE À LA RELÈVE », « PENSEZ À CEUX QUI RESTENT. »

Ainsi ce sont, réduits à trois, quatre ou cinq wagons, plusieurs « premiers trains de la Relève » qui vont se diriger vers la Bretagne [2], le Sud-Ouest, la zone libre.

Vers Paris où les libérés arrivent le 12 à 10 heures et sont accueillis par Trochu, président du Conseil municipal, Charles Magny, préfet de la Seine, Amédée Bussière, préfet de police, aux accents de marches militaires jouées par la fanfare de la Garde.

Les journaux publient naturellement des interviews. Celle de ce cultivateur normand qui, en Prusse-Orientale, faisait cinq repas par jour [3]. De quoi rêver en ces temps de misère !

Celle de ce paysan de Beaumont-les-Autels :

— Qu'est-ce qui vous a fait la plus grande joie au retour ?

---

1. 1200 à 1300 selon différentes sources.
2. Le 14 août, *La Dépêche de Brest* annonce ainsi que « le premier train de la Relève est arrivée en Bretagne ».
3. *Aujourd'hui*, 13 août 1942.

— Ça ne se demande pas : embrasser la femme et les gosses... et puis voir que tout est en ordre avec une jument que je ne connais pas. Une idée riche qu'a eue ma femme de l'acheter à temps.

— Et votre plus grand plaisir ?

— Boire un verre de cidre, ça manquait là-bas[1].

Le 17 septembre, un autre train en provenance d'Allemagne arrive à Compiègne et c'est l'occasion, pour le Centre d'information du travail français en Allemagne, d'insister auprès de la presse sur « les mensonges de la propagande étrangère ». « En échange d'ouvriers spécialistes, des prisonniers nous sont rendus : la Relève est une réalité », conclut la note d'orientation du 18 septembre. En zone non occupée, la consigne n° 734 impose un titre de 3 colonnes qui doit s'inspirer d'une phrase de Fernand de Brinon.

Ce jour-là, Louis Marchal, qui habite près de Toul, Emile Colin, le Vosgien, Louis Martin, de Cognac, Gabet, de Maubeuge, Robert Hérault, de Bordeaux, deux Parisiens, Georges Estringes et Aimé Bessy, rapatriés bien qu'ils ne soient pas paysans, mais parce que leur femme est morte et que leurs enfants sont orphelins, se voient ainsi fêtés par une presse qui exploite leur retour pour le plus grand bénéfice de la collaboration, cependant que la presse clandestine communiste donne de la rencontre des trains de libérés et des trains de volontaires des récits aussi partiaux et, sans doute, aussi inexacts que les récits de la presse de la collaboration.

Voici, en effet, selon *L'Humanité* de septembre, ce qu'auraient crié, en gare de Belfort, des libérés à leurs libérateurs.

— Salauds ! Vous allez faire prolonger la guerre. L'Allemagne est foutue, nos copains reviendront bien sans vous, partez vite, retournez chez vous, sans cela nous allons récupérer des forces pour vous casser la gueule, mais vous ne reviendrez pas, car les boches eux-mêmes en ont assez et ils sauront régler leur compte, le moment venu, à tous ceux qui ont participé librement à prolonger leurs chaînes.

C'est en septembre qu'arrivera, en France, le train qui, de tous les trains de prisonniers de guerre libérés, recevra de la presse, et sans

1. *Aujourd'hui,* 18 août 1942.

doute de l'opinion, le meilleur accueil : celui qui, le 13 septembre, a ramené les prisonniers de la région dieppoise, libérés par Hitler en remerciement de « l'attitude disciplinée » de la population lors de la tentative de débarquement anglo-canadienne du 19 août.

Après neuf heures d'une bataille au cours de laquelle ils ont perdu 4 500 officiers et soldats, tués, blessés et prisonniers[1], les assaillants ont dû se retirer à 13 h 30. La population dieppoise, terrée dans les abris (il y aura toutefois 50 morts et 100 blessés civils[2]) n'a pas bronché. Tirée du lit à partir de 3 h 45 par les premières explosions (il n'y a pas eu de bombardements aériens), privée de téléphone, puis d'électricité à partir de 8 heures, ne sachant rien de ce qui se passe à l'extérieur, n'ayant, sauf exception, nullement l'occasion de se trouver en position d'aider ou de renseigner un Britannique et, la bataille se déroulant principalement sur les plages, écartée évidemment des lieux d'une action que l'intensité du feu lui aurait interdit d'observer, qu'eût-elle pu faire d'ailleurs ?

De surcroît, à partir de 6 h 15, la B.B.C. a diffusé des consignes d'abstention : « Français, ceci est un coup de main et non pas l'invasion. Nous vous prions instamment de n'y prendre part en aucune façon... »

---

1. Les Allemands perdront en tués, disparus et blessés 333 hommes. Le nombre des avions abattus est de 106 pour la Royal Air Force (les Allemands annoncent 127, les Anglais disent 98) contre 48 allemands (35 d'après le communiqué de la Wehrmacht, 91 d'après les Anglais).

Par ailleurs, d'après le communiqué allemand, les Britanniques auraient perdu quatre contre-torpilleurs, deux torpilleurs, sept transports, un patrouilleur, une embarcation de débarquement, deux canonnières et une vedette rapide. En réalité les Britanniques perdront le destroyer *Berkeley*, 5 L.C.T. (embarcations de débarquement portant 3 chars), 28 L.C.P. et L.C.A. (embarcations portant soit 25 soit 35 soldats). Les 30 chars débarqués ont tous été détruits.

Les Anglais avaient engagé notamment le régiment écossais de l'Essex et le Royal Hamilton qui avaient pour mission de prendre la ville de Dieppe et de l'occuper jusqu'au soir, le régiment royal du Canada, le régiment de Sasktchewan et le Queen's Own Cameron Highlands, ainsi que deux unités de commandos.

Plusieurs Français Libres (aviateurs et commandos notamment) ont participé à l'opération contre Dieppe. L'un d'entre eux, le second maître B..., évoquera son combat sur les antennes londonniennes le 28 août.

2. 25 tués et 85 blessés selon *Le Temps* du 22 août, mais les chiffres iront augmentant. Le 19 mai 1942, *La Vigie de Dieppe* avait protesté contre le petit nombre d'abris. Une partie de la population de Dieppe (259 personnes dont 168 enfants) avait été évacuée pour des raisons militaires en direction de l'Oise le 11 mai 1942.

Quoi qu'il en soit, et même si une partie de la population, les combats terminés, a manifesté sa sympathie envers les blessés ou les prisonniers anglais et canadiens, même si elle a fleuri les tombes, prié (deux cents personnes dans la chapelle de Berneval le 20 août) pour le repos de l'âme des morts, les occupants décident de transformer leur indiscutable succès militaire en un non moins indiscutable succès politique.

Ils y sont aidés, d'ailleurs, par le télégramme, signé Pétain, mais dont on discute toujours la véritable paternité, adressé le 21 août de Vichy à Paris, à l'intention de M. de Grosville, attaché au cabinet de Benoist-Méchin, chargé de le transmettre à Berlin [1].

> « Vichy, le 21 août 1942.
>
> « Monsieur le Chancelier du Reich,
>
> A la suite de l'entretien que je viens d'avoir avec le président Laval et après la dernière attaque britannique qui s'est déroulée cette fois-ci sur notre sol, je propose d'envisager la participation de la France à sa propre défense.
>
> Si, en principe, vous y consentez, je suis tout disposé à examiner en détail les modalités de cette participation.
>
> Je vous prie, Monsieur le Chancelier du Reich, de considérer cette initiative comme l'expression sincère de voir la France apporter sa contribution à la protection de l'Europe.
>
> Signé : Philippe PÉTAIN. »

Inventé et transmis à Paris par les ultras de la collaboration qui n'en étaient pas à un subterfuge près, ou véritablement lu, approuvé et signé par Pétain dans un moment d'aberration, car le texte contredisait sa politique et ne reflétait pas son style, ce télégramme à l'intention

1. Parmi les chefs d'accusation contre le maréchal Pétain, la Haute Cour de justice ne retiendra pas ce télégramme.

Robert Aron (*Histoire de Vichy*, p. 530-532), après avoir passé en revue ceux qui se prononcent en faveur de l'authenticité du télégramme (M. Lacoste, contrôleur des P.T.T., chargé du téléscripteur entre Vichy et la délégation française en zone occupée, Fernand de Brinon, Abetz) et ceux qui la nient (le maréchal Pétain, Jardel, Rochat, Pierre Laval), n'estime nullement invraisemblable la thèse du télégramme « fabriqué » et transmis à Paris par certains ultras de la collaboration.

d'Hitler ne *sera pas reproduit par la presse de zone occupée*[1] qui, en revanche, publiera le texte suivant.

> « Le maréchal Pétain et M. Pierre Laval, chef du gouvernement, ont prié M. de Brinon de transmettre au haut commandement allemand en France leurs félicitations pour le succès remporté par les troupes allemandes qui, par leur défense, ont permis le nettoyage rapide du sol français. »

De ce dernier communiqué dont Pétain, interrogé par son entourage, dira immédiatement : « Je n'y suis pour rien, absolument, c'est un faux de cette ordure de Brinon », de ce communiqué, qui n'est pas publié par les journaux de zone libre, auquel le Conseil des ministres du 21 août ne fait nullement allusion, la propagande pro-allemande fera grand usage. Non seulement il s'étale en première page des quotidiens, mais il nourrit les commentaires. A son sujet, Radio-Paris parle « d'acte décisif » qui inscrit la France « dans le vaste mouvement révolutionnaire qui ébranle le monde ».

Et conclut : « C'est la première fois en effet que, deux ans après une effroyable défaite, le chef de l'Etat vaincu se retourne vers l'armée du vainqueur, pour la remercier[2] ».

Pourquoi ne pas amplifier, par un acte de générosité, la répercussion, que la rapide victoire allemande et la satisfaction, vraie ou fausse, manifestée par Vichy, ont eue sur l'esprit de beaucoup de Français ?

Transformant une importante opération de diversion en tentative de débarquement, les Allemands ont tout intérêt, en effet, à interpréter en leur faveur les sentiments d'une population avant tout PASSIVE, passivité qu'ils transforment en hostilité envers l'assaillant, en « loyauté » — le mot sera prononcé, on le verra — à l'égard de l'occupant[3]

---

1. Contrairement à ce qui sera affirmé au moment du procés Pétain par l'un des jurés, M. Pierre Bloch.
2. « Nous donnons volontiers acte à Radio-Paris, dit *Ici Londres* dans son émission de 20 h 30 du 24 août 1942, que c'est la première fois que l'on voit une chose pareille. »
3. Chacun s'efforce, d'ailleurs, de « tirer à soi » la population. Le 21 août, dans le cadre de l'émission « Les Français parlent aux Français », le colonel Sutton lit un message émanant du haut commandement britannique, message

Au maire de Dieppe, René Levasseur, le chef de la Kreiskommandantur remet, le 21 août, une somme de dix millions en faveur des sinistrés. Et comme le maire, après l'avoir remercié, comme le feront également Pétain et Laval, alors que cet argent n'est que de l'argent français, poursuit :

— L'argent, c'est quelque chose, mais les prisonniers !... les Allemands décident que tous les prisonniers domiciliés dans les localités du secteur de combat de Dieppe (Dieppe, Arques-la-Bataille, Pourville, Petit-Appeville, Neuville et Hautot-sur-Mer) seront immédiatement libérés [1].

> « L'attitude de la population française a été *plus que correcte* [2], indique le communiqué allemand porteur de la bonne nouvelle, malgré les pertes qu'elle a subies, elle a *assisté* [2] les troupes allemandes dans leur combat en leur rendant des *services de toutes natures* [2]. Elle a éteint les incendies, soigné les blessés, *pourvu les formations combattantes* [2] de vivres et de boissons. »

C'est donc « en reconnaissance » d'une attitude, qui, d'après les rapports de la 302e division allemande engagée dans le combat, n'a pas dépassé, ici et là, l'offre de bicyclettes à des soldats montant en ligne, la distribution de boissons et de cigarettes à des blessés et, rarement, quelques renseignements sur la présence de soldats anglais ou canadiens que, généralisant avec habileté, les Allemands libéreront près de 1 200 prisonniers.

Les choses se déroulent très vite. La décision d'Hitler est annoncée le 31 août. Les hommes arrivent en France le 13 septembre. Eugène Arcassin, qui travaillait en commando a été prévenu de sa libération par ses compagnons d'atelier allemands instruits de ses origines

---

félicitant les Dieppois de leur « sage attitude » et de la manière « scrupuleuse » dont ils ont suivi les consignes diffusées par la B.B.C., consignes recommandant d'éviter toute action susceptible de compromettre la sécurité des populations civiles.

1. Sont exclus les hommes originaires de Berneval et de Varengeville où la population s'est montrée favorable aux Anglais qui, notamment à Varengeville où les six pièces d'artillerie de la batterie Hess ont été détruites par le commando n° 4, ont remporté quelques succès.

2. Je souligne intentionnellement.

dieppoises. Le lieutenant Tourmir, par un officier allemand de son camp.

Y a-t-il eu, ici et là, comme cela se produit dans plusieurs camps à l'occasion de la Relève, des manifestations de recueillement sur les tombes des soldats français morts en captivité et devant les monuments aux morts des villes allemandes voisines[1] ? Je l'ignore mais, rassemblés à Trèves, les Dieppois partent en convoi sous la direction du capitaine Robbé, après avoir entendu le commandant allemand du camp les féliciter de « l'attitude loyale » de leurs concitoyens.

A 2 heures du matin, le 13 septembre, les voilà à Châlons-sur-Marne où le Secours national les ravitaille. Au Trilport, leur train croise un train de volontaires en route vers l'Allemagne.

Les wagons se couvrent bientôt d'inscriptions « VIVE LA FRANCE ! VIVE PÉTAIN ! VIVE LES DIEPPOIS ! VIVE LAVAL ! VIVE LA NORMANDIE ! », mais aussi, selon *La Dépêche de Brest* du 14 septembre, de « MERCI AU CHANCELIER HITLER ».

Serqueux. « C'est une petite gare bien banale avec sa grande place, à deux kilomètres environ de Forges-les-Eaux ». Ainsi débute un reportage publié le 14 septembre. C'est vrai. La gare est triste, grise, banale en effet. Mais, pour la circonstance, elle a été fleurie, voilée de draperies multicolores, ornée d'un portrait du maréchal Pétain. Lorsque les prisonniers arrivent, ils sont accueillis, du côté français, par Fernand de Brinon, par Scapini, par le général Sallan, représentant le ministre de la Guerre, ainsi que par Benoist-Méchin, Bouffet, préfet régional de Normandie, Sassier, sous-préfet de Dieppe, Levasseur, maire de Dieppe ; du côté allemand, par le colonel von Zidzewitz, *Feldkommandant* de la région de Rouen, le ministre Schleir et le commandant von Rosenberg. C'est von Zidzewitz qui, depuis l'estrade installée au fond de la petite place de la gare, parle le premier. Derrière lui, immense, le portrait de Philippe Pétain.

— Camarades français, au moment où vous foulez le sol de votre belle patrie, je vous apporte le salut du commandant militaire en

---

1. « Le détachement repartit (le 27 octobre) vers le monument érigé par la ville en l'honneur des soldats allemands tombés au cours des deux conflits. Là, il fit face ; un homme se détacha et posa la gerbe liée à nos couleurs. La minute qui suivit, lourde de pensées, lourde de sens, ne nous montra-t-elle pas, une fois de plus, la vanité de toutes les luttes qui ont divisé nos deux peuples, jusqu'alors ? Puissent des instants comme ceux-ci amener à plus de compréhension et d'entente dans la voie qui nous est tracée. » *(Le stalag XVIII C vous parle.)*

France. Lorsque l'Anglais tenta de fouler le sol de la France, autorités et familles ont su garder une attitude disciplinée. Sur l'ordre du Führer, vous êtes redevenus libres. Dans vos foyers, vous serez les pionniers d'une France nouvelle.

Après von Zidzewitz, Fernand de Brinon :

— Cette libération qui vous remplit tous d'allégresse, vous la devez avant tout à un vainqueur qui sait accomplir les grands gestes généreux et symboliques... De tels actes ne peuvent pas ne point engendrer des conséquences profondes...

C'est au tour maintenant de Bouffet, de Levasseur puis du capitaine Robbé qui affirme, au nom de ses camarades : « Nous sommes pleins d'ardeur pour nous mettre aux ordres du Maréchal, quels qu'ils soient », cependant que les garçons des formations de jeunesse entonnent *Maréchal, nous voilà !*

Les discours toutefois ont moins d'importance que les retrouvailles car une partie de la population de Dieppe a fait le voyage jusqu'à Serqueux. Femmes, enfants, pères et mères, toutes et tous les voilà jetés dans les bras des prisonniers. Et il leur est indifférent qu'autour de leur joie bourdonnent photographes français et allemands. On s'empresse autour de M. Motte, d'Arques-la-Bataille, qui, en une minute, vient de retrouver ses trois garçons — le quatrième a été tué en 1940 — et qui, costume du dimanche, grosses moustaches blanches, six dahlias à la main, pose volontiers en compagnie des libérés. On photographie Kurz qui vient de retrouver ses deux enfants, Marcel Bréard qui tenait une épicerie route du Havre, Maillard qui se jette dans les bras de sa femme.

Après quelques formalités, le cortège repart pour Dieppe où la foule, qui a rompu les barrages, s'est ruée dans le hall et sur les quais.

Commentaire de *La Dépêche de Brest* le 14 septembre : « Le retour des prisonniers dieppois a donc un sens politique qu'il serait vain de nier. Il constitue une nouvelle étape dans le rapprochement franco-allemand... Par-dessus tout, il est un exemple. Pourquoi ne pas saisir la chance qui nous est ainsi offerte [1] ?... »

---

1. A titre anecdotique, je signale que la *même* photo illustre, dans *La Dépêche de Brest,* les articles consacrés, le 14 août, au premier train de P.G. libérés et, le 14 septembre, au train de P.G. dieppois.

En apparence, la libération des prisonniers dieppois paraît un sommet de la collaboration. En réalité, l'épisode n'a qu'une portée locale. Au moment où il se produit, la Relève, déjà, a échoué. Ce n'est plus qu'un mot. Une coquille vide.

Pour l'Ariège, au mois d'août, seulement 42 départs ; pour l'Isère, toujours en août, 80 ; dans les Ardennes, 109 volontaires dont 34 spécialistes entre le 15 juin et le 15 juillet ; dans le Vaucluse, 5 ouvriers dont 3 spécialistes sont partis par un premier convoi, si l'on ose le mot, le 3 juillet, 39 le 22 juillet et 29 le 30 du même mois.

Peut-on avouer qu'étrangers et Nord-Africains composent un pourcentage important des volontaires [1] ?

Peut-on avouer que tous les efforts de propagande, ces appels presque quotidiens dans la presse, au nom du gouvernement, mais également des partis de la collaboration [2], ces tracts, ces bandes dessinées [3], ces affiches sur les murs montrant des prisonniers libérés souriant, depuis le wagon du retour, à leurs libérateurs et n'oubliant pas leurs camarades de captivité : « Il en reste, relevez-les ! », oui, peut-on avouer que tous ces efforts, cette littérature et cet argent ont seulement permis le doublement du faible courant de volontariat qui existait avant le 22 juin ?

Et ce n'est pas l'annonce, faite le 8 août, qu'il sera permis aux

---

1. Dans le Vaucluse, par exemple, au 28 janvier 1943, il est parti 662 ouvriers dont 111 étrangers et 53 Nord-Africains.

Au Maroc, le général Noguès s'opposera à tout recrutement.

« Il n'y a pas de chômage ici », déclare-t-il au consul général Auer qui lui demande de favoriser l'embauche pour l'Allemagne.

A quoi Auer réplique ironiquement que, quarante-huit heures après le discours de Laval, 40 volontaires, déjà, s'étaient présentés à ses bureaux.

En Algérie, à partir de juillet 1942, des tournées de propagande en faveur de la Relève ont été organisées par le secrétariat d'Etat à l'Information. Guilbaud, chargé de mission, est le principal orateur de ces manifestations.

2. Le R.N.P., dans ses appels, insistera bientôt sur la qualification professionnelle que les volontaires auront la possibilité d'acquérir. « Vous, les jeunes qui n'avez pas de métiez, vous avez une excellente occasion d'en apprendre un tout en gagnant un salaire important. Justement, des écoles d'éducation ou de rééducation professionnelle ont été organisées à votre intention, d'où, après le stage de quelques semaines, vous partirez en Allemagne où vous apporterez votre contribution à la victoire de l'Europe socialiste, contre la barbarie bolcheviste et la ploutocratie anglo-saxonne, responsable de nos malheurs actuels. »

3. Notamment *L'aventure de Célestin Tournevis.*

catholiques français de remplir en Allemagne leurs devoirs religieux, qui accélère les cadences d'embauche !

Que l'échec évident doive avoir des conséquences graves pour la France, le bulletin de la Légion française des combattants du milieu du mois d'août 1942 l'affirme.

Texte intéressant, jusque dans sa naïveté et ses demi-aveux.

> « De quelle opération s'agit-il ? Où en sommes-nous ? Au printemps, les Allemands, engagés dans une bataille sans merci où l'Europe entière est en jeu et où ils ont besoin de toutes leurs forces, ont pris de la main-d'oeuvre dans les territoires qu'ils occupent. Ils en ont pris plusieurs millions en Pologne, en Norvège, en Hollande, en Belgique.
>
> En France, ils ont demandé à M. Laval 350 000 ouvriers dont 150 000 spécialistes.
>
> M. Laval a discuté et obtenu qu'en échange des 150 000 spécialistes 50 000 prisonniers soient rendus… Malheureusement, les ouvriers n'ont pas compris cet effort du gouvernement ou, tout au moins, y ont mal répondu, puisque 17 000 spécialistes seulement sont partis[1]. »

Le 28 août, mais la consigne sera rappelée le 11 septembre, les journaux se verront donc interdire la publication d'informations chiffrées, concernant les départs de trains d'ouvriers : « De telles informations contribuent, en effet, à fausser l'esprit du public et vont à l'encontre du but visé. Le lecteur, en trouvant quotidiennement dans son journal des comptes rendus de départs de trains d'ouvriers, s'imagine que les engagements de travail pour l'Allemagne *sont beaucoup plus nombreux qu'ils ne sont en réalité, et il s'étonne que les retours de prisonniers au titre de la Relève soient si rares*[2]. Les départs

1. « Autrefois, ajoute le bulletin d'information, les compagnons faisaient le tour de France. Le voyage annuel des maçons de la Manche ou du Limousin, des Savoyards vers Paris était plus long que le voyage d'aujourd'hui jusqu'à Berlin. » Ce thème du « tour de France », jugé sans doute très ingénieux, sera repris dans de nombreux articles et au cours d'allocutions.

2. Je souligne intentionnellement.

de trains devront être désormais mentionnés uniquement dans la presse locale de la ville où s'est formé le convoi[1] ».

Encore un peu de temps et Chasseigne, l'un des responsables de l'Information, dira avec amertume aux prisonniers libérés qu'il accueille en gare de Compiègne[2] :

— ... Vous êtes des hommes à qui il faut parler franchement. Vous devez savoir que c'est dans des conditions différentes de celles qui eurent lieu que nous aurions voulu voir s'effectuer cette Relève. Nous aurions aimé voir les ouvriers témoigner plus de compréhension du sort de ceux qui ont fait la guerre, ont combattu et ont subi les mois pénibles de la captivité. Nous aurions aussi aimé voir un plus large geste de fraternité. Vous devez savoir que nous avons reçu des insultes parce que nous voulions que vous reveniez.

Phrases désabusées qui semblent faire écho à ces phrases désabusées écrites, depuis leurs stalags, par des prisonniers et qui, non sans intention, sont publiées le 28 août par *Le Petit Parisien*, comme si la colère des captifs pouvait soit susciter un plus grand élan ouvrier, soit provoquer ou justifier un durcissement de la législation française.

« Tu te représentes cet empressement à venir nous relever ! écrit V. M..., du stalag VIII C. Nous aurions compris le sens du mot " solidarité " si, au lendemain de l'appel de Laval, par centaines de milliers, les gars s'étaient précipités pour l'embauche... On peut bien crever ici, ils s'en f... nos bons compatriotes. »

Et J. T..., du III D : « Non, pas de volontariat : l'appel obligatoire, en commençant d'abord par les affectés spéciaux qui n'ont jamais été mobilisés... Nous ne sommes pas des prisonniers " volontaires ", alors pourquoi faire du sentiment... Faire appel aux bonnes volontés, c'est perdre du temps. »

S'il est un homme déjà convaincu de cette vérité, c'est bien Fritz Sauckel.

Dès le 22 août, il a pris la décision de soumettre au travail obligatoire tous les hommes, toutes les femmes des pays occupés ou

1. Inédit.
2. Le 26 novembre 1942

administrés par l'Allemagne. La France ne sera pas épargnée. Sauckel a choisi le 1er septembre pour date d'application d'une ordonnance qui prévoit notamment le classement de la main-d'œuvre par secteurs d'activité, l'alignement des conditions de travail sur celles du Reich, des réquisitions prioritaires pour les usines allemandes.

Cette ordonnance, les journaux d'août 1942 n'en soufflent mot. A peine, ici et là, trouve-t-on quelques allusions dans les notes de Limagne et dans celles de Nicolle.

Limagne, le 23 août : « Les Allemands viennent de décider des mesures terribles de réquisition de la main-d'œuvre “ européenne ”. »

Nicolle, le 25 août : « Les départs d'ouvriers pour l'Allemagne sont très ralentis ; on s'inquiète fort, devant le petit nombre de volontaires, des conséquences des exigences allemandes qui s'affirment chaque jour. La réquisition est toujours envisagée. »

Si elle demeure encore ignorée de la quasi-totalité des Français, l'ordonnance du 22 août représente, pour le gouvernement, un véritable « coup de tonnerre ». C'est l'expression employée par François Chasseigne qui, parlant à Cusset le 5 octobre au titre du secrétariat général de l'Information, devant des ouvriers de l'usine Manuhrin, évoquera la soudaineté et la brutalité des menaces allemandes.

« Je n'ai rien à vous cacher, l'opération qui a permis la « Relève » des prisonniers a été d'abord, de la part des Allemands, une demande pure et simple de main-d'œuvre... Cette demande de main-d'œuvre était d'abord une exigence des vainqueurs, des négociations furent engagées comportant une contrepartie...

« Très peu d'entre eux [les ouvriers] ont consenti à partir. Le résultat, c'est que, le 22 août, le commissaire allemand à la main-d'œuvre, voyant que les spécialistes ne partaient pas vite, qu'à la date du 15 septembre on s'était engagé pour que 150 000 hommes soient partis, a édicté une ordonnance aux termes de laquelle la loi allemande du Travail, la semaine de cinquante-quatre heures, la possibilité pour l'Allemagne de réquisitionner dans les usines tout ouvrier et de le transporter là où elle le jugerait utile à sa production, sera appliquée à l'ensemble des territoires occupés par l'Allemagne.

« Allions-nous laisser faire cela ? poursuit Chasseigne... Le gouvernement français a négocié encore, il a discuté. »

C'est vrai. Informé de l'ordonnance Sauckel, Laval menace Abetz de sa démission si les décisions allemandes entrent en vigueur. Du diktat, l'on glisse à la négociation. Est-il possible cependant de ne rien proposer aux Allemands alors que Sauckel, au cours de la très rude entrevue qu'il a avec le chef du gouvernement français, fait remarquer que la France ne peut, seule, demeurer « les bras croisés », dans cette guerre dont l'Allemagne supporte tout le poids et pour laquelle tous les peuples conquis se trouvent mobilisés ?

— Là, commence, dira Chasseigne au cours de son procès, une nouvelle négociation menée par le gouvernement, négociation dure où les notes s'échangent de jour en jour entre le Dr Michel, qui dirigeait l'administration allemande en France, et Laval, négociations coupées de réunions, d'échanges de textes, les refus de Laval, alternant avec les exigences allemandes, jusqu'à ce qu'enfin, *en échange de la loi dite du service obligatoire*[1], on obtienne la suspension de l'application du décret Sauckel pour la zone occupée, y compris le Nord et le Pas-de-Calais.

« En échange... » C'est bien de cela qu'il s'agit.

Incapable, ce sont ses mots, de « maintenir la France dans [une] position " privilégiée " par rapport aux autres pays occupés », Pierre Laval élabore alors cette loi du 4 septembre 1942 qui concerne « toute personne du sexe masculin âgée de plus de dix-huit ans et de moins de cinquante ans et toute personne du sexe féminin, célibataire, âgée de plus de vingt et un ans et de moins de trente-cinq ans ».

A ceux qui lui font, et lui feront, grief d'avoir réduit le gouvernement et les administrations françaises au rôle d'agent d'exécution des volontés de l'ennemi, Pierre Laval répliquera :

— J'avais appris le jeu difficile de la négociation avec les Allemands et j'avais constaté que, plutôt que de leur opposer sans cesse des refus brutaux, qui les eussent certainement amenés à prendre des mesures de force, mieux valait m'efforcer de leur faire accepter des textes que les circonstances, le climat du pays et les consignes que je donnais et faisais donner aux préfets rendaient à peu près inapplicables[2].

---

1. Je souligne intentionnellement.
2. « Mémoire en réponse à l'acte d'accusation », Claude Gounelle, *Le Dossier Laval*.

Inapplicable ? On verra qu'il n'en est rien.

La loi du 4 septembre est certes moins contraignante que ne l'aurait été l'ordonnance de Sauckel ; elle s'applique à ces départements du Nord et du Pas-de-Calais que les occupants avaient jusqu'alors soustraits à l'administration française pour les diriger à leur gré ; elle limite l'âge des hommes et des femmes touchés par les réquisitions, mais comment les Français pourraient-ils mesurer les périls que la loi française du 4 septembre évite puisqu'ils ignorent tout de l'ordonnance allemande du 22 août ? De la loi du 4 septembre, ils ne connaîtront que les désagréments et que les inconvénients moraux. Désagréments, inconvénients dont le gouvernement de Vichy assumera à leurs yeux toute la responsabilité puisque, pour protéger partiellement ses ressortissants et conserver encore un minimum de souveraineté, il a permis à l'occupant de s'effacer et de bénéficier, une fois encore, d'un évident transfert de responsabilité.

Ainsi que le diront quatre ministres — Auphan, Bonnafous, Leroy-Ladurie et Gibrat — qui livreront un combat retardateur, « même si le danger d'être polonisé existe, nous n'avons pas le droit de nous poloniser nous-mêmes ».

Dans le domaine de la réquisition de la main-d'œuvre, c'est cependant ce qui va se produire.

La loi du 4 septembre, publiée seulement le 13 au *Journal officiel*, assujettit donc les hommes de 18 à 50 ans et les femmes célibataires de 21 à 35 ans, « dont l'aptitude physique aura été médicalement constatée », à effectuer « tous les travaux que le gouvernement jugera utiles dans l'intérêt supérieur de la nation ».

Voici donc le gouvernement libre de fixer à chaque citoyen le métier qui lui plaît et le lieu où il devra l'exercer. L'Allemagne ? Son nom n'apparaît pas dans la loi du 4 septembre mais il est bien évident que les articles 8 et 9, selon lesquels les hommes devront « pouvoir justifier d'un emploi utile aux besoins du pays », faute de quoi ils pourront être assujettis « à un travail qui [leur] sera désigné par les services dépendant du secrétariat d'Etat au Travail », ne sauraient tromper grand monde.

La loi précise, dans son article 5, que les embauchages, aussi bien que les congédiements et les résiliations de contrat de travail, doivent être soumis à l'autorisation des services de l'Inspection du travail. Il s'agit là d'un piège dans lequel tomberont beaucoup de ceux qui sont tentés d'abandonner les usines dans lesquelles ils s'estiment menacés. L'inspecteur du travail de l'Ariège signale ainsi que, depuis la loi du 4 septembre, son service « se trouve en butte à des demandes constantes de départs d'ouvriers jeunes et dont la plupart évoquent comme prétexte le retour à la terre », demandes qu'il s'empresse d'ailleurs de rejeter.

Avec la loi du 4 septembre, s'ouvre une période de six mois mal connue de la plupart des Français et même parfois, on l'a vu au moment de ce qu'il est convenu d'appeler « l'affaire Marchais [1] », des journalistes qui se sont donné mission de les informer. Période pendant laquelle le gouvernement français va s'efforcer, de plus en plus difficilement, donc de moins en moins hypocritement, de faire cohabiter volontariat et mesures de coercition, la part du volontariat ne cessant de diminuer d'importance dans des départs accélérés et intensifiés par les dispositions légales.

Sauckel, qui réclamait 250 000 travailleurs, dont 150 000 spécialistes, aura obtenu, au 31 décembre 1942, 239 763 hommes dont 137 400 spécialistes.

17 000 spécialistes et 47 000 manœuvres, soit un total de 64 000 hommes, ayant quitté la France, entre le 1er juin et le 17 octobre 1942, il partira donc, en deux mois et demi (17 octobre-31 décembre), près de trois fois plus de travailleurs qu'en quatre mois et demi, ce qui montre à l'évidence, et par les chiffres, que l'obligation l'emporte désormais sur la séduction.

Mais l'ambiguïté entretenue jusqu'au mois de février 1943, donc jusqu'à l'institution du Service du Travail Obligatoire, va contribuer à brouiller dans la mémoire collective l'image de ces quelques mois de 1942 où débute et s'intensifie ce qu'il est convenable d'appeler le « volontariat forcé ».

1. C'est au mois de décembre 1942 que M. Georges Marchais a quitté la France pour aller travailler en Allemagne. Sans vouloir juger au fond ce qui demeure un cas personnel, il paraît nécessaire de faire remarquer que la grande majorité de ceux qui, trente-six ou trente-huit ans plus tard, ont évoqué « l'affaire Marchais » ont ignoré ou négligé la loi du 4 septembre 1942 et qu'ils n'ont pas pris conscience des évolutions législatives, administratives, politiques, intervenant entre juin 1942 (Relève) et février 1943 (S.T.O.).

Que le gouvernement de Vichy, l'occupant et la presse mélangent plus ou moins habilement les deux idées, il suffit, pour s'en convaincre, de feuilleter les collections des journaux de septembre et octobre 1942.

LE SERVICE NATIONAL
DU TRAVAIL EST CRÉÉ

annonce le quotidien parisien *Aujourd'hui* le 15 septembre 1942.

IL PEUT ÊTRE OBLIGATOIRE

est-il précisé en sous-titre. Et le commentaire, daté de Vichy, entretient la confusion : « Nous devons maintenant trouver la main-d'œuvre nécessaire pour faire face à tous les besoins du pays sans oublier le recrutement des travailleurs destinés à assurer la relève des prisonniers. »

Deux jours plus tard, le 15, Georges Suarez, éditorialiste d'*Aujourd'hui,* admettra que la loi du 4 septembre est une « loi d'exception », une mesure « singulièrement plus grave que le décret de mobilisation, puisqu'elle laisse à la décision du gouvernement la disposition des personnes, le choix de l'heure, de la durée et de leur affectation », mais il la légitime par les circonstances et les nécessités de l'heure.

« Loi de pénitence », écrira encore Suarez le 26 septembre, en commentant le décret et l'arrêté publiés au *Journal officiel* du 20 septembre qui précisent les modalités d'application de la loi du 4 septembre et notamment les conditions dans lesquelles quiconque travaillera moins de trente heures par semaine est tenu de se déclarer dans les quinze jours à la mairie de sa résidence.

En zone non occupée une consigne n° 763, en date du 23 septembre, fait obligation aux journaux de présenter sur trois colonnes le texte relatif à l'organisation du travail et de le faire précéder du « chapeau » suivant : « A la suite d'un accord négocié par le président Laval, les réquisitions de main-d'œuvre et le contrôle des usines, récemment décidés par les autorités militaires allemandes dans les territoires occupés, ne s'appliquent pas à la France. »

Ceux qui lisent ces mots apprennent ainsi, avec un mois de retard, que de grands périls les ont menacés, mais ils peuvent croire leur pays et leur personne épargnés. Ils seront rapidement détrompés.

Tandis qu'à Vichy la note d'orientation du 25 septembre demande à la presse d'insister sur les mesures que le gouvernement a été amené à prendre pour assurer la Relève, « à l'heure présente, la forme la plus tangible » du devoir de solidarité, les décisions se multiplient en effet qui enfermeront les Français dans un filet aux mailles toujours plus serrées.

Ainsi apprend-on, le 1er octobre, les modalités du prochain recensement de la main-d'œuvre. Seront concernés le personnel de direction, les ingénieurs, la maîtrise, les employés et ouvriers classés en professionnels qualifiés et manœuvres spécialisés aussi bien dans le travail des métaux que dans tous les autres métiers. Plusieurs catégories sont prévues : célibataires, veufs sans enfants, divorcés sans enfants, mariés depuis plus de deux ans sans enfants, mariés depuis moins de deux ans sans enfants, mariés avec un enfant à charge, mariés avec deux enfants à charge, catégories qui, bientôt, serviront à déterminer l'ordre de départ pour l'Allemagne.

C'est très vite, désormais, que le voile se déchirera.

Le 2 octobre, Lagardelle et Bichelonne évoquent, dans une déclaration commune, la non-application de l'ordonnance Sauckel à la France, mais ajoutent : « L'accord franco-allemand suppose que le gouvernement français *prendra les mesures nécessaires en vue de fournir*[1] la main-d'œuvre demandée par l'Allemagne. A cet effet, le gouvernement a eu recours à *une méthode de désignation*[1] qui permet de grouper avec toute l'équité possible les membres de l'entreprise, ouvriers, cadres et ingénieurs, selon leur âge et leurs conditions de famille. Toutes les garanties ont été prises pour *assurer à tous ceux qui sont ainsi désignés*[1] une situation matérielle et morale convenable dans les entreprises allemandes où ils iront travailler. »

Dès les premiers jours du mois, les préfets adressent aux directeurs d'usine, dont la liste leur a été fournie par l'Inspection du travail, une circulaire annonçant la prochaine visite de délégations de propagande pour le recrutement de la main-d'œuvre « en vue de la Relève de nos prisonniers ». La circulaire (je cite, ici, celle signée le 3 octobre par André Parmentier, préfet régional de Normandie) demande donc que les directions fassent bon accueil à ces délégations pour « que le

1. Je souligne intentionnellement.

nombre d'ouvriers ***désignés pour l'Allemagne***[1] soit réalisé (*sic*) dans le plus bref délai ».

De son côté, Pierre Laval, pressé par les Allemands, qui exigent, on le sait, 133 000 spécialistes dans les délais les plus courts, ne cesse de souligner l'urgence du recrutement.

Il le fait, le 8 octobre, devant 250 industriels et les journaux de zone non occupée sont « invités » à s'inspirer dans leurs titres et leurs commentaires d'un texte ainsi rédigé : « Devant 250 industriels, le président Laval a fait, à Paris, un important exposé sur la Relève. Il est indispensable que le recrutement de la main-d'œuvre soit rapidement effectué. Le chef du gouvernement a souligné que, si son appel n'était pas entendu, il en découlerait des conséquences graves. »

Conséquences graves ? A Vichy court immédiatement le bruit d'une prochaine invasion de la zone libre.

Au Conseil des ministres du 9 octobre, le chef du gouvernement insiste sur les difficultés qu'il rencontre dans ses contacts avec le ministre allemand Schleir à qui il a demandé que la date limite pour l'envoi de 133 000 spécialistes soit repoussée du 15 octobre au 30 novembre. Obtiendra-t-il satisfaction ? Oui. Mais il lui faut intensifier son action : conférence de presse le 19, discours le 20 dans lequel il réaffirme que le gouvernement est résolu « à ne pas tolérer les résistances individuelles ou concertées de patrons et d'ouvriers qui resteraient sourds » à ses appels, mesures de pression envisagées le 23 au cours de ce Conseil des ministres devant lequel il expose les différences existant dans les contributions importantes de la zone occupée et d'une zone libre qui n'a pas encore donné 5 000 ouvriers[2].

1. Je souligne intentionnellement. La circulaire Parmentier souligne également qu'aucune opposition « ouverte ou larvée » ne saurait être admise et que ceux qui tenteraient de faire échec à la réquisition doivent être signalés à l'attention du préfet régional. « Il ne vous échappera pas, en effet, poursuit-il, que leur attitude tendrait à compromettre l'ordre public. »

2. D'après Laval (le chiffre est rapporté par Nicolle), au 13 décembre, sur 215 000 ouvriers partis depuis le 1er juillet, seuls 6 000 auraient quitté la zone libre. Les Allemands envisageraient, en mesure de représailles, de ne libérer des prisonniers qu'en fonction du nombre des départs enregistrés dans chaque région.

Le 20 octobre, à quelques heures du discours de Laval, tous les quotidiens de la zone occupée publient, sur ordre, un texte qui occupe les trois quarts de leur première page.

LE GRAND DEVOIR DES TRAVAILLEURS
ENVERS LA FRANCE ET L'EUROPE
TOUT FRANÇAIS APPELÉ À TRAVAILLER EN ALLEMAGNE
QUI SE DÉROBE À CETTE OBLIGATION
PORTE PRÉJUDICE À SA PATRIE
À SA FAMILLE
À SES CAMARADES
ET À LUI-MÊME

Sous ce titre, quatorze paragraphes, de quatre à trente-six lignes, tous précédés de cet éloquent sous-titre : « *La vérité, c'est que...* », s'efforcent de prouver la nécessité et l'utilité du départ pour l'Allemagne où les Français trouveront bons salaires et nourriture copieuse, rappellent qu'Hitler a déjà « gracieusement » libéré 600 000 prisonniers de guerre, insistent sur la lutte « contre les mensonges des capitalistes ennemis de l'Europe », flattent, promettent et menacent.

Menacent. L'avant-dernier des quatorze paragraphes est, en effet, très clair : « Afin d'éviter de graves ennuis, tout ouvrier français doit, dès réception de l'avis, se présenter de façon conforme, au lieu et dans le délai indiqué. »

Que dit « l'avis » reçu par les ouvriers ? En voici un exemplaire qui illustre parfaitement la confusion entre ce qui est volontaire et ce qui est obligatoire [1].

1. La note d'orientation n° 11 du Centre d'information du travail français en Allemagne du 9 octobre constitue un autre exemple d'une confusion volontairement entretenue. On peut y lire en effet que « le travailleur qui est désigné pour partir, s'il cherchait à se dérober, manquerait gravement à son devoir, à son devoir envers la communauté nationale d'abord, à son devoir envers les prisonniers ensuite, enfin à son devoir de camaraderie envers les ouvriers de son usine, car si lui, qui est célibataire et affecté spécial, déserte, il faudra qu'un de ses camarades de travail, marié et peut-être ancien combattant, parte à sa place ».

SECRÉTARIAT D'ÉTAT AU TRAVAIL
SECRÉTARIAT D'ÉTAT
À LA PRODUCTION INDUSTRIELLE

Beauvais,
75, rue de Gesvres

« Monsieur,

En vue d'assurer *la relève*[1] des prisonniers, *vous êtes désigné*[1] pour travailler en Allemagne.

Le certificat d'embauchage, qui garantit vos conditions de travail et de rémunération en Allemagne et indique la destination, devra être signé par vos soins. Ce certificat est tenu au bureau d'embauchage pour l'Allemagne, 44, quai d'Amont, à Creil, qui vous fera connaître le jour et l'heure auxquels vous devez vous présenter.

A défaut de la signature du certificat dans un délai de vingt-quatre heures après qu'il vous aura été soumis, *votre nom sera porté sur une liste qui sera transmise immédiatement au gouvernement*[1] (secrétariat d'Etat au Travail). Il en sera de même si vous ne vous êtes pas présenté au bureau d'embauchage pour l'Allemagne à la date indiquée.

Pour le Secrétaire d'Etat au Travail
et le Secrétariat d'Etat à la Production industrielle,
L'Inspecteur du travail.

L'attestation qui vous est remise avec cette lettre a pour but de recenser rapidement le nombre des ouvriers *volontaires*[1]. »

A l'intention de ceux qui hésiteraient, ou seraient tentés de se dérober, un « Avis » signé « der Kommandant von Gross — Paris » paraît, sur deux colonnes, en première page des quotidiens parisiens, le 23 octobre. Il signale que des trains conduisant des ouvriers en Allemagne, au titre de la Relève (les Allemands continuent à exploiter l'idée et le mot) sont partis de la gare du Nord et de la gare de l'Est le mercredi 21 et le jeudi 22 octobre, mais que des travailleurs ont « manqué » le départ. Qu'ils se hâtent et se présentent le lendemain :

1 Je souligne intentionnellement.

« Ceux qui ne se conformeraient pas au présent appel s'exposent aux sanctions dont ils ont eu connaissance[1]. »

Parallèlement à la réalité de la pression quotidienne du gouvernement de Vichy et des autorités allemandes sur les ouvriers français, la fiction de la Relève demeure toujours entretenue par les discours et par les journaux.

Des journaux qui ne manquent pas d'insister sur le fait que les affectés spéciaux qui seraient envoyés en Allemagne (ces affectés spéciaux, mal aimés de la « drôle de guerre ») permettraient notamment le retour dans leurs foyers de ces hommes qui se trouvent parfois sous les drapeaux depuis 1935. Des journaux qui mettent en valeur ces « contrats d'épouses » qui doivent permettre aux femmes de prisonniers « transformés », et mis au service de l'industrie de guerre allemande, d'aller retrouver leur mari, sinon dans la même usine, du moins dans la même ville... et la même chambre.

Des journaux à l'affût de la plus modeste information. Annonçant que M. Jacquemont, ouvrier au village de Vallège, en Haute-Savoie, repart pour l'Allemagne en compagnie de sa femme et, ce qui est infiniment plus surprenant, au terme de sa troisième permission. Qu'un père de huit enfants, M. Bucari, est allé retrouver son fils Charles, travailleur en Allemagne[2]. Qu'il existe des chefs d'entreprise assez généreux et assez germanophiles pour accorder des primes de 2000 francs aux volontaires. Que les trains de libérés « se succèdent » à Compiègne[3].

Des journaux recueillant les paroles de Jacques Gritti, millième ouvrier à quitter Grenoble : « Je n'ai pas fait la guerre en raison de mes charges de famille (il a six enfants) ; aussi je considère de mon devoir de participer à la grande Relève et de contribuer ainsi au retour des prisonniers dans leurs foyers. Je quitte ma famille et je lui viendrai

1. Cet appel sera répété dans la presse parisienne, notamment le 26 octobre

2. *Aujourd'hui,* 5 novembre 1942. Le 7 novembre, le même journal annoncera le départ d'un père de douze enfants.

3. *Aujourd'hui,* 23 novembre, 24 novembre, 14 décembre, 15 décembre, 19 décembre, 21 décembre 1942, etc.

grandement en aide, grâce au salaire qui m'est assuré pour la durée de mon séjour en Allemagne ».

Le 75 000ᵉ ouvrier spécialiste est parti pour l'Allemagne le 19 novembre, le 90 000ᵉ le 26 — c'est Henri Guillot, un Parisien, père de trois enfants —, le 100 000ᵉ quitte Rouen le samedi 5 décembre, à 13 h 18, dans un convoi où se trouvent rassemblés 400 ouvriers de Rouen et 500 du Havre[1]. Raymond Baudu a 32 ans. Employé dans une entreprise de matières colorantes, il part pour une usine de Saxe où il retrouvera, lui a-t-on affirmé, un travail identique à celui qui était le sien en France. Sur le quai de la gare, une manifestation en son honneur a été organisée. Voici le préfet régional Parmentier, le maire de Rouen et, surtout, de nombreux officiers allemands. Avant les discours, le représentant du journal *Paris-Soir* remet à Baudu un chèque de 20 000 francs. Quant au préfet Parmentier, il offre, lui, un portefeuille...

Un concours de « la plus belle lettre » est organisé à la fin de l'année 1942. Doté de 400 prix, dont deux premiers prix de 3 000 francs, s'adressant aux enfants de 6 à 10 ans et de 11 à 15 ans, il couronnera Claude Poitrenaud (7 ans) et Mathieu Delor (12 ans).

> « Ma plus grande récompense, écrit Claude Poitrenaud à l'intention de son père qui travaille en Allemagne, sera le jour où je grimperai à ton cou et où tu m'appelleras tendrement comme par le passé " ma Bichette ". Je pense toujours à toi, je ne suis pas toujours sage avec maman, mais elle sait si bien pardonner. Pauvre maman, depuis ton départ, elle ne sait plus sourire. Oh ! je vais te dire, papa chéri, j'ai réussi à la faire rire, maman, ces jours-ci. Je lui disais : pendant que papa est parti, on va acheter une petite sœur, il aura une belle surprise en rentrant. »

« Une belle surprise en rentrant... » Pour un certain nombre de travailleurs en Allemagne, comme pour un certain nombre de

1. Il faut rappeler que les Allemands avaient d'abord exigé 133 000 spécialistes pour le 15 octobre, puis pour le 30 novembre 1942

prisonniers, le « petit frère » ou la « petite sœur » découvert au retour d'Allemagne constituera une bien mauvaise surprise et sera l'une des causes de ces divorces qui iront se multipliant en 1945 et 1946.

Le 5 février 1943, lorsque paraît, avec le compte rendu de la cérémonie de remise des prix, la lettre de Claude Poitrenaud, le gouvernement français a déjà décidé, sous prétexte de faire la chasse aux oisifs et de « mieux répartir les charges économiques qui pèsent sur la nation, le recensement de tous les hommes nés entre le 1er janvier 1912 et le 31 décembre 1921. Dans onze jours, il instituera un « Service obligatoire du travail » de deux ans pour tous les jeunes gens nés en 1920, 1921 et 1922.

Ce qui se passe et va se passer en France, cette brutale mise à mort des illusions et des mensonges, n'est, en vérité, que le dérisoire reflet de ce qui se passe en Russie, en Afrique, en Allemagne.

L'agonie de Stalingrad, l'offensive de neuf armées soviétiques en direction de Rostov, les furieuses batailles dans les secteurs de Leningrad, de Demiansk, de Rjev mettent partout en présence des troupes allemandes cruellement affaiblies et des forces soviétiques qui ont appris en se battant, et en étant battues d'abord, l'art de la manœuvre et peuvent désormais mettre à profit leur incontestable supériorité numérique et une supériorité en armement qui doit beaucoup aux usines d'Amérique.

Fébrilement en quête du bataillon, du régiment, de la division qui font toujours défaut pour fixer, le long d'un front immense, un adversaire encouragé par ses coûteux triomphes l'armée allemande réclame toujours davantage d'armes, toujours davantage de soldats.

En janvier 1943, ce sont 800 000 hommes supplémentaires qu'il faudrait à la Wehrmacht. Sans doute, en additionnant les soldats guéris de leurs blessures, les ajournés, les engagés volontaires et les recrues, peut-on espérer approcher ce chiffre, mais il sera impossible de l'atteindre, sans puiser dans le personnel allemand des usines[1],

1. Hitler ordonne le 15 décembre 1942 de prélever 300 000 hommes sur les secteurs économiques et industriels pour les verser dans la Wehrmacht.

personnel qu'il faudra bien remplacer et même augmenter puisque les travailleurs étrangers ne produisent pas à la mesure des besoins.

Voici donc l'Allemagne engagée dans une lutte sur deux fronts : celui de l'usine qui produit et celui de l'armée qui combat, usine, armée qui dévorent également les hommes.

Et sans doute l'Allemagne parviendra-t-elle à recenser dans ses usines 36 600 000 travailleurs au mois de mai 1943 contre 35 500 000 un an plus tôt, dans ses régiments 11 200 000 soldats contre 9 400 000, mais cette progression est le résultat d'un effort immense et qui n'épargne personne en territoires occupés.

Alors qu'Hitler, dans son « Instruction sur l'utilisation des prisonniers de guerre, de la main-d'œuvre et du matériel pris à l'ennemi », insiste sur la nécessité de capturer toujours davantage de soldats et de civils russes pour en faire des travailleurs de qualité discutable [1], pourquoi aurait-il des égards pour cette France qui, avec le débarquement allié en Afrique du Nord et l'invasion de la zone libre, vient de perdre l'Empire et la Flotte, les deux piliers sur lesquels elle appuyait toujours ses prétentions à une très relative indépendance ?

Pour les Allemands, depuis l'occupation, le 11 novembre, de la zone libre, la Convention d'armistice n'existe pratiquement plus. A von Stülpnagel qui lui a fait remarquer l'incompatibilité de plusieurs ordonnances allemandes avec cette souveraineté que le gouvernement de Vichy s'acharne à défendre dans l'ex-zone libre, Hitler répondra « qu'il a un point de vue tout à fait différent ». La « zone française nouvellement occupée » doit être largement utilisée par l'armée allemande et fournir, désormais, un contingent normal de travailleurs. Il faut non seulement « que les partisans du général de Gaulle soient envoyés sur le front oriental pour y pelleter de la neige », mais encore que partent en nombre toujours plus grand des spécialistes.

Dans un Vichy déserté par beaucoup d'officiels, sans doute ignore-t-on les propos d'Hitler, mais comment, en vérité, douter de ses intentions ?

Dès le 26 novembre, le bruit court, à Vichy, de la prochaine

---

1. Sauckel affirme cependant, le 13 janvier 1943, au cours d'une réunion à l'hôtel Ritz, que, si le rendement des ouvriers étrangers est de 60 à 80 % de celui des ouvriers allemands au cours du premier trimestre de leur séjour en Allemagne, il atteint ensuite 80 à 100 %. Mais il ne faut pas oublier qu'il parle devant des Français dont il s'efforce de flatter la vanité.

réquisition de 400 000 travailleurs. Ceux qui veulent toutefois espérer contre toute espérance attendent de l'entretien que Pierre Laval, dès le 22 novembre, a demandé à Hitler, mais qui se fait attendre d'incertains adoucissements.

Confiant en son étoile, autant qu'en son talent d'avocat pour une cause qu'il défend toujours avec la même passion, Laval lui-même se montre optimiste. Il le dit, le 13 décembre, à Pierre Nicolle après lui avoir expliqué qu'il établira entre zone occupée et ex-zone libre une nécessaire égalité dans le sacrifice. La réquisition de la main-d'œuvre doit d'ailleurs se trouver facilitée par la rupture des relations avec les Etats-Unis qui ne pourront plus la considérer comme « un geste inamical ».

Ce Pierre Laval, que Nicolle décrit autoritaire, prêt à balayer des obstacles qui se dressent toujours plus nombreux, prêt, également, à changer les hommes, offrant à son interlocuteur, en cet anniversaire du 13 décembre 1940 et peut-être parce qu'il s'agit de l'anniversaire d'un jour funeste, le spectacle d'un « nouveau Laval[1] », va recevoir d'Hitler et de son entourage un accueil décevant.

Pour arriver le 19 décembre en Prusse Orientale, à Rastenburg où est fixé le rendez-vous, le chef du gouvernement français a dû effectuer un long et fatigant voyage. Ciano présent, Ciano appartenant, pour un moment encore, au camp vainqueur, écrit d'une plume où il entre autant de satisfaction que de commisération : « Après deux journées passées en chemin de fer, ils l'ont fait asseoir d'abord à une table à thé, ensuite à une table à dîner sans lui laisser ouvrir la bouche. Chaque fois qu'il essayait d'aborder un sujet quelconque, le Führer l'interrompait pour lui faire la leçon. »

Leçon qui tient du rabâchage. Hitler répète ce qu'il a déjà dit à Montoire sur sa volonté de paix et sur la responsabilité de la France dans le déclenchement de la guerre. Il évoque à nouveau les rigueurs de l'occupation française dans l'Allemagne de 1919. Met en parallèle ses bonnes intentions, sa générosité (la libération de nombreux prisonniers) et les déceptions dont il a été accablé.

De déception en déception, la dernière ayant été « le manquement à

1. Le mot est de Nicolle. « En résumé, l'impression que m'a laissée cet entretien au jour anniversaire du 13 décembre est qu'un nouveau Laval est au pouvoir. »

la parole donnée » de Darlan et des généraux d'Afrique du Nord, Hitler, dont Abetz écrira qu'il n'avait jamais su s'élever jusqu'à l'idée européenne, qu'il n'était pas « le petit-fils politique des grands empereurs occidentaux du Moyen Age, mais le fils du nationalisme sectaire et si peu allemand du XIXe siècle », Hitler en est venu à penser qu'il faut contraindre cette France qui collabore en mots seulement. Aussi précise-t-il à Laval que la France va se trouver soumise à de nouvelles réquisitions d'ouvriers.

Aucun des Allemands présents n'épargne Laval et, à travers lui, les Français. Goering, le gros Goering, s'est livré à son habituelle attaque contre des Français qui vivent trop bien, condamnent les officiers allemands à faire la queue dans les restaurants du marché noir, se gobergent et se promènent cependant que les soldats du Reich luttent contre le danger communiste et ont eu l'audace de lui vendre, à lui Goering, *Reichmarschall,* un stylo 2 000 francs et une paire de souliers 4 000 francs.

Ribbentrop est moins « lyrique » mais plus dangereux. Hemmen a prévenu le ministre des Affaires étrangères que l'occupation et la mise en état de défense du littoral méditerranéen coûteraient cher. Qu'à cela ne tienne ! C'est la France qui paiera.

Laval proteste-t-il lorsqu'il apprend que le versement journalier des frais d'occupation sera porté en conséquence de 15 à 25 millions de reichmarks, Goering fait devant Hitler..., et devant Ciano, un exposé sur le coût de la guerre d'où il ressort qu'elle représente, chaque jour, par habitant, 2,40 marks pour un Allemand, 75 pfennigs pour un Italien, 40 seulement pour un Français.

Il y a plus. Il avise Laval qu'Hemmen sera désormais « délégué du gouvernement du Reich pour les questions économiques et financières auprès du gouvernement français ». Par le passé, Hemmen n'avait jamais eu de contacts directs avec le gouvernement français, tous les rapports s'établissant à travers le filtre de nombreuses commissions de liaison. Il n'en ira plus ainsi à l'avenir. Non seulement Hemmen devra « mettre en œuvre » les mesures économiques appropriées, « surveiller l'efficacité de leur application », mais encore « conseiller le gouvernement français dans la préparation et l'exécution des mesures pour l'ensemble de sa politique monétaire, financière et économique ». Le temps de la relative confiance était passé. Venait celui de la surveillance.

Ainsi Laval qui, après la dissolution de l'armée d'armistice, est venu solliciter sans grande ardeur la reconstitution d'une petite troupe et, avec beaucoup plus de vigueur, la suppression de la ligne de démarcation, le rattachement du Nord et du Pas-de-Calais à l'administration française, se trouve-t-il noyé sous les plaintes et les reproches.

Habile, parfois, à souffler le chaud après le froid, Hitler qui trouve « adroit de préserver la fiction d'un gouvernement français avec Pétain », Pétain « qu'il faut garder comme une sorte de fantôme et... faire regonfler de temps en temps par Laval quand il s'aplatit trop », Hitler conclut cependant en ouvrant à Laval un nouveau crédit : « J'ai confiance en vous. Je ne traiterai jamais qu'avec vous. Vous êtes le dernier gouvernement de la France. Après vous, ce sera un *gauleiter.* »

Conscient de sa responsabilité envers la France, bien décidé à voir, une fois encore, le meilleur et non le pire, Pierre Laval regagne donc Vichy satisfait d'un voyage où il lui a été infiniment plus demandé qu'accordé.

Le 25 décembre, il dit à Nicolle qu'il revient « avec les pleines possibilités » et que, « grâce à lui, la souveraineté française est encore sauvegardée ». C'est avec chaleur qu'il évoque la « condition de la réception » qui lui a été réservée. Et comme, à l'instant du départ, Hitler lui a longuement serré la main et lui a dit « Avec vous toujours », peut-être croit-il avoir été convié à un nouveau Montoire. Sa phrase « On avait donné à la France sa chance. On lui en donne une autre » le laisse supposer.

Comment pourrait-il savoir que, le 4 janvier, Speer va téléphoner à Sauckel pour l'informer que, « suivant une décision du Führer, il n'est pas nécessaire à l'avenir... d'avoir des égards particuliers pour les Français » et que, lorsqu'il s'agirait d'embaucher de la main-d'œuvre, « il serait loisible d'utiliser la pression et des mesures plus sévères pour le recrutement » ?

Mais comment peut-il ignorer que la situation militaire de l'Allemagne la condamne, chez elle comme à l'extérieur de ses frontières, à prendre des mesures extrêmes et à ne plus s'embarrasser de diplomatie ?

Peut-être n'a-t-il pas prêté assez d'attention à la parole d'Hitler lui disant qu'il devrait prouver que « cette fois sa politique allait aboutir à quelque chose ». Et sans doute n'a-t-il pas correctement analysé les préoccupations d'Hitler qui, en ce 19 décembre 1942 où il reçoit Laval dans son grand quartier général et non au Berghof, ne regarde nullement en direction de Vichy mais vers la Russie et vers Stalingrad.

C'est à la lumière de ce qui se passe en Allemagne, à la lumière de ce qui se passe en Russie qu'il faut analyser et comprendre ce qui va se passer en France en janvier et février 1943 dans le domaine de la réquisition de la main-d'œuvre.

Le 13 janvier 1943, Hitler proclame la guerre totale. Deux jours plus tôt, Sauckel s'est rendu à Paris. Aux fonctionnaires de la main-d'œuvre, il annonce l'imminence de nouvelles mesures de réquisition. Avant le 15 mars, 150000 spécialistes et 100000 manœuvres supplémentaires doivent avoir gagné l'Allemagne. C'est ce chiffre qu'il livre, qu'il assène à Laval le 14 janvier.

Lors de la rencontre de Rastenburg, Laval avait déclaré à Ribbentrop que Sauckel ne pourrait plus « pomper » la France avec la même âpreté et que seuls 100000 ouvriers seraient disponibles pour toute l'année 1943. Voilà qu'on lui en réclame 250000. Dans un délai de deux mois et demi !

Du moins Laval s'efforce-t-il d'augmenter le chiffre des prisonniers libérés. Dans ses entretiens avec Sauckel, il suggère, pour apaiser l'hostilité populaire, pour « rallier les cœurs français », que, pour trois spécialistes, deux prisonniers, au lieu d'un seul, soient libérés. Mais Sauckel refuse tout rapatriement supplémentaire. Tout juste accorde-t-il que 250000 prisonniers bénéficient d'un statut différent. Employés dans l'industrie, ils toucheront un salaire égal à celui des ouvriers français de même qualification, jouiront des mêmes conditions de logement et auront droit à un congé de captivité que le cours des événements rendra de plus en plus aléatoire.

Sans doute cette « concession » allait-elle améliorer le sort matériel d'un certain nombre d'hommes, mais elle contribuait à river davantage encore les prisonniers français [1] à une industrie de guerre qui manquait toujours de bras.

Consultez d'ailleurs les journaux de zone occupée dans les semaines qui suivent les demandes de Sauckel à Laval. Le 29 janvier, sur trois colonnes, voici qu'ils annoncent :

---

1. A la fin de 1942, Sauckel estime que 932000 prisonniers français sont, soit dans les fermes, soit dans les usines, au service de l'Allemagne. D'après un rapport officiel français de 1945, le chiffre aurait été de 987187, seuls 46632 prisonniers restant dans les camps.

DE L'ÉCHEC DE LA RELÈVE AU S.T.O.

POUR LE TRAVAIL NATIONAL DE GUERRE
LE REICH MOBILISE
LES HOMMES DE 16 À 65 ANS
LES FEMMES DE 17 À 45 ANS

Après cette défaite de Stalingrad, qui coïncide avec le dixième anniversaire de la prise du pouvoir par Hitler — dix ans déjà, dix ans seulement —, défaite escamotée sous un modeste titre sur deux colonnes [1], n'est-ce pas un véritable S.O.S. que l'Allemagne lance à l'Europe ?

Goebbels, le 18 février, au palais des Sports de Berlin, proclame « l'Occident en danger » et ajoute : « Si le peuple allemand met tout son sang à la disposition de la guerre, il est normal que le reste de l'Europe mette son travail à sa disposition. »

Hitler, le 24 février : « Nous procéderons à une mobilisation matérielle et morale de l'Europe telle que notre continent n'en a jamais vu de son histoire. »

Et Sauckel, avant même d'affirmer le 1er mars aux Français (ce goût des références flatteuses !) qu'il faut « contre le bolchevisme une nouvelle Marne », dira : « Là où le volontariat est refusé [l'expérience apprend qu'il est partout], le service obligatoire se substitue à lui. Telle est la loi d'airain de l'enrôlement en cette année 1943 : dans quelques semaines, il ne devra plus y avoir aucune région occupée où l'obligation de travailler pour l'Allemagne ne soit la chose la plus naturelle du monde. Nous allons éliminer les dernières séquelles de la somnolence engendrée par notre humanitarisme. »

Loi d'airain... Du 1er janvier au 10 février 1943, 76000 travailleurs français sont partis pour l'Allemagne. Parmi eux, 56000 spécialistes dont 16000 originaires de la zone non occupée. « En prolongeant la courbe », comme le dira Bichelonne le 20 février, il était impossible de « servir les demandes allemandes dans un délai suffisant ».

1. « Le groupe d'armée du maréchal Paulus succombe à Stalingrad. »

Le gouvernement en arrive donc à cette conclusion qu'il faut, à la méthode de « prélèvement industriel et commercial », substituer une méthode que Bichelonne qualifie de « démographique » parce qu'elle porte sur une assiette infiniment plus large, du moins lorsqu'il s'agira de recruter les 129 000 non-spécialistes qu'il faut, en moins d'un mois, procurer à l'Allemagne.

Sans doute les choses ne vont-elles pas se passer aussi simplement qu'on peut le croire, quarante ans environ après l'événement et il est de Sauckel ce mot qui définit les gouvernants français : « De vrais artistes lanterniers. » Mais, prisonnier une fois encore de l'alternative qui se présente à tout « gouvernement » contrôlé par l'ennemi : laisser à l'occupant le soin du recrutement ou se charger de la besogne, Laval choisit le second terme.

— Je vous prie de bien me comprendre, dit-il à Sauckel, je donne mon assentiment de principe à votre demande, j'accepte votre programme. Je vous demande seulement de me mettre en mesure de remplir ce programme pour l'Allemagne. Je ne réclame rien qui puisse affaiblir la force offensive allemande...

Phrases qui font suite à cette triste constatation :

— Nous ne pouvons rien faire. Nous ne sommes pas libres de modifier les salaires. Nous ne sommes pas libres de combattre le marché noir. Nous ne pouvons prendre aucune mesure politique sans nous heurter partout à une autorité allemande qui se substitue à nous. Je ne puis servir de garant à des mesures que je n'ai pas prises...

Quelle erreur ! Laval et, avec lui, Pétain et, avec eux, les ministres serviront de garants à une politique qui n'est pas la leur mais qu'ils acceptent dans l'espoir d'en diminuer les rigueurs.

C'est effectivement ce qui se produira dans les mois qui vont suivre, lorsque la résolution de Français découvrant enfin qu'il est possible de se soustraire à la mobilisation allemande trouvera, pour l'aider, de nombreuses complicités administratives.

Mais, en janvier et février 1943, le temps des maquis n'est pas encore venu. Et les décisions prises en février par le gouvernement français vont, dans un premier temps, servir efficacement l'Allemagne puisque, du 1er janvier au 30 mars 1943, ce sont 250 259 travailleurs, dont 157 020 spécialistes, qui auront quitté la France. Les grands départs ont eu lieu dans la première quinzaine de mars : 77 017 hommes. Dans toute l'histoire de la déportation des travailleurs français en Allemagne, la différence entre les exigences de Sauckel et les départs effectifs n'aura jamais été aussi faible.

Le 2 février, une circulaire prescrit aux préfets un recensement général portant sur tous les Français du sexe masculin nés entre le 1er janvier 1912 et le 31 décembre 1921. Certes, il est bien précisé que le recensement a « particulièrement pour objet d'éviter que les besoins en main-d'œuvre à destination de l'Allemagne, des chantiers ouverts en France par les autorités d'occupation ou des usines françaises soient uniquement satisfaits par prélèvements d'hommes exerçant déjà un métier utile au pays ». Mais les Allemands n'ont cure des circulaires françaises. Installés dans les mairies parisiennes le 15 février, jour où débute le grand recensement, ils y règnent pour un moment en maîtres et donnent à chaque recensé une feuille de départ.

Le 16 février, paraît enfin prise, en application de la loi du 4 septembre 1942, la loi créant un « service obligatoire du travail » de deux ans pour tous les hommes nés en 1920, 1921, 1922, loi dont les journaux reçoivent l'ordre d'écrire qu'elle a pour but de faire peser sur d'autres classes sociales que la classe ouvrière les sacrifices imposés à la nation.

« Service Obligatoire du Travail ». Comment accepter un sigle qui se prononcerait S.O.T. ?

Le Service Obligatoire du Travail deviendra donc le Service du Travail Obligatoire. Sans que rien soit changé dans cette institution qui, en troublant ou en inquiétant, et jusque dans les villages, des centaines de milliers de familles françaises, hâtera la prise de conscience, suscitera plus de haines anti-allemandes que les arrestations de juifs, que les exécutions de communistes, servira de sergent recruteur au maquis et jouera un tel rôle dans la vie politique et sociale de la France de 1943 et 1944 qu'il me faudra, dans un livre prochain, lui consacrer une place de choix.

DEUXIÈME PARTIE

DES HOMMES ET DES FEMMES COMME LES AUTRES

Les juifs sont des hommes,
Les juives sont des femmes.

MGR SALIÈGE, 20 août 1942.

Il n'était ni normal, ni salubre pour un chrétien de se confiner dans l'étude d'une race inférieure et exotique, de vivre indéfiniment dans son intimité.

Lucien REBATET
« Les Décombres »

4
LES MÂCHOIRES DU PIÈGE

« Je voudrais m'appeler Dupont, avoir le droit de regarder les gens en face comme tout le monde... »

René KATZ alias René BRIVET,
Carnets de guerre.

Dans les jours qui suivent une défaite trop rapide, trop absolue, trop bouleversante pour paraître logique, la tentation est grande, pour la plupart des hommes qui entourent le maréchal Pétain comme pour bon nombre de Français, d'expliquer l'inexplicable par les méfaits de l'Internationale juive, par ceux de la maçonnerie et de l'école laïque.

On s'étonnera plus tard que des hommes, en principe protégés par l'âge et par la culture, sinon de toutes les passions, du moins des excès des passions, aient parfois devancé l'occupant pour prendre contre les juifs, les francs-maçons, les instituteurs, les créatures et les amis du Front populaire des mesures que l'intelligence, à défaut de la justice et de la charité, aurait dû faire repousser puisque, pour la plupart des serviteurs du régime précédent, le ralliement au régime nouveau ne présentait pas d'obstacles moralement insurmontables.

Mais, lorsque, aux yeux de ceux qui gouvernent, écrivent, parlent et ont alors la possibilité de gouverner, d'écrire et de parler seuls, la défaite paraît être la dramatique sanction des naturalisations de 1935-1939 ; de la dégradation morale provoquée par « l'invasion juive » dans le monde de la politique, dans celui de l'information et des affaires ; d'une impréparation matérielle acceptée par des gouvernants pour qui répondre à l'appel des juifs persécutés par Hitler avait semblé plus important que de réarmer la France ; alors, d'autant plus violente qu'elle est officiellement encouragée et qu'elle puise son inspiration dans d'historiques et tenaces rancœurs, la colère se déchaîne contre une catégorie de Français et d'étrangers abusivement rendus responsables de tous les malheurs de la patrie.

Le 20 juin 1940, à Bordeaux, le général Weygand adresse une note au maréchal Pétain. Elle s'ouvre sur des mots qui, avant la naissance officielle de Vichy, contiennent les idées-forces dont s'inspirera Vichy. « L'ancien ordre des choses, écrit Weygand, c'est-à-dire un régime politique de compromissions maçonniques, capitalistes et internationales, nous a conduits où nous sommes. La France n'en veut plus... »

Le mot « juif » n'est certes pas écrit. Mais que veut dire « capitaliste » en juin 1940, sinon « juif ». Et « internationale » ?

Le maréchal Pétain, lui-même, lorsque Jeanneney interviendra en avril 1941 auprès de lui pour que soit quelque peu amélioré le sort du prisonnier d'Etat Georges Mandel, répliquera en évoquant non seulement l'activité pro-anglaise de Mandel en juillet 1940, les lingots d'or « d'un poids considérable » trouvés dans les bagages de sa « compagne [1] », mais surtout le fait que Mandel soit « regardé par une notable partie de l'opinion française comme l'un des grands responsables de la politique belliciste qui nous a menés aux abîmes ».

Et il ajoute : « Je ferai, dans ces conditions, difficilement admettre à nos centaines de milliers de prisonniers que M. Mandel puisse jouir d'une liberté dont ils sont eux-mêmes privés. L'un des principaux coupables de la catastrophe ne saurait être mieux traité que ces innocentes victimes [2]. »

Des hommes au pouvoir à Vichy quel est donc celui qui n'a pas connu, le plus souvent pour les approuver, les thèses antisémites de la

1. Il s'agit des bagages de Mme Béatrice Bretty qui avait embarqué sur le *Massilia* en même temps que Georges Mandel. D'après Jeanneney, les lingots étaient au nombre de deux.

2. *Je suis Partout* réclamera plus tard que tous les juifs aient exactement le même traitement que les prisonniers de guerre, qu'ils reçoivent la même quantité de nourriture, aient droit au même courrier, vivent dans les mêmes baraquements, etc.

droite française ? Quel est celui qui, dans ses discours ou en famille, ne s'est pas élevé, au moment de l'affaire Stavisky, du 6 février 1934, de la victoire du Front populaire, de la guerre d'Espagne, contre « les métèques », « les politicards au patriotisme douteux » ?

Quel est celui qui a oublié cette mémorable séance du 6 juin 1936 au cours de laquelle Xavier Vallat a interpellé Léon Blum ?

> — Votre arrivée au pouvoir, monsieur le Président du Conseil, est incontestablement une date historique. Pour la première fois, ce vieux pays gallo-romain sera gouverné...
>
> *M. le président Herriot.* — Prenez garde, M. Vallat.
>
> *M. Xavier Vallat.* — Par un juif.
>
> *M. le président Herriot.* — Monsieur Xavier Vallat, j'ai le regret d'avoir à vous dire que vous venez de prononcer des paroles qui sont inadmissibles à une tribune française.
>
> *M. Xavier Vallat.* — Je n'ai pas pris cela pour une injure.
>
> Je dis, parce que je le pense, et j'ai cette originalité ici, qui quelquefois me fait assumer une tâche ingrate de dire tout haut ce que tout le monde pense tout bas, que, pour gouverner cette nation paysanne qu'est la France, il vaut mieux avoir quelqu'un dont les origines, si modestes soient-elles, se perdent dans les entrailles de notre sol qu'un talmudiste subtil... J'ajoute que, lorsque le Français moyen pensera que les décisions de M. Blum auront été prises dans un cénacle où figureront, à leur ordre d'importance, son secrétaire, M. Blumel, son secrétaire général, M. Moch, ses confidents, MM. Caïn et Lévy, son porte-plume, M. Rosenfeld, il sera inquiet. »

Dix ans plus tard, au moment de son procès, ce même Xavier Vallat, qui refusera de répondre aux questions de « M. Benjamin Kriegel dit Kriegel-Valrimont », vice-président de la Haute Cour de justice[1],

1. « Si j'étais, dira-t-il, moi, juif français, naturalisé polonais depuis moins de vingt ans, je ne me permettrais pas de me croire digne de juger du patriotisme d'un Polonais quelconque... Pour la même raison, je ne permettrai pas à M. Benjamin Kriegel, fils d'Isaac, français depuis moins de vingt ans, de juger l'ancien officier de chasseurs que je suis. »

La position de Xavier Vallat, affirmée par lui dès le début de son procès, sera à l'origine de nombreux incidents.

M. Kriegel-Valrimont avait par ailleurs, et avant même l'ouverture du procès,

évoquera, pour expliquer et justifier les positions antisémites qui avaient été les siennes, les mesures décrétées par les Perses, les Pharaons, les Mèdes, les Grecs et, naturellement, tous les chefs d'Etat français, de Dagobert à Napoléon. Après avoir rappelé que le pape Honorius avait créé, en 1221, l'étoile jaune qu'il s'était, lui, Vallat, toujours refusé à imposer aux juifs de zone libre, il ira jusqu'à dire que les heures du couvre-feu (20 heures-6 heures), imposées par l'ordonnance allemande du 7 février 1942, étaient exactement les mêmes que celles choisies en 1603 par le cardinal Borghèse pour la fermeture du ghetto de Rome.

Ces rappels historiques peuvent, après la Libération, scandaliser ou déconcerter, en juillet 1940 ils n'étonnent ni ne choquent. Archivés, répertoriés, au même titre que l'évocation toujours ambiguë de l'affaire Dreyfus, faisant partie des traditions familiales, journalistiques, politiques d'une certaine droite, ils participent à l'élaboration de ce climat qui facilitera les premières mesures antisémites en les rendant acceptables, admissibles et, pour tout dire, « logiques » pour une population depuis longtemps mise en condition.

Sans doute, les lecteurs de *Je suis Partout* ne se comptent-ils pas par millions, mais ils forment ce qui, entre 1940 et 1944, constituera l'essentiel de la classe dirigeante française.

Pourquoi se scandaliseraient-ils du *numerus clausus* professionnel imposé aux juifs par l'Etat français ?

Lorsque, dans leur hebdomadaire, Rebatet l'a réclamé en 1939, n'ont-ils pas alors, pour la plupart, trouvé l'idée parfaitement justifiée ?

Et, sur les tableaux statistiques de l'exposition « Le juif et la France », la plupart des visiteurs trouveront des confirmations plus que des révélations. Ne leur a-t-on pas, depuis longtemps, appris que le cinéma, le barreau, la médecine, la banque, la confection étaient des professions également colonisées par les juifs ?

Ainsi, l'antisémitisme de 1940 n'est-il que l'épanouissement de la sombre fleur d'un antisémitisme lié à notre histoire.

---

pris publiquement à partie tous les justiciables de la Haute Cour, ce qui aurait dû lui faire renoncer à les juger.

La « machine » française se met en route le 22 juillet 1940[1] lorsque paraît la loi sur la révision des naturalisations. Sans doute cette loi ne vise-t-elle pas uniquement les juifs puisque Fernand de Brinon, rendant compte à Pierre Laval, le 26 août 1943, des travaux de la commission chargée de la révision, écrira qu'elle a examiné les dossiers de 539 000 personnes (dont un tiers étaient juives) naturalisées depuis 1927[2].

Sur les 16 508 dossiers retenus par la Commission[3], seuls 6 307 concernaient des juifs, ce dont Alibert, qui avait espéré 70 à 80 % de « dénaturalisations », devait se montrer irrité et les Allemands furieux[4].

En 1942 — on le verra plus avant —, ils allaient, à plusieurs reprises, exiger de Pierre Laval que *tous* les juifs naturalisés soit après 1919, soit après 1927, se voient retirer la nationalité française, ce qui aurait simplifié encore leur arrestation et accéléré leur transport en Allemagne.

Si la loi « antimétèque » du 22 juillet avait une portée générale, celle du 27 août 1940, qui abroge la loi du 21 avril 1939 sur les excès de presse, dès lors — même si le mot n'est pas écrit — qu'ils atteignent les juifs, est incontestablement antisémite. Tous les contre-pouvoirs ayant disparu, elle permettra aux passions et aux haines, aux vengeances et aux délations de se donner libre cours.

Cette loi précède de quelques semaines le Statut des juifs du 3 octobre 1940, publié au *Journal officiel* du 18, statut qui, comportant une définition raciale[5], a pour objet d'exclure les juifs d'un certain

1. Dans *Quarante millions de pétainistes,* j'ai évoqué (p. 447 et suiv.) le rôle respectivement joué par Alibert, Peyrouton et par le maréchal Pétain dans ces premières mesures qui devancent les exigences allemandes.

2. Entre 1933 et 1940, le nombre des naturalisations s'établit à 295 000.

3. La commission était présidée par le conseiller d'Etat Jean-Marie Roussel assisté, « de manière quelque peu inattendue », remarque Guy Raissac, par André Mornet, président de Cour honoraire à la Cour de cassation et futur accusateur du maréchal Pétain.

4. Dans une lettre au major Hagen, lettre en date du 27 août 1943, Fernand de Brinon donne des chiffres assez différents. D'après cette lettre, la Commission aurait, en effet, proposé au 31 juillet 1943 le maintien de la nationalité française à 579 435 personnes, le retrait à 17 964 dont 7 053 juifs. 20 000 dossiers feraient l'objet d'une enquête complémentaire : 12 000 auraient été réservés dont 4 800 concernant des juifs prisonniers de guerre ; enfin 10 000 dossiers de juifs ou d'aryens devraient faire l'objet d'une décision prochaine.

5. « Article 1er. — Est regardé comme juif, pour l'application de la présente loi, toute personne issue de trois grands-parents de race juive ou de deux grands-parents de la même race, si son conjoint lui-même est juif. »

nombre de fonctions publiques et de mandats[1], de les exclure également de toutes les professions libérales qui offrent la possibilité d'exercer une influence politique ou intellectuelle et de fixer le principe d'un *numerus clausus* qui sera précisé, profession par profession, à partir du mois de juillet 1941.

C'est le 3 octobre 1940 que le maréchal Pétain, Pierre Laval et six ministres signent officiellement le statut des juifs[2]. Et c'est également le 3 octobre que débutent, en zone occupée, les opérations de recensement rendues obligatoires par l'ordonnance allemande du 27 septembre 1940.

Ayant défini le juif : celui qui appartient ou appartenait à la religion juive et a plus de deux grands-parents juifs, les Allemands exigent simultanément que toutes les entreprises juives soient désignées à

1. Chef de l'Etat, membres du gouvernement, fonctionnaires de tous grades attachés aux services de police, membres du corps enseignant, directeurs de journal, journalistes, directeurs, administrateurs, gérants d'entreprises ayant pour objet la fabrication, l'impression, la présentation des films cinématographiques.
2. Qui paraîtra au *Journal officiel* du 18 octobre.

l'attention du public par une affiche rédigée en français et en allemand et que tous les juifs se fassent recenser.

« Afin d'éviter une trop longue attente » (mais bientôt l'on prendra moins de précautions), les juifs habitant Paris sont « invités » par la préfecture de police à se présenter dans les commissariats de quartier suivant l'ordre alphabétique. Les A passent le 3 octobre, le philosophe Bergson, presque mourant, sera recensé le 4 en compagnie de tous les autres B. Le recensement s'achève le 19 avec les W, X, Y, Z.

Combien de juifs en France ? Tout le monde l'ignore, ce qui permet de répandre les chiffres les plus fantaisistes [1].

Réimprimant en 1942 ce « catéchisme antijuif » qui avait paru à la fin du XIXe siècle et qui indiquait, pour la France, le chiffre de 100 000 à 150 000 juifs, extrapolant à partir de ce chiffre, l'Institut d'Etudes des Questions juives écrira que la France compte désormais 1 200 000 juifs pour 42 millions d'habitants.

1. On en trouvera un certain nombre dans *Quarante millions de pétainistes*, p. 489.

Chiffre de propagande, de polémique qui n'a d'autre raison d'être que de justifier cette menace : « Si la colonisation juive se développe selon cette forme, on verra, dans un siècle, la France en pleine décroissance démographique compter 10 à 15 millions d'habitants juifs contre 20 à 25 millions d'authentiques Français[1]. »

Les Allemands ne sauraient se satisfaire de pareils « documents ».

Avant de persécuter mais, pour pouvoir persécuter, il leur a fallu identifier, comptabiliser, ficher. Et c'est aux futures victimes qu'ils ont demandé de venir se déclarer. Et elles ont obéi. Elles ont obéi parce qu'il existe, ainsi que l'écrira Philippe Erlanger, des optimistes si « résolus » qu'ils iront se faire recenser avec l'idée rassurante qu'ils se mettent ainsi à l'abri et se protègent contre toute confusion.

> Journal de Mme Averbouh[2].
>
> « Octobre 1940. Recensement général des juifs à la préfecture de police. Rares sont ceux qui se sont esquivés. Des scènes assez amusantes se sont passées, tandis que l'on faisait la queue pour ce recensement. Les Français, voyant la longue file, demandaient : " Quelle distribution fait-on ? " Ils haussaient les épaules, lorsqu'on leur donnait l'explication de ces rassemblements. Ils partaient en disant doucement : " C'est encore pour emb... le monde ! " Un prêtre est venu se placer à côté d'un vieillard, pour lui tenir compagnie et que ce pauvre vieux ne se sente pas humilié par cette mesure vexatoire. »

Que peu de juifs se dérobent au recensement allemand, c'est exact. Simone Martin-Chauffier, rappelant que Claude Aveline était allé se faire inscrire, parle bien d'une « erreur donquichottesque », mais Erlanger, alors haut fonctionnaire[3], n'a pas davantage eu la pensée de s'abstenir le 7 octobre, jour où se trouvent convoqués les juifs dont le nom commence par les lettres E et F.

> « La file est longue, l'attente interminable. Je frissonne malgré ma compagne des mauvais jours, ma pelisse endossée en prévi-

1. D'après un appel de note de cette brochure, il y « aurait eu » 45 000 juifs en 1789 et 46 663 en 1808 pour une population totale de 28 millions d'habitants.
2. Inédit.
3. Chef du Service des Echanges Artistiques Internationaux et Directeur de l'Association Française d'Action Artistique.

sion de drames obscurs. L'ampoule de poison s'y trouve à portée de ma main.

« Le temps passe. Je rêve, je pense à mes parents et me félicite qu'ils aient disparu assez jeunes pour avoir évité cet avilissement grotesque...

« L'appel de mon nom me ramène brutalement à la réalité. Bien entendu, on me parle comme à un clochard suspect. Réagir serait un manque de dignité, j'obtempère... Je m'efforce de vider mon esprit, je remplis la fiche, je signe, je tends la carte d'identité. On me la rend, voilà : je suis classé officiellement en dehors... en dehors de tout et de tous. »

Il est vrai que les juifs ne viennent pas se faire inscrire dans des bureaux *allemands,* gardés par des sentinelles *allemandes,* mais dans des commissariats ou des bâtiments officiels *français.* L'occupant l'a voulu ainsi et il fait, ce n'est qu'un début, de l'administration française le plus ou moins ponctuel serviteur de ses volontés.

« Toute personne juive devra se présenter jusqu'au 20 octobre 1940 *auprès du sous-préfet de son arrondissement* [1], dans lequel elle a son domicile ou sa résidence habituelle, pour se faire inscrire sur un registre spécial. La déclaration du chef de famille sera valable pour toute la famille...

Les dirigeants des communautés israélites seront tenus de fournir, *sur demande des autorités françaises* [1], toutes les justifications et les documentations nécessaires pour l'application de la présente ordonnance. »

Ce sont là les articles 3 et 5 de l'ordonnance allemande du 27 septembre 1940 et le préfet de police de la Seine revendique pour ses services, le 26 octobre, la responsabilité du succès de l'opération [2].

1. Je souligne intentionnellement.
2. « Mes services, écrit-il, ont pris aussitôt toutes les dispositions nécessaires pour que ces inscriptions aient lieu... dans les commissariats de police de Paris et des communes de banlieue. »

« Ce travail, précise-t-il, a été effectué du 3 au 19 octobre. A cette date, ont été inscrits : 85 664 sujets français, 64 070 sujets étrangers, soit au total 149 734 juifs. » Le chiffre est vraisemblable.

En effet, si la statistique de la Diaspora indique, pour 1936 et pour Paris, 175 000 juifs, si de nombreux juifs étrangers, fuyant les persécutions hitlériennes, sont arrivés à Paris entre 1936 et 1940, beaucoup d'entre eux, ayant précédé ou suivi l'exode, se trouvent désormais en zone libre.

Et s'y trouvent bloqués puisque l'ordonnance allemande du 27 septembre 1940 leur a interdit le franchissement de la ligne de démarcation.

Ce n'est pas avant la loi du 2 juin 1941 que le gouvernement de Vichy s'inquiétera de son côté, de savoir combien de juifs vivent dans la zone dont il a, seul, le contrôle.

Est-ce ce retard qui a longtemps trompé les Allemands sur le nombre exact des juifs présents en zone libre ? Le 20 janvier 1942, Heydrich, Eichmann, Muller, étudiant la façon dont la solution finale doit être appliquée[1], s'ils connaissent à peu près exactement le nombre des juifs recensés en zone occupée — 165 000 — errent totalement dès lors qu'ils évoquent la situation en zone non occupée. Ne parlent-ils pas alors de 700 000 juifs, n'évoquant le chiffre plus vraisemblable de 260 000 à 280 000 qu'au cours de l'été de 1942 ?

---

1. « Dans le cadre de la solution finale du problème, précise le procès-verbal allemand, les juifs doivent être transférés sous bonne escorte à l'Est et y être attachés au Service du Travail. Formés en colonnes de travail, les juifs valides, hommes d'un côté, femmes de l'autre, seront amenés dans ces territoires pour construire des routes ; il va sans dire qu'une grande partie d'entre eux s'éliminera tout naturellement par son état de déficience physique. Le résidu qui subsisterait en fin de compte — et qu'il faut considérer comme la partie la plus résistante — devra être traité en conséquence. »

Six mois après cette réunion, c'est à 180 000 que les services d'Heydrich fixeront le nombre des juifs vivant en zone occupée.

A la date du 21 juillet 1943, selon un rapport de Röethke au Dr Schmidt, il n'existerait plus que 70 000 juifs dans l'ex-zone occupée. Comme le chiffre des déportations raciales atteint, au 20 juillet 1943, 52 000, les juifs « manquants » se sont évidemment réfugiés, particulièrement après les grandes rafles de juillet 1942, en zone alors non occupée.

Lors de son procès, Xavier Vallat tirera argument de l'ignorance allemande pour affirmer que, si le recensement ordonné par Vichy a bien eu lieu, aucun fichier central n'a été établi — donc mis à la disposition des Allemands — et que les documents envoyés par les préfectures sont restés en « ballots » dans les services du ministère de l'Intérieur[1].

Il se peut. Il faut cependant faire remarquer qu'à la suite de la loi du 2 juin 1914 et de l'envoi aux maires d'une circulaire leur prescrivant d'informer « à son de trompe ou de caisse » les populations que les juifs doivent faire connaître leur état civil et leur profession, Chavin, Secrétaire général pour la police, attirera l'attention des préfets « sur l'importance qui s'attache à ce que ce recensement, mesure d'ordre public, soit effectué avec soin et contrôlé par tous les moyens en [leur] pouvoir ».

Les statistiques départementales afflueront donc et elles ne resteront pas inconnues du Commissariat aux Questions juives puisque Vallat pourra dire au Dr Blanke, le 13 novembre 1941, que 180 000 personnes se sont présentées.

223 juifs seulement en Lozère, 522 dans le Gers, 589 dans l'Aude[2]. Par contre 7 590 dans les Basses-Pyrénées, ce qui s'explique par l'afflux de nombreux juifs en direction de la frontière et de l'Espagne au moment de l'exode comme par la présence de 4 900 internés au camp de Gurs, 17 802 à Marseille, chiffre officiel que le Commissariat général aux Questions juives estimera avec raison trop faible, 30 000 à Nice, Cannes, Menton et, à Lyon, où ils n'étaient que 3 000 avant la guerre, entre 40 000 et 70 000.

Et à Vichy ? Avant la guerre, 300 ; après le désastre de juin, 2 500, affirmera Xavier Vallat qui, au nom de la tranquillité d'esprit indispensable au gouvernement, a demandé le départ de tous ces juifs qui, « n'ayant rien à faire, étaient constamment aux abords des ministères et dans les allées du Parc ».

Au terme du recensement de zone libre, combien de juifs se seront déclarés ? Vallat a dit 180 000 au Dr Blanke ; le 2 décembre 1941, il écrira 140 000 au Contrôleur général de l'Armée, directeur du Service

1. De son côté, René Bousquet affirmera s'être opposé à trois reprises — août 1942, décembre 1942, juillet 1943 — à de nouvelles mesures de recensement réclamées par les Allemands.
2. Dont respectivement 107, 161 et 239 Français.

de la démographie, et d'autres chiffres annoncent 109983 dont 59344 Français.

Quoi qu'il en soit, ces chiffres, tous différents, diffèrent également de la réalité. Le 10 juillet 1941, une note des Renseignements généraux avait signalé que, « par conversation et par correspondance, une véritable cabale se mont[ait] en vue d'un boycottage du recensement ».

N'ignorant pas ce qui se passait en zone occupée, ayant déjà souffert des persécutions imposées par la loi française du 3 octobre 1940, des juifs, dont il est impossible de savoir le nombre, ont raisonnablement décidé de se soustraire au recensement [1].

Les lois françaises de l'été et de l'automne 1940, aussi bien que les ordonnances allemandes, imposent en effet de longues et complexes recherches à des hommes et des femmes qui, jamais, ne s'étaient souciés de leurs grands-parents et qui, parfois, ne les avaient jamais vus. Mais, lorsque deux grands-parents aryens représentent le salut, on comprend l'intérêt de ces placards publicitaires qui paraissent dans la presse parisienne.

PROUVEZ
VOTRE ASCENDANCE
PAR L'ARBRE GÉNÉALOGIQUE ÉTABLI
PAR LE SPÉCIALISTE GUGLIERA, 14, RUE FAVART
RIC 06.91

En quelques jours d'octobre 1940, les lois françaises chassent les juifs de l'administration, leur ferment les portes de certaines professions (3 octobre), organisent l'internement des juifs étrangers (4 octobre), privent (7 octobre) les juifs algériens de la nationalité française qu'ils avaient acquise le 24 octobre 1870 grâce à un décret du gouvernement de la Défense nationale.

Elles coupent brutalement les juifs de la nation à laquelle ils appartenaient ou auprès de laquelle ils avaient trouvé refuge. Elles les

1. Vallat, annonçant à Blanke 180000 recensés, estimera à 8 ou 10 % le chiffre des défaillants.

D'autres mesures contre les Juifs vont bientôt être prises en zone occupée

Le décret du 27 septembre 1940 sur les juifs n'a pas été compris de tout le monde.

Certains Français se demandent encore s'ils sont juifs ou considérés comme tels ou s'ils ne le sont pas. Le graphique ci-dessous leur permettra de se faire une opinion.

Ce n'est en somme qu'une question de guerre présente pour eux un réel danger.

C'est pourquoi ils entreprennent dès maintenant le recensement des israélites. Ceux-ci doivent se faire inscrire sur des registres tenus par les sous-préfets sous la direction de Feldkommandants. A Paris les registres seront centralisés dans

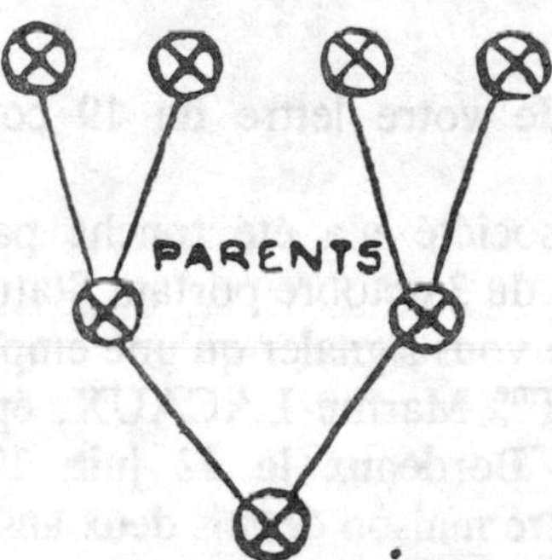

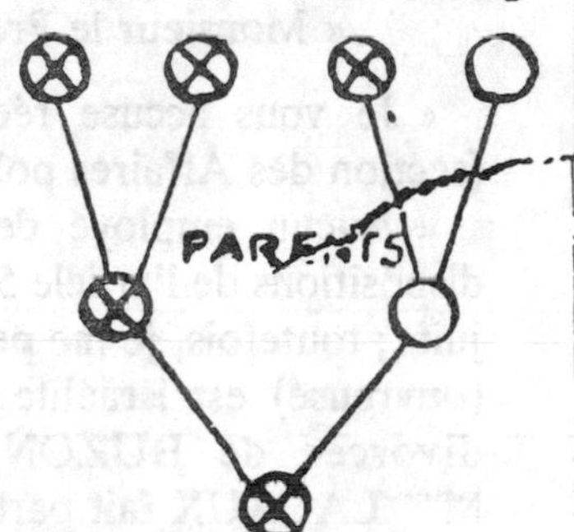

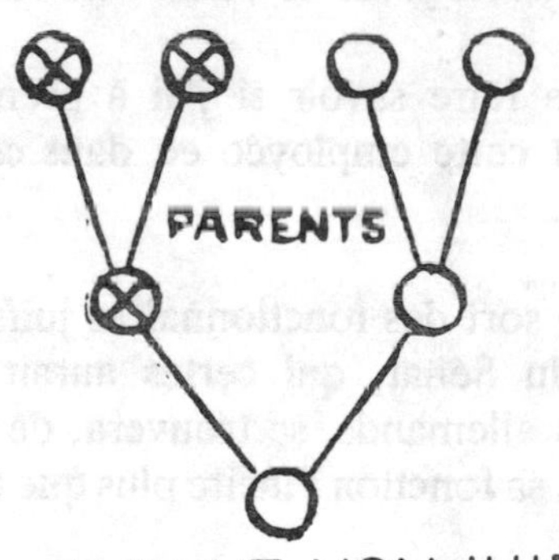

ENFANT NON JUIF

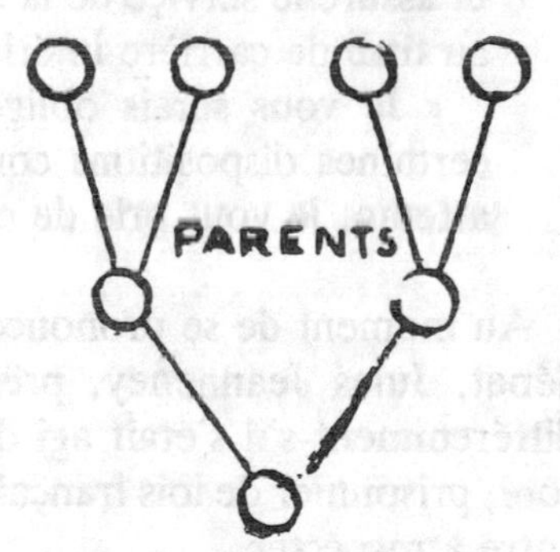

ENFANT PUR ARYEN

⊗ • JUIF

[illegible] deux grands parents israélites vous n'êtes pas [illegible] trois grands parents israélites [illegible] C'est simple et [illegible]

[illegible] occupation considère [illegible] présence de juifs en [illegible] pendant la période des services spéciaux près le gouvernement militaire des autorités d'occupation.

D'autres mesures seront prises dans un délai très court contre les israélites. De son côté le gouvernement de Vichy met au point un projet de loi visant l'activité [illegible] juifs en France

culpabilisent aux yeux de tous ceux qui, se voulant les bons serviteurs des lois françaises, sont tentés de prendre les devants et, par excès de zèle, d'anticiper sur des rigueurs encore à venir.

Mme Marthe Lacaux, *ouvreuse intérimaire* au cinéma X..., de Bordeaux, ne tombait certes pas sous le coup de l'article 5 de la loi du 3 octobre qui interdisait aux juifs de diriger, administrer ou gérer des « entreprises ayant pour objet la fabrication, l'impression, la distribution de films cinématographiques ». Son nom même n'indiquait pas une origine juive. Il n'importe. Son employeur n'en adresse pas moins, le 24 octobre 1940, la lettre suivante au préfet de la Gironde.

> « Monsieur le Préfet,
>
> « Je vous accuse réception de votre lettre du 19 courant (section des Affaires politiques).
>
> « Aucun employé de notre société n'a été touché par les dispositions de l'article 5 de la loi du 3 octobre portant Statut des juifs ; toutefois, je me permets de vous signaler qu'une employée (ouvreuse) est israélite ; c'est Mme Marthe LACAUX, épouse divorcée de BUZON, née à Bordeaux le 12 juin 1903... Mme LACAUX fait partie de notre maison depuis deux ans. Son salaire est de 155 francs par semaine, elle remplace deux fois par semaine les deux ouvreuses titulaires le jour où elles sont de repos et assure le service de la caisse tous les jours de 18 h 30 à 20 h 30, au titre de carrière intérimaire.
>
> « Je vous serais obligé de me faire savoir si j'ai à prendre certaines dispositions concernant cette employée et, dans cette attente, je vous prie de croire [1]... »

Au moment de se prononcer sur le sort des fonctionnaires juifs du Sénat, Jules Jeanneney, président du Sénat, qui certes aurait agi différemment s'il s'était agi de textes allemands, se trouvera, de son côté, prisonnier de lois françaises, que sa fonction l'incite plus que tout autre à respecter.

Ces fonctionnaires juifs sont au nombre de cinq : M. Gustave Hirschfeld, bibliothécaire en chef, M. Raymond Schwab, chef adjoint des secrétaires rédacteurs, les frères Raymond et Roger Heymann,

1. Lettre inédite.

sténographes, Mme Lévy, dactylographe. Deux thèses s'affrontent : celle du questeur, Albin Labrousse, pour lequel il ne saurait être question de chasser de leur emploi des hommes qui ne sont nullement des fonctionnaires de l'Etat ; celle d'Henri Berdalle de Lapommeraye, secrétaire général de la Présidence, qui estime que la loi leur est applicable. Au terme d'une longue note, en apparence et par volupté de juridisme savamment balancée, mais, en réalité, fondamentalement déséquilibrée [1], Jules Jeanneney, à qui il appartient de trancher, va se prononcer en faveur de la thèse de Lapommeraye et les fonctionnaires cesseront de remplir leurs fonctions le 20 décembre 1940 [2].

Voici, mettant toujours en cause Jules Jeanneney, un autre exemple d'obéissance résignée aux textes de Vichy.

La loi française du 3 octobre 1940 interdisant aux juifs l'accès et l'exercice des mandats dans toutes les assemblées issues de l'élection, encore faut-il connaître les noms des sénateurs et députés juifs.

Sollicité, le 21 décembre 1940, par le ministre de l'Intérieur de lui communiquer une liste des parlementaires concernés, Jules Jeanneney répondra, deux jours plus tard, que le Sénat ne possède aucun document d'ordre confessionnel ou racial. Non sans hésitation, Edouard Herriot, président de la Chambre des députés, fournira une réponse identique.

Le 23 janvier, cependant, les deux présidents recevront, sous la signature du maréchal Pétain, une lettre leur demandant de prendre

---

1. *Cf.* le *Journal politique* de Jeanneney, p. 274 et suiv. et particulièrement ce passage.

« Dès lors, comment douter que les fonctionnaires du Sénat soient atteints par la loi ?

« Il est bien vrai qu'ils n'ont point de statut d'Etat : ils n'en sont pas moins auxiliaires du premier Corps de l'Etat. Quant à leur rôle, ne les associe-t-il pas, et de plus près, à la plus haute des tâches instituées pour la conduite des affaires publiques ?

« Ce sont raisons décisives.

« Suivant moi, on ne peut donc qu'admettre l'application à ces fonctionnaires de la loi du 3 octobre. Il y a donc obligation à éliminer des services dans le délai imparti, les fonctionnaires juifs, à qui le droit appartient au surplus de faire valoir, le cas échéant, les causes de dérogation inscrites aux articles 3 et 8. »

2. Il est juste de rappeler que, à la suite de la loi du 3 juin 1941, qui admettait de nouvelles causes de relèvement pour les fonctionnaires juifs, Jules Jeanneney fit décider par le Bureau du Sénat (quatre voix contre trois) la réintégration de Gustave Hirschfeld et de Raymond Schwab.

l'initiative de « toutes les mesures utiles » à l'établissement de la liste réclamée et leur adressant, pour transmission aux parlementaires, le questionnaire suivant :

DÉCLARATION EN VUE DE L'APPLICATION
DE LA LOI DU 3 OCTOBRE 1940
SUR LE STATUT DES JUIFS

Nom du déclarant

Prénoms

Date et lieu de naissance

Circonscription représentée

Domicile

Ascendants dans la ligne paternelle	Votre grand-père dans la ligne paternelle est-il ou était-il de race juive [1] ? Votre grand-mère dans la ligne paternelle est-elle ou était-elle de race juive [1] ?
Ascendants dans la ligne maternelle	Votre grand-père dans la ligne maternelle est-il ou était-il de race juive [1] ? Votre grand-mère dans la ligne maternelle est-elle ou était-elle de race juive [1] ?
Conjoint	Votre conjoint est-il juif [1] ?

1. Répondre par oui ou par non.

Fait à le
sous la foi du serment

Le déclarant

Si l'on en croit Jeanneney [1], Edouard Herriot aurait assez volontiers obéi à Pétain. Il finit cependant par se ranger à la thèse du président du

1. « Le vendredi 24, à midi, MM. Friol (directeur du cabinet de Herriot) et Saverot (secrétaire général des services administratifs), à qui la même lettre avait été remise pour le président Herriot, viennent en conférer avec moi. Ils ne me cachent pas que Herriot est disposé à envoyer le questionnaire proposé. Je proteste vivement… Je rédige alors une note — qui pourrait prendre forme de lettre — exposant en détail les raisons de mon refus d'obtempérer. Le lundi 27, à

Sénat et, le 28 janvier 1941, les deux hommes se retrouvent dans le bureau du maréchal Pétain à qui ils ont demandé audience.

— Les parlementaires ne sont pas des fonctionnaires et les présidents ne sont pas leurs chefs... indique fermement Jeanneney. Ils ont des droits : ceux que le Règlement leur donne. Aucun autre, et sûrement pas celui d'imposer à leurs collègues des questions touchant leurs ascendants et leur femme. Ils pourraient très légitimement refuser la réponse. Je ne puis donc que m'interdire d'interroger de cette façon. Je me l'interdis absolument.

La résistance de Jeanneney et d'Herriot sera toutefois de courte durée. Le Maréchal leur ayant concédé que « la loi est mal faite, une loi qui prive de leur grade des officiers, alors qu'ils ont pu le gagner sur le champ de bataille... », mais leur ayant demandé de ne pas accroître ses difficultés, ils protesteront immédiatement de leur bonne volonté. Le Maréchal ne les a-t-il pas toujours trouvés prêts à l'aider ?

— Je vous en remercie. En voici une occasion. Que pouvez-vous pour cela ?

— Ceci, au grand maximum, répond Jeanneney. Ecrire à tous nos collègues une lettre circulaire où, après leur avoir rappelé les dispositions du statut des juifs, nous demanderions à ceux qui se savent atteints par la loi de consentir à se déclarer, les autres n'ayant rien à faire. Se déclarer ? A qui ? A nous ? Aucunement : nous n'avons rien à voir à cela. Se déclarer à vous-même. Vous recevrez leur réponse ou non. Vous en ferez l'usage que vous jugerez bon. Notre rôle n'ira pas au-delà.

C'est Jeanneney qui a parlé, mais Herriot approuve et les deux présidents, ayant opéré ce transfert de responsabilité morale, se retirent satisfaits après que la séance se fut achevée sur ces mots de comédie.

Philippe Pétain. — C'est très bien cela. Je vous en remercie. Des hommes de votre expérience me sont précieux.

Herriot et Jeanneney. — Leur expérience était à votre disposition. Elle y reste.

---

17 heures, dès l'arrivée de Herriot, je la lui soumets. Il y avait à le convaincre. Il l'a été. » Jules Jeanneney, *Journal politique*, p. 281.

Jeanneney ajoute que le maréchal Pétain avait en main une lettre signée de deux questeurs de la Chambre, Barthe et Perfetti, se disant d'accord pour dresser la liste des députés juifs.

Dès le 30 janvier, Jeanneney adresse donc, par pli recommandé, une lettre circulaire à tous les sénateurs[1]. Herriot agit de même pour les députés[2].

Les deux présidents demandent aux parlementaires, s'ils se jugent atteints par la loi, « de bien vouloir en faire la déclaration au chef de l'Etat ».

De toutes les lettres que le Maréchal recevra en réponse aux demandes de Jeanneney et d'Herriot, deux sont à retenir pour l'Histoire. Celle du sénateur Pierre Masse, celle du député Georges Mandel.

Voici, datée du 16 février 1941, la lettre de Pierre Masse.

> « Monsieur le Maréchal,
>
> « J'ai reçu sous le couvert de M. le Président du Sénat, la circulaire par laquelle vous me demandez de faire connaître si je suis de famille juive.
>
> « Mon premier mouvement a été de ne pas faire de réponse : il n'y a pas de " juifs " au Sénat. Ne font partie de cette assemblée que des citoyens français, quelle que soit leur religion, élus par un collège électoral français, conformément à une constitution qui n'a pas été abrogée sur ce point.
>
> « J'ai décidé cependant de répondre, par déférence pour le gouvernement dont vous êtes le chef.
>
> « Mes deux grands-pères étaient de religion israélite. L'un, bâtonnier de l'ordre des avocats de Strasbourg en 1870, a abandonné propriétés familiales et situation pour rester Français ; l'autre a été, il y a un siècle, maire de la commune de l'Hérault que je représente depuis trente-quatre ans au Conseil général. Leurs femmes appartenaient à la même religion.
>
> « J'élève contre la loi du 3 octobre la protestation la plus formelle.
>
> « D'ascendance strictement française dans toutes les branches

1. On compte alors cinq sénateurs juifs : Moïse Lévy, Pierre Masse, G. Ulmo, A. Schrameck et Maurice de Rothschild, ce dernier réfugié aux Etats-Unis depuis la défaite ayant été privé de la nationalité française.

2. Dans la Chambre de 1940, dix députés seraient juifs : Léon Blum, Frossard, Pierre Bloch, Max Hymans, Charles Lussy, Georges Mandel, Pierre Mendès-France, Robbe, Raymond Vidal, Jean Zay.

et aussi loin que je puisse remonter, officier d'infanterie, titulaire de citations qui ont toutes été gagnées en avant des lignes françaises, ancien chef de la Justice militaire à une époque où les gens de la 5ᵉ Colonne étaient envoyés aux fossés de Vincennes, ayant parmi mes parents les plus proches quatre officiers tués à l'ennemi, membre du Conseil de mon Ordre, régulièrement élu sénateur par mes compatriotes de l'Hérault, je n'accepte pas d'être traité en Français de 2ᵉ catégorie[1]. »

Depuis Vals, où il se trouve interné, Georges Mandel a de son côté écrit le 11 février 1941 la lettre que voici.

« Monsieur le Maréchal,

« Je viens de recevoir une lettre du président de la Chambre qui me demande de vous faire savoir si je tombe sous le coup de l'article 2 de la loi du 3 octobre 1940.

« Je m'empresse de vous *répondre affirmativement.* D'ailleurs, pour mériter plus sûrement certaines attaques, j'ai tenu à proclamer mon ascendance juive quand, en novembre 1920, j'ai fait mes débuts à la tribune de la Chambre en défendant la reprise des relations avec le Vatican.

« Ajouterai-je (pour que vous soyez bien édifié sur le caractère des mesures que vous avez édictées par cette loi du 3 octobre) que, malgré ses origines religieuses qui me valent d'être exclu du Parlement, mon père a fait la campagne de 1870 dans le 17ᵉ bataillon de marche, il a participé à la bataille de Buzenval ; et que, pour ma part, j'ai été pendant plus d'un quart de siècle le collaborateur de Clemenceau — et un collaborateur qui s'honore d'être resté invariablement fidèle à sa politique. C'est d'ailleurs notamment pour cela, vous le savez mieux que personne, que j'ai été hostile à l'armistice et que, sans autre motif, je suis maintenant inculpé et interné[2]... »

---

1. Pierre Masse, sénateur de la gauche démocratique, avait voté avec la majorité, donc en faveur de Pétain, le 10 juillet 1940. Il existe également, adressée au Maréchal, une autre lettre de Pierre Masse. On en trouvera le texte dans *Quarante millions de pétainistes*, p. 470.

2. De son côté, Pierre Bloch, député de l'Aisne, rappellera au Maréchal que son grand-père maternel avait été officier supérieur et son grand-père paternel combattant de 1870, décoré de la médaille militaire. Il joindra à sa lettre la copie des deux citations qu'il vient d'obtenir au cours des combats de mai-juin 1940.

Cette évocation des services rendus à la France, comme d'une très ancienne insertion dans la communauté française, se retrouvera dans de nombreuses lettres de protestation contre les mesures édictées par Vichy.

A travers des lettres écrites en octobre et novembre 1940, apparaîtra également l'opposition entre juifs aux familles depuis de longues générations installées en France, juifs récemment naturalisés et juifs étrangers.

Opposition que les persécutions, on le verra, loin d'apaiser, ne feront qu'exaspérer.

M. Naquet est-il chassé, par la loi du 3 octobre, de son poste d'administrateur des Hospices, il écrit sans plus tarder à Adrien Marquet, maire de Bordeaux, une lettre dans laquelle éclate la volonté de s'affirmer « différent », volonté que Vichy exploitera jusqu'à l'instant où les Allemands, refusant les distinctions, engloberont les juifs de toutes les origines, et de toutes les nationalités dans la même persécution.

> « Ainsi, des Français *de vieille souche se trouvent confondus avec des naturalisés de fraîche date*[1] et écartés d'œuvres de solidarité sociale, dont toute politique est exclue. Je veux espérer, Monsieur le Président, que l'on ne tardera pas à se rendre compte *de l'injustice de cette fâcheuse confusion*[1] et que le gouvernement apportera les modifications qui s'imposent aux articles 3 et 8 du Statut, afin de permettre à tous ceux qui en sont dignes de continuer à avoir l'honneur de servir avec le même dévouement[1]. »

A la fin de l'année 1940, c'est-à-dire à un moment où, SEULE, LA LOI FRANÇAISE A PRÉVU DES RÉVOCATIONS, les textes allemands s'intéressant encore uniquement au recensement des hommes et des entreprises, il est possible, pour un département de zone occupée, la Gironde,

1. Lettre inédite, du 11 novembre 1940. Je souligne intentionnellement certains passages particulièrement caractéristiques.

de connaître exactement, en ce qui concerne la fonction publique, les conséquences des lois et décrets de Vichy.

A la préfecture, 2 fonctionnaires, dont un chef de division, ont été suspendus, 4, dont une dactylographe, Mlle Blum, ainsi qu'une auxiliaire, Mlle Bloch, licenciés, et 9 autres admis à faire valoir leurs droits à la retraite.

On compte 6 révocations et 12 mutations dans l'enseignement, cependant que 8 membres du personnel ont été relevés de leurs fonctions.

3 révocations, 5 suspensions dans les Postes ainsi que la mise en disponibilité d'un facteur et le licenciement d'un autre. Ont été relevés de leurs fonctions un contrôleur des P.T.T., un surveillant d'architecture de la mairie de Bordeaux, un auxiliaire du Trésor, 3 employés de l'hôpital psychiatrique de Cadillac. Enfin, 14 employés de la S.N.C.F ont été, disciplinairement, transférés dans un autre département.

81 fonctionnaires juifs et non juifs ont donc été frappés en Gironde, entre juillet 1940 et janvier 1941, en vertu de la loi du 17 juillet 1940 qui chasse de l'administration tous ceux qui ne sont pas nés de parents français, mais également en vertu de la loi contre les francs-maçons du 13 août 1940 et de la loi contre les juifs du 3 octobre 1940[1].

Ces chiffres, pour un département géographiquement, démographiquement et politiquement aussi important que la Gironde, permettent à la fois d'avoir une juste idée de la faible importance numérique des fonctionnaires juifs et maçons dans l'administration provinciale, mais également de deviner les protections dont bénéficient vraisemblablement déjà un certain nombre d'hommes et de femmes[2].

Le 27 septembre 1940, la première ordonnance allemande n'impose pas seulement le recensement de « toute personne juive ». Les commerces, les magasins dont le propriétaire ou le détenteur est juif, se verront désormais désignés à l'attention populaire par une affiche

1. D'après Robert Aron, 2 282 fonctionnaires de tous grades ont été remerciés — pour des causes diverses — dans les six premiers mois de Vichy.

2. Lorsque Georges Ripert, secrétaire d'Etat à la Fonction publique et à la Jeunesse, demande, le 20 octobre 1940, aux recteurs et inspecteurs d'Académie de dresser « l'état général des fonctionnaires, hommes et femmes qui, de notoriété publique ou à (leur) connaissance personnelle, doivent être, aux termes de l'article 1er (de la loi du 3 octobre), regardés comme juifs », sa circulaire peut être comprise soit comme une incitation à la délation, soit, au contraire, comme une invite à la volontaire ignorance.

rédigée en français : « Entreprise juive » et, en allemand : *Judisches Geschaeft.*

Dans certains quartiers, certaines rues, sur certaines boutiques — maroquineries, magasins de chaussures et de vêtements —, la double affiche va fleurir et, jusqu'à l'instant où les Allemands interdisent ce qui constitue à leurs yeux une provocation, elle se trouve parfois encadrée par les citations et décorations du propriétaire.

En septembre 1940, l'affiche « Entreprise juive » est, aux affaires, ce qu'en juin 1942 l'étoile jaune sera aux hommes. Obligatoire en zone occupée, elle doit permettre, comme dans l'Allemagne nazie [1], de retirer aux entreprises juives tout ou partie de leur clientèle avant de les désigner à la fureur commandée de militants ou de journalistes antisémites qui réclament leur fermeture puis leur confiscation.

Pour l'Allemagne victorieuse, il s'agit d'imposer, dans le minimum de temps, à la France vaincue des mesures qui, chez elle, avaient réclamé plus de cinq ans [2] : 17 lois, 23 ordonnances, décrets, arrêtés, avant que le juif ne soit défini, recensé, dénationalisé, privé de son emploi, dépouillé de ses biens, enfermé dans le ghetto de l'inutilité physique et intellectuelle, avant d'être enfermé dans le ghetto des camps.

Puisque le modèle existe, la répression antisémite, dans tous les pays occupés, se trouvera accélérée.

Ainsi, c'est le 4 juin 1938 qu'avait paru en Allemagne l'ordonnance définissant les entreprises juives, le 14 juillet le décret de recensement, le 18 août la loi interdisant aux juifs toute activité commerciale, le 23 novembre le texte portant fermeture de toutes les entreprises juives. Du 4 juin au 23 novembre, un peu moins de six mois. En France occupée, entre le moment où paraît, le 18 octobre 1940, l'ordonnance allemande sur le recensement des entreprises juives [3], y

---

1. Le 10 novembre 1938, au cours de la « nuit de cristal » qui suivit l'assassinat à Paris, par le jeune juif d'origine polonaise Herschel Grynszpan, du conseiller d'ambassade von Rath, 7 500 boutiques allaient être saccagées sous l'œil complaisant de la police allemande.

2. Du 17 septembre 1933 au 12 novembre 1938.

3. Les entreprises doivent être déclarées auprès du sous-préfet et, à Paris, auprès du préfet de police. La déclaration doit préciser non seulement la raison sociale, le nom du siège et du propriétaire ou titulaire du bail, mais encore la spécification des marchandises ou biens négociés, la valeur du stock des marchandises et des matières premières existantes.

L'ordonnance allemande du 18 octobre faisait référence, en son article 5, à

compris les banques, les compagnies d'assurances, les études de notaire et les charges d'agent de change, et le jour — 12 novembre 1940 — où sont définis, par le général von Stülpnagel, les pouvoirs de ces commissaires-gérants qui, à partir du 12 décembre, seront affectés aux entreprises juives, il ne s'écoule qu'un peu plus d'un mois.

Combien d'entreprises juives en zone occupée ? 38 000, dont 11 000 immeubles.

Ce sont ces 38 000 entreprises qui seront dotées de commissaires-gérants ayant d'abord pour tâche, les instructions allemandes le précisent, de « supprimer l'influence juive dans l'économie française ». Toutefois, afin que « les clients français et allemands continuent à être servis comme précédemment », leur premier devoir sera d'assurer la poursuite normale d'une affaire, dont ils ne peuvent devenir propriétaire, en attendant qu'elle soit vendue à un aryen ou, « dans les branches d'activité connaissant pléthore », fermée après liquidation des stocks.

Maîtres de toute l'opération, les Allemands peuvent prononcer la nullité des contrats suspects conclus entre juifs et non-juifs. C'est auprès d'eux que les commissaires-gérants doivent solliciter l'autorisation de vendre les fonds de commerce ou de liquider les stocks. Mais ils bénéficient du concours de l'administration française. Aux préfets de zone occupée, le général de La Laurencie, délégué général, adresse, les 27 octobre, 5 novembre, 15 décembre, des circulaires qui sont autant d'invitations à une collaboration effective et efficace.

> « Votre rôle, écrit-il notamment le 27 octobre, et celui des sous-préfets ne doit pas se borner à un pur et simple enregistrement des déclarations effectuées par les intéressés. Il vous appartiendra, d'une part, de porter à l'attention de ceux de vos

cette ordonnance du 20 mai 1940 prise dès les premières victoires et qui, concernant toutes les entreprises abandonnées par des patrons et du personnel en fuite et non seulement les entreprises juives, prévoyait la possibilité de nomination de commissaires-gérants, mais n'envisageait nullement la liquidation de l'affaire, puisqu'il ne s'agissait que d'un acte de gestion provisoire rendu indispensable par la désorganisation économique du territoire occupé.

administrés, auxquels sont applicables les Ordonnances susvisées, qu'ils sont passibles de sanctions graves telles que la confiscation de leurs biens, en cas de défaut de déclaration. *Vous devez, d'autre part, procéder vous-même, ou par l'intermédiaire de vos sous-préfets*[1], en utilisant tous les moyens d'information dont vous disposez, à un contrôle destiné à vous assurer que le recensement effectué ne comporte aucune omission. »

En zone non occupée, ce n'est pas avant le mois de juillet 1941 que paraîtra la première loi visant les entreprises juives.

Le texte de Vichy permet la nomination d'un administrateur provisoire (c'est le commissaire-gérant des Allemands) pour toute entreprise, tout immeuble, tout bien meuble, à l'exception des valeurs et des obligations émises par l'Etat et des immeubles et meubles meublants servant à l'habitation et à la vie quotidienne des intéressés et de leur famille[2].

Loi de spoliation, certes, que cette loi du 22 juillet 1941, mais loi dont Xavier Vallat affirmera à son procès que, appliquée par des hommes dont il se flattait de contrôler la probité[3], elle avait touché seulement 1 000 des 3 000 entreprises juives recensées en zone libre et dont il dira, avec trop d'optimisme, qu'à l'exception d'une somme de 10 % pour les besoins d'une caisse de solidarité, elle laissait aux juifs la

1. Je souligne intentionnellement.

1. Deux autres lois, Xavier Vallat étant Commissaire général, compléteront la législation touchant le statut des juifs : celle du 17 novembre 1941 réglementant l'accès des juifs à la propriété foncière et celle du 2 novembre 1941 interdisant toute acquisition de fonds de commerce par les juifs sans autorisation gouvernementale.

3. Le montant de l'émolument mensuel des administrateurs provisoires varie avec le chiffre d'affaires des entreprises dont ils ont la responsabilité. Si le chiffre d'affaires constitué par des ventes a été compris, au cours de l'exercice antérieur à leur nomination, entre 50 001 et 100 000 francs, ils toucheront 375 francs ; entre 500 001 et 600 000 francs, 2 500 francs ; entre 1 000 001 et 2 000 000, 3 750 francs.

L'émolument ne peut être alloué pendant plus de six mois et le total des émoluments ne peut, pour un administrateur nommé à la tête de plusieurs entreprises, dépasser la somme mensuelle de 10 000 francs (arrêté du 6 octobre 1941).

disposition des fonds provenant de la vente de leurs biens, versés à la Caisse des dépôts et consignations[1].

Lorsque paraît la loi française du 22 juillet 1941 relative aux entreprises, biens et valeurs appartenant aux juifs, il y a un peu moins de quatre mois que Xavier Vallat a été nommé Commissaire général aux Questions juives.

C'est, en effet, à la fin du mois de mars 1941, que l'amiral Darlan a fait savoir à Vallat, alors secrétaire général aux Anciens combattants, que les Allemands, ne supportant plus l'hostilité de ce héros et de ce grand blessé de 1914-1918[2], avaient décidé de lui interdire de franchir la ligne de démarcation. Mais la loi non écrite de Vichy voulant que l'on offre une compensation à tout haut fonctionnaire mis à l'index par les Allemands, Darlan fait à Vallat plusieurs propositions rapidement rejetées. L'amiral a une inspiration...

— Il y a également le Commissariat aux Questions juives que je viens de créer. Est-ce que cela vous agréerait ?

— Parmi les fonctions que vous m'offrez, répond Vallat, c'est la seule qui soit une véritable équivalence. J'estime que j'ai plus de compétence pour m'occuper de ce problème sur lequel je me suis penché depuis longtemps que pour d'autres problèmes d'ordre purement administratif que je connais moins bien[3].

« Compétence. » C'est le mot que reprendra Xavier Vallat pour exposer son programme au maréchal Pétain. Il le fera avec la fougue de l'avocat, avec la foi de l'homme politique intègre qui, en 1928, avait mené campagne dans l'Ardèche au cri de « Vive Dieu, vive la France », avec la passion de l'homme fanatiquement anti-allemand mais qui se fera gloire d'être antijuif « à la française », de ne pas imiter l'occupant, alors que tout le condamne à subir puis à servir finalement ses lois avant, lorsqu'il deviendra trop malcommode, d'être chassé par lui.

---

1. Cependant, comme le fera remarquer André Baur, vice-président de l'Union générale des Israélites de France, dans une lettre adressée le 3 juin 1942 à la Direction générale des Domaines et du Timbre, « la Caisse des dépôts et consignations se refuse à verser quoi que ce soit aux ayants droit. On en arrive à cette situation anormale que des titulaires de comptes parfois importants s'adressent maintenant à notre service « d'assistance sociale » pour que nous leur distribuions des secours en espèces, comme à des indigents ».
2. A la suite de trois blessures, Xavier Vallat a perdu un œil et une jambe.
3. Déclaration de Xavier Vallat à son procès.

Car les occupants, qui, depuis le début de l'année, souhaitent la création d'un Office central juif sous le contrôle apparent de Vichy, « afin d'éviter, dans ce domaine, la réaction du peuple français contre tout ce qui vient des Allemands[1] » et qui pressent Darlan de leur donner satisfaction, ont, dès le 6 mars 1941, défini le piège auquel viendront se prendre naïfs ou ambitieux, ceux qui surestiment leur capacité de résistance à la pression de l'occupant.

Sous la signature d'Abetz, le rapport télégraphique adressé à Ribbentrop fait part en effet d'un entretien avec Darlan. A l'ambassadeur du Reich qui lui demandait où en était la question de l'Office central juif, l'amiral de la Flotte allait répondre qu'il était bien d'accord pour le créer, mais « que le maréchal Pétain avait une attitude fort hésitante à l'égard de la question juive. Le Maréchal ne voudrait pas qu'aux juifs français, résidant depuis longtemps en France et qui se sont distingués pendant la guerre, soit appliqué le même traitement qu'aux juifs venus de l'étranger. Malgré cette attitude de Pétain qui ne permet pas d'obtenir un travail actif de l'Office central juif créé par le gouvernement français, il est néanmoins souhaitable que sa création émane de celui-ci. *L'Office central juif trouvera de ce fait une base légale et son travail en zone occupée pourra être activé par l'influence allemande de telle manière que la zone non occupée sera forcée de se joindre aux mesures prises*[2] ».

Sous la plume d'Abetz, l'essentiel est écrit. Il n'a pas fallu longtemps aux Allemands pour discerner les réticences du gouvernement de Vichy, comme il ne leur faudra pas longtemps pour discerner celles de Xavier Vallat aussitôt après sa nomination.

Pour ce Xavier Vallat qui, un an durant, sera ainsi responsable de la politique antisémite de Vichy, les juifs sont à l'origine de leurs propres malheurs.

Si, à toutes les époques, dans tous les pays, ils se sont heurtés à

1. Compte rendu d'une conférence « sur le traitement ultérieur de la question juive en France » qui s'est tenue à Paris le 20 janvier 1941, au cours de laquelle le S.S. *Sturmbannführer* Lischka a exposé les tâches que devait avoir l'Office central juif.
2. Je souligne intentionnellement.

l'hostilité populaire, leur insociabilité, leur refus de toute assimilation, le sentiment de supériorité qui les conduit à former un Etat dans l'Etat expliquent et légitiment pour lui la crainte, puis les manifestations d'hostilité et de rejet de peuples qui se voient menacés par « ce gang international qui boit l'eau vive et le sang du pays qui lui donne asile ».

La formule est de Xavier Vallat qui, pour parler des juifs, affectionne, en effet, les mots « gang » et « maffia ». Les utilise-t-il devant Pétain et Darlan qui le reçoivent avant qu'il ne prenne son poste ? Je l'ignore. Mais, pour en finir avec « une influence juive prédominante dans un certain nombre de secteurs », il leur expose longuement son plan.

Dans la voie de ce qui a déjà été entrepris, puisqu'il n'innove pas, Xavier Vallat désire organiser la politique, l'administration, l'économie ; protéger les professions libérales par l'institution d'un *numerus clausus ;* réglementer le commerce, la petite industrie, l'artisanat tout en protégeant les juifs anciens combattants qui, n'ayant pas « partie liée avec le gang d'Israël », se sont fondus dans la collectivité nationale, les autres, les gens de la « maffia » étant rejetés, selon ses propres termes, dans une sorte de « Cité vaticane » qui permettra « d'attribuer la citoyenneté juive aux neuf ou dix millions de juifs dispersés à travers le monde... sans que pour cela on soit obligé de faire émigrer tous les juifs en Palestine ».

Après avoir fait part de ses idées au maréchal Pétain et à l'amiral Darlan, il va, le 3 avril, les exposer à l'ambassadeur Otto Abetz, puis au général von Stülpnagel ainsi qu'au général von Best.

Sur convocation. Il n'était pas le candidat des Allemands qui, établissant, dès le 1er mars, la liste des Français possédant « l'autorité indiscutée » pour diriger ce qui, dans leurs rapports, s'appelait encore l'Office central juif, avaient cité, « dans l'ordre de leur qualification [1] » les noms de Léon de Poncins, Georges Batault, Bernard Fay, Vacher de la Pouge, Darquier de Pellepoix, Montandon, Serpeille de Gobineau, Céline. Jamais celui de Xavier Vallat. Récusé par les Allemands comme secrétaire général aux Anciens Combattants, Xavier Vallat sera toutefois accepté par ces mêmes Allemands comme Commissaire général aux Questions juives.

---

1. Rapport soumis à Abetz le 1er mars 1941. De son côté, Abetz recommande le même jour Bucard, Darquier, Jean Boissel, Pierre Clémenti, Serpeille de Gobineau, Jean de la Hire, Céline, le comte de Puy-Ségur et tout particulièrement Montandon et Jean de Lesdain.

En admettant un homme dont les sentiments leur étaient notoirement hostiles et dont ils savaient qu'il accepterait moins docilement que d'autres leurs ordres, sans doute les Allemands tenaient-ils compte de l'avantage psychologique qu'il y avait pour eux à laisser Vichy prendre l'initiative de la création du Commissariat général aux Questions juives et du choix de son premier responsable, tout en espérant qu'en « procédant par étapes » ils accéléreraient suffisamment le mouvement pour rapidement atteindre les buts qu'ils s'étaient fixés.

« Procéder par étapes afin de ne pas se mettre, dès le début, en désaccord ouvert avec les conceptions de Pétain », les mots se trouvent d'ailleurs dans le compte rendu qu'Abetz adresse le 3 avril au ministère des Affaires étrangères du Reich après son entrevue avec Vallat que les Allemands ont autorisé à franchir sans plus tarder la ligne de démarcation bien qu'ils l'aient privé d'ausweiss quelques jours plus tôt.

Vallat rend donc visite aux Allemands. A l'ambassadeur Abetz le 3 avril. A l'*oberstrumführer* Dannecker, ce nazi fanatique à qui il dira un jour (toujours la compétence) que, dans le domaine de l'antisémitisme, « il pourrait être son père », dans la matinée du 4 avril. Au général von Stülpnagel, commandant militaire en France occupée, et au général von Best, chef de l'état-major administratif en France, le 4 avril encore. Le 5 avril, c'est le conseiller de légation Zeitschel qui s'entretiendra avec lui à l'hôtel Majestic.

Que dit-il ? Que disent-ils ? Vallat, dont la nomination remonte à moins d'une semaine[1], expose la conception qu'il a du règlement de la Question juive, comme il l'a exposée devant Pétain et Darlan[2] : libération de la politique, de l'administration et de l'économie française, protection des professions libérales par l'institution d'un *numerus clausus,* réglementation du commerce et de l'industrie,

---

1. Créé le 29 mars 1941, le Commissariat aux Affaires juives est placé sous l'autorité du secrétariat à l'Intérieur avant de l'être (6 mai 1942) sous celle du chef du gouvernement.
2. *Cf.* p. 175.

examen du problème « fort complexe », précisera-t-il, du judaïsme en Afrique du Nord française, discrimination en faveur des juifs anciens combattants et de ceux dont les familles sont anciennement établies en France.

Sur ce dernier point, il insistera particulièrement, nous le savons par les rapports allemands, tout en précisant que peu d'individus se trouveraient finalement concernés.

— A défaut de ces exceptions, lui fait dire le rapport du général von Best, on risquerait de faire naître des sympathies pour les juifs au sein de la population française, laquelle prétendrait que, sous la pression allemande, on usait de procédés brutaux à l'égard de victimes françaises de la guerre. Par contre, si l'on tenait compte des réactions du peuple, on pourrait par ailleurs procéder contre les juifs avec une rigueur accrue.

A-t-il véritablement prononcé cette dernière phrase ou s'agit-il d'une interprétation allemande ? Il est impossible de décider. En revanche, l'on n'ignore rien des exigences allemandes. Avant de recevoir Vallat, le général von Best a soigneusement mis au point un plan de discussion dont le deuxième paragraphe précise que « les Allemands sont intéressés à débarrasser progressivement l'ensemble des pays d'Europe du judaïsme et se sont donné pour tâche de libérer totalement l'Europe des juifs », et indique les moyens qui conduiront à cette libération. Il s'agit d'expulser les juifs non français « dans une proportion et à une cadence qui rendent possible leur retour dans leur pays d'origine », étant entendu que le commandement de l'armée d'occupation se réservera la faculté de disposer du sort des juifs des territoires soumis à l'autorité allemande. Il s'agit également d'interner un certain nombre (trois à cinq mille, écrit von Best) de juifs français ou étrangers. Enfin, « vu l'expérience que le Reich a acquise avant cette guerre dans le règlement de la Question juive », Vallat sera invité « à mettre sur pied, d'ores et déjà, le plan et les mesures préliminaires d'une déportation future des juifs ». On l'invitera d'ailleurs à entrer en rapport avec les autorités du Reich qui ont « l'expérience de ces questions ».

Comme de la façon de les régler.

Ainsi, dès ses premiers entretiens, Xavier Vallat est-il mis au courant des intentions finales allemandes, averti du rôle de plus en plus « actif » que l'occupant entend faire jouer à Vichy et au Commissariat aux Questions juives.

« On ne lui dissimulera pas, écrit Joseph Billig [1], que le point de vue de son gouvernement tendant à ménager les juifs français devra progressivement faire place au principe de l'extirpation totale des juifs. »

Vallat fuit d'ailleurs les responsabilités policières dont on voudrait le charger. A von Stülpnagel, aussi bien qu'à Zeitschel, il déclare que l'expulsion et l'internement des juifs ne sont pas son affaire, mais celle de l'armée allemande et de la police française, ce qui provoquera cette réaction de Zeitschel : « L'administration militaire... a été manifestement désappointée car, d'après la déclaration de Vallat, la partie désagréable, et notamment l'application des mesures d'expulsion et d'internement, lui resterait sur le dos. »

Aussi les Allemands n'auront-ils de cesse que les responsabilités du Commissaire aux Questions juives soient étendues, ce qui sera fait par la loi du 29 mai 1941 donnant pouvoir à Vallat, non seulement d'élaborer les dispositions législatives et réglementaires antisémites, de pourvoir à la gestion et à la liquidation des biens juifs, mais aussi de « désigner des agents chargés desdites opérations et [de] contrôler leur activité » et enfin de « provoquer éventuellement à l'égard des juifs, et dans les limites fixées par les lois en vigueur, toutes mesures de police commandées par l'intérêt national ».

Ainsi, le gouvernement de Vichy se trouvera-t-il associé de plus en plus intimement à des mesures dont sans doute, initialement, il ne voulait pas mais qu'il sera hors d'état de repousser toutes et dont, moralement, devant l'histoire, il assumera la responsabilité.

Lorsqu'il arrive au pouvoir — car c'est bien d'un pouvoir véritable qu'il est doté —, Xavier Vallat se trouve déjà en présence d'un certain nombre de textes, allemands et français, qui, se chevauchant, s'imbriquant, les uns devançant les autres, les uns — les allemands — inspirant les autres, les « accouchant [2] », commandent son action pour

1. *Le Commissariat général aux Questions juives.*
2. Un auteur antisémite — Jacques de Camas — soulignera avec une évidente satisfaction dans le numéro 1 des *Cahiers jaunes* (novembre 1941) qu'il existait « un certain parallélisme entre les dispositions des ordonnances successives des autorités d'occupation et celles des textes pris contre les juifs par le gouvernement français ».

le présent et vont constituer les bases sur lesquelles Vichy poursuivra l'élaboration de sa législation antisémite.

Avant le 29 mars 1941, date de la nomination de Vallat à la tête du Commissariat aux Affaires juives, deux ordonnances allemandes, je le rappelle, ont prescrit le recensement des personnes et des biens ainsi que la nomination de commissaires-gérants.

Entre le 27 août 1940 et le 29 mars 1941, un certain nombre de lois françaises ont également paru dont les plus importantes portent sur le statut des juifs (3 octobre), permettent l'internement des étrangers de race juive (4 octobre), enlèvent la nationalité française à la plupart des juifs nés en Algérie[1] (7, 11 octobre et 20 novembre), interdisent l'accès des chantiers de jeunesse aux juifs (18 janvier 1941), réglementent le rôle des administrateurs provisoires (10 septembre 1940, 16 et 18 janvier 1941).

Mais, sans qu'il y ait nécessairement et systématiquement relation de cause à effet, c'est en un an, du 29 mars 1941 au 6 mai 1942, donc pendant la « période Vallat » que seront prises par le gouvernement de Vichy les mesures législatives antisémites les plus nombreuses : 46 lois, 56 décrets et 59 arrêtés.

La plupart de ces textes sont le prolongement « à la française » de cette troisième ordonnance allemande — celle du 26 avril 1941 — qui, après avoir établi la qualité de juif[2], ferme aux Israélites la porte de nombreuses professions : du commerce aux assurances en passant par la banque, la restauration, l'hôtellerie, les entreprises de navigation et d'expédition, l'exploitation des agences de placement, de voyages, de mariages, de renseignements, de surveillance, de publicité, de vente ou de location d'appartements.

---

1. Ces lois abrogent le décret du 24 octobre 1870 et modifient la loi du 4 février 1919 qui fixaient le Statut des Israélites indigènes de l'Algérie.

Pourront toutefois conserver la nationalité française les juifs qui, ayant appartenu à des unités combattantes, auront obtenu la Légion d'honneur, la médaille militaire et la croix de guerre et ceux qui se seront distingués par des services rendus au pays.

2. Est considérée comme juive toute personne qui a au moins trois grands-parents de pure race juive... Est considérée également comme juive toute personne issue de deux grands-parents de pure race juive et qui :

a) Au moment de la publication de la présente ordonnance, appartient à la communauté religieuse juive ou qui y entre ultérieurement.

b) Au moment de la publication de la présente ordonnance, a été mariée avec un juif ou qui épouse ultérieurement un juif.

Un juif, toujours selon la troisième ordonnance allemande, ne peut être ni courtier ni voyageur de commerce. Il lui est interdit d'être « employé supérieur ». Et, quels que soient son titre, son poste, son salaire, de se trouver « en contact avec le public ». Qui est en contact ? Des milliers d'hommes et de femmes qui se tiennent dans l'anonymat de notre vie quotidienne : la serveuse de restaurant, le marchand ambulant, le facteur, le marchand de journaux, la chaisière, le coiffeur, l'employé de magasin, le vendeur de billets de la Loterie nationale, le conducteur d'autobus, le boulanger, la coiffeuse qui peuvent être juifs comme peuvent être juifs le banquier, le directeur de journal, l'industriel, l'avocat d'affaires, tous ceux dont les caricatures propagent et popularisent l'image afin qu'il y ait, dans l'esprit populaire, identification entre « capitalisme » et « juiverie ».

Le 2 juin 1941, Vichy, de son côté, remplace la loi du 3 octobre 1940 par une loi qui, d'après Vallat, loin d'aggraver le sort de la communauté juive, l'aurait, au contraire, amélioré en substituant au critère de la race celui de la religion [1] (ce qui aura pour conséquence d'intensifier la chasse aux certificats de baptême), en introduisant des dérogations non seulement au profit des anciens combattants, mais également pour les ascendants, veuves ou orphelins de soldats morts pour la France, en accordant également aux conjoints, ascendants et descendants des prisonniers de guerre des dérogations s'achevant deux mois après la libération du prisonnier, enfin en restituant la nationalité française aux juifs dont les ancêtres étaient établis en France depuis cinq générations au moins.

---

1. L'article 1er de la loi du 3 octobre 1940 est ainsi rédigé : « Est regardé comme juif, pour l'application de la présente loi, toute personne issue de trois grands-parents de race juive ou de deux grands-parents de la même race, si son conjoint lui-même est juif. »

Et l'article 1er de la loi du 2 juin 1941 : « Est regardé comme juif :

1.) Celui ou celle, appartenant ou non à une confession quelconque, qui est issu d'au moins trois grands-parents de race juive.

Est regardé.comme étant de race juive le grand-parent ayant appartenu à la religion juive ;

2.) Celui ou celle qui appartient à la race juive ou y appartenait le 25 juin 1940 et qui est issu de deux grands-parents de race juive.

La non-appartenance à la religion juive est établie par la preuve de l'adhésion à l'une des autres confessions reconnues par l'Etat avant la loi du 9 décembre 1905. »

Un décret du 26 janvier 1942 précisera les conditions dans lesquelles les fonctionnaires qui ne doivent plus être considérés comme juifs, en vertu notamment de l'article 1 de la loi du 2 juin 1941, seront réintégrés.

ÉTAT FRANÇAIS

VILLE DE MARSEILLE

ARRÊTÉ

relatif au

RECENSEMENT DES JUIFS

NOUS, Préfet des Bouches-du-Rhône **Administrateur Extraordinaire de la Ville de Marseille**, Officier de la Légion d'Honneur ;

VU la loi du 5 Avril 1884 ;
VU le décret du 20 Mars 1939, **pris en exécution du décret-loi du 12 Novembre 1938** ;
VU la loi du 29 Juillet 1940 ;
VU la loi du 2 Juin 1941 ;
VU la loi du 13 Juillet 1941 ;
VU l'article 471, paragraphe 15 du Code Pénal.

.ARRÊTONS :

ARTICLE PREMIER. — Toute personne juive au regard de la loi du 2 Juin 1941 portant statut des juifs doit en faire la déclaration, sur un imprimé spécial, en l'Hôtel de Ville, service de la Police Administrative, avant le 31 Juillet 1941. délai de rigueur.

ART. 2. — La déclaration ne sera réputée accomplie que lorsque l'imprimé réglementaire aura été dûment rempli par les intéressés, et déposé, ou adressé par la poste en recommandé, à l'Hôtel de Ville. Toute déclaration effectuée avant la publication du présent arrêté ou non souscrite au moyen de l'imprimé réglementaire est nulle et de nul effet.

ART. 3. — M. le Commissaire Central de Police, M. le Commandant de Gendarmerie. M. le Directeur de la Police Administrative sont chargés, chacun en ce qui le concerne, de veiller à l'exécution du présent arrêté.

Fait à Marseille. le 22 Juillet 1941.

P. le Préfet des Bouches-du-Rhône,
Administrateur Extraordinaire de la Ville de Marseille,
Le Secrétaire Général de la Préfecture délégué :

PIERRE BARRAUD.

Imp Municipale

Il est vrai. Mais il est également vrai que la loi du 2 juin 1941, suivie, le même jour de la loi ordonnant le recensement des juifs [1], modifiée par les lois des 17 novembre et 17 décembre 1941, élargit considérablement le nombre des professions fermées aux juifs et, le plus souvent, décalque la troisième ordonnance allemande et ses interdits.

La loi française du 3 octobre 1940 avait certes fermé aux juifs les portes de la fonction publique et de toutes les professions offrant la possibilité d'influencer l'opinion par le moyen de la presse, de la radio et du cinéma.

Mais le 2 juin 1941, Vichy interdit aux juifs d'être banquiers, changeurs, démarcheurs, intermédiaires dans les bourses de valeurs ou de commerce, agents immobiliers ou agents de publicité, négociants de fonds de commerce, marchands de biens, courtiers, commissionnaires, exploitants de forêts, concessionnaires de jeux, éditeurs, en attendant que la loi du 17 novembre 1941 vienne ajouter à toutes ces professions celles du commerce des grains, des chevaux et des bestiaux, le juif, dira Vallat, n'ayant même pas le droit d'acheter des moutons ou des veaux pour un marchand de bestiaux aryen car « il ne saurait être considéré comme un employé subalterne [2] ».

Cette rage d'interdire conduira même Vichy à exiger des pianistes et violonistes juifs qu'ils sollicitent l'autorisation de donner un récital, des écrivains qu'ils fournissent une analyse du sujet du livre qu'ils ont l'ambition d'écrire. Dans cette voie, les Allemands, il est vrai, avaient, dès 1940, donné l'exemple en réclamant aux exposants au Salon d'automne un certificat de non-appartenance à la race juive.

Pour les Allemands, il s'agit donc, par l'ordonnance du 26 avril 1941, après avoir recensé les juifs et les avoir dépouillés de leurs biens, de les expulser de leur profession, de les réduire à l'état de nécessiteux, d'en faire non seulement des hommes sans raison de vivre, mais enfin ce que leur propagande affirme qu'ils ont toujours

1. Evoquée p. 158 et suiv.
2. La notion « d'employé subalterne ou manuel » apparaît dans la loi du 17 novembre 1941 (article 5). En principe, « l'employé subalterne ou manuel » ne tombait pas sous le coup des interdits de la loi du 2 juin 1941.

été : des parasites. Etape de dégradation supplémentaire sur le chemin qui conduit aux grandes rafles de juillet 1942 lorsque seront capturés des hommes et des femmes privés de ressources financières, donc dans l'incapacité de fuir ou de se cacher[1], aux horaires et itinéraires de sortie limités par l'ordonnance allemande du 7 février 1942 et, à partir du 7 juin, marqués au cœur de l'étoile jaune.

C'est brutalement que du côté allemand les mâchoires du piège se referment.

Si les autorités de Vichy font preuve de moins de rigueur, à partir du 2 juin 1941 il ne se passe cependant pas de mois sans texte restreignant, limitant, organisant et resserrant sur les juifs le filet des interdits. Loi réglementant les conditions d'admission des étudiants juifs dans les établissements d'enseignement supérieur (21 juin 1941), décret réglementant la profession d'avocat et les fonctions d'officier public (16 juillet), celle de médecin (11 août), d'architecte (24 septembre), lois interdisant aux juifs la possession d'immeubles autres que ceux qu'ils utilisent pour leur habitation ou l'exercice exclusif de leur profession (17 novembre), leur interdisant de faire partie d'un jury (25 novembre), rendant obligatoire leur affiliation à l'Union générale des Israélites de France (29 novembre), décret réglementant la profession de sage-femme et celle de pharmacien (26 décembre), circulaire autorisant l'embrigadement des juifs entrés en France après le 1er janvier 1939 dans des compagnies de travailleurs étrangers (2 janvier 1942)[2], loi interdisant les changements de nom (11 février) et instituant une commission qui aura pour rôle de réviser les décrets de changements de nom et, le cas échéant, d'imposer aux juifs l'abandon du nom à consonance française que les textes leur avaient donné le droit d'emprunter.

1. Une ordonnance du préfet de police de Paris précise, le 10 décembre 1941, que les juifs seront soumis à un contrôle périodique, qu'ils devront dans tous les cas présenter leur carte d'identité délivrée ou visée par la préfecture de police et portant le cachet « juif » ou « juive ». Les juifs changeant de domicile doivent en faire la déclaration, enfin les personnes juives *ou non juives* qui hébergent des juifs doivent en faire la déclaration aux commissariats de police

2. Ce texte vise également les juifs naturalisés

Tous les décrets réglementant les professions sont conçus et rédigés de façon identique et tous comportent des clauses d'exception relevant des mêmes principes.

Voici, pour ne prendre qu'un exemple, le décret du 11 août 1941. L'article premier précise que le nombre des juifs admis à exercer la profession de médecin ne peut, dans la circonscription de chaque conseil de l'ordre [1], dépasser 2 % de l'effectif total des médecins non juifs inscrits au tableau.

Toutefois seront maintenus en priorité, même si leur nombre dépasse la proportion de 2 %, les médecins titulaires, pour la guerre de 1914-1918 de la carte du combattant, ou qui, au titre de la campagne 1939-1940, se sont vu attribuer la croix de guerre, ont été décorés de la Légion d'honneur, de la médaille militaire ou sont pupilles de la nation.

Par ailleurs, à la demande d'un Conseil de l'ordre et sur proposition du Commissariat aux Questions juives, des dérogations peuvent être accordées à des médecins aux mérites professionnels exceptionnels.

Parlant de ce *numerus clausus,* en règle générale fixé à 2 %, Vallat dira à son procès qu'il était très supérieur au pourcentage des juifs de nationalité française qui ne se monte, d'après lui, qu'à 0,4 %. Il n'entraînera pas moins pour 250 avocats et plusieurs centaines de médecins parisiens l'interdiction d'exercer.

Vichy excepte également des rigueurs des lois les anciens combattants et victimes de la guerre et dans tous les débats qui, pendant et après les années d'occupation, les opposeront à ceux qui leur reprochent les mesures antisémites, les ministres et les partisans des gouvernements du Maréchal rappelleront sans cesse ces exemptions.

« Du moment qu'un Israélite prend l'épée pour le service du pays et la porte dignement, il se réhabilite et mérite notre respect. »

Xavier Vallat aurait pu faire sienne cette phrase publiée par *Le journal de Bolbec* en 1892. Pour lui, en effet, comme pour bien d'autres à Vichy, ceux qui ont combattu, ceux qui ont vu leur courage

1. Institué par la loi du 7 octobre 1940.

récompensé, ceux qui ont versé l'impôt du sang ne se trouvent plus compromis avec le « gang » juif.

N'est-elle pas symptomatique de cet état d'esprit la lettre que Philippe Henriot, qui, plus tard, nc péchera pas par excès de mansuétude, adresse à l'un de ses amis, juif *mais* ancien combattant, qui, dans l'automne de 1940, vient de lui exprimer son inquiétude à l'annonce de la mise en chantier du statut des juifs ?

> « J'ai l'impression que vous vous alarmez à tort. Quand nous parlons juifs, il n'est pas un instant question, dans notre esprit, de Français comme vous. Je crois savoir que, dans le statut en préparation, il est formellement spécifié que les gens qui sont Français depuis tant de générations, Français par les engagements, les citations, les décorations, les services rendus — autres bien entendu que les services d'argent, qui ne sont souvent qu'un alibi — demeurent Français indiscutés.
>
> « Vous savez bien que nous ne pensons qu'aux juifs, et non aux Français de religion israélite. Si nos campagnes contre ces gens vous émeuvent, c'est à tort. Je sais combien votre liste est incomplète. Vous auriez pu l'allonger. Laissez-moi vous dire qu'un de mes collègues de la Chambre qui furent naguère les plus violents contre moi était juif. Il s'agit de Pierre-Bloch, député de l'Aisne. J'ai eu la joie de le retrouver l'autre jour. Magnifique combattant, cité, décoré, évadé, pouvez-vous penser une minute que nos campagnes visent de tels hommes ? Le public ne s'y trompe pas avec son bon sens, il y a longtemps qu'il a fait le départ entre les uns et les autres...[1] »

Les sacrifices du passé pouvant protéger des dangers du présent, de sordides débats s'institueront non seulement autour du chiffre des combattants juifs, mais encore de celui des morts.

Combien de juifs tués au combat entre 1914 et 1918 ?

Dans un numéro de septembre 1941, *Notre combat pour la nouvelle*

1. Ce texte est cité par Pierre-Bloch dans son livre *Le temps d'y penser encore*.

France socialiste affirmera que 1812 juifs seulement ont été tués dont 361 en 1915 et 332 en 1916. « C'est ce qu'Israël, poursuit la brochure antisémite, appelle combattre, souffrir et mourir pour la France. Et cependant n'étaient-ils pas plus d'un million à recevoir l'hospitalité généreuse de ce pays, en 1914, au moment même où ils prétendaient " voler à la frontière menacée " ? »

Le Commissariat aux Questions juives se montrera un peu plus généreux. Il retiendra le chiffre de 3300 morts en se basant sur les Archives du Consistoire israélite de Paris, ce qui attirera à Xavier Vallat cette réplique de Pierre-Bloch :

— Je vois. En somme, c'est comme si l'on trouvait le nombre des catholiques tués au front, en comptant seulement les noms inscrits dans les églises de village.

Rendant visite à Vallat le 11 août 1941, une délégation d'anciens combattants juifs [1] a beau lui faire remarquer qu'à l'ossuaire de Douaumont les morts israélites représentaient une proportion sensiblement égale à celle des Israélites dans la nation française, il ne modifiera pas sa position. C'est donc par rapport aux 3300 morts pour la France que le Commissariat aux Questions juives admettra « un chiffre global de 10000 juifs ayant droit à la carte de combattant [2] ».

Sur la ferveur et la confiance avec laquelle des juifs anciens combattants, et plus précisément anciens soldats de Verdun, s'adressent au maréchal Pétain dans les deux premières années de Vichy, afin qu'il les protège, eux et leur famille, des persécutions hitlériennes, j'ai apporté dans *Quarante millions de pétainistes* de nombreuses précisions [3].

Xavier Vallat est également sollicité. Et il sollicite puisque, très vite, les Allemands ne tiennent plus compte de ces mesures grâce auxquelles Vichy se flattait de protéger les anciens combattants.

Après les arrestations, le 12 décembre 1941, de 357 juifs anciens combattants [4], il rendra visite à trois reprises au général von Best dont il dira qu'il était « incontestablement, de tous les habitants du

---

1. Elle comprend 18 personnes totalisant 25 blessures, 56 citations, 12 Légions d'honneur à titre militaire, deux médailles militaires.
2. Le Grand Rabbin Kaplan parlera de 6500 tués pour 32000 mobilisés sur une population israélite (France métropolitaine et Afrique du Nord) de 190000 Israélites.
3. *Cf.* p. 463 et suiv.
4. Sur 700 juifs français arrêtés.

Majestic, celui qui avait l'accueil le plus facile et le plus courtois ».

— Je vous signale, lui dit-il, que non seulement il y a, sur ces 350 titulaires de la carte du combattant, 60 officiers qui ont des titres de guerre que je salue personnellement très bas, mais qu'il y a même un soldat allemand juif qui a gagné la croix de fer pour son courage dans les rangs de l'armée allemande.

Toutes les démarches se révéleront vaines[1].

S'il est vrai que Vallat, commissaire aux Questions juives, adresse fréquemment à l'ambassadeur de Brinon des listes d'anciens combattants internés, et dont il demande la libération, ses interventions — comme celles du maréchal Pétain, comme celles des responsables de Vichy — seront de moins en moins patiemment écoutées par des occupants pour qui les exemptions prévues par les lois françaises ne constituent qu'une cuirasse de papier et qui, bientôt, exigeront de n'être plus importunés.

Xavier Vallat s'était félicité d'avoir pu, dans la loi du 2 juin 1941, protéger les femmes, les ascendants et descendants des prisonniers de guerre. Bien fragile protection ! Depuis le stalag IIIB, Maurice Cohen écrira le 3 décembre 1942 aux services de l'ambassadeur Scapini. Sa femme, Rachel, et sa fille, âgée de 5 ans, ont été arrêtées le 6 novembre 1942 et conduites à Drancy : « J'espérais que les mesures antisémites n'atteignaient pas les familles des prisonniers de guerre. Cette nouvelle m'a bouleversé. »

Le 23 mars 1943, il recevra, dans son stalag, une lettre émanant du cabinet de Scapini et l'informant non seulement que les interventions en faveur de sa famille n'ont pas abouti, mais encore que les Allemands n'ont même pas pris la peine de répondre à des questions « qui tendaient à obtenir la libération des épouses de prisonniers de guerre israélites ou, tout au moins, leur éviter la déportation ».

Lorsque Maurice Cohen reçoit la réponse désabusée des services de Scapini, voici plusieurs mois que les illusions de ceux qui s'imaginaient pouvoir protéger une partie de la population juive, tout en persécutant l'autre partie, doivent être dissipées.

Vallat a dû partir. Les plus fanatiques des antisémites parisiens,

1. Lors du procès de Xavier Vallat, il lui sera reproché par un témoin, M. Edinger, de n'être pas intervenu le 27 mars 1942 lorsque 1 000 juifs furent déportés en Allemagne.

ceux qui écrivent que le juif « même ancien combattant est encore un juif[1] », n'ont jamais admis les scrupules et les réserves de cet antisémite de tradition plus encore que de passion.

Le capitaine Sézille, responsable de l'Institut d'études des Questions juives, et dont on verra bientôt de quelle frénésie de délation il est habité, le dénonce sans se lasser aux Allemands.

Il est pour lui « l'étouffoir de la lutte contre les juifs ». Quant à *Au Pilori,* ne reculant devant aucun excès de plume, il affirme que Vallat « vient d'installer définitivement les juifs en France[2] ».

Aussi l'hebdomadaire antisémite accueillera-t-il avec des transports de joie son départ et son remplacement par Darquier de Pellepoix.

> « Dès l'avènement de M. Vallat, écrira-t-il le 7 mai 1942, nous avons alerté Vichy sur les dangers que présentait à ces hautes fonctions un politicien dont le poste de vice-président de la Chambre R. F... était la preuve de son opportunisme et de son manque total de personnalité. Il aura fallu près d'un an à Vichy pour constater *de visu* et *de facto* que notre opinion sur M. Vallat était entièrement fondée. »

Vichy ? En réalité, ce sont les services allemands qui ont exigé le départ de Vallat, comme ils ont exigé le départ de son directeur et de son chef de cabinet, le colonel Chomel de Jarnieu et L. Cabany[3]. Vichy n'a fait qu'obéir.

Dès le 11 décembre 1941, le Dr Michel — chef de l'administration militaire — reçoit de ses services une note l'informant que Vallat « en raison de ses sentiments anti-allemands » n'avait jamais eu « l'intention de réaliser une organisation réelle et effective ». Le 12 décembre, nouvelle note au Dr Michel. Elle accompagne un article de Marcel

1. Emile Nédelec dans *Le Cri du Peuple.* Nédelec ajoute que le P.P.F. réclame la saisie des biens juifs et que cette saisie ne doit épargner ni les anciens combattants ni les prisonniers.

2. De son côté, Vallat avait mis le 4 avril 1941 ses interlocuteurs allemands en garde contre *Au Pilori* et contre les « profiteurs » qui offraient leurs services en se recommandant de leur antisémitisme alors que, selon lui, « un antisémitisme sérieux n'avait existé (jusqu'ici) en France que sur une petite échelle ».

3. Cabany sera d'ailleurs arrêté par les Allemands et, le 9 avril, Brinon est informé par l'ambassade de la rue de Lille que, par son comportement, Jarnieu « a rendu impossible, à l'avenir, la collaboration avec les services allemands ».

Déat publié dans *L'Œuvre.* « L'article ci-joint, même en faisant abstraction des exagérations habituelles de Déat, présente un intérêt sous divers rapports, car il confirme que Vallat a été nommé à l'instigation des milieux réactionnaires et cléricaux de Vichy et que sa politique à l'égard des juifs est loin d'avoir pour but de faire du tort aux juifs, mais qu'elle les protège même dans une certaine mesure. »

23 janvier 1942, 19 février, 20 février, 2 mars, 16 mars, les rapports allemands, non seulement contre Vallat mais également contre son service, « sorte de kaléidoscope où les employés ne font qu'entrer et sortir », vont se succéder tandis que le Dr Michel pressera le gouvernement de Vichy de se débarrasser d'un homme dont il assure qu'il n'est pas « à la hauteur de sa tâche[1] ». Le 2 mars, les Allemands écriront enfin à Brinon qu'il est nécessaire d'aller jusqu'à la destitution de Xavier Vallat et c'est le 19 mars que le commissaire aux Questions juives recevra de Darlan une lettre l'informant de l'hostilité des autorités d'occupation à son retour en zone occupée.

« Vous vous trouveriez, si vous étiez maintenu à votre poste actuel, dans l'impossibilité d'exercer vos importantes fonctions.

« Dans ces conditions, M. Le Maréchal de France, chef de l'Etat, a pris la décision de vous remplacer à la tête du Commissariat général[2]. »

Le remplaçant s'appelle Darquier de Pellepoix. L'arrivée d'un « antijuif d'avant guerre et d'un vrai combattant[2] » est joyeusement accueillie par les extrémistes de la collaboration et, à peine nommé, Darquier reçoit, en provenance d'Amiens, un télégramme lui demandant « d'astreindre les juifs au port du brassard et à l'étoile jaune ».

Il n'en a pas le pouvoir, mais les vœux des antisémites d'Amiens vont se trouver rapidement exaucés par l'occupant.

1. Le 22 janvier 1942, le Dr Michel, s'adressant à MM. Lehideux, Barnaud et Bichelonne. C'est ce jour-là qu'il leur annonce qu'il faut « réfléchir à la question de son remplacement ».

2. Xavier Vallat est nommé ministre plénipotentiaire de 2e classe. N'ayant pu rejoindre son poste à Sofia, il sera momentanément chargé des questions de ravitaillement et d'agriculture. Le 30 juin 1944, deux jours après l'assassinat de Philippe Henriot, il acceptera d'alterner avec Marion pour donner, tous les deux jours, des éditoriaux radiophoniques.

A l'instant de son procès, Vallat, après avoir fait état des attaques de la presse de la collaboration comme des services allemands, ajoutera pour sa défense qu'il a camouflé des résistants dans ses services, notamment le fils du pasteur Durlemann, l'un des fondateurs du journal clandestin *L'Arc.* Il assurera n'avoir réclamé, contre les juifs violant les lois françaises qu'un petit nombre d'internements [1], 134 peines de prison et 55 peines d'amende [2], tout en se désintéressant totalement des infractions aux ordonnances allemandes. Il pourra enfin affirmer qu'en apprenant son éviction l'Union générale des Israélites de France a immédiatement envoyé à Vichy M. Stora, l'un de ses dirigeants, afin de tenter d'obtenir son maintien à la tête du Commissariat aux Questions juives.

Acte incompréhensible de « collaboration » des dirigeants d'une association dont la création a été exigée par les Allemands [3] afin qu'à l'image de ce qui s'était passé dans le Reich, elle regroupe tous les juifs de France dans quelque zone qu'ils se trouvent, qu'elle recueille les biens et assume, en principe, les tâches des 65 organisations juives existant avant la guerre ? Ce n'est pas si simple.

Lorsque Vallat reçoit ceux qui acceptent de diriger l'U.G.I.F., il leur annonce qu'il a demandé au Dr Blanke qu'ils ne soient jamais

1. Deux seulement, affirmera-t-il devant ses juges. L'un contre M. Worms, de la Maison de Blanc, l'autre contre Marcel Bloch, « des avions Bloch, à qui j'ai nommé un administrateur provisoire... parce qu'il avait pour 300 millions d'argent de poche ». Or, M. Marcel Bloch se trouvait déjà interné.

2. Etat des condamnations prononcées pour infraction à la loi du 2 juin 1941, entre le 2 juin 1941 et le 30 janvier 1942 : 189 dont 134 de prison et d'amende et 55 d'amende. Du 31 janvier 1942 à la Libération, 485 condamnations dont 221 de prison.

« On donnait, dira Vallat, des sanctions de deux jours de prison avec sursis et de simples amendes » et Dannecker protestera contre la faiblesse des sanctions.

3. Le 29 août 1941, les Allemands avaient écrit à Xavier Vallat pour lui signifier la nécessité de créer une association qui prendrait en charge les familles juives nécessiteuses de plus en plus nombreuses, à la suite des arrestations des chefs de famille comme de la spoliation des biens.

En réalité, il s'agissait essentiellement pour les Allemands de n'avoir affaire, comme l'écrira le commandant du Grand-Paris, qu'à une institution unique « autorisée à négocier avec les autorités d'occupation et les services français sur les questions générales concernant le judaïsme et à exécuter les tâches qui lui seront assignées ».

Les occupants ont fait savoir que, si l'Association n'était pas créée avant le 25 septembre 1941, ils procéderaient par ordonnance.

considérés comme des « otages préférentiels », mais il ajoute que les assurances allemandes n'ayant qu'une valeur relative ils peuvent perdre leur liberté, et peut-être leur vie, après avoir compromis leur honneur aux yeux de certains de leurs coreligionnaires.

De nombreux juifs, particulièrement en zone non occupée, verront en effet, dans l'U.G.I.F., une structure administrative apte à faciliter la mise en place d'un ghetto français [1]. Quant aux communistes, ils dénonceront, en mai 1942, les « collaborateurs juifs, traîtres à leurs compatriotes et coreligionnaires ». Ils citeront les noms de 18 responsables de l'U.G.I.F. — 9 pour la zone occupée, autant pour la zone non occupée — en les faisant accompagner des mots qui établissent le mieux les liens qui les attachent au capitalisme.

> « Le président est Albert Lévy (zone n.o.), propriétaire des 100 000 Chemises ; le vice-président (zone o.) est le grand banquier André Baur, membre du Consistoire ; les administrateurs délégués sont Raymond-Raoul Lambert (zone n.o.), ex-rédacteur en chef de *L'Univers Israélite,* organe du Consistoire, homme à Rothschild ; Marcel Stora (zone o.), créature de Rothschild ; le trésorier est Marcel Wormser (zone o.), grand magnat capitaliste ; le trésorier adjoint est G. Edinger (zone o.) ; les membres sont Ganion (zone n.o.), un richard ; André Lazard (zone n.o.), de la banque du même nom ; Joseph Milner (zone n.o.), riche ingénieur ; Alfred Morali (zone o.) ; Fernand Munsnik (zone o.) ; Vladimir Schah (zone n.o.) ; Mme Lucienne Scheid-Hass (zone o.) ; Raphaël Spanien (zone n.o.) ; Mme Stern (zone o.), une famille de banquiers ; Albert Weill (zone o.) ; Mlle Laure Weill (zone n.o.) ; Benjamin Weill-Hallé (zone o.).

1. On reprochera notamment à l'U.G.I.F. la précision et la qualité de ses dossiers susceptibles d'aider les Allemands dans leurs recherches.

Pour la zone sud, l'U.G.I.F. de Marseille comprend ainsi sept directions : 1. Assistance aux Français ; 2. Reclassement professionnel ; 3. Secours aux enfants et aux vieillards ; 5. Assistance aux étrangers. Les 4e, 6e et 7e directions, qui s'occupent en principe de l'émigration et de l'alliance israélites, ne fonctionnent pas en raison des circonstances.

En janvier 1944, le siège pour la zone sud sera transféré de Marseille à Lyon.

Pour ces Israélites français cependant, dont plusieurs seront arrêtés avec leur famille et ne reviendront pas de déportation[1], Xavier Vallat, avec qui, avant même la constitution du Conseil d'administration, ils ont dû débattre de la façon dont sera payée l'amende d'un milliard exigée par les Allemands[2], Xavier Vallat qu'ils trouvent ouvert à certaines de leurs interventions, avec qui ils établissent parfois des rapports d'anciens combattants à ancien combattant, oui, malgré tout, Xavier Vallat représente un « moindre mal ».

C'est d'ailleurs ce que répondra M. Edinger, ancien président de l'U.G.I.F., et témoin à charge, au juré du procès Vallat qui l'interroge sur un épisode qui peut paraître aujourd'hui ambigu et suspect, mais qui se comprend mieux lorsque l'on sait qu'en mars 1942 le pire ne semblait pas sûr à ceux-là même qui cependant étaient promis au pire.

M. SCHMIDT. — L'accusé a déclaré qu'un des membres de l'U.G.I.F. était allé à Vichy pour intervenir en faveur du maintien de Vallat lui-même comme Commissaire aux Affaires Juives. Le témoin peut-il apporter une affirmation ou une infirmation de cette chose-là...

M. EDINGER. — Notre camarade Stora a passé la ligne de démarcation en fraude pour aller à Vichy. Il était effectivement dans

---

1. André Baur, dont Vallat dira que, « profondément religieux », il avait accepté des fonctions au sein de l'U.G.I.F. « dans un esprit de sacrifice complet » sera arrêté en août 1943 avec toute sa famille. Il périra en déportation comme M. Raymond-Raoul Lambert et plusieurs des 70 membres du personnel de l'U.G.I.F. arrêtés par les Allemands.

2. Plusieurs attentats ayant eu lieu contre des membres de l'armée allemande, le général von Stülpnagel décide, le 14 décembre 1941 : a) Que les juifs des territoires occupés seront frappés d'une amende d'un milliard de francs ; b) Qu'un « grand nombre d'éléments criminels judéo-bolcheviks seront déportés aux travaux forcés à l'Est » ; c) Que 100 juifs, communistes et anarchistes « qui ont des rapports certains avec les auteurs des attentats, seront fusillés » (47 internés juifs de Drancy et 57 communistes devaient être exécutés).

L'ordonnance allemande du 17 décembre 1941, après avoir décrété que les juifs ne peuvent disposer mensuellement, sur leurs biens dont la libre disposition n'a pas encore fait l'objet de mesures restrictives, que d'une somme de 15 000 francs, précise les modalités de recouvrement de l'amende. Ce sont les autorités françaises et l'Union des Israélites de France qui doivent se charger de la répartition entre les juifs. C'est à ce moment qu'André Baur aura des relations suivies avec Xavier Vallat, dans la mesure où le Consistoire lui transmet, en tant que responsable de nombreuses œuvres de charité, les exigences allemandes. Xavier Vallat avait d'abord proposé que la Banque de France fasse l'avance d'un milliard au fonds de solidarité juif, avance qui aurait été garantie par la masse des immeubles juifs sous séquestre à Paris. C'est le Syndicat des Banques qui accordera finalement cette avance.

les intentions d'essayer d'obtenir le maintien de M. Vallat parce qu'il était alors question de Darquier de Pellepoix et qu'entre deux maux il fallait le moindre.

« Entre deux maux, il fallait le moindre. » Ce jugement équilibré de M. Edinger convient aux contradictions d'un homme qui intervient souvent « au cas par cas [1] » en faveur de ceux que les textes dont il est le garant ou l'inspirateur condamnent globalement.

Ce qu'Edinger a dit de Vallat, l'écrivain Simone Martin-Chauffier, qui par ailleurs ne cache pas son hostilité, le dira de Vichy : « Malgré mon mépris pour la zone dite libre, il fallait bien convenir que les Juifs français y étaient moins harcelés. »

Sans doute les lois y sont-elles arbitraires et rigoureuses ; sans doute des camps de concentration y ont-ils été implantés où l'on souffre de la faim, du froid et de la solitude morale ; sans doute des juifs s'y verront-ils privés de leur emploi, dépouillés de leurs biens, mais, au moins jusqu'à l'été de 1942, les occupants n'y peuvent exercer qu'une action indirecte, amortie par la mauvaise volonté d'une partie de l'administration française, par les scrupules d'un certain nombre de responsables qui s'efforcent encore « d'aménager » l'inacceptable.

Les juifs, d'ailleurs, ne s'y trompent pas. C'est en direction de la zone libre que s'opérera TOUJOURS le mouvement de ceux qui sont inquiets pour leur liberté et pour leur vie.

C'est vers la zone libre que les grandes rafles de juillet 1942 pousseront des milliers de juifs vivant à Paris. Leur irruption entraînera, on le verra bientôt, des réactions de mauvaise humeur de la part de la population indigène, mais leurs bouleversants témoignages seront à l'origine de ces prises de conscience individuelles ou collectives qui contribueront à la transformation du climat moral de la France vaincue.

A l'heure des procès, des explications, ils seront donc nombreux, preuves et témoins à l'appui, ministres et responsables qui affirmeront que l'action de Vichy, si elle a été incapable de sauver toutes les existences menacées, a du moins réussi à préserver celles de la plupart

1. « Mon cher ami, écrit ainsi Vallat le 2 octobre 1941 à M. Daher, à notre tour de te recommander un juif malheureux. Tu voudras bien trouver ci-joint la lettre adressée au maréchal de France par M. Asarac, cité Miselis, à Marseille. Ne pourrais-tu, avec tes nombreuses relations, trouver un gagne-pain à cet ancien gardien de la paix auxiliaire, père de sept enfants ? Il peut occuper tout emploi qui ne soit pas officiel dans l'industrie privée, dans le commerce. »

des juifs français. Evoquant ce qui s'était passé en Pologne où, seuls à la fin de la guerre, 80 000 juifs sur 3 351 000 avaient survécu, ce qui, également, s'était passé en Tchécoslovaquie (68 000 rescapés sur 315 000 juifs), aux Pays-Bas (30 000 sur 150 000), en Belgique (33 000 sur 90 000), Xavier Vallat écrira que sur les 330 000 juifs — dont la moitié de nationalité étrangère — vivant en France en 1940, 180 000 avaient survécu et que, sur 180 000, 160 000 étaient français [1].

Cette comptabilité de l'horreur ne justifie rien mais il est bien certain que les juifs français se trouveront les moins défavorisés des défavorisés et que c'est à leur témoignage — et non à celui des « métèques » = juifs autrichiens, polonais, tchèques — que feront appel tous ceux qui, à la Libération, entendront prouver qu'ils ont eu « leur » juif.

Le commandant Pascot a mis à la disposition de la famille de M. Jules Lévy la maison de sa belle-mère, embauché le fils Lévy dans le service sportif qu'il dirige, procuré des faux passeports [1].

Creyssel, délégué à la Propagande du Maréchal, prévient son ami Blum-Brissac — ils se connaissent depuis la classe de 6e, ont fait les deux guerres dans les mêmes unités — des menaces d'arrestation qui pèsent sur lui et lui conseille de mettre à l'abri sa femme et ses trois enfants.

L'amiral Darlan intervient à plusieurs reprises en faveur de Mlle Françoise Raphaël.

> « Mon cher Ménétrel, docteur et ami, écrit-il le 4 avril 1942, j'avais confié à votre talent le cas de Françoise Raphaël, petite-fille de G. Leygues, demi-juive qui ne voudrait plus l'être du tout.
>
> « Le Maréchal a déjà obtenu gain de cause pour les trois frères de Françoise. Je voudrais bien donner cette dernière joie à

---

1. Sur les 110 000 juifs déportés depuis la France il n'y aura que 2 800 rescapés. Le bilan démographique publié en 1950 par l'I.N.S.E.E. indique le chiffre de 100 000 morts au titre des déportations raciales mais des juifs ont été arrêtés, déportés et sont morts à la suite de leur activité résistante.

2. Il n'est pas inintéressant de connaître, à travers le récit de M. Lévy, au procès Pascot, les conditions de vie de certains hauts fonctionnaires de Vichy : « Un jour, mes enfants sont venus me demander s'ils pouvaient amener une jeune fille qui était dans le même cours qu'eux, parce qu'elle voulait faire ses devoirs avec eux, la chambre d'hôtel où elle était n'étant pas chauffée. »

Ainsi la fille du chef des services sportifs de Vichy venait-elle en hiver, se réchauffer à un foyer juif.

Mme Leygues qui, ainsi qu'elle l'écrit, a bien été pour moi une seconde mère.

« Allons, Ménétrel, allons mon ami, un bon coup de collier [1]. »

Ce Bernard Ménétrel, que l'on dit antisémite, intervient lui-même en faveur d'André Mayer qui, franchissant trop souvent en fraude la ligne de démarcation, se voit menacé d'arrestation par le fanatique Lécussan, directeur, à Pau, du commissariat régional aux Affaires juives.

L'ambassadeur François Piétri écrit à Xavier Vallat, qui vient d'être nommé Commissaire général aux Questions Juives.

« Cher ami, puisque vous voilà préposé aux autodafés et devenu quelque chose comme grand inquisiteur, je vous envoie cette lettre [2] qui m'a paru raisonnable. Je connais le Pr Debré parce qu'il a (admirablement d'ailleurs) soigné mes petits-enfants. Je ne songe pas, comme me le demande son fils, à écrire au Maréchal. Je suis sûr qu'il est plus effectif que je vous en saisisse directement.

« Affectueusement à vous [3]. »

Au nom de Vallat, le C.G.Q.J. répondra le 18 avril 1941 que les craintes du Pr Debré « ne semblent pas justifiées » et, en mai 1943, inquiété par la police française parce qu'il se rend sans étoile à l'Académie de médecine, Debré affirmera qu'il a été relevé de toutes les interdictions par un décret du 5 janvier 1941 signé, selon lui, par le maréchal Pétain, mais, en réalité, par Jérôme Carcopino [4].

Que Vichy ne ressemble pas à Paris et que la zone libre, en bien des cas, constitue un refuge pour les persécutés, il y aura d'autres

---

1. Inédit. Darlan demandera également à Fernand de Brinon d'intervenir en faveur des anciens combattants et il insistera auprès de Xavier Vallat pour que soient étroitement surveillés les administrateurs provisoires de biens juifs.
2. Il s'agit d'une lettre écrite par l'un des fils du Pr Debré.
3. Inédit.
4. Secrétaire d'Etat à l'Education nationale et à la Jeunesse. Le rapport de police précise que le Pr Debré n'en est pas moins recensé comme juif et ne possède aucune dispense de l'étoile, dispense que seuls les Allemands peuvent accorder.

occasions de le montrer. Mais l'histoire de la Maison Israélite de refuge me paraît exemplaire, dès lors qu'il s'agit de décrire les « avantages » qu'offre la zone non occupée. Et d'en déterminer les limites.

Lorsqu'elle a quitté Neuilly, au moment de la défaite, la Maison Israélite pour l'Enfance, que dirige M. Aron, a trouvé asile dans la Creuse, loin des grandes routes, près du petit village de Crocq qui ne compte que 800 habitants.

La vie des 96 enfants, se déroule, en apparence, paisiblement et le bruit des dramatiques événements qui troublent le monde, et ravagent la communauté juive, n'arrive qu'assourdi.

Le journal — inédit — tenu par le directeur de la Maison porte quotidiennement témoignage et permet ainsi de suivre l'évolution de la petite communauté.

C'est à l'école communale de Crocq que vont les filles en âge scolaire. Le 24 décembre 1940, comme tous les enfants de la France non occupée, elles adressent à Vichy un dessin pour « le Noël du Maréchal » et, comme tous les enfants de la France non occupée, elles recevront, signée de Philippe Pétain, une carte de remerciement.

Le 19 février 1941, le jeune et sportif rabbin Klein (qui sera plus tard déporté) rend visite à la maison de Crocq. « Un office très beau et très émouvant dans sa simplicité, écrit M. Aron, nous remet dans une ambiance religieuse que nous n'avions pas eue depuis longtemps. Au dîner, quelques mots affirment que les Israélites ne sont pas mal vus de la majorité des Français ». Le 26 février 1941, toute la maison est en fête : par un temps splendide, on célèbre le mariage de Pauline Ménaché. Pour le bouquet de la mariée et pour les ornements du temple, des fleurs blanches ont été envoyées d'Aubusson. Sur toutes les tables, du mimosa. Sur toutes les tables, également, du champagne.

Mais, avant le « festin », la cérémonie religieuse ne s'est pas déroulée sans difficulté car les juifs mâles indispensables au *mynian*[1], qui résident au village, craignent de se montrer avant la nuit.

> « L'heure sonne, ils ne sont pas là : vont-ils lâcher, et encore empêcher le *mynian* ? On file chez eux... Ils viennent de rentrer

1. Quorum de dix juifs adultes indispensable pour que les prières publiques puissent être dites.

du travail et ne veulent venir que quand ils auront fini leur repas (qu'ils n'ont pas voulu prendre avec nous, tant ils ont peur d'être vus), et on les attend une heure ! Enfin, voici les deux fils, mais le père a renoncé à venir ; le voyageur providentiel [1] permet quand même d'avoir les dix hommes (y compris le jeune M... solidement encadré) et la cérémonie va pouvoir commencer... »

La vie quotidienne ? C'est le 28 février 1941 seulement que, sur le journal de la maison de Crocq, M. Aron évoque des restrictions de pain. Le 6 avril de la même année, il note que les œufs sont « à profusion toujours », des œufs qui valent alors 12 francs la douzaine dans la Creuse, qui vaudront 18 francs en octobre 1941 [2].

Le 1er janvier 1942, faisant réflexion sur l'état d'esprit des paysans, M. Aron indique que, « mettant comme toujours leur avantage personnel au-dessus des sollicitations et réclamations de l'Etat, [ils] cachent leur production et la vendent au détail ; et, comme les « youpins » ont la réputation de payer rubis sur l'ongle, on vient leur proposer toutes ces productions, qu'il leur faut souvent refuser ».

Tout n'est pas toujours aussi idyllique. Les chapardages existent, ils sont à l'origine de plaintes et de querelles et, le 12 août 1942, une voisine de la Maison de jeunes filles [3] adresse la lettre suivante à M. Aron :

> « ... et vous entendez bien, je veux mes fruits. J'interdis donc à tout élément de la colonie et à tout étranger quel qu'il soit et pour quelque motif que ce soit le passage sur ma propriété, et je saurai me faire respecter. Au premier manque, je dépose plainte à qui bon me semblera avec demande d'expulsion, de cette façon vous n'aurez pas le temps de prendre racine. A bon entendeur, salut. »

La furieuse qui part en guerre contre quelques gamines indisciplinées est propriétaire d'un fruitier de vingt hectares !... Elle n'aura

---

1. Un hôte de passage.
2. Voici quelques autres prix notés par M. Aron pour mars-avril 1941 : pommes de terre, 157 francs les 100 kg ; rôti de veau, 20 francs le kg et, pour octobre 1941 : pommes de terre, 137 francs ; rôti de veau, 24 francs.
3. Qui vient alors d'être transférée au château de Chaumont, à vingt-cinq kilomètres de Crocq.

d'ailleurs nul besoin de faire appel aux gendarmes. Ils viendront tout seuls.

J'ai écrit que le bruit des persécutions et des haines arrivait assourdi à Crocq. Il arrive cependant. Le 30 septembre 1941, à la suite de la loi du 2 juin prescrivant le recensement des juifs, M. Aron note : « Nous envoyons au préfet, remplis de façon quelconque, quelques formulaires de déclaration ; nous avons choisi les enfants pour lesquelles nous avons le moins de renseignements, parents disparus, père inconnu... Une trentaine en tout. Nous n'en entendrons plus parler et on ne nous en réclamera pas d'autres »[1], mais, le 31 mars 1942, voici une indication plus sombre : « L'une après l'autre, nos enfants apprennent la déportation des leurs restés en zone occupée. C'est Drancy, puis la destination inconnue. »

En juillet 1942, après les grandes rafles, les nouvelles pessimistes se multiplient. Et, le 26 août 1942, la gendarmerie française frappe à la porte de la Maison israélite de refuge comme partout, en zone non occupée, pour satisfaire les Allemands et obéir au gouvernement, elle frappe à la porte de milliers de logements juifs.

Au petit matin, Elsa Theumann ainsi qu'un garçon de nationalité tchèque, une petite fille de 13 ans et son frère de 7 ans sont « arrêtés » par quatre gendarmes.

Sur son journal, M. Aron écrit : « Le brigadier de gendarmerie monte dans les dortoirs pour procéder à ces exécutions, réveille les victimes ; l'enfant de sept ans rit, s'amuse de l'aventure, sa sœur pleure et, dans un camion à la porte, les parents attendent. »

Pour Darquier, cependant, qui se plaindra de « l'obstruction générale d'un gouvernement qui n'a rien voulu décider », pour Dannecker qui, ayant obtenu, en juillet 1942, l'autorisation de

1. Il faut signaler que cet envoi est fait avec un notable retard puisque la date limite du recensement a été fixée au 1er août 1941.

parcourir librement la zone non occupée, se montre à son retour très préoccupé par la mauvaise volonté du gouvernement français, quoi que fasse Vichy, Vichy n'en fait jamais assez et, s'ils connaissaient l'existence de la *Maison israélite de refuge,* les ultras de la collaboration trouveraient sans doute scandaleux que les arrestations aient épargné 92 enfants sur 96.

Mais, pour les victimes des persécutions, comment le « pas assez » de Vichy ne serait-il pas toujours « beaucoup trop » ?

En insistant par sa presse, sa radio, par toute sa propagande, sur l'œuvre de libération de l'économie et de la politique qu'il entend mener à bien, en privant de leur travail et de leur salaire des milliers d'hommes et de femmes, en séparant les familles par les barbelés des camps de concentration, en permettant que l'on excite les passions populaires sans accorder aux accusés la possibilité de se défendre, en établissant, entre les hommes nés en France et les hommes venus d'ailleurs, les mêmes différences de nature qu'entre « bons » et « méchants », le gouvernement de Vichy, même si, avant Darquier, le décalque est imprécis, inexact, volontairement hésitant, collabore à sa façon au jeu allemand qui conduit à la solution finale.

5

LA MISÈRE DES CAMPS

« Il me reste d'être l'ombre parmi les ombres.
D'être cent fois plus ombre que l'ombre. »

Robert DESNOS.

On peut analyser le caractère de Vallat, s'interroger sur l'influence de ses convictions patriotiques et de sa foi religieuse, évoquer des scrupules qui limitent parfois son action antisémite ; avec Darquier de Pellepoix, les choses sont infiniment plus simples.

Engagé volontaire à 17 ans et demi, Darquier n'a en commun avec Vallat qu'une très belle guerre de 1914-1918. Ce bagarreur, qui a pris une part active aux manifestations du 6 février 1934 au cours desquelles il a été blessé, saura, sur ce hasard, bâtir sa fortune politique de conseiller municipal de Paris et sa fortune journalistique de secrétaire général adjoint du *Jour.*

En juin 1940, il se conduit héroïquement dans des combats où il protège au fusil mitrailleur le repli de sa batterie antichar. Fait prisonnier, il est libéré rapidement par des Allemands qui pouvaient d'autant moins ignorer sa carrière d'antisémite que Darquier, élu en 1935 conseiller municipal sur un programme « national-antijuif », avait été en relation étroite avec des organismes nazis de propagande, et notamment avec ce « Service Mondial » de l'*Internationales Institut zur Aufkaerung über die Judenfrage,* dont le directeur, le Dr Achterberg, lui adressera, lors de sa nomination à la tête du Commissariat aux Questions juives, une lettre dans laquelle se trouve cette phrase qui est beaucoup plus qu'une formule de courtoisie entre gens du même milieu idéologique : « Aujourd'hui, le Service Mondial, qui vous doit beaucoup de bonnes idées et de renseignements sur la Question juive, est très heureux de pouvoir compter parmi ses amis un homme qui entrera un jour dans l'histoire de la France... »

C'est vrai, Darquier de Pellepoix entrera dans l'Histoire de la France.

Par la porte la plus basse.

Dès le 1er mars 1941, les Allemands avaient cité son nom parmi ceux de ces quelques Français « dignes de confiance » qu'ils proposaient au gouvernement de Vichy pour la direction du futur Commissariat aux Questions juives, encore appelé Office Central Juif.

Il ne sera pas nommé, mais, lorsque les occupants obtiendront le départ de Xavier Vallat, le poste ira, le 6 mai 1942, à ce viveur, à ce bohème, à ce besogneux qui prendra l'industriel Pierre Galien pour directeur de cabinet, Boué pour directeur de l'organisation économique, parce qu'il attend de ces deux hommes, dont il comble la vanité, qu'ils l'aident financièrement à vivre.

Dans ce monde de l'antisémitisme où l'intérêt le dispute aux passions et où délateurs et spoliateurs se disputent leurs proies, Darquier sera jugé suivant ses mérites par des hommes qui, souvent, ne valent pas mieux que lui. N'est-ce pas Galien, qu'il a révoqué il est vrai en novembre 1942, qui parlera de lui comme d'un « sinistre comédien, bas joueur et prébendé ».

Laval, qui l'a nommé parce que les « Allemands y tenaient », dira-t-il à Vallat, et qu'il estime poursuivre alors des négociations trop importantes « pour engager une bataille pour cette question », Laval le juge exactement mais le conserve à son poste tout en rattachant le C.G.Q.J. à la présidence du Conseil.

— C'est un énergumène, un forcené de l'antisémitisme, reconnaîtra-t-il, au début de 1943, devant le journaliste Alex Delpeyrou, à qui il demande de prendre la tête d'une association qui aurait pour but, sous le titre « Union française pour la défense de la race », de « tergiverser, de remettre à plus tard, d'avoir l'air de faire quelque chose en ne faisant rien ».

LA MISÈRE DES CAMPS

Le 15 mai 1942, quelques jours après sa nomination, une femme écrit à Darquier la lettre la moins faite pour le toucher.

« Vous êtes assez humain pour comprendre que, dans la vie, nous sommes des êtres égaux et pareils, venus de Dieu. Quand nous sommes venus au monde, nous n'avons pas choisi notre berceau... Tâchez d'être humain, c'est une femme qui vous le demande de tout cœur... Je compte sur votre bon cœur pour faire au mieux. »

En tête de cette lettre, l'un des collaborateurs de Darquier, voulant éviter au « patron » une trop longue lecture, a résumé en quatre mots et trois points d'exclamation l'inutile *factum :* « Vous demande d'être humain ! ! ! »

Non, il n'est pas humain cet homme qui, le 4 février 1942, avant même d'être nommé à la tête du C.G.Q.J., écrira à Dannecker : « Ne vous laissez pas, mon lieutenant, et je vous le dis comme un frère, tromper par les belles paroles de certains... On ne sera jamais assez sévère et vous-même ne le serez jamais assez. » ; qui interdira que l'on appelle un juif « monsieur », la seule appellation convenable étant, pour lui, « le juif Lévy », « le juif Dreyfus [1] » ; qui refusera que des Français charitables accueillent à leur foyer des enfants dont les parents ont été déportés ; qui invitera son personnel à dénoncer et que l'on trouvera au centre de toutes les opérations qui préparent les rafles de juillet et les déportations d'août.

Pour Duchesne et Lefèvre, de l'équipe londonienne « Les Français parlent aux Français », il sera bientôt « l'infâme Darquier de Pellepoix » et Jean-Louis Crémieux-Brilhac, l'un de ses anciens compagnons de captivité à l'oflag IID, évoquera, en termes sévères, « ce tripoteur vulgaire qui, traqué par ses créanciers, a trouvé refuge dans la trahison » et communiquera même aux auditeurs de la B.B.C. les

1. Note de service en date du 9 septembre 1942. Par la même note, Darquier décide que les juifs ne pourront plus être appelés Israélites. « L'emploi de cette dénomination est due à l'influence juive qui, en interdisant le mot " juif ", a réussi à matérialiser dans les termes le moyen principal de défense de la juiverie qui consiste à prétendre que le problème juif n'est qu'un problème religieux. »

numéros des comptes de chèques postaux : 2242-63 et 2242-64 sur lesquels Darquier touche les subsides nazis envoyés depuis Erfurt pour le « Service Mondial[1] ».

Désirant recueillir les applaudissements de tous les antisémites et particulièrement de ceux d'*Au Pilori,* Darquier déclare aux journalistes, dès sa prise de pouvoir, qu'il proposera au gouvernement français d'interdire aux juifs, *sans aucune dérogation,* l'accès et l'exercice des fonctions publiques, de déterminer le nombre des juifs susceptibles de rester en France et d'instituer le port obligatoire de l'étoile jaune[2].

L'étoile jaune. Voici longtemps que les collaborateurs y songeaient et en parlaient, invoquant, pour se justifier et la justifier, les mesures prises par l'Eglise à partir de 1215 lorsque le Concile de Latran avait prescrit aux Juifs de porter des vêtements différents de ceux des Chrétiens. A travers les siècles et les pays, la mesure avait été diversement appliquée : ici obligation du port d'une petite roue en tissu de couleur jaune ou rouge[3], là d'un chapeau spécial, lui aussi de couleur jaune ou rouge. A travers les siècles et les pays, elle avait été plus ou moins strictement observée, tombant en désuétude en France dès le XVe siècle, demeurant en vigueur à Venise jusqu'à la fin du XVIIIe.

Les Allemands ayant, en Pologne d'abord, puis sur le territoire du Reich, ressuscité cette marque d'opprobre, on verra donc les collaborateurs français, dans leur désir que soient enfin « marqués » les juifs, invoquer aussi bien le patronage d'Innocent III que celui d'Hitler.

---

1. A la fin de la guerre, Darquier se réfugiera en Espagne, où, sous le nom d'Estève, il vivra d'abord en donnant des leçons de français dans une école allemande.
2. Plus tard, le programme « minimum » de Darquier comportera un statut des demi-juifs, l'extension du port de l'étoile à la Z.N.O., l'interdiction des mariages mixtes, la dénaturalisation et l'expulsion des juifs naturalisés après la loi du 10 août 1927, la révision de la naturalisation des juifs naturalisés entre 1870 et le 10 août 1927.
3. D'où naîtra l'expression « rouelle ». La rouelle sera instituée, en France, par Saint Louis. Elle était obligatoire pour les filles à partir de 12 ans, pour les garçons à partir de 14 ans.

C'est en Pologne vaincue que les premiers insignes juifs ont reparu. Sur instructions, d'abord, d'officiers S.S. agissant de leur propre initiative, comme le S.A. Cramer qui prescrit à tous les juifs de Lislau le port d'un triangle en tissu jaune dans le dos. Puis, à la suite d'un décret du gouverneur général Frank, ordonnant le 23 novembre 1939, à tous les juifs et juives « de porter un brassard blanc d'une largeur de dix centimètres au moins, sur la manche droite de leurs vêtements ou par-dessus ». Les brassards, obligatoires à partir du 1er décembre, seront revêtus « d'inscriptions correspondantes ».

En Allemagne, le 1er septembre 1941, ce n'est pas un brassard mais une étoile que les juifs se voient condamner à coudre sur leurs vêtements ; au cours d'une réunion convoquée à Berlin par Eichmann, le 4 mars 1942, la décision sera prise d'étendre cette mesure à tous les pays d'Europe occidentale. En France occupée, Knochen, chef du S.D. et Dannecker, chef de la section juive du même S.D., avaient souhaité synchroniser au 15 mars 1942 l'entrée en vigueur du port de l'étoile jaune pour la France, la Belgique, les Pays-Bas, mais des complications administratives et techniques, le désir, également, de faire promulguer le texte par Vichy [1] (qui refusera toujours) obligeront les Allemands à reporter, pour la France, mais également pour la Belgique leur décision au mois de juin 1942.

Cette décision, dont les Allemands dans les premiers jours de mai ont étudié le champ d'application : âge à partir duquel les juifs porteraient l'étoile, exemption en faveur de certains Juifs étrangers (anglais et américains notamment), cas des femmes et des hommes mariés à des juifs ou des juives, sera portée à la connaissance de la population française de zone occupée le 1er juin 1942.

La huitième ordonnance allemande en date du 29 mai 1942 ordonne donc que, passé l'âge de six ans, tous les juifs portent « l'étoile juive...

---

1. Dans les textes allemands (lettre d'Abetz au *Militärbefchshaber* le 31 mars 1942), l'arrivée de Darquier au Commissariat aux Questions juives est considérée comme devant faciliter grandement les mesures antisémites. « Dans ce cas, écrit Abetz, on peut espérer que, sous peu, des mesures radicales et nettes seront prises contre les juifs et que, grâce à une propagande plus active, la population française sera mieux éclairée sur le problème juif, de sorte que, dans quelque temps, elle sera suffisamment mûre pour avaler l'introduction de l'étoile juive, sans qu'il en résulte des réactions indésirables. »

étoile à six pointes ayant les dimensions de la paume d'une main et les contours noirs ». En tissu jaune, portant en caractères noirs, l'inscription « juif », elle doit être « solidement cousue » sur le vêtement et du côté gauche de la poitrine.

En Pologne, les Allemands avaient laissé aux juifs le soin de se procurer les brassards et de les revêtir des inscriptions nécessaires. En France, il en va différemment. La fabrication des étoiles a été confiée, après soumission, aux Fonderies Deberny et Peignot pour la confection des clichés, à la Maison Barbet-Massin, Popelin et Cie pour la fourniture du tissu, à l'Imprimerie Wauters et Fils pour l'impression.

Nous savons tout du détail de la fabrication de ces 400 000 étoiles qui devaient être, pour de si nombreux juifs, signes de mort. Le nombre des mètres du tissu couleur « vieil or » nécessaire : 5 000 ; son prix, 21,70 F le mètre ; son poids total, 700 kg. Nous savons que Dannecker sollicitera, pour les ouvriers de la Maison Wauters, des laissez-passer de nuit, car le temps presse. Et nous savons enfin que les 83 000 juifs qui, au 17 juin 1942, et dans le département de la Seine, sont allés quérir chacun trois étoiles dans les commissariats de police ont dû les échanger contre un point de leur carte de textile [1].

Je suis Partout, numéro du 6 juin 1942. Sous la plume de Rebatet, la satisfaction éclate :

> « Je disais l'hiver dernier, dans ce journal, ma fierté d'avoir vu en Allemagne les premiers Juifs marqués de leur sceau jaune. Ce sera une joie beaucoup plus vive encore de voir cette étoile dans nos rues parisiennes... »

---

1. D'après la préfecture de police française, ce sont 100 455 juifs, dont 17 428 enfants de plus de six ans, qui, dans le département de la Seine, auraient été astreints au port de l'étoile.

Or, d'après un rapport de Dannecker, ce chiffre, au 17 juin, n'était que de 83 000, ce qui, toujours d'après Dannecker, s'explique par la fuite d'un certain nombre de juifs en zone libre, par la déportation d'un certain nombre d'autres juifs, par les exemptions visant les ressortissants de plusieurs nations ennemies de l'Allemagne, enfin par des abstentions volontaires.

Dimanche 7 juin : premier jour d'entrée en vigueur de la huitième ordonnance allemande. « Désormais, tous les dangers publics sont signalés aux passants », écrit *Au Pilori.*

C'est vrai, les juifs sont tous devenus visibles. Il n'est plus possible d'ignorer « qui en est ». Comment réagiront les aryens ? Et les juifs ? Les Allemands ont posté un peu partout des indicateurs qui observent et rendent compte.

Voici le rapport de l'agent 316[1] :

> « Les combattants juifs de 1914-1918 arboraient le dimanche 7 juin toutes leurs décorations, juste au-dessus de l'étoile juive. Les hommes circulaient dans la rue, en général, sans trop attirer l'attention. Les femmes, par contre, surtout dans les quartiers de la Goutte d'Or, Barbès, La Chapelle, parlaient haut, faisaient entendre qu'elles étaient fières de porter l'insigne de leur race. »

Quant à l'agent 399, il signale que les juifs ont reçu « du synode juif » (?) l'ordre de porter l'étoile d'une façon aussi apparente que possible et qu'une nouvelle industrie a surgi « dans cette race habile à faire argent de tout et jusque dans ses malheurs » : la fabrication d'étoiles brodées en soie !

Que les juifs ne se terrent pas étonne les Allemands. Exaspère leurs collaborateurs qui songent même, un instant, à organiser une contre-manifestation et, dans certains cas, bousculent, insultent les juifs qui se promènent sur les boulevards où, en assez grand nombre, car il fait très chaud ce jour-là, ils se sont installés à la terrasse des cafés parisiens[2].

Les rapports de la *Propagandastaffel* à la police de sûreté du Reich insistent tous sur la fidélité avec laquelle les mots d'ordre (?) de se montrer « sur les grands boulevards, entre la place de la République et

1. Il ne s'agit pas ici d'un « agent de police », mais d'un agent rétribué par les services allemands.

2. Le 7 juin, des adhérents du R.N.P. ont « invité » le garçon d'un café, boulevard des Capucines, à ne pas servir les clients juifs. Ils ont également giflé un juif installé à la terrasse de la brasserie Weber.

La police française arrêtera Robert-Paul Coquier qui, à la terrasse du *Madrigal,* se livre à des manifestations antisémites.

l'Opéra » ont été suivis. « La juiverie était partout présente sur le parcours indiqué ! » Je trouve cette exclamation dans un texte allemand du 10 juin qui montre les juifs en groupes sur les boulevards, s'attablant dans les cafés et les restaurants, tandis que « de nombreuses juives promenaient leurs bébés dans leurs voitures, comme une sorte de démonstration ».

« Pour se convaincre du péril juif, écrit de son côté *Le Cri du Peuple* du 3 juillet, il suffit de se promener un quart d'heure le dimanche entre la Madeleine et la place de feu la République. La proportion des décorés de l'étoile jaune y dépasse tout ce que l'on pouvait imaginer... » Le rédacteur de l'article précise d'ailleurs que, le dimanche précédent, *en moins de dix minutes,* l'un de ses amis a croisé, sur le même trottoir, 268 « étoiles juives ».

Ces « étoiles juives » sont-elles toutes juives ?

Ce n'est pas évident. Par sympathie, par bravade, par haine des Allemands aussi, quelques aryens se sont affublés d'une étoile jaune... parfois plus que fantaisiste. Jenny Wion, Françoise Siefriot, Paulette Voisin ont peint sur leur étoile des mentions fantaisistes, « Jenny », « Papou », « 130 ». Mme Lemeunier a brodé sur la sienne la croix du Christ, Mme Lang, marchande de journaux boulevard des Italiens, a poussé l'audace jusqu'à fixer au collier de son chien une étoile juive, l'architecte Henri Muratel porte sur son étoile l'inscription « Auvergnat ».

Tous ceux-là sont aisément repérables. Comme est repérable le normalien Henri Plard qui, le 7 juin, a accompagné l'un de ses camarades à la messe de Saint-Jacques-du-Haut-Pas et a trouvé bon, pour la circonstance, de se décorer d'une étoile jaune, ce qui alerte un agent de la Gestapo en faction. Comme est repérable Josèphe Cardin, qui s'est confectionné une ceinture faite de huit étoiles de carton portant chacune une des lettres du mot V.I.C.T.O.I.R.E.

Mais Alice Courouble ? Elle marche boulevard Saint-Michel en compagnie de son amie Suzanne et passe devant le *Dupont-Latin* aux terrasses encombrées lorsque cinq policiers barrent le passage à ces jeunes filles l'une et l'autre marquées au cœur de l'étoile jaune.

— Police, vos papiers.

Elles présentent leurs papiers et leurs cartes d'alimentation. Ceux d'Alice Courouble ne portent pas le cachet « juive » que l'ordonnance du préfet de police (français) Bard, en date du 10 décembre 1941, a rendu obligatoire pour les juifs domiciliés dans le département de la Seine[1].

— Madame, vous n'êtes pas juive !... Alors, pourquoi avez-vous fait cela ?

— C'est mon amie, bredouille Alice, je ne pouvais pas la laisser sortir seule.

— Venez avec nous au commissariat, vous vous expliquerez.

Bien que le commissaire de la rue Dante fasse rédiger à Alice Courouble une déclaration anodine, dans laquelle son geste délibéré se transforme en une simple substitution de jaquette, Alice est envoyée au Dépôt, 3, quai de l'Horloge, puis aux Tourelles et à Drancy, en compagnie d'un certain nombre « d'amis des juifs » qui paieront leur geste de solidarité de plusieurs semaines de prison puisque, malgré plusieurs interventions du préfet de police, une vingtaine d'entre eux ne seront libérés que le 1er septembre.

Tous les Français n'ont pas des réactions aussi visiblement courageuses, mais certains, par un geste, un sourire, un salut, tiennent à manifester leur sympathie à l'égard des persécutés.

« La compassion pour les juifs va si loin, écrit le S.S. *Haupsturmführer* Luther, en poste à Bordeaux, qu'on évite dans la rue de la provoquer par des regards. » Le même Luther ajoute que la « désapprobation est générale en ce qui concerne l'application de cette mesure (le port de l'étoile) aux enfants ».

Ainsi, les mères qui ont eu peur, le lundi 8 juin, d'envoyer leurs enfants à l'école ont-elles été, parfois, rapidement rassurées.

« Les enfants chrétiennes, raconte une juive, mère d'une petite fille de huit ans, ont décidé de se tenir comme si rien ne s'était passé et de continuer à jouer avec leurs camarades juives comme d'ordinaire... »

Il serait faux toutefois d'imaginer qu'autour des enfants juifs se tisse, unanimement, un réseau de charité.

---

1. C'est par la loi du 11 décembre 1942 que sera étendue à la zone non occupée la décision d'apposer la mention « juif » sur les titres d'identité délivrés aux Israélites français et étrangers.

Recueillant les propos de dix-sept enfants de déportés, Claudine Vegh a noté que le port de l'étoile jaune provoquait davantage de brimades que de manifestations de compassion [1]. « A chaque récréation, chaque sortie de classe, déclare Lazare, je me faisais injurier... Personne, ajoute-t-il, pour me défendre. Aucun n'a eu un geste humain. » Robert, avec les mêmes mots, déclare à peu près la même chose : « A l'école, presque à chaque récréation, une bande de petits paysans me tombaient dessus... Je n'avais personne qui prenne ma défense. » Et Raphaël évoque, lui aussi, sa solitude face aux injures et aux coups : « A chaque récréation, les enfants me tombaient dessus, les instituteurs regardaient sans intervenir. »

Paul Léautaud a entendu une femme « grande, en toilette, en chapeau, assez élégante, avec deux jeunes enfants » dire, en posant un doigt sur le côté gauche de sa poitrine : « Vous n'avez pas vu ça ? C'est joli, n'est-ce pas ? »

Mais cette ostentation est parisienne comme le fait remarquer Jean G... qui, réfugié dans l'Orne, écrit le 4 juillet 1942 à sa famille :

> « Je ne sais comment notre resplendissant insigne est vu à Paris ; je pense qu'on en voit beaucoup et que, par conséquent, on ne doit pas y porter une attention exagérée, mais ici, si je sortais, je serais aussitôt le point de mire de beaucoup de badauds campagnards qui pousseraient sans doute l'indiscrétion jusqu'à me montrer du doigt à leur famille... »

Aussi ne quitte-t-il son domicile que pour aller se baigner dans la rivière voisine, « seul endroit où l'on ne soit pas obligé de porter un insigne distinctif »... Cela ne durera guère.

Dès l'instant où les juifs, marqués au cœur, deviennent visibles non seulement aux passants, aux badauds, aux anglophiles, mais également aux policiers, aux délateurs, les Allemands vont avoir la possibilité d'ajouter à tous les interdits existants des contraintes supplémentaires. Et de les faire respecter.

---

1. Claudine Vegh, *Je ne lui ai pas dit au revoir* (Gallimard).

C'est à travers une note adressée, le 12 juin 1942, par l'un des assistants de Knochen à Dannecker que l'on comprend mieux les raisons qui se trouvent à l'origine de l'introduction de l'étoile jaune, simple bout d'étoffe qui, sur celui ou celle qui le porte, attire la fureur répressive.

L'assistant de Knochen (sa signature demeure illisible) écrit notamment à Dannecker que l'interdiction faite aux juifs de « fréquenter les établissements de bains publics en zone occupée » a été ajournée « jusqu'à l'introduction de l'insigne distinctif pour les juifs », mais que ces mesures peuvent désormais entrer en application.

Il en est de même, ajoute-t-il, pour l'enlèvement des appareils téléphoniques au domicile des juifs. La réalisation de ce projet a été repoussée en effet jusqu'à l'instant où il est devenu possible de le faire coïncider avec l'interdiction faite aux juifs d'utiliser les cabines téléphoniques publiques.

Ce ne sont pas seulement les bains publics et les cabines téléphoniques qui se trouvent d'ailleurs interdits par la neuvième ordonnance allemande en date du 8 juillet 1942. La liste établie par Oberg, chef supérieur des S.S. et de la police, exclut les juifs de toute vie sociale en leur fermant l'entrée de tous les « établissements ouverts au public ». Et ils sont nombreux, on le découvre à la lecture du texte publié par les journaux.

1. Restaurants et lieux de dégustation ;
2. Cafés, salons de thé et bars ;
3. Théâtres ;
4. Cinémas ;
5. Concerts ;
6. Music-halls et tous les lieux de plaisir ;
7. Cabines de téléphone publiques ;
8. Marchés et foires ;
9. Piscines et plages ;
10. Musées ;
11. Bibliothèques ;
12. Expositions publiques ;
13. Châteaux forts, châteaux historiques, ainsi que tous les autres monuments présentant un caractère historique ;
14. Manifestations sportives, soit comme participant, soit comme spectateur ;

15. Champs de courses et locaux de pari mutuel ;
16. Lieux de camping ;
17. Parcs.

Comme ils ont également obligation[1] d'effectuer, ou de faire effectuer, leurs achats uniquement entre 15 et 16 heures, c'est-à-dire à l'heure où les boutiques d'alimentation sont depuis longtemps dépouillées de leur maigre ravitaillement, on comprend que les juifs, loin de montrer orgueilleusement l'étoile jaune, ne cherchent bientôt qu'à la dissimuler. N'est-ce pas, pour eux, l'unique moyen de redevenir des hommes et des femmes comme les autres ?

Les rapports des inspecteurs de la Section d'enquête et de contrôle du C.G.Q.J., lâchés dans Paris pour relever les infractions à la huitième et à la neuvième ordonnance allemande, dévoilent quelques-unes des pauvres ruses utilisées. « Le nommé K... a été interpellé ce jour[2] à 8 h 30 à l'angle du boulevard Barbès et du boulevard Magenta par l'inspecteur Stintzi qui, d'après son type sémite, lui demande ses papiers d'identité. A ce moment-là, l'individu changea de main une serviette de cuir qu'il portait sous son bras et qui dissimulait son étoile. »

C'est « le juif F... David » qui ne porte pas d'étoile sur sa blouse d'épicier, c'est la juive G... qui dissimule son étoile sous le revers de sa jaquette, ce sont les juives M... et T..., interpellées avenue Ledru-Rollin, qui n'ont pu présenter aux inspecteurs « leurs étoiles cousues mais simplement épinglées à la hauteur de la ceinture ». Ce sont ces femmes qui se promènent un sac à main contre le cœur ou qui, grâce à des boutons-pression, à des épingles, réussissent ainsi à avoir une étoile amovible : portée dans la rue, enlevée dès lors qu'il s'agit d'entrer dans un « lieu public » interdit. Mais la supercherie est souvent découverte par les policiers physionomistes comme cet inspecteur Barbat qui, de passage rue Ordener, le 13 mai 1943, a remarqué que le juif F..., qui « cachait soigneusement son étoile », entrait au café *A la chope de la Mairie,* ou bien agissant, et c'est le cas le plus fréquent, sur dénonciation.

« Afin de vérifier l'information, les inspecteurs Fournier, Chaussey, Kaddar se sont rendus... à Pantin, où devaient se cacher des juifs sans

1. Article 2 de la neuvième ordonnance.
2. 15 mars 1943.

étoile munis de fausse carte d'identité [1] »... « Les inspecteurs ont interpellé, alors qu'il venait de terminer son cours à l'Institution M..., à Paris, le nommé L... Roger, juif. Prié de décliner son identité, L... déclara ne pas être porteur de sa carte d'identité et reconnut ne pas porter son étoile [2] »... « A la suite d'une information concernant la présence de juifs sans étoile dans le restaurant-pension de famille, sis rue..., l'inspecteur Ferry s'est rendu ce jour, à 13 h 20, dans cet établissement et a pu constater la présence de la juive W... qui déjeunait à une table et ne portait pas l'étoile. »

Les juifs ou juives ainsi interpellés sont consignés au poste de police le plus proche et mis à la disposition de « Monsieur le Commissaire Principal aux Délégations Judiciaires chargé des Questions juives pour être l'objet d'une mesure d'internement ».

On comprend que, rapidement, les juifs aient cherché à se faire exempter du port d'un insigne qui exposait à d'aussi graves dangers. Mais les privilégiés seront bien peu nombreux. Le maréchal Pétain n'obtiendra que trois dérogations : en faveur de la comtesse d'Aramon, de la marquise de Chasseloup-Laubat et d'une troisième personne non identifiée [3]. Encore ces dérogations sont-elles arrachées par une lettre aux arguments plus que discutables puisque, aux yeux du maréchal Pétain, ce sont les exemptions qui justifieront et feront admettre des mesures qu'il qualifie, hélas !, de « justes ».

> « Je suis convaincu, écrit-il en effet à Fernand de Brinon, le 12 juin 1942, que les hautes autorités allemandes comprennent parfaitement elles-mêmes que certaines exceptions sont indispensables : le texte de la huitième ordonnance les prévoit d'ailleurs. *Et cela me semble nécessaire pour que de justes mesures prises*

---

1. 21 avril 1944.
2. 5 mai 1944.
3. Ces exemptions sont d'ailleurs sujettes à révision puisque, le 6 octobre 1943, Brinon annonce au maréchal Pétain que le major Hagen accorde à Mme de Chasseloup-Laubat une prolongation de dispense du port de l'étoile juive valable pour un mois.

contre les Israélites soient comprises et acceptées par les Français[1]. Je vous demande donc d'insister auprès du général commandant les troupes d'occupation en France pour qu'il veuille bien admettre le point de vue que vous lui exposerez de ma part, pour que Monsieur le Commissaire général aux Questions juives puisse promptement obtenir la possibilité de régler, par des mesures individuelles et exceptionnelles, certaines situations particulièrement pénibles qui pourraient nous être signalées. »

Aux trois épouses d'aryens protégées grâce au Maréchal, il faut ajouter Mme de Brinon, née Jeanne-Louise Frank, dispensée par les Allemands, et « jusqu'à éclaircissement définitif de son origine », du port de l'étoile.

Vingt-deux autres exemptions iront à des juifs « travaillant » avec les bureaux allemands : intermédiaires de tout poil, indicateurs signalant marchandises, bijoux ou meubles appartenant à leurs coreligionnaires, ou encore agents doubles, individus opérant pour le compte de la police allemande et dénonçant tous ceux dont ils soupçonnent qu'ils cachent leur origine.

S'il est pratiquement impossible d'éviter le port de l'étoile juive (les 28 caporaux et sapeurs juifs du régiment de sapeurs-pompiers de Paris y sont immédiatement soumis malgré les réclamations de leur chef, le colonel Simonin), il existe cependant des juifs à qui leur nationalité garantit une efficace protection. Ce sont les ressortissants des pays ennemis de l'Allemagne ou des pays neutres. Ainsi, les juifs anglais, américains, suisses, brésiliens, canadiens, vivant en France occupée, ne seront jamais astreints au port de l'étoile juive quand tous les juifs français le seront. Ce n'est pas l'un des moindres paradoxes de cette guerre. Les Allemands expliqueront leur position par leur volonté de ne pas irriter la susceptibilité des pays neutres et d'éviter des représailles contre leurs nationaux prisonniers en Angleterre ou aux U.S.A.

En juin 1942, il est donc hautement préférable, pour un juif vivant en France, d'appartenir à un pays EN GUERRE avec l'Allemagne qu'à un pays qui, officiellement, COLLABORE !

---

1. Je souligne intentionnellement.

Pour les Allemands, l'étoile ne représente pas une fin, mais un moyen : celui de fournir la « matière première » de la déportation.

Le 11 juin, Dannecker, Asche et le Dr Zoepff, respectivement responsables pour la France, la Hollande et la Belgique des sections juives, se retrouvent à l'Office de Sûreté du Reich. Cette réunion a été précédée, à Paris, de longues conversations entre Reinhardt, Heydrich, venu à Paris « introniser » Karl Oberg comme chef suprême des S.S. et de la police en France, Dannecker, Hilaire, secrétaire général de l'administration au ministère de l'Intérieur, Fernand de Brinon, Darquier de Pellepoix, conversations dont certaines ont eu pour but de mettre au point la participation française aux prochaines rafles.

Le 11 juin, Dannecker, Asche et Zoepff décident donc que 100000 juifs seront déportés de France OCCUPÉE ET NON OCCUPÉE, 15000 des Pays-Bas, 10000 de Belgique.

Trois convois de 1000 juifs chacun devront chaque semaine quitter la France en direction du Reich et il est entendu que l'Etat français versera 700 reichmarks (14000 francs) pour chacun de ces déportés juifs dont l'Allemagne le débarrasse !

Ces juifs, encore faut-il les capturer. Ceux qui, en zone occupée aussi bien qu'en zone libre, se trouvent déjà dans des camps n'étant pas en nombre suffisant, de nombreuses réunions franco-allemandes auront lieu dans les premiers jours de juillet. Leur objectif : l'étude des moyens propres à procurer rapidement à l'administration allemande 22000 à 30000 juifs parisiens, 26000 en provenance des départements de zone occupée et 50000 raflés parmi ceux qui vivent en zone libre, ce qui suppose d'avoir obtenu l'accord d'un gouvernement de Vichy dont Dannecker et Eichmann, qu'Himmler a chargés de la « solution finale », déplorent, le 1er juillet, la mauvaise volonté, Laval n'acceptant que la « livraison des juifs apatrides et de certains juifs étrangers ».

Puisque — et les mots sont écrits sous la signature de Dannecker et d'Eichmann —, puisqu'il s'agit « que la solution finale de la question juive se développe sans encombre » et que la France soit libérée « au plus tôt de tous les juifs », on activera « la promulgation des bases législatives indispensables » à l'élimination des juifs de zone occupée tout en renforçant l'autorité de Darquier de Pellepoix en qui les

Allemands ont trouvé un exécutant fidèle et un « fournisseur » empressé.

Le 2 juillet, Oberg réunit Knochen, Lischka, le lieutenant-colonel von Scheinichen, le commandant Runkovski, Hagen, le Dr Schmidt et, du côté français, René Bousquet accompagné de l'interprète Wilhems.

Tout au long de cette séance, Bousquet fera tout pour se dérober. Le 29 juin, Schweblin directeur de la police des questions juives s'est plaint à Dannecker de l'attitude de Bousquet qui « a manifesté son indignation » à l'annonce des futures arrestations et Dannecker de son côté a dans un note, adressée à ses supérieurs, critiqué le « double jeu » du secrétaire général de la police. Bousquet commence donc par déclarer qu'il n'est pas au courant des exigences allemandes et que Laval ne les lui a jamais communiquées. Au nom du maréchal Pétain comme de Pierre Laval, il affirme, à plusieurs reprises, que le gouvernement de Vichy répugne à faire arrêter, en zone occupée, les juifs par la police française. Quant à la zone non occupée, Laval a, selon lui, ou plus exactement selon ce que lui fait dire le rapport allemand[1], « proposé, sur intervention du Maréchal, qu'en premier lieu seuls les juifs étrangers soient arrêtés et remis aux autorités allemandes ».

Les Allemands ayant répliqué que le gouvernement français ne comprenait pas l'importance du problème juif, ce qui était d'autant plus choquant que le Führer venait de souligner avec vigueur « la nécessité absolue de la solution finale de la question juive », on se mettra d'accord sur « l'arrangement » — le mot se trouve dans le compte rendu allemand — suivant :

« Vu qu'en raison de l'intervention du Maréchal les juifs de nationalité française ne devaient, pour le moment, pas être arrêtés[2], Bousquet se déclara prêt à faire arrêter les juifs étrangers dans toute la France, par une action réalisée en commun et en quantité souhaitée par nous. »

1. Il faut remarquer que sur toute cette affaire nous ne disposons que de rapports et de notes d'origine allemande.

2. Dans une note rédigée le 9 juillet 1942, Dannecker précisera : « Il est projeté, comme deuxième phase de la déportation massive des juifs de France qui est actuellement en cours, d'exiger du gouvernement français la dénaturalisation des juifs entrés en France après la Guerre mondiale, afin qu'ils puissent être déportés également. »

Personnellement opposé aux arrestations, bien résolu à n'en jamais assumer la responsabilité, Bousquet ne peut cependant avoir pris sur lui des décisions qui ne relèvent pas de son pouvoir mais de celui du gouvernement. C'est le 4 juillet, en début de la conférence réunissant, avenue Foch, Knochen, Dannecker, Schmidt, Darquier et le Dr Wilhems qu'il fera connaître le résultat du Conseil des ministres qui s'est tenu le 2 juin à Vichy.

Le maréchal Pétain et Pierre Laval, affirme Bousquet, toujours selon le texte allemand, se sont « déclarés d'accord, au cours d'un récent Conseil des ministres, pour que d'abord soient déportés tous les juifs apatrides de zone occupée et de zone libre », mais il est entendu que, sur le plan « technique », c'est Darquier de Pellepoix, commissaire général aux Questions juives, qui aura la responsabilité de la Commission réunissant des délégués du secrétariat d'Etat à la police, de la préfecture de police de Paris et du ministère du Ravitaillement.

A la grande surprise des Allemands, Darquier donnera alors « presque l'impression d'être consterné par le fait d'accepter (la) responsabilité » dont Bousquet a, depuis l'origine, absolument refusé d'être chargé.

Le 8 juillet, la Commission technique tiendra donc sa première et plus importante réunion : celle qui décidera le détail de toutes les mesures d'arrestation.

Ne sont présents que deux Allemands : Dannecker et Heinrichsohn, puisque la police française a seule la responsabilité des rafles. En revanche, les Français sont en force : Darquier de Pellepoix, dont les pouvoirs et les responsabilités n'ont cessé de grandir, Leguay représentant Bousquet, François qui dirige les camps d'internement de Drancy, Pithiviers et Beaune-la-Rolande, Hannequin, directeur de la police municipale, Tulard, responsable du fichier juif à la préfecture de Paris, Garnier, représentant du préfet de la Seine, Schweblin de la police antijuive, Galien, chef de cabinet de Darquier, Guidot, officier d'état-major de la police municipale.

Si les Allemands ne sont que deux, ils n'en demeurent pas moins les « patrons » de l'opération et c'est après que Dannecker a vérifié la représentativité de tous les assistants que le scénario des arrestations va être mis au point.

A Paris, 28 000 juifs *non français* pourraient être arrêtés mais, la limite d'âge se trouvant fixée à 16 et 50 ans, ce chiffre sera ramené à

22 000[1]. C'est à M. Hannequin qu'est laissé le soin de distribuer aux commissaires de police des différents arrondissements les fiches nominatives extraites du fichier juif.

La première action étant initialement prévue pour le lundi 13 juillet, c'est le 10 que devra être achevé le tri de ces fiches. Après un court passage dans les mairies, il est prévu que les juifs arrêtés seront transférés au Vélodrome d'hiver, centre principal de rassemblement, avant d'être provisoirement dispersés dans quatre camps : Drancy, Compiègne, Pithiviers, Beaune-la-Rolande, où ils attendront leur déportation vers la Pologne et l'Allemagne.

Au cours de la conférence technique, tous les détails sont précisés. Ceux qui concernent l'équipement des juifs, équipement qui doit tenir dans un sac à dos ou une valise unique : une paire de chaussures de travail « solides », deux paires de chaussettes, deux chemises, deux caleçons, une tenue de travail, deux garnitures de literie, une gamelle, un gobelet, une gourde, une cuiller, un pull-over ainsi que les objets de toilette indispensables ; ceux qui concernent le ravitaillement individuel et collectif des déportés lorsqu'ils partiront en direction de l'Est : trois jours de vivres pour chaque juif, de la farine, du pain, des pommes de terre, des haricots dans des sacs entassés dans un wagon de marchandises.

Comme ils vont être « associés » aux mesures d'arrestation, les Français se trouvent, dès le 8 juillet, « associés » aux futures mesures de déportation. « La garde des trains, précise le rapport de Dannecker, sera effectuée par des gendarmes français, surveillés par un commando de la gendarmerie de campagne allemande, composé d'un lieutenant et de huit hommes. »

Ce sont neuf mille policiers, tous français, aidés par quelques centaines de jeunes P.P.F., qui, à Paris, participeront à l'opération « Vent printanier[2] ».

---

1. En réalité, du fichier de la préfecture de police, il sera extrait 25 334 fiches pour Paris et 2 054 pour la banlieue.

2. L'opération, qui s'étend sur plusieurs pays d'Europe, a été baptisée par les occupants du nom de code de « Reinhardt », en hommage à Reinhardt Heydrich, chef de l'Office central de sécurité du Reich, mort le 5 juin 1942 à la suite des blessures reçues dans l'attentat dont il a été victime le 28 mai à Prague, attentat réalisé par des résistants tchèques entraînés en Angleterre. L'opération « Reinhardt » se subdivisait en une opération « Ecume de mer » pour l'Europe de l'Est et « Vent printanier » pour l'Europe de l'Ouest.

888 équipes d'arrestations vont opérer dont 255 dans le XXe arrondissement, 246 dans le XIe, 156 dans le IIe, 152 dans le Xe, 139 dans le IVe, arrondissements où la population juive se trouve essentiellement rassemblée.

Aux chefs d'équipe chargés d'arrêter des femmes et des enfants sont remis des ordres de mission d'une précision toute militaire. Interdiction de discuter les observations présentées par les juifs, pas de commentaires, pas de « paroles inutiles » ; interdiction de se laisser influencer par l'état de santé des personnes à arrêter. Aucun occupant ne devant rester dans les appartements visités, il est également interdit de confier un enfant aux voisins ou à la concierge.

Les enfants suivront le sort de leur famille et leur destin sera fixé plus tard[1]. Par contre, chiens et chats doivent, EUX, être remis aux voisins ou aux concierges charitables. Les policiers, enfin, sont invités à s'assurer de la fermeture des compteurs de gaz, d'eau et d'électricité.

16 juillet 1942.

La rafle était initialement prévue pour le 13 juillet, mais la proximité de la fête nationale française a fait repousser la date d'exécution au 16[2]. C'est entre 3 heures et 4 heures du matin que des milliers de policiers français frappent à des milliers de portes juives.

— Police, ouvrez.

Ils ouvrent. Que peuvent-ils faire d'autre ?

Ils ouvrent à 4 heures du matin. Habillés à la hâte ou, parce que les coups redoublent, encore dans leurs vêtements de nuit. Les enfants réveillés sont blottis dans leurs lits et ils regardent ces policiers hostiles, casqués, armés, sur le pas de la porte.

Et les policiers, que voient-ils ? De pauvres intérieurs : on est rarement riche lorsque l'on arrive d'Autriche, de Pologne, de Tchécoslovaquie et que, depuis deux ans, l'occupant et Vichy se sont ingéniés à ne laisser au juif étranger aucune possibilité de gagner sa vie.

1. Sur le sort des enfants juifs, *cf.* p. 325 et suiv.
2. Note de Röethke adressée le 15 juillet au commandant du « Gross-Paris ».

Ils ouvrent les portes. Et, lorsqu'ils n'ouvrent pas, les policiers s'impatientent et, parfois, d'un coup d'épaule, font céder le bois.

Que disent-ils alors ? Certains respectent ces consignes qui interdisent toutes les paroles inutiles. Ils vérifient les identités, ordonnent de s'habiller aussi rapidement que possible (« vous avez dix minutes »), de prendre deux jours de vivres et des vêtements chauds.

D'autres se livrent à quelques commentaires. Aux femmes qui pleurent, qui montrent leurs enfants, qui parlent de maladie, ils disent que tout se passera bien, qu'elles iront simplement dans un ghetto près de Lublin (Lublin, qui connaît à l'exception des Polonaises ?) et que, la guerre terminée, elles pourront certainement revenir dans leur appartement parisien [1].

Sont-ils sincères ?

Il se peut. Pourquoi la plupart des policiers ne croiraient-ils pas à la fiction de Lublin lorsque la réalité de l'horreur ne s'est encore imposée à personne ?

A côté de ceux qui conservent un silence buté, qui appliquent strictement les ordres, de ceux, aussi, qui acceptent les bijoux, l'argent, pour sauver une vie [2], il existe des policiers sensibles à la détresse. Des hommes qui, grâce à une phrase, à une attitude, font comprendre aux juifs qu'ils peuvent tenter de s'échapper. Ils disent, par exemple, qu'ils reviendront dans une heure, lorsque toute la famille sera habillée ; ils conseillent à la mère de famille d'attendre l'ouverture des premiers magasins pour se procurer quelques provisions, ou bien encore ils n'insistent pas lorsque la porte demeure close.

Il est impossible, en vérité, de porter un jugement global sur l'attitude de la police française les 16 et 17 juillet 1942. Qu'une partie d'entre elle agisse à contrecœur, c'est cependant évident et Röethke

---

1. Sur Lublin, *cf.* également p. 245. Lors de son procès, René Bousquet dira que la thèse du « ghetto à Lublin » courait, en juillet 1942, dans les milieux policiers. Les Allemands, en mai 1942, interdisent d'employer le mot « déportation » « qui fait penser aux expulsions en Sibérie de la période tsariste ».

2. « Quand les inspecteurs français sont arrivés, ma mère m'a demandé de rester sagement dans une autre pièce. J'avais dix ans, j'ai entendu mes parents parlementer pour me sauver. Ma mère les a suppliés, puis elle leur a offert le peu que nous possédions ; ils ont pris l'argent, les bijoux et ont accepté de me descendre chez la voisine. Dans l'escalier, les inspecteurs m'ont avertie que, si jamais je racontais un mot de ce qui s'était passé, on ferait du mal à mes parents. »

Témoignage de Colette in *Je ne lui ai pas dit au revoir*. Le témoignage porte sur la période de 1943.

décernera ce brevet de mauvaise (c'est-à-dire de bonne) conduite à des hommes qui, aux yeux des Allemands, n'ont arrêté que 12884 juifs [1] au lieu des 22000 prévus le 8 juillet.

> « Des sources les plus variées, le service IV J a été informé qu'un nombre important de juifs apatrides avaient eu vent des rafles et avaient pu se cacher. Des fonctionnaires de la police française auraient, dans plusieurs cas, renseigné sur les rafles projetées les personnes qu'ils devaient arrêter, en particulier les juifs apatrides fortunés, en leur conseillant de ne pas demeurer dans leurs appartements les 16 et 17 juillet 1942 [2]. »

Darquier de Pellepoix, dans un rapport adressé à Laval, le 23 juillet 1942, se plaint de son côté, que des « indiscrétions » aient permis à un certain nombre de juifs de s'échapper et il fait part du « vif mécontentement » des autorités allemandes.

« Il doit être pris en considération, écrit-il notamment, que, si le premier jour, les arrestations se sont déroulées d'une façon à peu près normale, le nombre des absents parmi les individus à arrêter comportait, le deuxième jour, 66 %. »

Des « informateurs » au service de la Gestapo notent que, le 17 juillet, 14, rue Raffet, un inspecteur de police et un officier de paix ont dit au concierge que les rafles étaient inhumaines, qu'ils ont évoqué de nombreux cas de suicide [3], ou bien encore que « la police a été au-dessous de tout », « qu'elle n'a rien négligé pour rendre les juifs intéressants ».

Et les voisins, comment réagissent-ils ? Si l'on en croit le rapport de Röethke, l'immense majorité de la population désapprouve les rafles, désapprobation manifestée dans de « petits rassemblements » au moment où les juifs, encadrés par la police, quittent leur domicile.

---

1. Dont 3031 hommes, 5802 femmes et 4051 enfants.
2. Un tract communiste, ainsi qu'une feuille en yiddish et en français, annonçant l'imminence des rafles, ont circulé deux ou trois jours avant le 16 juillet.
3. Tillard et Lévy dans leur livre sur la tragédie du Vél' d'hiv' évoquent plusieurs cas de suicide, notamment rue de Poitou où une jeune femme se jette par la fenêtre avec ses deux enfants. Rue Trousseau, Mme Cymerin saute du toit en compagnie de son petit garçon. Ils sont sauvés par les pompiers qui ont eu le temps de tendre des bâches. Ils iront mourir à Auschwitz.

Le professeur Abrami donne le chiffre de 106 suicides.

S'il existe des voisins charitables : cette femme qui protège Madeleine[1] et sa famille en affirmant aux policiers que l'appartement est vide, puis en aidant à un déménagement furtif, ils existent également ces Français qui désignent à l'attention des agents « capteurs » (on les appelle ainsi) les hommes et les femmes qui tentent de prendre la fuite. Alors que les policiers ont accordé un délai à Mme Abramzyk et à son petit garçon : « Préparez-vous, nous repasserons vous prendre dans une heure », la concierge ferme à clef la porte cochère de l'immeuble et s'oppose à la fuite de Mme Abramzyk.

Les autobus, ces bons gros et familiers autobus parisiens, font le va-et-vient entre les rues à juifs et les commissariats de police. 22, rue des Ecouffes, ils chargent ainsi sept familles juives sur les onze que compte l'immeuble : quatorze adultes, dix-neuf enfants[2].

Ceux qui n'ont pas droit à l'autobus se traînent dans les rues, hommes et femmes chargés de valises remplies à la hâte, de paquets mal ficelés, de couvertures, pitoyables convois devant lesquels s'arrêtent les passants du petit matin.

Mme Rado, qui ira ainsi de la rue Saint-Antoine au gymnase Japy, a placé dans la poussette du dernier de ses quatre enfants non seulement un peu de literie et des vêtements, mais également des casseroles. Elle ne sait pas où elle va, mais, où qu'elle aille, elle sait que ses enfants auront faim et elle espère pouvoir leur préparer la nourriture à laquelle ils sont habitués. « Nous portions, dira-t-elle plus tard, l'étoile jaune sur nos vêtements. Les gens nous regardaient. Je ne sais ce qu'ils pensaient. Leurs regards étaient vides, semblaient indifférents. »

Place Voltaire, il est vrai, une femme crie :

— C'est bien fait ! C'est bien fait ! Qu'ils aillent au diable.

Mais nul ne reprend son cri. Un homme, dans la petite foule agglutinée, murmure simplement :

— Après eux, ce sera nous. Les pauvres gens… et s'éloigne.

---

1. Claudine Vegh, *Je ne lui ai pas dit au revoir.*
2. En février 1943, les quatre autres familles seront arrêtées et déportées. Des quarante-quatre habitants juifs de l'immeuble situé au 22 de la rue des Ecouffes, un seul survivra : Mlle Clara Chanowski.

Dans les commissariats de police et les mairies, les juifs ne restent que quelques heures, des heures qui constituent une étape nouvelle dans la dégradation, la prise de conscience de leur état de prisonnier.

Les Allemands ont décidé que les familles « avec enfants » seraient internées au Vélodrome d'hiver. Les cinquante autobus font donc, dans l'après-midi du 16 juillet, de nouveaux va-et-vient. Surveillés par des agents de police installés sur la plate-forme arrière, les femmes inquiètes, les enfants étonnés, turbulents, amusés parfois par les incidents du parcours, sont déversés — bagages compris — sur le trottoir de la rue Nélaton, puis poussés, à travers un couloir obscur, jusqu'à la vaste enceinte du Vélodrome d'hiver dont les premiers arrivants occuperont naturellement la pelouse.

Les gradins se garniront ensuite. Des gradins faits pour s'asseoir et non pour camper. Il faudra bien camper cependant, c'est-à-dire étaler les couvertures, disposer les ustensiles de cuisine, s'efforcer de reconstituer un semblant de foyer et de recréer, parfois en dressant une murette de valises, une illusion d'appartement.

« Tous les témoins, précisent Claude Lévy et Paul Tillard, s'accordent à dire qu'on pouvait à peine se mouvoir, que les gens se marchaient les uns sur les autres. » Où 15 000 spectateurs pouvaient trouver place, il n'y a cependant que 7 000 juifs dont 4 051 enfants mais tout est envahi (piste, pelouse centrale) de ce qui, naguère, demeurait protégé. C'est une chose de rester assis pendant deux ou trois heures pour un spectacle sportif, c'en est une autre de « vivre » quatre, cinq, voire sept jours dans un univers de béton où chaque famille doit, non sans palabres et disputes, gagner puis conserver son « territoire ».

Au niveau de la vie quotidienne, rien n'a été préparé pour accueillir cette foule. Aucune installation pour faire chauffer les biberons. Des points d'eau en nombre très insuffisant. Des installations sanitaires — dix cabinets, vingt urinoirs — d'autant plus vite inutilisables que la moitié d'entre elles, déjà, étaient fermées, et cette pénurie de sanitaires, la saleté, l'odeur condamnent, humiliation que les survivantes n'oublieront jamais, alors qu'elles ont connu bien d'autres drames, des femmes à se soulager dans les coins enténébrés des couloirs.

Les mouvements de la foule répandue sur les gradins, comme une vendange humaine brusquement déversée là, échappent à toute prévision et à toute analyse. Cris, pleurs, jeux, prières, agitation de ceux qui vont et viennent à la recherche d'une information ou qui, montant et descendant les gradins, lançant des appels à la cantonade, tentent de retrouver leur famille dispersée ou les habitants du même immeuble, tout contribue à donner une impression d'obscur tourbillon.

Pour s'occuper des enfants et des vieillards malades, des moribonds, (une cinquantaine « étalés sur le sol, dans un coin[1] »), des folles, des femmes sur le point d'accoucher, les Allemands n'ont admis d'abord que deux médecins : les Drs Didier-Hesse et Loewe-Lyon[2], cependant que Mme Suzanne Bodin, qui sera déportée et ira mourir à Ravensbruck, organise, avec une douzaine d'infirmières de la Croix-Rouge, un roulement charitable mais dont l'efficacité ne peut être que modeste, tant les misères à soulager sont grandes. Quelques assistantes sociales françaises, quelques juives : Hélène Tro, Tonia Zabuski, Felah Decargan, mariées à des aryens, donc, en principe, protégées, ont rejoint et c'est surtout par ces dernières que seront connus les drames et notamment les suicides et les tentatives de suicide[3] dont le Vél' d'hiv' sera le théâtre.

Les hommes et les femmes charitables que le service d'ordre laisse pénétrer dans l'enceinte du Vél' d'hiv' ne sont pas très nombreux ; Quakers qui, le 16, font parvenir le premier ravitaillement : douze caisses de biscuits pour sept mille personnes ; délégués du Secours national accompagnant quelques vivres ; représentants de l'U.G.I.F. avec, à leur tête, le secrétaire général André Baur[4], infirmières, assistantes sociales, médecins. Ont-ils du moins conscience du destin qui attend les juifs ? Je ne le pense pas. S'il en allait autrement, s'ils imaginaient le sort atroce réservé aux enfants, les médecins feraient-ils allusion, dans l'un de leurs rapports, aux « tuberculeux en évolution qui semaient autour d'eux leurs bacilles, et l'on frémit en songeant au nombre d'enfants qui, en état de moindre résistance et sans hygiène suffisante, ont dû être de la sorte contaminés[5] » ?

1. Rapport d'Hannequin, directeur de la police municipale.
2. Rejoindront par la suite les Drs Weill-Hallé, Vilenski, Benjamin Ginsbourg, ainsi que quelques autres médecins envoyés par l'U.G.I.F., tandis que la Croix-Rouge a délégué le Pr Vaucher, les Drs Robineau, Comby.
3. Il y aurait eu « une trentaine » de suicides.
4. D'après Lévy et Tillard, André Baur, qui vient au Vél' d'hiv' dans l'après-midi du 16 juillet, en compagnie de MM. Kats et Musnik, aurait été injurié par les internés, ce qui n'apparaît absolument pas dans le récit qu'André Baur a rédigé immédiatement après sa visite au Vél' d'hiv'.
5. Vingt à trente malades seulement seront évacués sur l'hôpital Rothschild.

Les cinquante garçons envoyés au Vél' d'hiv' par Georges Lamirand, sous-secrétaire d'Etat à la Jeunesse du gouvernement de Vichy, ne réalisent pas davantage qu'ils aident, soignent, nourrissent des femmes et des enfants promis à une mort prochaine.

Trente-neuf ans plus tard, certains d'entre eux se souviendront de la poussière, de l'odeur, du bruit infernal, de l'obscurité, la verrière du Vél' d'hiv ayant été passée à la peinture bleue pour les besoins de la défense passive ; ils se souviendront de la faim et de la soif des internés, de la façon dont ils se jettent sur les baquets d'eau, de la prostration des uns, de l'excitation des autres, mais non point d'avoir côtoyé d'aussi nombreux condamnés à mort.

— Si j'avais su, me confiera Jean N..., aujourd'hui professeur en banlieue parisienne et qui avait porté secours à quelques familles encombrées d'enfants, j'aurais pu faire évader une jeune fille.

En vérité, il y aura fort peu d'évasions dans cette foule composée surtout — la seule photo que nous possédions du Vélodrome d'Hiver le montre bien — de femmes et d'enfants.

Dans leur livre, Lévy et Tillard recensent seulement les évasions de la petite Lichtein et de sa mère, celle de Louis Pitkowicz qui a 14 ans, celle du jeune Nat Linen, dont un manteau dissimule l'étoile jaune, celle d'Ida Nussbaum, qui met à profit la relève des gardes mobiles pour fuir en entraînant son fils âgé de 4 ans...

« Les Allemands vont déporter en Europe centrale 20 000 juifs de Paris. » Pierre Limagne, qui est journaliste à *La Croix*, publiée alors en zone libre, écrit, le 16 juillet, ces mots sur le cahier où, jour après jour, il consigne les événements mémorables[1].

Le 17, nouvelle notation : « A Paris, il n'est question en ce moment que de rafles de Juifs, hommes, femmes et enfants. »

Le 18, Limagne a obtenu quelques précisions : « A Paris, c'est bien une vingtaine de mille juifs qui viennent d'être rassemblés. On a parqué les hommes d'un côté en attendant leur déportation, les femmes de l'autre. Scènes poignantes au moment de la séparation des

1. Ces cahiers formeront plus tard les « Ephémérides de quatre années tragiques ».

membres d'une même famille. » Il faut attendre le 22 juillet pour trouver, sous la plume de Limagne, une allusion au rôle de la police française qui « aurait arrêté elle-même, ces jours-ci, des milliers de juifs coupables de n'avoir pas porté l'étoile jaune[1]. »

Journaliste, Limagne est un privilégié de l'information même si son information comporte des erreurs, qu'il s'agisse du chiffre des juifs arrêtés ou du rôle exact de la police française. Mais les lecteurs de *La Croix,* comme d'ailleurs ceux des autres quotidiens de zone libre, ignoreront longtemps ce qui s'est passé à Paris les 16 et 17 juillet 1942.

Ceux de zone occupée ne sont pas mieux informés.

Les consignes de la censure allemande sont, en effet, « de ne rien laisser publier dans l'attente des autres rafles prévues » et rien n'est publié[2].

C'est seulement à la lecture d'*Au Pilori* que les plus collaborateurs des collaborateurs parisiens pourront savoir qu'il s'est passé « quelque chose ». Ils l'apprendront le 23 juillet par un éditorial de Jean Méricourt reprochant au gouvernement de Vichy son « incapacité totale dans le règlement d'une affaire intérieure : celle du problème juif [alors que], depuis un mois, des mesures sont prises contre les juifs dans notre zone ».

Dans le même numéro, ils pourront prendre également connaissance d'un article qui, sous le titre « Nos enfants domestiques des juifs », fait grief à Lamirand d'avoir envoyé au Vél' d'hiv' de jeunes aryens pour « enlever les ordures des juifs, traîner les poubelles, transporter sur des civières des malades... colporter les vivres et les ranger ».

---

1. Le 29 juillet, Pierre Limagne notera : « Ce n'est pas la police française qui a arrêté les quelque 20 000 juifs pris à Paris pour être déportés; toute la responsabilité incombe aux Allemands, reconnaît Londres. » Le lendemain, 30 juillet, il revient sur son erreur : « La police française vient d'être mêlée à l'affaire de l'arrestation des 20 000 juifs parisiens parce que les Allemands lui avaient dit : " Occupez-vous de cela, ce sera moins brutal. " »

2. Malgré ce qui a été écrit dans un certain nombre d'ouvrages. Entre le 16 et le 31 juillet, les quotidiens parisiens respectent effectivement les consignes de silence. D'autres consignes suivront cependant, précisant que les articles à paraître devront « attirer l'attention sur le fait que les juifs se seraient conduits, selon leur habitude, d'une manière tellement impertinente que des mesures sévères auraient été nécessaires ».

Les journalistes de la collaboration étaient « invités » à indiquer que les juifs arrêtés avaient continué « à s'occuper de marché noir, de faux papiers, de corruption, de trafic de grande envergure ».

C'est dans ce numéro encore que se trouve, sous la signature de Jacques Bourreau (?), un récit d'anticipation sur la mort du dernier juif, en l'an de grâce 2142. L'auteur imagine qu'un décret du 25 juin 1942, venant s'ajouter à tant de décrets bien réels, a ordonné que tous les juifs soient stérilisés, châtiment souvent réclamé d'ailleurs aussi bien par les journalistes que par les lecteurs d'*Au Pilori.* Seuls trois couples ont été exemptés de la mesure. Ils sont « conservés » au zoo de Vincennes et leurs enfants, à l'exception de l'aîné, sont stérilisés à leur tour. Mais le 14 juillet 2142, la nouvelle éclate : le dernier juif est mort.

Lisez.

> « 14 juillet 2142. Une nouvelle merveilleuse parcourt les rues de Paris. Les chroniques parlées de radio et télévision nationales nous en ont informés : le dernier juif vient de mourir. Ainsi, c'en est donc fini avec cette race abjecte dont le dernier représentant vivait, depuis sa naissance, à l'ancien zoo du bois de Vincennes, dans une tanière spécialement réservée à son usage et où nos enfants pouvaient le voir s'ébattre en un semblant de liberté, non pour le plaisir des yeux, mais pour leur édification morale. Il est mort ! Dans le fond, c'est mieux ainsi. J'avais personnellement toujours peur qu'il ne s'évade, et Dieu sait tout le mal que peut faire un juif en liberté. Il restait seul, soit, depuis la mort de sa compagne, laquelle par bonheur était stérile, mais, avec cette engeance, on ne sait jamais. Il faudra que j'aille au zoo pour m'assurer de la véracité de la nouvelle. »

Lorsque, le 23 juillet, paraît ce stupéfiant article, les juifs arrêtés le 16 et le 17 ont été transférés au camp de Drancy puis, pour certains d'entre eux, déportés dès le 19 et le 22 en direction d'Auschwitz. Comme si la mort était pressée.

Trois ou quatre jours après le convoi du 22 juillet L... B... qui a alors 19 ans et se trouve en zone libre recevra ce dernier mot de son père qui, né en Pologne, utilise un français balbutiant pour des phrases combien émouvantes : « fei te pas de movesan on va iberleiben dechir set letre. orvor » [1].

Je traduis :

« Te fais pas de mauvais sang, on va survivre. Déchire cette lettre. Au revoir. »

La lettre n'a pas été déchirée et elle est parvenue jusqu'à nous. M. B..., lui, ne survivra qu'à travers cet ultime message.

L'horreur des camps de concentration constituera l'une des grandes et terribles « découvertes » des mois qui suivront la Libération. Et cependant les Français savaient. Ou, tout au moins, ILS AURAIENT PU SAVOIR puisque, traduit en français en 1939, le *Livre Blanc* anglais a fourni sur Buchenwald d'hallucinantes précisions. Quelques juifs allemands, arrêtés en juin 1938, mais dont les dossiers d'émigration avaient été acceptés, ont été en effet libérés par l'administration nazie. Arrivés à l'étranger, ils ont parlé. Ils ont dit les horaires monstrueux : seize heures par jour uniquement employées à transporter de lourdes pierres. Ils ont mentionné les châtiments corporels. Ils ont évoqué leurs conditions de logement. « Trois hommes pour chaque paillasse en quatre rangs. Obligés de nous coucher sur le côté, et en travers de la paillasse, de façon à faire de la place, emboîtés comme des sardines. Défense de se coucher sur le dos sous peine de coups de matraque. » Ils ont raconté les appels interminables, les suicides, la férocité des gardiens, de très jeunes gens de dix-sept à dix-huit ans.

Ils ont parlé de la mort sous les coups et de la mort par la faim. Et de la mort après la mort : « Les corps étaient habituellement transportés au crématoire de Weimar et incinérés. La famille était informée officiellement de la mort du prisonnier par une carte postale ouverte et non affranchie, expédiée par le bureau du commandant du camp. »

Mais ces informations sont apportées aux Français alors que leur pays se trouve en guerre contre l'Allemagne. Sans doute ceux qui en prennent connaissance — une minorité — sont-ils tentés de supposer qu'elles se trouvent fortement influencées par la propagande. Et peut-on croire l'incroyable, imaginer l'inimaginable ?

1. Inédit.

En septembre 1939, voici d'ailleurs plusieurs mois que le système concentrationnaire français a été mis en place sans que les mesures d'internement et les douloureuses conditions de ces internements aient entraîné de retentissantes réactions d'indignation [1].

Dès le mois de septembre 1938, des journaux s'étaient inquiétés du danger que pouvaient représenter, en cas de guerre, trois millions d'étrangers. La guerre déclarée, des camps ont donc été ouverts. On ne les appelle certes pas « camps de concentration », mais « centres de rassemblement » ou « centres d'accueil », bien que faits pour recevoir les étrangers « indésirables », en infraction avec les décrets du 2 et du 14 mai 1938, du 12 novembre 1938, ainsi qu'avec ceux du 1er juillet et du 18 novembre 1939, ils répondent davantage à l'esprit des lois qu'aux exigences de l'humanité.

Pour accueillir les 18 à 20000 Allemands internés dans les premières semaines de la guerre, les autorités locales ont choisi pour « centres de rassemblement » les locaux les plus divers et les plus étranges. Une fabrique de chaussures désaffectée à Athis, une ancienne usine de conserves à Lambesc, des halls de réparation de wagons à Arandon, un moulin à Martinet, une colonie de vacances à Ambleteuse, une prison déclassée à Forcalquier, une salle de cinéma à Manosque. Il arrive même qu'anticipant sur ce que feront les Allemands en juin 1940 lorsqu'ils se trouveront confrontés aux problèmes posés par la capture de centaines de milliers de prisonniers, les Français se contentent d'entourer un terrain vague, à Meslay-du-Maine, par exemple, d'une ceinture de barbelés.

A l'hétérogénéité des camps correspond l'hétérogénéité des conditions d'internement, souvent déplorables, si bien que le désordre français pourra se révéler presque aussi cruel que l'ordre allemand. A Gurs, dans les Basses-Pyrénées, le camp fait pour recevoir des soldats républicains vaincus [2] arrivant en France après la fin de la guerre

1. Il faut cependant signaler, le 8 décembre 1939, la protestation, au nom du groupe socialiste, de M. Marius Moutet contre les mesures inhumaines frappant de nombreux réfugiés allemands et autrichiens. Tout en reconnaissant qu' « une opération de police de l'envergure de celle qui a été conduite au début des hostilités a pu créer des situations douloureuses », Edouard Daladier, alors président du Conseil, devait conclure en affirmant que « les choses ne vont pas aussi mal que certains pourraient l'imaginer ».

2. D'avril 1939 à août 1940, seront internés à Gurs, qui deviendra l'une des plus importantes villes du département, 18985 Espagnols ou combattants des

d'Espagne, a été élevé en six semaines sur un terrain argileux qui, l'hiver, se transforme en bourbier. Les baraques (vingt-quatre mètres de long, six de large), prévues pour quarante-cinq internés, en accueillent soixante et ne disposent que d'un seul poêle à bois que les prisonniers alimentent en volant les poteaux qui soutiennent les barbelés, les portes des cabinets et tout ce qui leur paraît combustible. Dans chaque îlot, regroupant vingt-cinq à trente baraques, il n'existe qu'un seul point d'eau et les rats triomphants iront jusqu'à attaquer deux prisonniers enfermés dans les locaux disciplinaires. Punitions collectives — la plus commune étant la supression du café du matin — et individuelles comme la bastonnade, sévissent comme sévit le marché noir.

C'est à Gurs qu'en octobre 1940 seront enfermés 6540 juifs âgés [1], que, interprétant abusivement les accords conclus entre la Commission allemande d'armistice et la délégation française, accords prévoyant le refoulement de tous les juifs d'Alsace et de Lorraine en Z.N.O., Robert Wagner, *gauleiter* du pays de Bade, et Joseph Bürckel, qui ont également autorité sur l'Alsace et sur la Lorraine, ont dirigés brutalement vers la zone libre. A partir du 6 août 1942, au moment des grandes rafles de zone non occupée, les Allemands reprendront « leurs » juifs, mais cette fois pour les déporter vers ces camps d'où l'on ne revient pas [2].

Brigades internationales (7000). En avril 1940, il ne restait plus dans le camp que 916 hommes, en majorité de nationalité allemande.

1. 48,9 % ont plus de 50 ans et on compte une majorité de femmes (60,2 %). L'âge et la maladie (dysenterie) seront responsables du chiffre élevé des morts : 495 en 1940 dont 302 femmes, 402 en 1941 dont 192 femmes.

2. Le premier convoi en direction de la Pologne est organisé le 6 août 1942. Il comprend 1700 personnes. En septembre, ce sont 450 juifs qui seront déportés, en février et mars 1943, 2250. Les juifs arrivés à Gurs, de Bade, du Palatinat et de plusieurs régions d'Allemagne, ont été rejoints, en octobre 1940, par 4000 juifs qui, après avoir fui l'Allemagne et s'être réfugiés en Belgique, ont, dès le 10 mai et l'attaque allemande, pris le chemin de la France où les Allemands les arrêteront.

Il faut signaler qu'il n'y eut pratiquement pas, à Gurs tout au moins, de plaintes contre le personnel français et que 4800 personnes primitivement internées ont pu, grâce à des mutations ou à des libérations, échapper à la déportation.

Les camps de concentration existent donc, en France, avant la défaite de la France. Et, s'ils en deviennent les utilisateurs, les Allemands n'en sont pas les inventeurs. C'est vrai pour Drancy, le plus tristement célèbre d'entre eux, comme pour tous les autres.

Les bâtiments de quatre étages, dont la construction a commencé en 1936 mais n'a jamais été achevée, étaient destinés, à l'origine, à des familles de gendarmes. Seront envoyés à Drancy tour à tour des communistes, victimes indirectes du pacte germano-soviétique, des prisonniers français après la défaite de juin, puis des civils britanniques, des sujets grecs et yougoslaves au moment où l'Allemagne entreprend sa victorieuse campagne des Balkans. Mais c'est à partir du 20 août 1941 que Drancy, transformé en « camp pour les juifs », voyant passer soixante-dix mille juifs en trois ans, entrera dans l'histoire du malheur des hommes.

Comment se déroule la vie quotidienne à Drancy ?

Ecrites au jour le jour, des lettres le disent plus exactement que les témoignages recueillis après la Libération.

La nourriture est la préoccupation essentielle des internés. Ne s'en étonneront que ceux qui ont oublié, ou n'ont pas connu, les difficultés de ravitaillement pendant les années d'occupation, difficultés naturellement accrues pour les internés.

M. Alfred Goldschmidt, qui a été arrêté le 12 décembre 1941, écrit le 12 avril 1942 à sa femme :

> « Ma santé est bonne, je mange raisonnablement de bon appétit. Je crois que du confit d'oie se conserve bien plus longtemps, c'est à retenir pour les mois plus chauds, le lard salé aussi. Il faudrait tâcher d'ajouter un peu de conserves, sardines, thon, etc. pour terminer la semaine... [1] »

1. Lettre inédite. M. Goldschmidt sera déporté en août 1943 et ne reviendra pas des camps

Alors, on ne vivait pas mal à Drancy ?
Lisez cependant la suite.

> « Je pèse 48 kilos nu, cela doit représenter un amaigrissement de 7 kilos environ. Je n'avais d'ailleurs plus rien à donner… En me renvoyant le linge, tu peux ajouter 2-3 livres à lire, un pantalon de fantaisie pour aller avec le veston à chevrons, j'aimerais aussi des pantoufles en drap avec semelles de grosse lisière.
>
> Au sujet des œufs, je les préférerais frais si possible, envoie-m'en 6, tâche de bien les envelopper, jusqu'à présent il n'y en a eu qu'un de cassé encore mangeable. Ajoute du sel, de l'huile, vinaigre mélangés, on donne du pissenlit, il faut avoir de quoi l'assaisonner, aussi des topinambours. La soupe ici ne vaut pas celle que nous recevions à Compiègne, il faut surtout compter sur le colis pour vivre[1]. »

Le 29 juin 1942, Alfred Goldschmidt annonce à sa femme que les fraises sont « arrivées en bon état ». En cas de « récidive », c'est son mot, il réclame également du sucre en poudre.

Le 13 juillet, Alfred Goldschmidt demande quelques tomates crues, le 2 août il se plaint d'avoir reçu des œufs cassés : « Dans le dernier colis, il y a eu trois œufs de cassés, j'ai pu avaler encore les jaunes, mais le blanc avait envahi et sali le reste du colis. Il y a des boîtes spéciales en carton pour les œufs, en tout cas mieux les envelopper. Tâche de mettre en plus du pain d'épice, il y en avait de bons provenant de Félix Potin. » Quelques jours plus tard, le 18 août, Goldschmidt fait réflexion sur le mauvais ravitaillement familial : « Les colis m'ont l'air moins bien fourni et je le ressens en fin de semaine, je n'ai plus rien à me mettre sous la dent pendant trois jours[2]. »

1. Lettre inédite.
2. Toutes ces lettres sont inédites.

Que fait-on à Drancy ? « Rien », écrit Mme Warlin, qui arrive de la prison de Fresnes. « Rien, on se promène en rond dans une cour (elle fait 200 mètres de long sur 40 de large) recouverte de mâchefer, on se salit les pieds dans ce charbon, on les lave et on reprend sa promenade en rond autour de la cour. »

Chaque matin, à sept heures, les gendarmes français qui resteront en poste jusqu'au 2 juillet 1943, passent dans les dortoirs d'hommes et de femmes pour faire l'appel auquel les internés répondent en se tenant au garde à vous. Sur l'attitude de ces gendarmes qui, au nombre de 120 pour 4 600 internés, sont, à la fin de l'année 1941, dirigés par le capitaine Vieux, par les lieutenants Barral et Pietri, les jugements diffèrent selon les récits des internés. Et selon les ressources dont ils peuvent disposer...

Que les gendarmes rendent de petits services, c'est évident. Qu'ils les fassent parfois payer très cher, c'est non moins évident. *La France Socialiste* du 12 novembre 1942 indique ainsi que trois gendarmes du camp de Drancy ont été inculpés de violation de consignes, de trafic de lettres et de paquets. Ils vendaient 125 francs le paquet de cigarettes d'une valeur de 7 F 50, exigeaient 50 francs pour un casse-croûte, 50 ou 100 francs pour le transport en fraude d'une lettre [1].

Après l'appel, les internés procèdent au nettoyage des chambres et, s'il existe, comme l'a remarqué Mme Warlin, des milliers d'inoccupés qui « tournent en rond », un certain nombre de juifs participent quotidiennement à la vie d'un camp, en quelque sorte « autogéré », les Allemands n'apparaissant, contrairement à ce que l'on pourrait imaginer, que de loin en loin, puisque les autorités françaises ont la responsabilité de la garde du camp et de l'établissement du fichier des entrants.

Autogestion de la misère, d'abord sous la direction de François Montel, puis sous celle de Georges Kohn.

Mais, au « bureau des effectifs » qui reçoit les entrants, ce sont les juifs qui travaillent comme ils travaillent au « bureau militaire » qui a la responsabilité d'attester la qualité d'ancien combattant ou de femme de prisonnier et au bureau du vaguemestre, responsable de l'envoi et de la réception des lettres et colis. Ils assurent également, sous la surveillance d'un médecin « aryen » nommé par la préfecture de

1. « La grande masse des gendarmes, écrit Georges Wellers, n'était ni bonne, ni mauvaise, mais suivait aveuglément les ordres de ses chefs. »

police, le service médical, mais doivent soigner dans d'abominables conditions : sans instruments, presque sans médicaments, sans eau chaude, si bien que la simple confection d'une tisane devient un problème. Mme Warlin, dont le mari médecin est interné lui aussi à Drancy, écrit qu'il a eu l'occasion de « faire plusieurs accouchements, de mettre de petits prisonniers au monde. Dès que ces malheureux voient le jour, ils deviennent la proie de la Gestapo. Ils sont enregistrés, notés, immatriculés et deviennent des juifs déportables ».

Les juifs règlent les douches — les internés ont droit à une douche chaude par semaine — et nettoient le puant édifice qui se dresse au fond de la cour et qui, dans la mémoire des internés survivants, s'appellera toujours « le château ». Ils préparent et distribuent la soupe dont Georges Wellers écrit que, bien que dépourvue de toute valeur nutritive, elle était recherchée « avec avidité ». D'autres, dactylos, secrétaires, seront employés dans les bureaux, faisant ainsi partie, avec les chefs de chambres, les infirmiers et même les porteurs de bagages, des cadres de Drancy que les déportations vont épargner pendant des mois si bien que deux mondes se côtoieront en permanence, le camp ayant ses privilégiés, qui espèrent bien le rester jusqu'à la fin de la guerre et ses malheureux anonymes qu'un transport apporte, qu'un autre transport emporte, sans qu'ils aient eu le temps de trouver une place, si modeste soit-elle, au sein d'une société infiniment plus hiérarchisée qu'on ne l'imagine aujourd'hui.

Certains juifs acceptent non seulement de faire partie d'un service d'ordre qui aura la charge de garder les détenus, mais également du « bureau des missions » créé lorsque, en juillet 1943, le camp passa en totalité sous le commandement de l'Allemand Brunner [1]. Au nombre de vingt-deux, les « missionnaires », puisque bientôt ils vont recevoir ce surnom, n'allaient nullement prêcher la bonne parole. Munis des instructions de Brunner ils partaient dans Paris, à la recherche de juifs échappés aux pièges dans lesquels étaient tombés une partie de leur famille. Ceux qu'ils ne parvenaient pas à convaincre, sous prétexte de « regroupement familial », de rejoindre Drancy, ils avaient la possibilité de les faire arrêter par le commissaire de police le plus proche [2].

1. A dater du 1er juillet 1943, à l'exception des gendarmes affectés à la garde du camp, tous les services français se trouveront éliminés.

2. Les vingt-deux « missionnaires » qui opérèrent, entre le 1er et le 29 août 1943, 570 visites domiciliaires ont fait procéder à 76 arrestations.

Spéculant ainsi sur la faiblesse humaine, usant du chantage à la déportation auprès des internés qui acceptent de se faire leurs complices, les Allemands réussissent à Drancy ce qu'ils réussissent sur une bien plus grande échelle encore dans tous les camps d'Allemagne et de Pologne : faire de certains juifs les bourreaux des juifs.

Ce que seront les premiers jours des nouveaux arrivants, de ces hommes, de ces femmes arrachés le 16 ou le 17 juillet à leurs foyers, puis, après un passage dans la poussière, le bruit, le dénuement et l'humiliante promiscuité du Vél' d'Hiv', jetés dans cet enfer de Drancy où jusqu'alors aucune femme n'avait été internée, nous le savons par plusieurs témoignages.

Celui de M. Falkenstein[1].

> « Les femmes et, en général, les nouveaux arrivants furent littéralement parqués dans certains escaliers[2] avec défense stricte d'en sortir pour elles et défense d'y entrer pour les hommes... Les problèmes d'hygiène posés par la présence des femmes, dont plusieurs étaient enceintes et dont d'autres avaient leurs règles, étaient impossibles à résoudre puisque l'eau manquait et qu'il était interdit de sortir dans la cour au fond de laquelle se trouvaient les cabinets. »

Celui de Jackie X..., arrêtée le 17 juillet et que ses amis de classe, Robert, Sylvain, Claude, ont vue partir le 18 dans l'un de ces camions bâchés qui conduisent les juifs du gymnase Japy à Drancy. Elle a réussi à faire passer à l'un d'eux ce pitoyable message.

> « Cher Sylvain,
>
> « J'espère que tu recevras cette lettre que Mme Kradurian m'a promis de poster. Je ne peux écrire autrement car nous n'avons droit qu'à une carte par quinzaine, et il faut la consacrer aux gens qui sont susceptibles de nous aider.

1. Rapporté dans *La grande rafle du Vél' d'Hiv'*.
2. Un escalier dessert généralement 4 chambres.

> Je suis au camp de Drancy ; c'est affreux, horrible, et dur, tu ne peux pas t'imaginer ! Nous y sommes depuis la fin juillet et les premiers jours ont été épouvantables, surtout que nous avions été séparés. Depuis, on m'a remise avec maman, mais papa est avec les hommes et nous ne le voyons pas souvent. Nous sommes plus de quarante dans la même chambre [1]. Vois un peu ! Nous n'avons presque rien à manger ; le matin, une louche de café, à midi une gamelle de bouillon et le soir pareil avec 250 g de pain par jour. »

Comment vit-on dans un camp de concentration français lorsque l'on a avec soi de jeunes enfants ? Nous le savons par les lettres qu'Albert Weil et surtout sa femme Simone ont adressées aux parents de Simone et qui seront publiées par leur belle-sœur et sœur, Mme Denise Baumann.

Lettres émouvantes et naïves à la fois, témoignant de la vaillance et du souci de respectabilité d'une petite bourgeoise française qui entend, et ne peut y réussir que grâce à la générosité et à l'abnégation de ses parents, habiller, soigner, faire vivre ses enfants — Arlette, 8 ans et demi ; Monique, 6 ans et demi ; Francine, dix mois — « comme avant ». Presque « comme avant ».

Les Weil ont été arrêtés à Remiremont le 11 janvier 1943 et transférés de la prison d'Epinal au camp d'Ecrouves, près de Toul.

> « Francine couche dans sa voiture, écrit Simone Weil, le 22 janvier 1943, c'est elle qui en souffrira le plus, la pauvre, car il n'est plus question d'hygiène ! J'ai un litre de lait pour elle, un quart pour chacune des deux autres. Mais je ne peux ni faire bouillir les biberons, ni stériliser le lait. Je le fais bouillir sur la cuisinière dans la chambre voisine. »

---

1. M. Goldschmidt écrira le 13 juillet 1942, c'est-à-dire quelques jours avant les grandes rafles : « Nous sommes maintenant 54 (par chambre) au lieu de 32 avant, il a fallu se serrer » ; puis, le 2 août : « Nous avons été jusqu'à 75 dans la même chambre, depuis hier, revenus à 50, on peut mieux respirer. »

Le 27 janvier, Simone Weil, dans une très longue lettre, fournit à ses parents de nouvelles précisions. Deux colis sont arrivés [1].

« Vous pensez la joie des enfants en les détaillant ! Il a fallu goûter tout de suite les gros bonbons au chocolat et, hier soir, elles ont apprécié les petits gâteaux secs de mémé avec une tasse de chocolat que je leur avais fait avec le lait qu'elles touchent… Je fais chauffer les pommes de terre sur le fourneau, et les petites les coupent dans leur soupe, qui n'en renferme pas, seulement navets, ruta [2] et carottes. »

Dans cette lettre, Simone remercie ses parents qui lui ont proposé de « prendre les enfants ». « Pour les grandes, on s'en arrangerait à la rigueur de les avoir ici, mais, pour la toute petite, je crois cela impossible. » Depuis quelques semaines, Francine a beaucoup changé, en effet. A dix mois, elle vit dans la même chambrée que vingt-deux autres personnes, la voiture dans laquelle elle dort est « grise de poussière à perpétuité », cette poussière soulevée, le matin, lors de la cérémonie du balayage et qui retombe immédiatement. Sa mère ne peut lui faire prendre l'air qu'exceptionnellement car les femmes demeurent enfermées à clef toute la journée dans leur chambre.

« Ce n'est pas facile de soigner la gosse : l'hygiène, on n'en parle plus ! Je la lave sans la déshabiller complètement pour qu'elle n'ait pas froid, quoiqu'on touche du bois supplémentaire à cause d'elle. Cela la change de son bain tous les matins ! Le lait, je le fais juste bouillir et à grand-peine sur une mauvaise cuisinière dans la chambre voisine. J'ai une malheureuse petite casserole pour faire tout : bouillir les tétines, bouillir le lait (en deux fois !) et faire les bouillies… Quant aux biberons, il n'est pas question de les bouillir, on ne dispose que d'eau froide au lavabo, à l'autre bout du bâtiment, pour faire vaisselles et lessives ; aussi je passe un peu d'eau bouillante dedans, qui m'a servi à bouillir mes tétines. Quelle hygiène ! Il faut vraiment être solide pour un enfant de cet âge pour supporter cela. »

1. Le nombre et le poids des colis varient suivant les mois, les camps, l'humeur des Allemands.
2. Rutabagas.

Arlette, Monique et Francine ne rejoindront pas leurs grands-parents. Elles continueront à partager l'existence de tous les prisonniers. A la fin du mois de janvier 1943, Francine a une otite, Monique de l'impétigo. « Cela vient sans doute de la nourriture. Les trois quarts des gens ont de la furonculose ou des trucs comme ça. » En jouant avec les trois petits garçons qui vivent dans la pièce commune, Arlette s'est blessée et la blessure s'est infectée.

Le 2 février 1943, toute la famille Weil est transférée des Ecrouves à Drancy où elle arrive, en compagnie d'autres prisonniers, après un voyage de deux jours.

Le 4 février, Simone Weil décrit à ses parents la situation à Drancy : « Tout ce qu'on a pu vous en dire est encore au-dessous de la vérité ! ECROUVES EST UN PARADIS À CÔTÉ. » Simone a souligné cette phrase.

> « Si vous voyiez le manque d'hygiène ! On n'a pas d'eau chaude et il n'est pas question de bouillir même une tétine, ni un biberon ! Pour faire les bouillies de peut-être cinquante bébés, il y a un seul réchaud électrique et un seul feu ! C'est inouï ! »

Dans les chambrées (où vivent soixante personnes), ni draps, ni sacs de couchage, ni couvertures pour les nouveaux arrivants. C'est à la charité d'une jeune internée qu'Arlette et Monique, qui partagent la même couchette, doivent de dormir enveloppées dans une couverture.

Une fois encore, les parents de Simone, qui se montreront jusqu'au bout d'un dévouement admirable, vont venir au secours des internés en envoyant à Drancy chaussettes et culottes pour Arlette et Monique, brassières pour Francine, couvertures et sacs de couchage pour tous.

Le 7 mars 1943, la famille Weil est transférée à Beaune-la-Rolande, ce qui représente une incontestable amélioration car le camp, qui a d'abord abrité des communistes, puis des prisonniers de guerre, a été récemment vidé de 700 juifs envoyés à Auschwitz. Le malheur des uns fait le très relatif bonheur des autres, si l'on en croit la lettre adressée par Simone à ses parents [1].

---

1. A Beaune-la-Rolande, la surveillance française paraît d'ailleurs assez lâche puisque 400 hommes ont réussi à s'évader entre le 14 mai 1941, date où les premiers juifs furent internés, et le 27 juin 1942, date du premier convoi pour Auschwitz.

De même, le camp de Pithiviers est-il considéré par les internés comme

« Albert et moi allons bien. On va engraisser ! L'ordinaire est bon maintenant, et assez copieux. Avant le départ des 700, on était trop nombreux, maintenant on voit la différence. On a eu, à la cantine, de la laitue superbe et des radis, du jus de raisin, savonnettes, etc. »

Le jour de Pourim, l'U.G.I.F. a pu faire parvenir à chaque interné cent grammes de pain d'épice. Et, à l'occasion de Pâques, des envois de pain azyme vont être autorisés.

Les lettres adressées par Simone à ses parents sont presque tout entières occupées — comment s'en étonner ? — par les problèmes de vie quotidienne et de nourriture. Inventaire des colis qui, parfois, ont été ouverts en cours de route : la choucroute « avait un léger goût de moisi », « les lentilles en boîte de fer étaient merveilleuses », « le foie était bon, mais il était grand temps de le manger », « le thon, mangé à midi, était extra ».

Simone, qui veille à l'habillement et à la propreté des enfants qu'elle veut aussi convenablement mis que s'ils devaient parader pour son orgueil dans les rues de Remiremont, réclame à ses parents des vêtements.

« Tu dois encore avoir, maman, du tissu acheté il y a longtemps pour les enfants, rose avec des petites raies, un genre vichy. Y aurait-il assez pour leur faire à chacune une petite robe, même en faisant très décolletée, sans manches du tout, genre soleil ? Elles n'ont rien du tout de léger, et on se croirait aux tropiques. Les mesures envoyées pour les tabliers suffiront je pense [1]...

A propos des brassières coton demandées (manches courtes si possible), j'en avais deux ou trois, sont-elles restées dans ce qui restait de layette ou étaient-elles revenues chez nous [2] ?... On vous renvoie samedi, par le camion de l'U.G.I.F., plusieurs colis

---

préférable à Drancy. Il est vrai que l'on couche sur de la paille, que l'on n'a « aucune place pour se retourner », ni pour mettre ses affaires, ni pour manger (précisions apportées par M. Goldschmidt dans une lettre inédite du 5 septembre 1942), mais « l'air ici est excellent et cela change de Drancy. La liberté dans le camp est plus grande et beaucoup préfèrent la vie d'ici . malgré l'inconfort »

1. Lettre du 20 mai 1943.
2 Lettre du 23 mai 1943

emballage en retour et un peu de linge à laver, un pull-over de Monique pour le repriser ou m'envoyer quelque chose pour le faire, car je n'ai rien ici pouvant convenir, et une culotte de Monique pour y mettre une pièce si tu avais quelque chose, je ne crois plus possible de faire des reprises, cela craque à côté [1]. »

Mais, le samedi 19 juin, nouveau changement de camp. En compagnie de 113 internés, les Weil quittent Beaune-la-Rolande pour Drancy. Le voyage s'effectue en wagon à bestiaux, Francine n'abandonnant pas sa voiture d'enfant.

Pour les protéger, même si les Allemands ou les gendarmes français peuvent, en quelques secondes, rompre la très fragile barrière de la protection familiale, pour les soigner, pour les veiller, Arlette, Monique et Francine Weil ont leurs parents, mais quel long chemin de croix que celui des enfants sans famille que l'administration ballotte d'un camp à un autre, avant de les envoyer eux aussi en direction d'Auschwitz où la mort attend ceux qui ont résisté à la fatigue et à la famine du voyage.

Mlle Annette Monod, assistante sociale au dévouement inépuisable, a suivi l'un de ces convois d'enfants qui se rendait de Pithiviers à Drancy. Elle a vu un gendarme français prendre le paquet que portait malaisément un gamin de quatre ans. Elle a entendu les reproches de l'adjudant français. « Un soldat n'a pas à porter les bagages d'un juif. »

— Quand nous arrivâmes sur le quai d'embarquement, j'aperçus, sur une passerelle enjambant la gare, une sentinelle allemande braquant sur nous une mitraillette. Ce fut alors que l'embarquement se précipita dans un climat brusquement enfiévré. Beaucoup d'enfants étaient trop petits pour monter dans les wagons de marchandises sans marchepied. Des grands grimpèrent les premiers, aidant ensuite les petits à se hisser. Les gendarmes s'en mêlèrent, prenant les plus jeunes, presque encore des nourrissons, et les passant à ceux déjà

1. Lettre du 3 juin 1943

installés et parmi lesquels se trouvaient quelques femmes, de celles, justement, qui allaitaient.

« C'est alors que les enfants prirent peur. Ils ne voulaient pas partir et se mirent à sangloter, appelant à leur secours les assistantes sociales qui restaient et, parfois même, les gendarmes. Je me souviens d'un petit Jacquot, âgé de cinq ans, auquel je m'étais particulièrement attachée. Il m'appelait à son aide en criant : « Je veux descendre, je veux revoir la demoiselle, je ne veux pas faire pipi par terre, je veux que la demoiselle me fasse faire pipi... » La porte du wagon refermée et cadenassée, il passait encore une main par un orifice entre deux planches ; ses doigts s'agitaient ; il continuait à crier : « Je ne veux pas faire pipi par terre,je veux que la demoiselle me fasse faire pipi... [1] »

L'adjudant dont Annette Monod a parlé frappa alors sur cette main d'enfant.

Lorsque les Weil arrivent à Drancy, le 21 juin, le camp est en effervescence car de nouveaux départs sont imminents. « Quand aurons-nous fini de vivre ce cauchemar ? » demande Simone. Hélas ! le cauchemar ira s'accentuant [2]. La famille, d'ailleurs, est séparée. Francine, qui commence à marcher, se trouve bien avec sa mère, chambre 15, mais Albert, le mari, a été envoyé dans un autre « escalier » et Arlette et Monique vivent à l'infirmerie des enfants.

A partir du mois d'août 1943, les Allemands, pour trouver de nouveaux déportables, relèvent les adresses portées sur les lettres des internés. Comme bien d'autres détenus, les Weil, alors, n'écriront plus directement à leurs parents de crainte de les signaler à l'attention de la Gestapo. C'est à une amie aryenne, Mme Papillon, habitant La Ferté-sous-Jouarre, qu'ils s'adresseront.

> « Vous parliez de lainages pour Francine ; il lui faudra une robe pour l'hiver, et je crois des chaussettes. Je vous donnerai les mesures exactes dans une prochaine lettre ; vous pourrez toujours voir en attendant si vous aurez la laine nécessaire. »

---

1. Cité par Lévy et Tillard.
2. « On regrette Beaune à tous les points de vue », écrit Simone le 26 juin.

La lettre est du 29 août. Francine n'a plus que quatre mois à vivre.

Le 17 décembre, la famille Weil quitte, en effet, Drancy pour Auschwitz. Simone, dont les parents ont été arrêtés le 23 octobre, enfermés à Drancy, puis déportés le 20 novembre [1], écrit à sa sœur Denise qui vit en zone libre. L'une des dernières phrases de la dernière lettre de cette mère modèle concerne la santé de la petite Francine.

« Mercredi 15 décembre 1943

« Ma chère Denise,

« Quand tu recevras cette lettre, je pense que nous roulerons dans la direction que tu devines ! Nous allons sans doute rejoindre papa et maman, je souhaite que nous soyons dans le même camp. On part vendredi matin. C'est le voyage qui m'ennuie le plus, pour la petite, par le froid maintenant... »

Le froid... Mon Dieu ! Lorsque Simone a voulu accompagner ses parents en déportation, sa mère lui a répondu par ces mots d'un autre temps, d'un autre temps que celui de la cruauté absolue : « On ne fait pas voyager des enfants en hiver ! »

Francine arrivera à Auschwitz le 23 décembre 1943.

Dans le convoi 62, qui comprend dix-sept wagons de détenus et, exceptionnellement, trois wagons remplis de porcs destinés au Noël des troupes allemandes et de la population civile, elle portait le matricule 2117. Elle sera tuée le jour de son arrivée. Le même jour seront tuées Simone, matricule 2114, Arlette, matricule 2115, Monique, matricule 2116. Et 500 des 849 hommes, femmes, enfants du convoi 62 [2].

---

1. « Je ne peux pas t'écrire une lettre désespérée, ce qui n'est pas le cas ; ce qui nous peine le plus, c'est de quitter ceux que tu sais (Simone, son mari et les enfants retrouvés à Drancy) et qui sont en parfaite santé. Ils étaient prêts à nous suivre volontairement, ce à quoi nous nous sommes opposés... Sois courageuse, ma chérie, fais toujours ton devoir dans la vie. De temps à autre, dans tes moments de loisir, songe un peu à nous et sois assurée que ton papa et ta maman t'aiment par-dessus tout. » Dernière lettre de Léon Baumann à sa fille Denise le 19 novembre 1943.

2. Albert Weil, sélectionné comme travailleur, a disparu après février 1944. Mme Renée Baumann, mère de Simone, serait morte dans le wagon qui la conduisait à Auschwitz et Léon, son père, devenu fou, aurait été abattu à l'arrivée.

Lorsque Simone Weil son mari et leurs enfants partent de Drancy pour Auschwitz, il y a déjà près de dix-neuf mois que les juifs subissent les rigueurs de la déportation, le premier transport (554 hommes pris à Drancy, 558 à Compiègne) ayant été effectué le 27 mars 1942. C'est à partir du mois de juillet et à la suite des grandes rafles que, pour répondre à la volonté allemande, les déportations s'intensifieront [1].

Pour parler des « décorés de l'étoile jaune », le quotidien P.P.F. *Le Cri du Peuple* avait eu ce mot le 3 juillet 1942. « Décidément, ils sont trop. » Leur nombre ne va cesser de décroître vertigineusement. Dans les rues de Paris, mais également dans les camps de concentration français.

Dès le 19 juillet 1942, des hommes ; ils sont 879, et 121 femmes, raflés trois jours plus tôt dans Paris, sont rassemblés pour le grand départ dans la cour de Drancy. Au témoin Georges Wellers, nous devons le récit de cette étonnante scène de pitié collective à l'instant où, effarés, apeurés, ces hommes et ces femmes quittent le camp.

> « On procédait à un appel rapide des noms. Bientôt, arrivèrent trois officiers allemands, et les premiers déportés commencèrent à se diriger vers la porte de sortie en passant devant toute l'aile est du camp. Alors, les fenêtres des chambres des femmes s'ouvrirent et une pluie de pain s'abattit sur la colonne. Dans un mouvement irrésistible de pitié, les femmes jetaient aux partants leurs rations de pain. Les paroles d'adieu et d'encouragement accompagnaient la lente marche de la colonne des déportés. Et quand le dernier eut quitté le camp, alors dans les chambrées des femmes, les pleurs devenaient des sanglots. »

Le convoi du 19 juillet a été suivi d'un autre le 22. Puis d'un autre le 24. D'un autre encore le 27. Et de beaucoup d'autres. Dans le convoi du 17 août Regine Ajdelson — 8 ans — revenue de zone libre à Paris quinze jours avant les grandes rafles.

Juste à temps pour aller, chez Joseph, se faire photographier en belle robe blanche, étoile au cœur.

Malheureusement à temps pour être arrêtée, déportée. Mourir.

---

1. Jusqu'au 16 juillet 1942, quatre transports ont eu lieu de Drancy en direction d'Auschwitz.

Du 16 juillet au 1er octobre, ce sont ainsi 3 000 juifs qui partiront de Drancy chaque semaine. En principe, le camp se vide les dimanches, mardis, jeudis et il se remplit, par l'arrivée de juifs raflés un peu partout ou amenés des différents camps de zone occupée ou de zone libre, les lundis, mercredis, samedis.

Ainsi va le reflux et le flux dans la France à l'heure allemande[1].

Désignés par le bureau des effectifs, ce qui ne va pas sans contestations, sans discussions, sans cris, sans larmes, sans tentatives de corruption, regroupés sous la direction de leur futur chef de wagon, les hommes et femmes promis à la déportation sont enfermés, deux ou trois jours durant, à soixante-dix par chambre dans les quatre escaliers du Bloc 1 qui constituent ainsi comme un ghetto à l'intérieur du ghetto.

Ayant interdiction de sortir… même pour se rendre au « château rouge », ne disposant que de quelques seaux hygiéniques, ils vivent dans l'angoisse, la saleté et l'odeur des excréments.

> « L'homme, écrit Mme Warlin, qui a été témoin de nombreuses déportations, n'était même plus un juif, mais une bête. L'odeur dans les dortoirs était nauséabonde, les malades, les vieillards, les enfants vivaient tous pêle-mêle dans le taudis organisé. Les hommes, à partir de l'âge de 6 ans, étaient tondus la veille, davantage pour les humilier que par hygiène, car l'hygiène n'existait pas. »

Avant de les faire entrer dans ces antichambres de la mort, on les a dépouillés de tout ce qu'ils avaient pu soustraire aux fouilles précédentes. Les enfants n'ont pas été épargnés.

---

1. Entre mars 1942 et janvier 1943, ce sont 32 convois et 31 598 déportés qui partiront de Drancy pour Auschwitz. De Pithiviers, partiront, dans les mêmes délais, 6 convois (6 109 juifs) ; de Beaune-la-Rolande 2 convois (2 042 déportés) ; de Compiègne 2 également (2 112 déportés) ; enfin d'Angers un convoi (824 personnes).

En 1943 et 1944 respectivement, 19 et 14 convois avec, à leur bord, 19 107 et 15 566 déportés quitteront Drancy pour Auschwitz, à l'exception d'un convoi de 950 maris d'aryennes envoyé, en 1943, à l'île d'Aurigny.

Puisqu'ils sont destinés à subir le sort des adultes, ils ont dû, comme les adultes, se présenter aux inspecteurs de la police aux Questions juives, ouvrir leurs paquets, pauvres bagages pour un voyage sans retour, dans lesquels les policiers ont plongé les mains à la recherche d'on ne sait quel objet interdit, puis qu'ils ont jeté en désordre, ficelles dénouées, vêtements éparpillés. Les fillettes ont dû abandonner bagues, boucles d'oreilles, bracelets qui ont rejoint, dans les tiroirs, les montres et les portefeuilles des parents[1].

De quelle utilité seraient d'ailleurs bagues et bracelets dans ce pays mystérieux dont aucune nouvelle n'arrive jamais, que l'on évoque avec terreur mais parfois, également, avec espoir puisque l'esprit humain accepte malaisément que le pire soit toujours sûr, et pour lequel les enfants ont inventé un nom qui sonne comme un chant d'oiseau : « Pitchipoï »[2]...

Drancy, 5 heures du matin.

Les adultes sont réveillés par les gendarmes. Et les enfants le sont également. Comme les adultes, ils doivent se vêtir en hâte, descendre dans la cour des appels. Mais de nombreux enfants ne comprennent pas qu'il leur faut abandonner leur chambre. Pourquoi sortir alors qu'il fait nuit dehors ?

Lorsque les gendarmes les appellent par leur nom de famille, ce nom qu'ils portent inscrit sur un petit médaillon de bois — car tout doit se faire en ordre et d'après des listes —, beaucoup, apeurés ou ignorants, ne répondent pas.

Mais qu'importe les noms ? L'important n'est-ce pas que le nombre

1. Les détournements sont assez nombreux. Un inspecteur, T..., sera chassé de l'administration pour trafic de bijoux portant sur un million de francs.

2. Cependant, à partir de l'été de 1943, les juifs eurent l'autorisation d'emporter vêtements, couvertures, chaussures, le nombre des colis n'étant pas limité. Par contre, les partants étaient tenus de déposer tout leur argent mais, suprême hypocrisie, l'administration du camp leur remettait en échange un reçu leur promettant le remboursement en zlotys. Ces « bonnes manières » avaient pour effet de duper les juifs et de leur faire croire à la fiction du ghetto quelque part en Pologne. A leur arrivée en gare de Birkenau, les malheureux qui avaient survécu à la rigueur du voyage se voyaient dépouiller de leurs bagages, de leurs vêtements, de leur alliance même et, une fois tondus, douchés, ils devaient revêtir un uniforme de bagnard.

des enfants corresponde exactement au chiffre exigé par les autorités allemandes [1] ?

Pour tous les juifs qui vont être déportés, le « comptage » constitue d'ailleurs l'une des dernières cérémonies avant le grand départ. Descendus dans la cour, encadrés par des gendarmes français, ils doivent se grouper par ordre alphabétique et, à l'appel de leur nom, s'avancer vers une table où siège Laurent, le commandant du camp, entouré de quelques inspecteurs qui leur remettent une pièce d'identité, vérifient une dernière fois leurs bagages, puis les expédient dans un enclos cerné de barbelés où ils se rassemblent par groupes de cinquante, chaque groupe représentant le contenu d'un autobus, puis d'un wagon de déportation. « Il est interdit, précise Wellers, de passer d'un groupe à l'autre, il est interdit de se parler, il est interdit d'aller aux cabinets. De la foule de ces mille hommes, presque immobiles, silencieux, maussades, se dégagent une hostilité contenue, une dignité collective frappante. »

En 1942, les déportations se déroulent souvent sous l'œil de Dannecker qui inspecte son « cheptel » avant le départ des autobus pour la gare du Bourget, atteinte en dix minutes par la route des Petits-Ponts.

A l'arrivée au Bourget, Dannecker, qui a précédé de quelques minutes le convoi, surveille les dernières opérations qui se font par groupes compacts de cinquante, sous les hurlements — los ! los ! — des soldats d'escorte allemands qui prennent plaisir à transformer en bousculade, en fuite éperdue vers les wagons à bestiaux, l'embarquement de tous ces malheureux dont beaucoup ne sont là que parce qu'ils ont été dénoncés, livrés aux policiers par des hommes qu'inspire le goût du lucre et qu'anime la passion antisémite.

1. Au début des déportations, enfants en bas âge, femmes enceintes et vieillards étaient exemptés des départs. Mais, à partir d'août 1942, toutes ces « règles » allaient être transgressées. On déporte des nourrissons et des centenaires. Quant aux femmes récemment accouchées, elles furent déportées avec leur bébé né à Drancy.

6
LE CANCER DES ÂMES

« La France est bourrique, c'est plein la Kommandantur des personnes qui viennent dénoncer... au nom de la Patrie toujours... donner le copain, la copine... Le Fiel est roi. »

CELINE, *Les Beaux Draps*, 1941.

« Il n'y a pas eu dans toute l'Europe occupée de citoyens plus enclins au " balançage " que les französichs. Délateurs, anonymographes faisant la queue dès potron-minet aux guichets des Kommandanturs, dénonçant les tapeurs de faux tickets, les fraudeurs d'étoiles jaunes ou tout simplement le voisin de palier qui venait de recevoir du jambon d'Auvergne, ou la petite blonde d'en face « qui ne voulait rien savoir. »

Michel AUDIARD, *Paris Match*, 18 août 1978.

Lorsque presque tout invite à la délation, comment les âmes basses, passionnées ou stupidement fidèles à une conception étroite du devoir, résisteraient-elles à la tentation de la délation ? N'est-elle pas présentée comme une preuve de patriotisme? Mais également comme l'assurance d'un gain d'argent, de places ou d'honneurs? Ne permet-elle pas d'apaiser à peu de frais de vieilles haines familiales?

N'apporte-t-elle pas une solution à ce « pourquoi lui, pourquoi pas moi? » qui hante et tarabuste tant de ratés ou de battus par la vie : commerçants déconfits, écrivains sans lecteurs, fonctionnaires jaloux, maris trompés ou, plus simplement, hommes et femmes incapables de ne pas lier le succès de leurs concurrents à l'appartenance à une race, à un mouvement politique, à une société secrète ?

La présence de l'occupant, la multiplication des lois d'exception, l'absence totale de presse d'opposition font qu'il suffit de dénoncer pour être écouté et souvent pour se trouver vengé. Alors tout se ligue pour donner à la délation, qui n'est ni un phénomène français ni un phénomène des années de guerre et de défaite, une ampleur considérable, aux délateurs un rôle quasi officiel.

Lorsque la Gestapo incarne comme la face noire du divin, qu'elle représente ce pouvoir suprême aux interventions immédiates dont chacun, tout en restant masqué, peut solliciter qu'il se mette au service de ses passions et de ses haines, comment n'y aurait-il pas épanouissement des âmes basses ?

D'autant plus qu'une partie de la presse de la collaboration et certains organismes dépendant de Vichy, et que l'on aurait pu espérer mieux préservés du cancer, invitent immédiatement à la délation.

Le 11 novembre 1940, Rebatet écrit dans *Le Cri du Peuple,* organe du P.P.F., et sous le titre « Traquons les gaullistes » : « Si vous prenez sur le fait un de ces gibiers de Londres, gardez-vous bien de discuter. La loi le punit : livrez-le à la loi. Traînez-le-moi séance tenante chez le commissaire. Et, si le commissaire n'enregistre pas votre plainte, portez plainte contre le commissaire, n'ayez surtout ni remords ni scrupules. C'est votre devoir impérieux de Français. »

Deux mois plus tard — le 6 janvier 1941 —, dans le même quotidien, Alain Janvier donne pour instruction aux membres des « Equipes Pétain », du « Rassemblement national », d'observer « l'activité clandestine des ennemis de la Révolution et des saboteurs de la collaboration », de repérer « les gaullistes, les francs-maçons, les juifs apatrides, les communistes impénitents » et de livrer aux responsables du « Rassemblement national » les noms des adversaires non seulement du régime mais encore de la collaboration [1].

Cependant, puisqu'il existe des degrés dans la délation comme en tout autre domaine, c'est l'hebdomadaire *Au Pilori* qui, de toute la presse, descendra, le plus bas. J'ai déjà évoqué dans *Les Beaux Jours*

1. C'est dans *Le Cri du Peuple* du 8 janvier 1941 qu'Alain Janvier recommande que toutes les observations faites soient « fidèlement » rapportées aux chefs du Rassemblement national.

des collabos[1], cette feuille qui paraît le 12 juillet 1940, mais prend la suite de la revue mensuelle *Le Pilori* fondée par l'avocat Henri-Robert Petit et dont la publication avait été suspendue à la suite du décret-loi Marchandeau réprimant la propagande antisémite. Collaborateur *Au Pilori ?* Non au sens classique et politique du mot. L'hebdomadaire ne célèbre ni les vertus militaires de l'armée allemande ni les vertus politiques du chancelier Hitler. Il est tout entier voué à l'expression de passions antisémites et antimaçonnes et l'occupation n'est, aux yeux de ses journalistes, que le bouclier derrière lequel ils se mettent à l'abri pour, impunément, poursuivre leur tâche.

Les hommes qu'ils dénoncent, ils le font beaucoup moins parce qu'ils sont anti-allemands que parce qu'ils sont juifs, maçons, protègent des juifs, des maçons ou sont soupçonnés de tiédeur dans la lutte contre les juifs et les francs-maçons.

Cependant, bien avant l'ouverture du procès de Riom, *Au Pilori* a réclamé le châtiment des hommes politiques « qui ont pillé et divisé notre pays, amené à déclarer... une guerre aussi folle que non préparée[2] ». Et pas n'importe quel châtiment. Le 24 avril 1941, Gaston Maugey, ancien combattant et chevalier de la Légion d'honneur, se demande pourquoi « Daladier, Gamelin, Blum et Sarraut ne sont pas encore fusillés ». L'interrogation reviendra sous bien des plumes dans les colonnes de l'hebdomadaire[3].

1. *Les Beaux Jours des collabos,* p. 473 et suiv.
2. 20 avril 1941.
3. Parmi les personnalités de l'ancien régime les plus souvent attaquées par la presse de la collaboration, l'ancien ministre de l'Education, « le juif Jean Zay, alias Isaïe, alias Zacharie... membre des Loges " L'Education civique " et " La Sagittaire " ». A Jean Zay, avant guerre et plus encore après la défaite, la presse de droite reprochera violemment un poème insultant le drapeau tricolore et qui, écrit en 1924, commence par ces mots :

« Ils sont quinze cent mille qui sont morts pour cette saloperie-là... »
et va s'achever sur ces vers :

> « Laisse-moi, ignoble symbole, pleurer tout seul,
> pleurer à grands coups les quinze cent mille
> jeunes hommes qui sont morts et n'oublie
> pas, malgré tes généraux, ton fer doré et tes
> victoires, que tu es pour moi de la race
> vile des torche-culs. »

Interpellé par Xavier Vallat, Jean Zay dira, le 31 janvier 1936, que ce texte, écrit à l'âge de 18 ans, n'était autre qu'un pastiche de Gustave Hervé et qu'il avait,

Un ancien ministre du Front populaire — Marx Dormoy — tombe-t-il sous la balle d'assassins qui appartiennent au Mouvement Social révolutionnaire de Deloncle et au P.P.F., c'est la danse du scalp. Voici le titre et une partie du texte publiés, le 31 juillet 1941, par *Au Pilori* :

ET D'UN ! A QUI LE TOUR
DU PLOMB DANS LA TÊTE

> « ... Marx Dormoy vient d'être exécuté comme un chien qu'il était. Du travail propre, la casse se limitant à la seule personne du sinistre fusilleur de Clichy [1]. Les vrais responsables de la mort de Dormoy sont ceux qui n'ont pas voulu ou pu juger les coupables... Une fois de plus, nous répétons : si vous ne voulez pas qu'une révolution éclate spontanément avec son cortège habituel d'horreurs, de misères et de sang, messieurs nos chefs, parlez un peu moins de Révolution nationale et faites-la. Avec toute l'implacable rigueur qui s'impose. »

Contre les francs-maçons, *Au Pilori* se déchaîne. Ceux qui ont conservé un poste dans l'administration se trouvent hebdomadairement attaqués, dénoncés. Adolphe B..., encore chef de division à la préfecture du Mans ; Jean C..., employé à la direction des Affaires juives de Charente-Maritime ; Emile F..., directeur de l'hôpital de Dunkerque ; Auguste A..., professeur au lycée d'Angers, qui, chaque année, le 1er mai, défilait « derrière le drapeau rouge et en tête du cortège communiste », mais également le facteur C... qui poursuit ses tournées à la Courneuve se voient, avec des centaines d'autres, cloués

---

à la même époque, rédigé des pastiches de Déroulède, Léon Daudet, Charles Péguy...

D'origine juive par son père, Jean Zay n'avait aucune ascendance juive du côté de sa mère, Mlle Chartrain.

1. Le 8 mars 1937 le P.S.F. tient une réunion à Clichy, le parti communiste ayant voulu s'y opposer il y aura, à la suite de violents affrontements, mettant aux prises police et communistes, 5 morts et 200 blessés. Marx Dormoy, ministre de l'Intérieur de Léon Blum, devait être à la suite de ce drame pris violemment à partie aussi bien par l'extrême gauche que par l'extrême droite.

au pilori. Leurs noms ne sont pas masqués. Pourquoi le seraient-ils ? Les noms des francs-maçons ne sont-ils pas reproduits au *Journal officiel* en vertu de l'article premier de la loi du 11 août 1941[1] ? Interminables listes, qui facilitent le travail des journalistes antimaçons et permettent de découvrir dans chaque petite ville « celui qui en était » mais que l'on ne soupçonnait pas : l'employé de banque côtoyant l'avocat, l'électricien, le bijoutier, le mareyeur, le charbonnier, le médecin, l'inspecteur des contributions, dans cette France citadine et petite-bourgeoise en miniature telle que le *Journal officiel,* mais également *Au Pilori,* qui, depuis le 28 août 1941, publie chaque semaine environ 250 noms, en donnent le reflet[2].

Avec les maçons, les juifs.

Plus que les maçons, les juifs.

Au Pilori réclame l'un des premiers, sinon le premier, en février 1942, qu'ils soient contraints de « porter un signe distinctif » et le 12 novembre 1942, après le débarquement anglo-américain en Afrique du Nord, qu'ils soient tous arrêtés, tous déportés, leurs biens confisqués « au profit du Trésor et aussi du peuple qui ne fera que récupérer ce que la " Race " lui a volé ».

A ceux qui manquent du pain quotidien, *Au Pilori* dénonce, le 8 janvier 1942, « le dîner de vingt-deux couverts offert par le juif

---

1. Dans son rapport au Maréchal, en date du 5 août 1941, l'amiral Darlan précisait : « Aucune police ne pourra empêcher la reconstitution rapide et occulte d'un nouveau réseau d'agents si les noms des quelques milliers de dignitaires, officiers de loges et hauts gradés, qui constituaient les cadres de la franc-maçonnerie, ne sont pas officiellement révélés au public.

« Seule la publication de ces noms au *Journal officiel* de l'Etat français pourra rendre impossible de nouvelles collusions et la reconstitution des sociétés dissoutes. »

2. Le 21 août, *Au Pilori* a annoncé qu'il publierait, à partir du numéro du 28 août, « la liste parue au *Journal officiel* des hauts dignitaires F. ˙. M. ˙., mis au ban des fonctions publiques ». Les listes sont présentées en pages 3 et 4 de l'hebdomadaire de telle façon que les lecteurs puissent les découper « pour en faire une brochure. Cette brochure constituera une arme indispensable et sûre pour combattre les tenants maçons de l'ancien régime ». 57 listes seront publiées par *Au Pilori* entre le 28 août 1941 et le 7 janvier 1943 (la 57e liste concerne des F. ˙. M. ˙. dont le nom commence par L).

Roland Meyer, fourreur, 21, rue de la Boétie, sorti la veille de Drancy », « les réceptions juives » offertes par le propriétaire du 9, rue Méchain « au nez et à la barbe des ouvriers et ouvrières sous-alimentés ». L'hebdomadaire attaque le Tout-Paris juif : la comtesse d'Aramon, née Stern ; la princesse Murat, fille de Mme Heine ; la comtesse de Bastard, née David-Weill. Une catholique, mariée à un juif, veut-elle reprendre son nom de jeune fille, l'hebdomadaire s'indigne dans son numéro du 5 février 1942. « Non ! Mme de B..., il faut payer. Vous avez accepté le juif. Vous avez des filles qui sont de cette race. Qu'elles le restent. »

Comme toute la presse de la collaboration, *Au Pilori* déteste le régime de Vichy. Lorsque G. Delatour revient de zone non occupée — où son hebdomadaire est interdit —, il publie, dans le numéro du 29 octobre 1942, un long reportage-réquisitoire contre le marché noir impuni auquel se livrent les juifs, rendus responsables de la pénurie alimentaire et de l'incapacité dans laquelle les « bons Français » se trouvent d'acheter un poulet, un lapin, « voire même une demi-douzaine d'œufs ».

Au Pilori explique le mauvais climat de la zone non occupée, non seulement par le maintien en place de hauts fonctionnaires juifs [1], mais encore par le prestige que conservent les amis et les protecteurs des juifs au premier rang desquels l'hebdomadaire antisémite place le cardinal Gerlier.

Dans son délire, *Au Pilori* ira jusqu'à affirmer, dans son numéro du 8 octobre 1942, que le primat des Gaules, « dont le titre pourrait être aussi bien, si le calembour n'était chose horrifique et blâmable, prime à de Gaulle », s'est vendu « au Dieu juif Yahweh et, briguant la papauté... a conclu un pacte avec l'Angleterre qui lui a promis, en cas de victoire judéo-anglo-saxonne, la tiare pontificale ».

Avec le cardinal Gerlier, se trouve mis en cause — le mot est faible — l'abbé Glassberg, « confident du Cauchon des temps modernes, Gerlier-le-Traître », Glassberg, « un juif crasseux, tête basse et œil glaireux », arrivé de Pologne quatre ans plus tôt et qui, revêtu de sa belle soutane, s'introduit dans les camps où se trouvent internés les

1. Le 21 septembre 1942, *Au Pilori* a publié la liste de soixante-dix hauts fonctionnaires juifs résidant à Vichy, Cusset et Bellerive.

juifs. « Ô miracle de Yahweh ! Huit jours après la visite du bon abbé, toute l'équipe est sur la côte, se gargarisant de champagne[1]. »

Les attaques, non seulement contre « ce prêtre infâme » mais aussi contre les « mauvais prêtres... qui, demeurés trop près de l'humanité et ayant conservé tous les vices et la matérialité ont... trahi les enseignements du Christ[2] », sont fréquentes et le journal n'hésite pas à se faire l'écho des plaintes de lecteurs politiquement mécontents de leur curé. Ainsi, le chanoine Colin, curé de Saint-Agnan (Saône-et-Loire), « ancien apologiste de Léon Blum », se voit-il vertement semoncé...

L'invasion de la zone libre par l'armée allemande sera donc accueillie avec faveur, célébrée avec ferveur par l'équipe d'*Au Pilori*. La Wehrmacht et la Gestapo ne sont-elles pas les « anges exterminateurs » qui délivreront totalement la France de la peste juive ? Exagération ?

Voici l'article paru, le 19 novembre 1942, sous la signature de Maurice de Séré.

> « Mais maintenant, juif, que les hommes qui te combattent à mort ont pénétré dans ton fief, cette demi-France que tu avais cru pouvoir garder en espérant réoccuper bientôt l'autre moitié, que vas-tu faire ? Envahi par la terreur, tu sais quel est le sort qui t'attend, tu t'enfuis dans les montagnes et tu te caches dans des coins secrets. Mais prends patience, juif, tu ne perds rien pour attendre et, tu le sais, ton sort est réglé, tu disparaîtras jusqu'au dernier de ta race. »

Au Pilori, qui se prendra à son jeu infernal et acceptera que son directeur lui-même soit un jour suspecté dans ses origines[3], est tristement exemplaire mais d'autres feuilles lui font concurrence. *L'Appel,* hebdomadaire du P.P.F., se montrera à peine moins

1. *Au Pilori,* 22 octobre 1942.
2. *Au Pilori,* 15 octobre 1942. Dans ce même article, *Au Pilori* critique les hauts dignitaires des « quatre plus importantes confessions occidentales (qui) ont signé à Londres (en novembre 1940) un accord secret en vue de leur défense commune », accord qui les aurait entraînés à faire alliance « avec la juiverie internationale », donc avec le bolchevisme, « création purement juive ».
3. Lestandi, accusé par certains de ses amis d'être juif, quittera, en effet, la direction de l'hebdomadaire en octobre 1942.

violent lorsqu'il s'agira d'évoquer « cette question juive [qui] commence à échauffer les oreilles des Français ».

Du moins ne réclame-t-il pas la mort pour les Israélites mais l'envoi dans des camps de travail où, « pioche à la main », ils pourront se rendre utiles à la collectivité [1].

Au Pilori a son « tableau de chasse ». *L'Appel* aura « son tableau d'infamie ». S'y trouvent cloués, le 21 août 1941, par exemple, de nombreux francs-maçons révoqués pour fausse déclaration. Se voient ainsi désignés à la vigilance des militants du P.P.F. l'instituteur de Fourneaux, dans la Creuse ; le directeur du Centre régional de l'instruction nationale et des sports de Pau ; un professeur d'histoire du lycée du Havre ; le juge de paix de Capdenac ; l'instituteur d'Espinasse, dans le Puy-de-Dôme...

On aurait tort d'imaginer les campagnes de délation cantonnées dans quelques misérables hebdomadaires de province ou de Paris, aux lecteurs passionnés mais rares. Il n'en est rien.

Le Cri du Peuple, quotidien P.P.F., publie, le 15 décembre 1940, un article dénonçant l'attitude de plusieurs professeurs du lycée Pasteur qui, à Neuilly, soutiennent les gaullistes et les juifs. M. Lecocq ne se saisit-il pas d'une tirade de Corneille ou de Racine pour critiquer le gouvernement du Maréchal, et Mlle Elise Luduiti ne raconte-t-elle pas « l'histoire de France à sa manière aux petits garçons » ?

Le 25 février 1941, *Le Cri du Peuple* attaque Tony Larue, maire de Grand-Quevilly, « franc-maçon avéré... collègue de loge du maire de Rouen, le 18e degré Poissant, ami intime de l'avocat-député André Marie, champion du Front populaire et du gaullisme ». Et *Le Cri du Peuple* dénonce les « éléments gaullistes » de la clinique Tarnier, rue d'Assas [2], qui « s'évertuent à saper l'œuvre de collaboration franco-allemande et de paix sociale », dénonce Jacques Soustelle — sous-directeur du Musée de l'Homme — qui, il est vrai, ne se trouve plus en France, ce que signale *Je suis Partout* qui ajoute, dans son numéro du 30 juin 1941, que, si Soustelle est hors d'atteinte, « M. Luc, ami des

1. *L'Appel,* 5 juin 1941.
2. Le 29 avril 1942.

maçons et des communistes, est toujours directeur de l'enseignement technique ».

Ce sont des journalistes du *Cri du Peuple,* enfin, qui, « mettant la main à la pâte », se transforment en policiers et, le dimanche 31 mai 1942, vont chasser ces juifs qui, frauduleusement, commercent encore sur le carreau du Temple.

Jean Azema a raconté l'aventure de ces étranges journalistes... et leurs mésaventures dans un article publié le 2 juin en première page du quotidien P.P.F. Aventure qui débute, comme il se doit alors, par une lettre de dénonciation adressée à Dury, responsable, au P.P.F., des questions juives.

> « Un correspondant nous indiquait qu'en violation constante de la loi de multiples commerçants juifs continuaient à tenir boutique sur le carreau du Temple... Dury, quelques S.O. et moi-même prîmes donc rendez-vous dimanche... Par déférence pour les pouvoirs établis, nous nous rendîmes au commissariat de police situé exactement en face du carreau du Temple.
>
> — Des juifs travaillent encore ici, voulez-vous avoir l'amabilité d'effectuer une ronde et de vérifier l'identité des marchands sur le carreau ?
>
> — De quel droit, monsieur, me demandez-vous cela ?
>
> — Du droit d'un Français qui entend que les lois soient respectées.
>
> — Je n'ai pas à me rendre à votre invitation.
>
> Après ce tête-à-tête dont je me fais un devoir de reproduire textuellement les propos, j'ai décidé de tenir le rôle du commissaire de police.
>
> ... Voilà pourquoi, me substituant à une autorité défaillante, j'ai joué, pendant trois minutes, le commissaire Maigret... aux affaires juives. Dury, à mes côtés, jouait le rôle de l'inspecteur. Quant à mes camarades du service d'ordre, ils veillaient au grain et observaient les issues, ils avaient mission d'arrêter les fuyards.
>
> C'est ainsi qu'un de nos fonctionnaires mettait la main au collet d'une recrue de choix ; il s'agissait de Aktor Chaïm, juif polonais demeurant 31, rue du Temple. Après lui avoir retiré sa carte, nous l'envoyâmes au diable.
>
> Pendant ce temps, j'interpellais des clients :
>
> — Vos papiers... s'il vous plaît !

Et les clients de s'exécuter. J'ai pu ainsi appréhender la nommée Dora Gravitch, née Salomon Rosenthal, habitant 9, rue Polonceau.

Un deuxième client se rendait à mon invitation quand survint le commissaire... le vrai. Et celui-ci nous conduisit, Dury et moi, au violon où nous fûmes retenus dix minutes.

Pour éviter au commissaire spécial du 3e arrondissement des cas de conscience un peu trop douloureux, il vient d'être décidé de marquer les juifs au sceau de Sion. Veut-on justifier la mesure de protection qui vient d'être prise ? Il n'est que d'évoquer notre petite aventure. »

Moins stupidement, moins vulgairement virulent qu'*Au Pilori, Je suis Partout,* l'hebdomadaire, qui influence une fraction non négligeable de la bourgeoisie française, ne renonce absolument pas à ces campagnes antisémites qui, à partir de 1936 faisaient l'une des raisons de son succès.

Ainsi, dans le numéro du 28 février 1941, c'est toute « la synagogue de Saint-Antoine » qui est attaquée. Le chef de service n'est-il pas le Dr Lévy-Solal, le chef de clinique Mme Loewe, l'un des assistants à la consultation des femmes enceintes le Dr Pariente, « juif algérien (prétendant le contraire) », l'un des assistants à la consultation de syphiligraphie le Dr Doukan et, parmi les internes, ne trouve-t-on pas au moins deux médecins juifs : les Drs Horvileur et Nataf.

Je suis Partout s'acharne également contre ces juifs qui ont changé de noms avant la guerre... et contre ceux qui, à cause de la défaite, voudraient, plus encore que par le passé, se doter de noms à consonance aryenne. Dénonçant, le 28 mars 1941, un Lévy dont la requête au garde des sceaux a paru dans *Les Petites Affiches* du 14 mars 1941, l'hebdomadaire demande : « Oui ou non, les juifs seront-ils remis à la raison ? »

Ainsi les Allemands se trouvent-ils constamment renseignés sur des individus qu'une « armée d'aboyeurs », pour reprendre le mot de Michelet [1], désigne à leur vindicte, livre à leurs prisons et à leurs camps.

---

1. Michelet évoquant la Saint-Barthélemy.

Veulent-ils savoir combien il existe d'avocats juifs à Paris ? *La France au Travail* répond 601, dont 18 Weill ou Weil ou Weyl, 15 Lévy ou Lewry ou Lévi, 10 Bloch, 8 Coen ou Cohen, 6 Blum, 5 Strauss...

Veulent-ils connaître l'adresse de Frédéric Bloch-Lainé ? *Au Pilori* leur apprend qu'il se cache chez son fils, 56, avenue Montaigne.

Le domicile de la femme Drienstein ? Elle habite, leur apprend *L'Appel*, 23, rue Kléber, dans le 11e arrondissement [1].

Alertés par la presse, ou par des lettres qu'ils ne jettent pas aussi systématiquement au panier qu'on le laisse croire aujourd'hui, les Allemands réclament alors à l'administration française des compléments d'information. Ainsi, la police de sûreté allemande écrit-elle, le 18 septembre 1942, au commissaire Poinsot qui, à Bordeaux, est son « correspondant », pour lui demander ce qu'il sait d'un marchand de chaussures qui ne porterait pas l'étoile juive. Et que sait-il du tailleur G... qui « tient des discours anti-allemands et excite les gens à commettre des attentats » ; du communiste L... qui, contre denrées alimentaires, aurait obtenu la protection de la police locale ; de S..., « fanatiquement anglophile » ; de F..., employé au service du ravitaillement qui « serait un gaulliste déterminé, ferait de la propagande gaulliste et tiendrait même des réunions avec des hommes de confiance » ?

On l'active, on le presse. Qu'il enquête sur l'Académie de billard de la rue Mably. Fréquentée, de 16 à 18 heures, par de nombreux jeunes, il est possible « qu'elle serve de lieu de réunion à une organisation quelconque ». Non, répond Poinsot le 7 janvier 1943, ne se réunissent là que des snobs jouant de l'argent aux cartes et au billard.

Pour leur chasse aux juifs, les Allemands disposent bientôt d'un auxiliaire infiniment plus efficace que l'administration française : cet Institut des questions juives qui est créé, au printemps 1941, par le lieutenant Dannecker, chef de la Section juive de la Police de Sûreté en France, pour être « un appareil français superpolitique qui pourrait servir d'informateur dans notre travail à venir... un appareil de renseignements qui peut être utilisé dans tous les sens voulus [2] ».

---

1. « La place de cette créature est à Drancy », ajoute *L'Appel* du 13 mai 1943.
2. Note du 1er juillet 1941.

L'Institut des questions juives, d'inspiration allemande et ne vivant que des subsides allemands (50 000 francs chaque mois, puis 20 000 francs), aura le rôle d'une véritable plaque tournante. Appelant et recevant les délations, il les transmet immédiatement à son véritable patron : le lieutenant Dannecker.

C'est un journaliste du *Matin,* René Gérard, qui a d'abord assuré le secrétariat général de l'Institut, mais Dannecker, ayant estimé qu'il manquait des indispensables dons d'organisateur, la place échoira au capitaine Sézille.

Du 22 juin 1941 au 1er juillet 1942, Juste, Désiré, Léopold Sézille, né le 10 novembre 1879 à Blérancourt, dans l'Aisne, officier en retraite des troupes coloniales, personnage ridicule et falot mais que son pouvoir, son égarement et sa vanité rendent redoutable, aura ainsi, entre les mains, le destin de milliers de malheureux [1].

Il peut revendiquer un antisémitisme sans faiblesses ni failles. Lorsqu'il écrira, le 4 février 1942, à Dannecker : « Je connais bien, mon lieutenant, soyez-en assuré, toutes les personnes qui ont pu, avant la guerre, s'occuper de la question juive en France... Je ne parle jamais de quelqu'un sans apporter des preuves à ce que j'avance. Quand je vous dis, un tel est bon, c'est qu'il l'est ; quand je vous dis, un tel est mauvais, c'est parce qu'il l'est », il ne se vante pas. En antisémitisme, Sézille est passé maître. En 1936, on le trouve, auprès de Darquier de Pellepoix, au nombre des animateurs du « Rassemblement antijuif de France ». Un mois après la défaite de la France, il crée avec le journaliste Saint-Serge, avec l'avocat de Camas, avec le professeur d'éducation physique Dortignac, cette « Communauté française » à propos de laquelle il n'aura nul scrupule à écrire : « En juillet 1940, peu après l'entrée des troupes allemandes à Paris, quelques amis se réunirent. Sur leur visage, se peignait la douleur, mais il se peignait aussi une joie... joie, oui joie, car de cette défaite ils nourrissaient une espérance, celle de voir la France se ressaisir, comprendre enfin, et qu'une âme nouvelle allait naître. Les juifs, les francs-maçons et les politiciens néfastes allaient enfin payer leurs crimes [2]. »

Au maréchal Pétain, Sézille et les siens proposeront rapidement la

---

1. Sézille meurt en avril 1944, quelque peu délaissé par les Allemands.
2. « Historique de la Communauté française. » Le siège de « La Communauté française » était situé 15, rue Lord-Byron.

création d'une « milice civique » qui, « les yeux sans cesse ouverts, dénonce(rait) les menées des juifs ». Sans réponse du Maréchal, dont ils ont également sollicité « une simple parole d'approbation », ils vont très vite leur chemin et forment, à côté de la « Communauté », organisation de masse, un organisme à prétention scientifique, le « Bureau d'information et d'étude des questions juives », qui se transformera en Institut d'études des questions juives, doté d'un service de propagande en relation directe, avec la Propaganda Staffel, d'un service de presse dont Rebatet a la responsabilité, d'un service de santé publique dirigé par le Dr Querrioux, d'un service juridique qui élabore, sous le contrôle de Me de Camas, des projets de loi antisémites et prépare une « charte française » calquée sur les lois raciales allemandes et d'un service scientifique sur lequel Laville a la haute main[1].

Il importe moins de connaître la vie administrative de l'Institut que de suivre son effroyable action à travers la correspondance, la plupart du temps inédite, de Sézille et de quelques-uns de ses collaborateurs frénétiques.

Aux yeux de Sézille, qui assure pouvoir distinguer les « bons » des « mauvais » antisémites, peu d'hommes, en vérité, trouvent grâce. Ce farouche épurateur, ce délateur viscéral, n'hésite pas à dénoncer à Dannecker des hommes dont on pourrait croire cependant qu'ils se sont taillé une place « honorable » dans la collaboration. C'est ainsi qu'il adresse au lieutenant allemand un article antihitlérien écrit par Jean Luchaire et publié le 22 mai 1940, alors que les armes n'avaient pas encore rendu leur verdict. Qu'il met en garde Achenbach contre Robert de Beauplan, journaliste pourtant fort conformiste de *L'Illustration.* Qu'il critique Scapini, ambassadeur de France, chargé de tous les problèmes concernant les prisonniers, qui a eu le tort de ne pas assister à certaines des manifestations organisées par Sézille et devient immédiatement suspect.

1. L'Institut publie également *Le Cahier Jaune,* ainsi que des brochures dont le titre dit le contenu : *La morphologie du juif ou l'Art de le reconnaître à ses caractères naturels ; Non, les juifs ne sont pas comme nous ! La tactique juive ou comment le juif s'est imposé à l'aryen.*

Pierre Laval, oui Pierre Laval lui-même, n'est pas épargné par l'antisémite Sézille.

Au cours d'une conférence prononcée à Bordeaux, n'affirme-t-il pas que le chef du gouvernement français est « le fils d'un Arménien et d'une Mzabite ». Henri Labroue, fondateur de l'Institut d'études juives de Bordeaux, qui rapporte le fait à Darquier de Pellepoix, car tout ce joli monde se dévore et se dénonce, poursuit : « Il y a des Mozabites en Algérie. Il y avait en Judée une tribu de Moabites, Sézille a créé un néologisme ! L'alcool ne saurait justifier pareille incartade de langage. » Labroue, en accusant, se venge. Quelques mois plus tôt, il a dû, devant Sézille, expliquer les raisons de sa brève adhésion... en 1904 à la loge parisienne « Les Droits de l'Homme ».

Comment ce personnage excessif, cet implacable procureur, qui recherche et découvre des suspects jusque dans son entourage idéologique, épargnerait-il Vichy ? Il n'hésite pas à protester, le 17 décembre 1941, auprès du Dr Huard, sous-secrétaire d'Etat à la Famille et à la Santé, contre cette loi du 22 novembre qui, selon lui, protège « tous les métèques, presque tous les juifs qui exerçaient la médecine à la date du 19 août 1940 ». « Vous n'ignorez certainement pas, écrit-il encore, que ce sont les médecins marrons, étrangers pour la plupart, qui ont développé en France la criminelle industrie de l'avortement. »

Et du Commissariat général aux Affaires juives, lorsqu'il est encore dirigé par Xavier Vallat, Sézille n'hésite pas à affirmer à Dannecker qu'il se fait trop souvent complice des juifs désireux de se soustraire à la rigueur des lois.

L'impitoyable Sézille dénonce. Il dénonce le juif Ben Simon qui, selon lui, recrute « des jeunes juifs pour les faire engager dans les troupes d'Algérie » en leur faisant passer la ligne de démarcation grâce « à l'intermédiaire, hélas ! de mauvais Français ». Lorsqu'il signe cette lettre, au printemps de 1941, l'Algérie est toujours, il faut le noter, sous le contrôle absolu du gouvernement français et l'armée, qui se trouve mise en cause n'est autre que l'armée de l'armistice.

Il dénonce le juif espagnol Zara Menasse « qui est en contact journalier avec la clientèle » et qu'aucune affiche ne désigne comme juif ; le « sieur Bornstein Sigismond, confectionneur juif à Paris, qui n'a pas de commissaire gérant » et dont il demande que le magasin soit fermé ; le juif Skarjuski, directeur artistique d'un night-club, rue Arsène-Houssaye[1] ; une serveuse du Concert Mayol, Mme R..., qui fait espionner, « grâce à un réseau de femmes aux mœurs faciles », les soldats des troupes d'occupation et a pour amant un juif[2].

Sézille dénonce dans la mesure où il est informé. Il dispose d'ailleurs des « bonnes volontés » vigilantes des « Amis de l'Institut » qui sont, paraît-il, 31 287 en janvier 1942[3], à qui l'on assigne des missions de confiance comme de se rendre, le 2 mai 1942, au marché « dit aux puces afin d'exercer une surveillance sur les juifs qui sont encore en contact avec le public » et qu'il n'est, en vérité, nul besoin de solliciter pour les faire agir.

Il dispose également des antennes régionales du Commissariat général aux Questions juives. A celle d'Albi, on demande si le Dr Salomon est juif, à celle de Toulouse le nombre des juifs résidant en Ariège, à celle de Nice le comportement des juifs lors du passage d'un film sur Montoire.

Anonymement ou non, enfin, des milliers de Français écrivent à Sézille.

C'est à lui que, le 6 juillet 1941, le lieutenant de vaisseau Yves L..., qui vient d'adhérer aux « Amis de l'Institut », propose des renseignements sur « un juif américain, Arthur S... (officier de la Légion d'honneur pas au titre de guerre) ». A lui qu'un adhérent de Neuilly, pour qui « la guerre aux juifs » n'est encore « qu'une vaste et mauvaise plaisanterie », signale que le propriétaire juif du magasin « Au Gaspillage », 57, rue des Sablons, a fait des affaires d'or en vendant 150 et 200 francs des tissus à 80 francs ; qu'au 27, de la même rue existe « un autre youpin, un tailleur celui-là qui parle russe ou autre chose, on ne sait pas ».

1. Au commissaire Cougoule qui, à la préfecture de police, dirige le service des Affaires juives.

2. Dénonciation transmise aux Allemands.

3. En réalité, seuls, à cette date, 3 407 sont à jour de leurs cotisations mais, à ce noyau, Sézille, dans sa correspondance avec les Allemands, ajoute 3 331 sympathisants venant du Mouvement social révolutionnaire, 2 094 du Parti populaire français ; 18 000 sympathisants inscrits pendant l'exposition « Le juif et la France », mais ne payant pas leur cotisation ; 1 757 adhérents ayant signé leur bulletin, mais n'ayant pas réglé leur cotisation (lettre du capitaine Sézille au Dr Klassen à l'ambassade d'Allemagne, en date du 16 juillet 1942).

C'est à Sézille, toujours, qu'un garçon de 17 ans, B. F..., habitant Epinay, fait ses offres de service [1] ; qu'une femme indique que l'un de ses amis, communiste d'hier, serait « disposé à donner des renseignements », que Deloncle, chef du Mouvement social révolutionnaire, dénonce un ingénieur des Ponts et Chaussées du nom de Lévy qui vient d'être nommé ingénieur en chef des Travaux du département de la Seine [2] ; que Louis Launay, directeur de la revue *Mes dossiers,* propose, moyennant une rétribution mensuelle de 2000 francs, trois dossiers hebdomadaires sur les grandes affaires juives et s'offre à signaler les cas précis dans lesquels l'esprit des dispositions antisémites n'est pas respecté.

A toute autre époque, Sézille eût été, à l'intérieur d'un cercle confidentiel, un personnage extravagant que seule sa paranoïa aurait distingué. Aujourd'hui, appuyé sur et par Dannecker, renseigné par des milliers de passionnés et de jaloux, aidé dans sa tâche par les textes français aussi bien qu'allemands, c'est un homme presque tout-puissant.

« Je sais, écrira-t-il un jour à son " patron " Dannecker, je sais par des bruits qui me parviennent, même par des exemples, que souvent l'Institut a marqué son action près des pouvoirs publics qui ont accordé et examiné des cas *par crainte plutôt que par devoir* [3] et lui ont donné une solution conforme à celle qui était demandée par lui. »

Aux côtés de Sézille, redoutable comme il est redoutable, frénétique comme il est frénétique, le Dr Querrioux, chargé, à l'Institut, des questions médicales. Le 6 décembre 1941, il indique à Sézille les noms et adresses de quatre médecins juifs — ses confrères de Saint-Ouen — et achève sa lettre sur ces mots : « Si, en janvier 1942, ces juifs sont toujours médecins à Saint-Ouen, je suis décidé à en saisir les autorités compétentes. Peut-être qu'une lettre de vous ferait agir le Commissariat (aux Questions juives). »

---

1. Il a été choqué par les réactions de l'un de ses camarades de lycée qui lui a dit : « Il y a des juifs qui sont plus français que toi. »
2. Deloncle, que Sézille a sollicité de s'associer à son action, présente sa délation « comme premier acte de collaboration »
3. Je souligne intentionnellement.

Dans un rapport au secrétariat du Commissariat général aux Questions juives, en date du 7 juin 1941, Querrioux prend à partie un Dr Rosenthal qui fait de la propagande antigouvernementale en disant notamment que les bonbons vitaminés distribués dans les écoles « dessèchent les glandes des poumons des enfants ».

Le 7 août 1941, il adresse à Sézille une impressionnante liste de médecins juifs parisiens non déclarés. Pour le quartier des Ternes, ils seraient 30, 51 pour le quartier de Chaillot, 47 pour la Plaine Monceau. Qu'il ait fait précéder certains noms d'un point d'interrogation montre bien la légèreté de l'accusation.

Traité de « boche », de « vendu », par ceux qu'il traque, recevant des communications téléphoniques selon lesquelles ses jours, ceux de sa femme... et ceux de la bonne sont comptés, le Dr Querrioux se plaint à Sézille qui, immédiatement, écrit au commissaire spécial

Monsieur le
Commandant

Puisque vous voulez
la suppression des
Juifs, pourquoi ne
pas faire une enquête
aux grands clairs ?

Dans un rapport au secrétariat du Commissariat général aux Questions juives, en date du 7 juin 1941, [illegible] [illegible] propagande [illegible] notamment que les bonbons vitaminés distribués dans les écoles « dessèchent les alvéoles des poumons des enfants ».

Le 7 août 1942, [illegible] adresse à [illegible] une intéressante liste de médecins juifs parisiens non déclarés. Pour le quartier des Ternes, il [illegible] pour le quartier de Chaillot, 4) pour la Plaine Monceau [illegible] montre bien la légèreté de l'accusation.

Traité de « boche », de « vendu », par ceux qu'il [illegible], recevant des [illegible] selon lesquelles ses jours, ceux de sa femme... et ceux de la bonne sont comptés, le Dr [illegible] [illegible] qui, immédiatement, écrit au commissaire spécial [illegible] Cougoule et réclame des sanctions contre trois médecins juifs, jugés responsables des menaces.

Bien d'autres délateurs, menacés à leur tour par ceux qu'ils menacent, se tourneront vers la police française ou, le plus souvent, vers la police allemande, pour réclamer secours et protection.

C'est ainsi qu'Abetz signe, personnellement, le 1er septembre 1942, une lettre à Fernand de Brinon, dans laquelle il réclame que l'on assure la sécurité d'un certain E... qui connaît bien des difficultés dans son administration, « en raison de son attitude favorable à une politique de collaboration ».

J'ai par ailleurs sous les yeux une note de Röethke, chef de la section juive de la Sipo-S.D. en France, qui, le 24 novembre 1943, réclame à la police allemande un permis de port d'armes « pour le citoyen Bertrand L... qui a été menacé par des juifs et des personnes à opinion projuive. Il a livré d'excellents matériaux contre les juifs et s'est montré également antijuif sans limite, à l'étranger ».

Les médecins dénoncent les médecins.

Cinq d'entre eux, résidant dans le Nord et le Pas-de-Calais, livrent à Sézille, le 15 juillet 1942, le nom d'un médecin juif roumain qui, pour être inscrit au tableau de l'Ordre, a obtenu des certificats de complaisance. Le Dr V..., qui exerce dans le Vaucluse, signale, le 22 août 1941, au directeur du Commissariat général aux Questions juives, le Dr A..., juif polonais naturalisé « paraît-il », marié à une Française, inscrit à la Légion et qui fréquente « les éléments communistes du village, et entre autres un certain Maurice, étranger au pays, communiste en résidence surveillée ».

Mais les médecins ne sont pas dénoncés que par les médecins. Un adhérent aux « Amis de l'Institut » téléphone ainsi à trois médecins juifs et précise que deux d'entre eux viennent de lui accorder un rendez-vous pour le jour même. Quant à Lucien T..., propriétaire à Saint-Germain-en-Laye, il signale l'existence d'un médecin juif, Jacques Ch..., « militant communiste que Léon Blum a fait chevalier de la Légion d'honneur ».

Et les médecins ne dénoncent pas que des médecins.

Le Dr Laurent Viguier, responsable, à l'Institut d'études des Questions juives, des problèmes d'organisation économique, dénonce le 15 août 1941 le juif Maurice B... qui fréquente toujours les salles des ventes. Que des policiers demandent leurs papiers à toutes les personnes présentes : « On fera peut-être d'autres prises car il n'est pas le seul... Il faudrait donc un inspecteur en civil qui vienne fermer la porte et que les agents ne viennent qu'ensuite sans s'être fait voir. » Quelques jours plus tôt Laurent Viguier a exigé que le juif Goetschel, chef du service des pièces détachées à la Compagnie générale, soit privé d'un poste qui le met en rapport avec le public.

Et c'est sous la signature du Dr Viguier qu'un rapport, adressé à Sézille, en juillet 1941, signale les agissements de la famille Lévy qui a trouvé refuge à Verteuil, en Charente, où elle poursuit son commerce de chevaux et a si bien prospéré qu'autour d'elle sont venus s'agglomérer « une vingtaine de juifs, vivant confortablement et préparant des stocks » en prévision de l'hiver. « L'immigration juive dans ce pays, ajoute Viguier, doit être arrêtée et même refoulée. Que le maire ose alerter le préfet et que celui-ci fasse son devoir. On y veillera. »

C'est Viguier encore qui, après lecture d'un message anonyme, indique que le magasin de fleurs, situé 192, rue de Paris, à Montreuil-sous-Bois, est une entreprise juive non déclarée, « tenue par Mme Jeanne Hubert (juive) dont le mari est catholique et sert de couverture à l'entreprise ».

Humble ou glorieuse, nulle profession n'est épargnée dès l'instant où un juif l'occupe[1]. M. Pontremoli est accusé, le 12 mai 1942, de professer toujours à l'atelier d'architecture de l'Ecole supérieure des beaux-arts de Paris, mais un garde assermenté du Père-Lachaise dénonce à Darquier de Pellepoix, le 12 juin 1942, Elia Kougel, « juif 100 % sans aucune référence militaire », et qui, cependant, a été nommé garde du cimetière. « Par suite de quelles influences occultes ? » demande-t-il. « De quelle autorité est-il exempt d'après lui de porter l'insigne juif ? »

L'herboriste dénonce le chapelier juif « qui continue son commerce... discourt, s'agite, fait de la propagande... [et] peut faire beaucoup de mal si on ne lui applique pas d'urgence les lois et décrets en vigueur[2] ».

Cette habitante du 19e arrondissement de Paris, qui conserve l'anonymat, ne se contente pas de se trouver mal à l'aise, boulevard de Belleville, « parmi tous ces étrangers qui forment des groupes et des rassemblements pour conspirer entre eux », elle signale aux épurateurs « certaine blanchisserie juive d'une boutique située rue Henri-Feulard, dans le 10e, à qui sans doute il y a eu interdiction de travailler et dont le commerce maintenant se traite par l'entrée de la cour au 45, boulevard de la Villette[3] ».

Blanchisseur clandestin... Cordonnier clandestin, celui de la rue des Fêtes, à Paris, qui a ouvert à l'intention de ses clients, une porte condamnée donnant sur un couloir. Marchand de chaussures clandestin, celui qui se cache 44, rue de Dunkerque. « Il y a lieu, précise Sézille au commissaire principal Cougoule, de se montrer très circons-

1. Dans une lettre de délation, se trouve cette phrase : « Pas de pitié pour les petits juifs. »
2. Inédit, en date du 2 septembre 1941.
3. Inédit, en date du 23 juillet 1941.

pect car ce juif est excessivement méfiant. » Coiffeur clandestin : le 15 janvier 1942, G... se plaint à Sézille de la concurrence que lui fait Judas J..., Israélite d'origine russe dont il a acheté le salon, mais qui continue « à coiffer clandestinement ». Tailleur clandestin ce Balouckine que Mme D... observe depuis sa fenêtre et qu'elle dénonce en quelque sorte « en prime » au capitaine Sézille à qui elle vient de narrer ses démêlés avec le fils Lévi : « Je lui ai répondu que les Françaises avaient le droit de parler avant les Juifs ; que mon mari était prisonnier par la faute des Blum, Mandel et compagnie. Ce juif de 19 ans a regretté à haute voix que Blum ne soit pas resté à la tête de la France, avec lui nous n'aurions pas eu la guerre [1] ! »

Marchand de tissus clandestin. Une anonyme adresse, le 25 octobre 1941, le message suivant :

> « Alors que nous, Françaises, faute de marchandise et de personnel, sommes obligées d'abandonner nos boutiques... ces gens continuent à exercer à des prix leur permettant des bénéfices énormes. Je vous signale, parmi tant de cas, M. Albert..., 189 ou 191, avenue Gambetta (20e), dont la boutique a été décorée d'une petite affiche rouge, qui continue, derrière des carreaux délicatement passés au bleu, à exercer sa profession de « bon et vrai juif ». Lui trouve des tissus, alors que, nous, cela nous est tout à fait impossible et interdit... Et je signe : une vraie Française qui est lasse de la juiverie qui ronge notre pauvre pays [2]. »

On écrit à Sézille qui écrit aux Allemands.

Mais il est souvent plus expéditif de s'adresser directement aux Allemands qui, eux, « feront le nécessaire [3] ».

Le père du jeune A... [4], qui vient d'être licencié par le directeur

1. Inédit, s. d.
2. Inédit.
3. C'est la menace que l'on laisse planer. Ainsi, un locataire parisien, mécontent de sa concierge qui « ne sait pas causer français, le courrier on ne sait si il y en a et en plus ce sont Polonais, Turc, qui travaille confection tailleur tapissier », termine sa lettre au directeur du « Status juifs » (*sic*) sur ces mots : « Voyant aucune satisfaction par le gouvernement français à ce sujet, je me verrai obligé de me recommander à la Kommandanture. Eux, je sai qu'ils feront le nécessaire. » (Document inédit.)
4. Le document que je vais citer est inédit. Toutes les initiales sont, de ma part, volontairement déguisées.

d'une banque de province, écrit le 15 janvier 1941 à « Monsieur le chef de l'administration militaire allemande » et démonte le mécanisme de camouflage qui permet aux propriétaires juifs de diriger sans paraître.

« ... A la suite des mesures prises par les autorités allemandes d'occupation en vue de l'élimination de l'influence juive dans l'économie française, MM. X... et Y... Z..., administrateurs de cette banque, ont dû se conformer aux prescriptions de l'ordonnance du 18 octobre 1940 et céder, au moins en apparence, la direction de l'affaire à un nouveau Conseil d'administration.

« Or, il s'agit là, très vraisemblablement, " d'une de ces transactions fictives effectuées avec la complicité d'hommes de paille ", ainsi que s'exprimait M. le conseiller de guerre Dr Blanke, dans une déclaration faite tout récemment à Paris.

« En effet, l'actuel directeur, M. V..., sous-directeur, M. W..., précédemment employés à cette banque, ne jouissent que d'une autorité apparente et n'agissent que suivant les directives ou les ordres que leur donnent MM. Z... Ceux-ci occupent toujours, au premier étage, le bureau de la Direction et M. V... et M. W... doivent humblement attendre qu'après avoir frappé à la porte du Cabinet directorial on les autorise à entrer dans ce lieu où encore aujourd'hui se donne rendez-vous toute la grosse juiverie de N...

« Hier, mon fils était informé par M. V..., actuel directeur, qu'il était licencié, avec deux autres employés... sous prétexte que la diminution du chiffre d'affaires de la banque ne permettait plus de les occuper. Mon fils n'eut pas de peine à faire avouer à M. V... et à M. W..., sous-directeur, qu'ils ont été obligés par ceux qui sont encore les véritables maîtres dans la maison de prendre la mesure qui le frappe.

« Mon fils n'a jamais caché ses sentiments à l'égard des Allemands et c'est pour une part de cela qu'on lui fait grief. Lors de l'arrivée des troupes d'occupation, tandis qu'il regardait de son bureau un défilé de soldats... Y... Z... l'apostropha violemment, le traitant de " mauvais Français " devant tous les camarades.

« Le personnel de cette maison s'indigne de la présence des anciens maîtres et s'étonne qu'alors que tant de petits boutiquiers vivant modestement de leur commerce ont dû céder leur entreprise à des exploitants aryens, les multimillionnaires Z... trouvent

La Relève qui commence

La gare de Compiègne a vu se croiser, tout d'abord au cours de cérémonies présidées par Pierre Laval, des convois de Français plus ou moins volontaires pour le travail en Allemagne et des convois de prisonniers de guerre libérés, que les autorités militaires françaises vont vêtir de neuf, après des séances de déshabillage que le photographe a voulu rendre pudiques. Images qui n'auront cependant que peu d'effet sur une opinion sceptique envers la relève. (B.N. - Paris ; Doc. Tallandier ; Arch. E.R.L.)

Tout débute par des rafles

En quelques images, le début de la tragédie.
C'est dans des autobus, familiers aux Parisiens et aux banlieusards, que les Juifs, arrêtés à leur domicile ou raflés dans la rue, sont conduits dans les gares d'où ils partiront pour les camps de concentration français (ici, celui de Pithiviers) où ils arriveront, chargés de bagages, pour subir un premier contrôle d'identité effectué par la gendarmerie française, puisque c'est elle qui, pendant longtemps, aura le contrôle des opérations antisémites, ordonnées par l'occupant.
Comme c'est la police française qui, à partir du 7 juin 1942, devra veiller à ce que Juifs et Juives portent bien, sur le côté gauche de la poitrine et "solidement cousue", cette étoile juive, en tissu jaune, qui les désigne à l'attention, à la pitié ou à la haine des passants. (Bilderdienst Süddeutscher Verlag.)

C'EST UNE NÉCESSITÉ POUR TOUT FRANÇAIS DÉCIDÉ
A SE DÉFENDRE CONTRE L'EMPRISE HÉBRAÏQUE
QUE D'APPRENDRE À RECONNAITRE LE JUIF

FAITES RAPIDEMENT VOTRE INSTRUCTION
EN CONSULTANT CES DOCUMENTS.

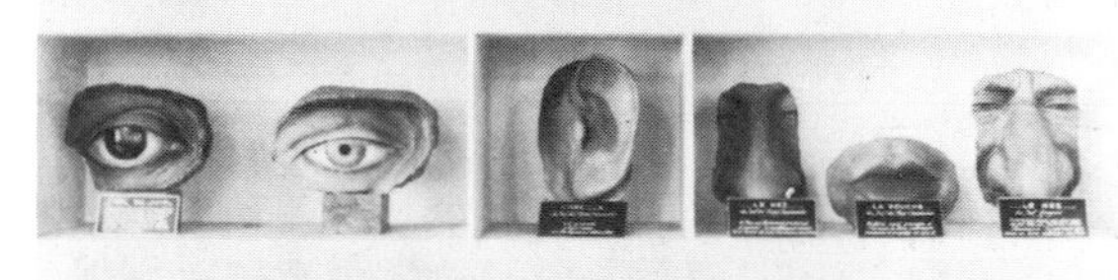

Apprenez à vous défendre ...contre des hommes et des femmes sans défense

Cette exposition "Le Juif et la France", qui s'ouvre au palais Berlitz à partir de septembre 1941, a pour but d'apprendre aux Français à se défendre contre " le péril hébraïque".
Photos, graphiques, statistiques, tout est mis à profit pour attiser la haine des Français et faire que soient acceptées les grandes rafles de juillet 1942 et que passent inaperçues les souffrances des Juifs rassemblés par milliers au Vel' d'Hiv'.
Du drame du Vel' d'Hiv, il ne demeure qu'une seule photo (celle que nous publions) et quelques dizaines de témoignages oraux, puisque la plupart des victimes ont à tout jamais disparu dans les camps allemands, après un passage dans ce camp de Drancy où 70 000 Juifs ont vécu, en attente de la déportation. (Doc. Tallandier ; Arch. E.R.L. ; Doc. Tallandier ; A.F.P. ; Bilderdienst Süddeutscher Verlag.)

De la défaite

à la victoire

Cette année 1942 est bien l'année pivot du conflit mondial. Qui aurait pu prévoir que moins de trois mois après le désastre de Dieppe (19 août 1942), où des milliers de Canadiens étaient tombés sous le feu allemand, les Alliés prendraient pied victorieusement en Afrique du Nord ?
Le débarquement anglo-américain du 8 novembre offrira aux Allemands et aux Italiens l'occasion de franchir la ligne de démarcation. Le 11, c'est la totalité de la "Zone libre" qui est envahie en quelques heures et sans que l'armée de l'armistice ait pu opposer la moindre résistance. Quand Marseille, Toulouse, Lyon sont occupées, Toulon reste libre encore... Pour très peu de jours. (Bundesarchiv ; Ullstein Bilderdienst; Bildarchiv Preussischer Kulturbesitz; Ullstein Bilderdienst.)

La Flotte française disparaît

En 1939, la Flotte française était l'une des plus puissantes du monde, et la plus puissante jamais possédée par la France. Au moment de l'armistice, les Allemands respecteront son indépendance de peur de la voir se rallier aux Anglais ; mais ces derniers ne la ménageront pas et les drames de Mers el-Kébir et de Dakar exaspéreront les sentiments anglophobes de nombreux officiers. Mais, le 27 novembre 1942, toutes les illusions s'évanouissent et les Allemands envahissent Toulon, à l'aube, dans l'espoir de saisir une flotte qui se sabordera sous leurs yeux. Ullstein (Bilderdienst ; Coll. R. Dazy.)

une fois de plus le moyen d'échapper aux exigences de la loi qui atteint leurs coreligionnaires.

« Ce qui précède me paraît justifier la demande que je vous adresse d'intervenir pour que cesse une situation qui semble être un défi aux décisions de l'autorité allemande et un scandale... Ces gens-là personnifient ce que l'élément juif a de plus audacieux, de plus cynique, de plus dépourvu de scrupules. En mettant un terme à leurs agissements, vous aurez acquis un droit de plus à la reconnaissance de ceux qui aspirent à voir notre pays débarrassé des individus qui l'ont trop longtemps exploité. »

Employés contre patrons. Patrons contre employés. Lutte des classes ? Sans doute, mais surtout lutte des races. « Je ne peux signer, écrit le délateur de l'ancien secrétaire général de la société auxiliaire de plantation, je ne suis qu'un aryen obligé au silence et au secret, mais qui enrage de ne gagner que quelques sous en peinant alors que le juif, toujours, s'est arrangé pour gagner beaucoup en ne faisant rien. » « Monsieur, je suis vendeuse aux magasins du Printemps... et je suis très étonnée qu'une loi ait été faite sur les juifs et que malgré cela nous sommes commandés par un chef, Mlle X... Cette personne est juive à 100 %. Pourquoi y a-t-il des exceptions ? C'est de l'ironie et je constate amèrement que les lois ne servent à rien [1]. »
Un certain F..., qui tient à garder l'anonymat, car il est « dans le métier », mais, dans son cas, la musique n'adoucit pas les mœurs, dénonce les violonistes Fleider, « juif polonais, naturalisé français », Gouzeviez, Simon, et le cymbaliste Spentz, employés soit à « La Doulce France », soit à Bagatelle.

Un juif ne veut-il pas (ou ne peut-il pas) augmenter les salaires de son personnel, sa vie, plus que sa bourse, se trouve en danger. Lisez.

« Messieurs,

« Malgré la note officielle parue dans les journaux, concernant le réajustement des salaires à partir du 1er juin 1941, notre patron, le juif O..., rue Letellier, Paris, 15e, ne veut pas payer son personnel, c'est une honte ce qu'il paie, mais lui sait bien s'enrichir aux dépens des ouvriers. Nous vous serions très

1. Paris, lettre en date du 25 novembre 1941. Signature illisible. Document inédit.

reconnaissants de bien vouloir vérifier et l'obliger à payer normalement. Nous vous remercions beaucoup d'avance. Il est là de 9 h à 12 h et de 14 h à 16 h[1]. »

Des concierges dénoncent. « Je suis concierge au... rue Saulnier, Paris (9e), mon propriétaire est juif et je tiens à vous déclarer que, dans l'immeuble, existe une synagogue en fonction. Le propriétaire s'appelle Lucien F... et est parti en zone libre[2]. »

Des concierges sont dénoncées. Parce qu'elles sont juives : « Etant donné, écrit le Dr Laurent Viguier[3], l'ordonnance qui interdit aux employés juifs d'être en contact avec le public, il faut que Mme S... soit destituée de sa place de concierge. »

Parce qu'elles sont « amies des juifs » comme cette concierge de la rue Pierre-Demons : « Il y a... rue Pierre-Demons, au quatrième étage gauche des meubles en garde, les propriétaires N... sont très amis avec les juifs Blum. Ils racontent que les meubles sont à eux. Les conciergent (*sic*) reçoivent des produits contingentés par colis à partager avec les N... La concierge déteste le maréchal Pétain. Il n'y a qu'à la faire parler. Quelqu'un du quartier. »

Parce qu'elles protègent les biens des juifs en fuite, comme cette Mme Lallement, concierge rue des Tournelles, à Paris, qui abrite les bijoux, l'argent et surtout, dit la lettre de dénonciation : « 2 beaux dessus de lit de soie et duvets » qui lui ont été confiés par des juifs assez heureux pour s'échapper deux heures avant la rafle de janvier 1943.

Du cultivateur qui dénonce son propriétaire : « Je pense qu'il fait partit (*sic*) des sujets juifs, je crois que vous ferez le nécessaire » à l'auteur jaloux qui écrit pour rappeler que Claude-André Puget, dont

1. 28 janvier 1943. Inédit.
2. 28 janvier 1943, inédit.
3. Rapport en date du 7 juillet 1941

la pièce *Echec à Don Juan* va être montée aux Ambassadeurs, est juif, aucun milieu n'est épargné par cette vague de délation qui, avec les juifs, recouvre les « enjuivés ».

La femme de M. P..., directeur du ravitaillement général des Alpes-Maritimes, est juive et, de surcroît, fille d'un haut dignitaire de la franc-maçonnerie : deux raisons suffisantes pour expliquer le mauvais ravitaillement dont souffre le département. On croit rêver ! Non, le 28 février 1943, la Section d'enquête et de contrôle du C.G.Q.J. de Nice a bien été interrogée pour savoir s'il y a, ou non, corrélation...

Maquillée, fardée de bons sentiments, la délation n'apparaît pas toujours sous son jour véritable. L'altruisme, le pétainisme, le patriotisme, la morale vont lui servir d'excuse et de justification.

Altruisme. Mme Julien M..., qui tient commerce de boucherie à Paris, mais dont le mari est prisonnier, ce qui la contraint à garder boutique fermée, signale à Sézille que tous les bouchers du quartier sont juifs. « Pour cette raison, les habitants de la rue... manifestent le désir de voir rouvrir notre maison. » Encore faudrait-il que son mari soit libéré [1]...

C'est l'altruisme encore qu'invoque, en octobre 1941, Noël S... auteur d'une lettre de douze pages à Sézille. Après avoir affirmé qu'il faut donner à « nos vieux et aux petits orphelins » la ration de charbon des juifs, après avoir regretté de manquer de temps pour « fouiller toutes ces cours, repaires et terriers d'étrangers », il n'oublie pas de solliciter l'attribution d'une affaire juive dont il souhaite ne pas avoir à payer le fonds !

Pétainisme et exploitation du pétainisme. Fermier dans la commune de Saint-C..., M. X... écrit au préfet de la Gironde pour lui expliquer que, son domestique étant prisonnier, il se trouve dans l'impossibilité de loger le couple qui l'aiderait aux travaux des champs.

> « Le logement que je pouvais leur donner et qui est le logement de mon domestique prisonnier est occupé par un

1. Sézille lui conseillera d'embaucher un bon commis.

réfugié de Nancy depuis le 1er novembre 1939, nommé W..., juif d'origine, et juif encore. Ayant fait de nombreuses démarches auprès de la municipalité de... pour faire transférer plus près du bourg, ledit W..., âgé de 75 ans, incapable de travailler ou de rendre un service quelconque pour le remplacer par un ménage de travailleurs, j'ai toujours été reçu avec mauvaise grâce et indifférence. Or, Monsieur le Préfet, d'après les directives de Monsieur le Maréchal Pétain chef de l'Etat français aucune parcelle de terrain ne doit rester en friche. Pour obéir aux ordres de Monsieur le Maréchal il me faut une aide efficace, que j'ai trouvée dans ledit ménage cité plus haut, mais encore faut-il qu'il soit logé convenablement[1]... »

Qu'on le débarrasse donc « d'une nullité juive ».

Dans le même département de la Gironde et en juillet 1941 encore, un autre cultivateur écrit au même préfet :

« Un maire peut-il se permettre de tenir les propos que voici : " Ceux qui actuellement nous dirigent auront plus tard la tête tranchée, comme châtiment de la voie où ils nous conduisent et ils nous engagent. " Ce sont les paroles que j'ai entendues le vendredi 4 juillet à dix heures " solaires " dans un cortège funèbre et dites par le maire d'une commune voisine de la mienne.

« En dénonçant ce fait, je ne fais que m'inspirer des paroles de notre Cher et Vénéré Maréchal et inscrites sur ma carte d'adhérent du groupe " Collaboration " auquel j'appartiens avec le n°... et qui sont, vous le savez déjà : " Il ne suffit pas qu'on me fasse confiance, il faut qu'on m'aide. " A vous de juger, Monsieur le Préfet, je ne veux pas faire preuve d'esprit mouchard, je crois faire preuve de mon devoir de Français[2]. »

Patriotisme. Des anciens combattants de Mostaganem terminent leur lettre à Xavier Vallat sur ces mots : « Nous sommes tous unis derrière le seul drapeau tricolore et derrière le seul porte-drapeau, le

1. Inédit, 18 juillet 1941.
2. Document inédit. Le préfet prescrira immédiatement une « enquête approfondie ».

maréchal Pétain... » Mais ils l'ont commencée en réclamant la fermeture de tous les débits de boissons tenus par des juifs !

On dénonce également au nom du respect des lois. Le 3 juin 1941, le directeur régional des établissements Fulgor, à X..., écrit à la Feldkommandantur locale pour indiquer qu'il a relevé de ses fonctions de représentant « le sieur Moch », dès lors qu'il paraissait en faute avec les « prescriptions de l'ordonnance du Commandant en chef des forces militaires allemandes en France ».

On dénonce, enfin, en se blottissant derrière le drapeau de la morale et de la vertu.

Le 23 mars 1942, F. A..., qui habite Nice, écrit au Commissariat général aux Questions juives pour dénoncer *tous* les juifs habitant son immeuble. Ils sont nombreux d'ailleurs puisqu'ils occupent sept des quatorze appartements. De ces appartements, F. A... donne une description sommaire mais précise, de ceux qui les habitent il dépeint avec exactitude les habitudes. Jugez-en : « 6e étage droite (app. meublé, 1 p., s. de b., terrasse, cave), locataires depuis huit mois environ B... et G..., juifs belges, 2 femmes et un chien. Très nombreuses visites, allées et venues et réunions tant la nuit que le jour. En août dernier, ont causé du scandale ayant provoqué l'intervention de la police sur plainte des locataires des immeubles voisins : se promenaient tout nus sur la terrasse... »

Mais il existe bien d'autres haines que les haines commerciales ou que ce désir de revanche qui anime ceux et celles qui estiment que, par le passé, des juifs, malhonnêtes en affaires, les ont escroqués[1].

Il existe d'autres passions que celle de l'argent.

Il y a la passion.

Lorsqu'une lettre de dénonciation tient lieu du vitriol, du poignard, du revolver utilisés en un autre temps, voici la police allemande, aussi bien que les hommes de l'Institut d'études des Questions juives mis au service des douleurs et des horreurs de l'amour.

---

1. Témoin cette lettre d'un M. Jean B..., qui habite Rochefort et qui, le 17 juin 1941, écrit aux Amis de l'Institut : « Les juifs m'ont fait beaucoup de mal, surtout comme clients malhonnêtes de ma petite fabrique que j'avais créée et tenue de 1925 à 1939... C'est pourquoi je voudrais apporter ma modeste contribution pour débarrasser notre pays de ces indésirables. »

Un professeur de Toulon, ancien combattant de 1914-1918, membre de la Légion, demande à Xavier Vallat [1] que soit arrêté Arthur S..., juif hongrois, communiste militant et amant de sa femme... Avant tout amant de sa femme.

« ... J'ai donc recours à vous, Monsieur le Haut Commissaire, pour obtenir une mesure sans laquelle il est impossible d'espérer que ma femme revienne à son devoir. C'est une famille française qu'il s'agit de sauver. »

Douleur meurtrière à laquelle fait écho la douleur meurtrière d'une femme qui dénonce Muriel A... [2] : « Cette personne, non contente d'être juive, débauche les maris des vraies Françaises et sachez donc de quoi elle vit (? !). Défendez les femmes contre les juives et ce sera votre meilleure propagande et vous rendrez un mari français à sa femme. »

Quelle haine, quel retour de haine, comme on dit un retour de flamme, pousse M. Charpentier à faire arrêter dans la rue sa femme, la juive Rebecca, dont il vit cependant séparé !

Mais l'on connaît les raisons qui conduisent Marie-Rose B... à livrer aux Allemands son amant, le gardien de la paix Jocelyn E... Le 10 janvier 1943, il lui a dit qu'il ne l'épouserait pas et qu'entre eux tout était désormais terminé. Le lendemain, les hommes de la Feldgendarmerie de Bordeaux n'ont aucune peine à découvrir, chez Jocelyn, une arme cachée [3].

C'est également parce qu'elle va être abandonnée qu'Emilienne J... livre son ami aux Allemands. Voici, pathétique de médiocrité d'âme, une partie de sa déclaration lors de son interrogatoire au mois de février 1945.

> « Je vais vous dire la vérité.
>
> « Lorsque Ch... m'a annoncé qu'il allait me quitter pour se marier, j'ai été désemparée et affolée, parce qu'il m'avait promis des choses magnifiques ; or, j'avais fait la connaissance à l'établissement *Mon Bar,* rue Boulan, où j'étais employée, d'un monsieur que je savais être dans une Kommandantur de Bordeaux... L'ayant rencontré, je lui ai dit qu'il était lamentable qu'un jeune

1. Le 23 septembre 1941. Inédit.
2. Lettre en date du 23 décembre adressée au C.G.Q.J. Inédit.
3. A la libération, Marie-Rose B... sera condamnée à huit ans de travaux forcés. Déporté à Dachau, Jocelyn E... reviendra de captivité.

homme comme Ch.. continue à s'amuser à Bordeaux, alors que d'autres souffraient en Allemagne. Sur la demande de ce monsieur, j'ai donné le nom et l'adresse de Ch..., ainsi que l'adresse de son frère, et celle de ses parents... Je regrette ce que j'ai fait et je vous affirme que je n'avais pas mesuré la portée et les conséquences de mes actes[1]. »

R... surprend-il sa femme en train d'embrasser le facteur, et lui adresse-t-il ensuite de violents reproches, le voilà dénoncé à la police française qui découvrira aisément un fusil de chasse illégalement conservé. R... ira mourir en déportation et sa femme, la guerre terminée, sera condamnée à dix ans de réclusion.

C'est parce qu'elle ne s'entend plus avec lui et aussi, comme il l'écrira plus tard au procureur de la République, parce qu'elle veut « faire la vie avec les Allemands et d'autres personnes » que Mme J... dénonce son mari, possesseur d'une carte d'alimentation falsifiée.

Celles qui « font la vie avec les Allemands » disposent de l'arme absolue contre les voisins mécontents et patriotes. Mme R..., qui a dit à Marcelle D..., enceinte des œuvres d'un soldat allemand : « Allez vous faire dégonfler par les fridolins », est arrêtée le 27 juillet 1943 par la Gestapo, la police française ayant refusé d'intervenir. Pour... propos anti-allemands, elle se verra condamner à deux ans de prison.

Deux ans de prison, c'est également la peine dont est frappé Philibert Ch... qui, lui, sera de surcroît déporté. Son crime ? Il a traité de « putain » Louise L..., une pauvre et méchante fille qui travaille dans une maison habitée par des officiers allemands et, du ménage, passe trop aisément au lit.

Avant de quitter la France pour aller travailler en Allemagne, Simone D..., qui s'est prostituée aux soldats allemands, se venge des attaques d'un village qu'elle a scandalisé[2] : elle accuse d'activité communiste et anti-allemande cinq de ses voisins, ce qui suscite une longue et impartiale enquête de la police française.

Quant à Liliane D..., que ses camarades appellent « La Gestapo du bureau », elle dénonce Mmes G... et Z... qui la critiquent et formulent ouvertement des vœux pour la victoire anglaise.

---

1. Inédit.
2. Simone D... est l'épouse d'un prisonnier de guerre, ce qui ajoute au scandale.

Importance des mots sans importance. Le juif M... traite-t-il son voisin [1], avec qui il s'est pris de querelle, de « haricot vert », ce légume désignant alors l'occupant et, par extension, ses collaborateurs, il s'entend répondre :

— Attends, sale juif, tu auras bientôt de mes nouvelles.

Cependant que la femme du « haricot vert » ajoute :

— Il t'a traité de haricot vert et bien il va les ch... les haricots verts et bientôt tu auras de mes nouvelles, sale juif.

En tout autre temps, la querelle serait sans intérêt, ni conséquences mais, un mois après l'altercation, M... est arrêté par la police allemande, emprisonné, déporté en Allemagne [2].

Les Allemands n'interviennent pas seulement dans la vie des couples divisés. Des familles les feront juges de leurs querelles. Pour obtenir la libre disposition d'un appartement, un fils informe la police allemande que sa mère dissimule au grenier un fusil de chasse. Et c'est pour se venger de l'influence que sa belle-mère gaulliste exerce sur sa femme que Pol S... avise le consulat allemand de Lyon qu'elle cache cinq fusils de guerre dans sa maison de campagne.

Des Allemands, ou des serviteurs des Allemands, on attend, on espère la solution de tous les problèmes.

Voici la lettre d'une affligeante naïveté et d'une grande vulgarité d'âme écrite, le 10 juillet 1941, par un vétérinaire d'Eure-et-Loir à l'Institut d'études des Questions juives.

> « ... Le 16 juin 1940, un ménage juif se suicidait par noyade dans la Loire laissant une fortune de 4 à 5 millions, pas d'enfants mais des neveux et nièces israélites, moi seul neveu par alliance, pur aryen.
>
> « Par testament, en vieillards de 80 ans, ils ont déshérité tous leurs proches, faisant légataires universels les descendants de leur ancien jardinier.
>
> « Ayant beaucoup souffert de ce milieu juif où je suis entré en 1896 — alors jeune officier, y aurait-il chance de faire annuler le testament [3] ?... »

1. En août 1943.
2. Les délateurs seront condamnés à cinq ans de réclusion et trois ans de prison.
3. Document inédit.

Quelques-uns de ceux qui dénoncent un membre de leur famille se font gloire de mépriser les sentiments les plus respectables. Ainsi, un certain A. G... écrit-il à Sézille pour lui signaler que son beau-frère sert clandestinement les intérêts de ses patrons juifs. « ... Comme vous voyez, ajoute-t-il, dans sa lettre du 22 novembre 1941, je ne recule pas de combattre même ma propre famille et je suis sans pitié pour qui favorise les juifs. »

Et les juifs sont-ils pitoyables aux juifs ? Il n'en manque pas pour admettre que « certains de leurs coreligionnaires particulièrement encombrants ou dangereux » méritent les sanctions infligées par Vichy.

Elle existe, cette lettre d'un Lévy, habitant le 11e arrondissement de Paris. Elle est datée du 14 juillet 1943. L'homme, qui n'a rien compris à la philosophie hitlérienne de la répression antisémite, qui imagine encore que les Allemands établissent, entre « bons » et « mauvais » juifs, une distinction, dénonce un certain nombre de ses coreligionnaires, spécialistes du marché noir. « Débarrassez-vous de ces gens qui contaminent les autres familles juives honnêtes qu'on emmène à Drancy. »

Il existe ce « converti sincère qui n'a jamais eu aucune relation avec les juifs » qui, né de parents juifs alsaciens, a épousé une catholique et fait parvenir à Sézille sa liste de témoins de moralité : un capitaine de pompier, deux prêtres, le secrétaire du commissariat de police de Vanves, un journaliste. Il réclame la protection de l'Institut d'études des Questions juives. Sézille lui répond : « Vous êtes peut-être un des rares cas intéressants, mais vous êtes juif. Vous devez vous conformer à la loi ; cependant, en raison de vos états de service, si vous aviez des ennuis, venez me trouver. »

Misère et ravitaillement difficile exaspèrent les jalousies et guident des plumes. Que ne ferait-on pour UN kilo de pain ? Et pour UN litre de lait ? Pour UN litre de lait, on dénonce. Lisez : « Mlle Roche, une personne en meilleure santé, non travailleuse depuis le mois de février, elle a toujours DES TICKETS DE TRAVAILLEURS[1], en plus on lui a donné en même temps une carte de lait... depuis le mois de mai 1 LITRE[1]... Elle a signé la feuille de ne pas appartenir à la race juive. Elle a bien l'habitude de le nier en se disant " convertie " (c'est encore pis !). »

Pour UN litre de lait, on dénonce. Pour UN QUART DE LITRE de lait on dénonce également. Une femme, qui signe simplement Sylviane, alerte, le 30 janvier 1943, le commissariat général aux Questions juives. Rue de Charenton, à Paris, habite M. Jacobovitch. « Qu'attend-on pour l'envoyer avec les autres ? C'est tout ce qu'il mérite, il profite même du quart de lait tous les jours... On peut le prendre sur le fait, il va le chercher entre 9 h et 9 h 30, à 9 h 40 au plus tard chez l'épicière du 18, rue de Charenton qu'elle aussi soutient (*sic*) les juifs, le sien (*sic*) en était un et il est interner... Il ne faut pas les laisser profiter de tout, ils nous ont fait trop de misères. »

La hantise de l'anticommunisme, la peur de la « peste juive », la crainte de violer, ou de voir violer, les ordonnances allemandes et les lois françaises, tout contribue à égarer des hommes que l'on pourrait croire moralement stables. Des jeux de gamins les jettent parfois dans l'angoisse et la délation.

C'est ainsi que le lieutenant-colonel d'infanterie coloniale B... écrit, le 26 août 1941, au préfet d'un département de zone occupée. Son émotion est vive. Il vient de croiser un groupe d'enfants accompagné de trois surveillants. A la tête du cortège, marchait « une fillette de 12 ou 13 ans portant un fanion rouge sur lequel était brodé en jaune les emblèmes soviétiques (faucille et marteau), quelques garçons portaient une tenue vaguement genre scout, mais où les couleurs jaune et rouge dominaient, d'autres plus petits — probablement des louveteaux — avaient l'épaule gauche ornée d'un ruban rouge ».

Enquête faite, et le préfet ordonne qu'elle soit menée très rapidement, il s'avère que le chef de guerre a confondu la faucille et le

1. Souligné de trois traits par l'auteur anonyme de la lettre qui est adressée (s. d.) au C.G.Q.J., mais demande l'intervention des Allemands. Document inédit.

marteau avec le totem de la petite troupe en déplacement : une tête de buffle !

C'est d'ailleurs ce que précise le rapport de l'inspecteur spécial Gustave M..., rapport envoyé au commissaire divisionnaire en même temps que l'objet du présumé délit, le fanion qui avait fait voir rouge au lieutenant-colonel B...

> « Les enfants de cette colonie étaient divisés en trois ou quatre équipes. Chaque enfant, chef d'équipe, lors des sorties, portait un fanion correspondant à l'appellation de l'équipe qu'il dirigeait. C'est ainsi que la colonie possédait trois fanions : un rouge, un jaune et un vert, tous faits de vieille soie et, sur le rouge, une tête de buffle avait été brodée. Après examen du fanion rouge, joint au présent rapport, il est permis de croire que M. B... [a] cru voir sur ce fanion un marteau et une faucille, alors qu'en réalité il s'agissait d'une tête de bœuf sauvage. La confusion paraît possible, si l'on considère que ce fanion porté par l'enfant flottait plus ou moins et ne pouvait par instant laisser apparaître qu'une seule corne, de la tête de l'animal et l'oreille[1]. »

Après le lieutenant-colonel myope, voici les adolescents myopes.

> « Ce jourd'hui, trente et un août mil neuf cent quarante à vingt et une heures trente :
>
> Nous soussignés : Brocas (Adrien) adjudant et Ducasse (Jean), gendarmes à pied à la résidence de B..., département de..., revêtus de notre uniforme et conformément aux ordres de nos chefs, à notre caserne, avons été prévenus téléphoniquement par M. F..., maire de B..., qu'un individu étranger au pays avait tenté de saboter une ligne téléphonique de l'armée allemande... »

Le « saboteur », dénoncé par deux jeunes garçons qui l'ont vu courbé sur une ligne téléphonique de l'armée allemande, ligne qui, à

1. Inédit

l'examen, ne présentera aucune trace de coupure... rattachait tout simplement le lacet de son soulier. Mais, « à toutes fins utiles », le maire de B... avait prévenu l'officier allemand cantonné au village !

Triste arc-en-ciel des délations.

Les plus horribles : celle du médecin parisien qui dénonce sa future belle-fille — une enfant juive de 20 ans — et l'envoie mourir en déportation.

Délation des puissants et des riches par les puissants et par les riches.

Mais aussi des misérables par les misérables.

M. Cassavi, juif et marchand de cacahuètes AMBULANT, est dénoncé pour n'avoir pas muni « sa boutique, *en l'espèce une boîte portative*[1], de l'affiche jaune réglementaire " entreprise juive-Judisches Geschaeft " ».

L'infraction paraît assez grave au préfet de la Gironde pour qu'il adresse, le 5 décembre 1940, une note à l'un de ses proches collaborateurs : « J'ai l'honneur de vous prier de bien vouloir vérifier si ce commerçant a souscrit la déclaration prévue par l'ordonnance du 18 octobre et, le cas échéant, exiger de lui le respect des obligations édictées par ce texte, qui s'applique aux commerçants ambulants comme aux autres[2]. »

Lorsque la sottise administrative et la délation font alliance, l'histoire enregistre, futiles et redoutables, des textes comme ceux que je viens de citer.

Si la jalousie est le motif, avoué ou non, qui anime la plupart des délateurs, il en est d'autres cependant. C'est ainsi que, dans l'espoir de faire libérer un prisonnier, *leur* prisonnier, promesse souvent faite par les Allemands à la suite des attentats, des hommes ou des femmes

1. Je souligne intentionnellement.
2. Document inédit.

enquêtent et dénoncent. Le 26 novembre 1942, un membre de la Légion des combattants de Roanne, Jules X..., écrit à Pierre Laval. Ayant appris qu'il « était demandé aux Français de donner tous renseignements utiles pouvant décourager les auteurs des crimes commis contre les troupes d'occupation et [qu']à la demande du dénonciateur un prisonnier serait libéré » il a fait arrêter un « dangereux communiste » qui résidait à Nantes :

« Ce mauvais Français n'était autre qu'un membre de la famille de ma belle-sœur, Alphonse X..., qui fut arrêté le 17 octobre 1942. » « Je tiendrais à savoir, poursuit Jules X..., si mon prisonnier sera libéré. Celui-ci est un grand ami, frère aîné de trois et n'a plus que sa pauvre maman souffrant d'une grave maladie de cœur[1]. »

Le drame des prisonniers est si souvent évoqué, il impressionne si fortement l'opinion publique que l'on verra même des délateurs réclamer la libération de prisonniers inconnus d'eux. Sans doute le cas est-il rare. Il existe cependant et voici — le document est inédit — ce qu'écrit M. G... D... le 19 novembre 1942 à Fernand de Brinon. Après avoir rappelé le rôle qu'il a joué dans l'arrestation de plusieurs « terroristes », rôle qui lui a valu des félicitations du secrétariat général pour la police et du secrétariat d'Etat à l'Information, il présente sa requête.

> « Depuis six mois, j'étudiais et suivais les ramifications et je n'ignorais pas que certains [des terroristes] étaient recherchés par les autorités allemandes et françaises. La multiplicité de leurs identités ne facilitait pas leur prise. Je me permets de vous dire que je suis au-dessus de toute offre pécuniaire, mais j'ai pensé que, rendant ainsi service aux Allemands en appuyant bénévolement l'action de la justice française, ils pourraient, en contrepartie, libérer deux ou trois Français cultivateurs dignes d'intérêt. J'ai sollicité la libération de deux prisonniers mais, si vous pouviez obtenir la libération d'un troisième, je vous en serais reconnaissant. »

G. D... refuse dédaigneusement toute rétribution. Il n'en va pas de même de bon nombre de délateurs. Ce gardien de la paix qui affirme savoir « reconnaître les juifs », cette habitante de Boulogne-sur-Seine

1. Inédit.

qui « donne » trois noms au Dr Blanke, responsable des Affaires juives au service économique de l'état-major allemand en France, ce Jean G... qui, le 8 juillet, se met à la disposition du Commissariat aux Questions juives et se dit surtout intéressé par le « contrôle du camouflage des étoiles jaunes », agissent poussés par l'appât du gain.

Dès octobre 1940, les agents français dépendant de la Gestapo ont vu leurs services rétribués suivant un barème fixé par l'*Oberstumführer* S.S. Keller : la dénonciation d'un juif rapportera 1 000 francs, celle d'un gaulliste et, plus tard, d'un communiste, 3 000 francs, c'est-à-dire le salaire de cinq à six semaines de travail, un renseignement conduisant à la découverte d'un dépôt d'armes de 5 000 à 30 000 francs.

Il s'agit là, il est vrai, d'agents dûment enregistrés, qui peuvent même recevoir des primes d'assiduité. Pour les dilettantes de la délation — si j'ose ce mot —, les récompenses sont plus faibles : dans les Alpes-Maritimes après l'entrée des Allemands en zone non occupée, 100 francs par juif livré[1].

Le taux des primes change lorsque les dénonciateurs préviennent un attentat ou en livrent les auteurs.

Le 20 avril 1942, par exemple, les quotidiens de zone occupée annoncent qu'une importante gratification a été accordée à une « femme de nationalité française demeurant à Champigny-sur-Marne qui, par sa prévoyance, a fait échouer un complot contre un garage de la Wehrmacht ».

Le 9 mai 1942, c'est un « citoyen français » qui reçoit 100 000 francs (environ le salaire de trois années de travail) pour avoir, « par ses indications, permis l'arrestation de terroristes communistes » et le 10 mai « un jeune Français des territoires occupés », qui a évité le déraillement d'un convoi allemand, obtient, outre une récompense en argent, la levée des mesures de représailles qui frappaient son village et que soit étudiée la libération d'un prisonnier de guerre.

Au lendemain des attentats, pour appâter les délateurs possibles les autorités françaises — préfectures ou municipalités — s'associent d'ailleurs, dans bien des cas, aux autorités allemandes. Délateurs encouragés par la presse. « Dénoncez, traquez », demande un article de *L'Assaut* en date du 1er novembre 1941. « Dénoncer dans les

---

1. J'ignore combien a touché la femme B... qui a livré 22 bébés juifs, tués à l'Ecole de santé militaire de Lyon par des injections de benzine.

circonstances présentes les ennemis de la France n'est pas une lâcheté : c'est servir son pays et c'est se sauver. »

Le 24 août 1941, après les premiers attentats à Paris, l'amiral Bard, préfet de police, offre ainsi un million. Un million, soit 666 mois — 55 ans ! — d'un salaire correspondant à ce qu'est aujourd'hui le S.M.I.C. Un million, la somme est énorme mais, dans les heures qui suivent l'attentat de Nantes, ce sont *quinze millions* qu'offre, le 23 octobre 1941, le général von Stülpnagel, *Militaerbefehlshaber in Frankreich,* « aux habitants de la France qui contribueront à découvrir les coupables [1] ».

On comprend que les délations anonymes soient rares. Comment toucherait-on, en effet, les récompenses promises si l'on ne dévoilait pas son identité ? Sans doute les communiqués du commandement allemand, lorsqu'ils se félicitent de la collaboration active des Français, ne citent-ils jamais aucun nom. Ils disent : « Un jeune Français », un « citoyen », un « homme », mais, au moins jusqu'aux premiers mois de 1944, les lettres adressées aux Allemands comportent bien, la plupart du temps, les noms et adresses des expéditeurs.

Il en va de même des lettres adressées au Commissariat (ou à l'Institut) des Questions juives [2].

La rapacité peu commune des administrateurs provisoires de biens juifs s'étale dans de nombreuses correspondances. Le chiffre de leur rémunération peut paraître modeste (il varie, suivant le chiffre d'affaires, entre 375 francs et 5 000 francs par mois), il ne faut pas oublier que certains administrateurs ont, malgré la loi, la responsabilité de 10, 20, voire 60 entreprises !

Ceux qui possèdent veulent posséder plus encore. Jim M..., qui habite Cannes, écrit le 16 décembre 1942 au Commissariat aux Questions juives pour signaler les déplacements de Mlle Liliane

---

1. A ces sommes, il faut ajouter celles qui seront promises par la mairie de Nantes et par la préfecture de la Loire-Inférieure.

2. Cette règle souffre naturellement des exceptions. Ainsi, une lettre du capitaine Sézille, en réponse à une Mme Cuvillier, 14, rue X..., qui lui signalait le juif Oscar Schmeltzer, est-elle retournée avec la mention « inconnue à cette adresse ».

Karsenti. Il ajoute : « ... Comme cette femme est juive et que nous, les Français, comme moi, avons de la famille et je me suis déjà arrangé de me faire confier tous ses biens, et toute sa fortune, mais il faudrait faire une enquête pour savoir si elle n'a rien d'autre et l'envoyer rejoindre les autres juifs[1]... »

Ceux qui ne possèdent pas veulent posséder. M. H..., architecte géomètre, habitant, lui aussi, la Côte d'Azur, rappelle, le 4 septembre 1942, au Commissariat aux Questions juives de Nice, les listes qu'il « a eu l'honneur » de communiquer au mois de décembre 1941. Listes de plus de 200 affaires. « M. Reboul ayant bien voulu me faire connaître que ceux qui indiqueront les immeubles juifs seront nommés à l'administration de ceux-ci, je m'autorise de ces directives pour vous adresser, ci-joint, copie des principales affaires indiquées l'année dernière... J'ose espérer que vous voudrez bien me désigner pour l'administration de quelques-unes. »

J'ai longuement évoqué, parce que ce sont les plus symptomatiques, et sans doute les plus nombreuses, les délations visant les juifs. Mais les gaullistes les plus inoffensifs, ceux qui écoutent la radio anglaise, ne sont nullement épargnés.

C'est ainsi qu'à Bordeaux, où le P.P.F. fait distribuer des tracts : « Méfiez-vous, nous savons que vous écoutez la radio britannique et vous êtes dénoncé aux autorités d'occupation[2] », tous les pompiers de la ville verront leurs postes de radio confisqués.

On dénoncera bientôt ceux qui échappent au Service du Travail Obligatoire.

« Monsieur le Préfet,

« Je vous demanderai d'attirer votre attention sur le scandale qui c'est produit à la commune d'Eycheil, reconnu inapte à la visite du recensement du 2 mars, soi-disant souffrant de rhuma-

1. Document inédit.
2. Inédit. Les contrevenants arrêtés pour avoir écouté la radio anglaise peuvent être pris en otages. Précision de la *Propagandastaffel*, réunions, à Bordeaux, du 31 octobre et du 3 novembre 1941.

tisme alors que tout régulier il possédait un fisique puissant. Et de Dénat Charles d'une corpulence athlétique blessé par protection au genou.

« Espérant attirer votre attention et veiller à ce que les faits soient à nouveau étudiés, recevez, Monsieur le Préfet, mes salutations. »

On dénoncera les communistes. « Communiste » : Mot employé à tort et à travers, épithète qui vise aussi bien la femme du préfet de l'Ain qui, en 1939, avait organisé un ouvroir à l'intention des réfugiés espagnols républicains, que l'ouvrier dont le patron est mécontent, le voisin irascible et le distributeur de tracts.

« Bordeaux, le 29 novembre 1940

« Monsieur le Préfet de la Gironde,

« Vous avez arrêté 148 communistes : c'est très bien. Mais beaucoup encore desservent notre pays, c'est pourquoi je tiens à vous dénoncer un certain Jeaubertie, André, 19, rue Porte-Basse, qui mène une activité très cachée mais certaine et qui peut nous porter encore plus de préjudices.

Il fréquente le Barique, rue de Berry, centre communiste notoire.

En plus allié à certains juifs de la rue Sainte-Catherine. Son activité n'en paraît que plus dangereuse. Il serait bon, nous croyons, de mettre un terme à ces agissements.

La Kommandantur est prévenue.

Il faut débarrasser la France de tous ces criminels.

Merci d'avance.

Vive la France.

Ces lignes sont écrites sans haine mais dans l'esprit d'aider à sauver notre Pays.

Respectueux sentiments.

Un groupe de Français [1]. »

1. Document inédit.

Les lettres de dénonciation contribueront à compléter des fichiers imparfaits. Des préfets s'étonnent, en effet, et demandent aux gendarmes de les renseigner : « Aux dernières élections législatives, écrit l'un d'eux, les candidats du parti communiste ont obtenu 15 778 voix. Or, mon cabinet ne possède que 2 000 fiches concernant des communistes ou sympathisants[1]. »

On dénoncera les résistants gaullistes.

Et ceux qui gênent. Ceux qui déplaisent. Ceux qui paraissent en infraction avec ces lois tellement contraignantes qu'il est impossible de ne pas se trouver un jour en infraction... Même lorsque l'on représente la loi et que l'on est censé la faire appliquer.

Une feuille hebdomadaire de province, *L'Assaut,* demande, le 4 juillet 1942, si l'agent des fraudes Delord, qui habite Langon, « n'a pas tué ou fait tuer deux porcs pour son profit personnel ». Peut-il, par ailleurs, indiquer l'origine de la motte de beurre « et de la belle part de gruyère qu'il rapportait récemment soigneusement camouflées dans un cabas suspendu au guidon de sa bicyclette ». Quant aux gendarmes de Villandraut, pourquoi, « alors que la population souffre durement des restrictions... ont-ils tous un teint fleuri et vermeil qui doit faire l'admiration de leurs chefs, les grands jours d'inspection » ?

L'Assaut s'attaque également, le 19 janvier 1941, à un certain nombre de retraités de l'Etat occupant des fonctions « qui feraient vivre de jeunes chômeurs[2] ».

Pour la seule petite ville de Barbezieux, se voient ainsi dénoncés M. Pille, gendarme en retraite, comptable à la mairie ; M. Rivière, également gendarme en retraite, comptable à la Société vinicole ; M. Chaillot, propriétaire à Berneuil, contrôleur et vérificateur des Laiteries.

Tombent également sous la critique de l'hebdomadaire (et des lois) plusieurs couples de fonctionnaires cumulards. Un professeur au collège de Barbezieux dont la femme est employée à la poste ; un comptable dont l'épouse est professeur à l'Ecole supérieure ; un employé à la perception dont la femme est institutrice à Saint-Bonnet L'article s'achève sur ces mots : « Dénoncez le mal. »

---

1. Mme Barel, femme d'un député communiste, emprisonné, jugé et condamné à la suite du pacte germano-soviétique, et qui est institutrice, écrira que l'administration « était harcelée journellement de réclamations de courageux adversaires politiques de (son) mari » qui réclamaient sa révocation.

2. *L'Assaut* est un hebdomadaire du P.P.F.

Ils dénoncent « le mal » les paysans français.

Car l'occupation n'a nullement modifié les ressorts de la nature humaine. Dans son numéro du 8 novembre 1941, *L'Illustration* reproduit quelques annonces publiées par un hebdomadaire de l'Orne, annonces qui ne sont que le reflet de ces éternelles querelles de village entre hommes et femmes pour qui l'ennemi, d'abord, c'est le voisin.

> « *Saint-Cyr-la-Rosière.* Avis. Quelques dames de Clémencé feront bien à l'avenir de garder pour elles leur langage vipéreux. Maillet.
>
> « *Remalard.* Je prie M. X... de cesser de faire courir des bruits malveillants sur la conduite de mes jeunes filles, ainsi que plusieurs personnes des alentours de la Herrière. Lebon à la Herrière.
>
> « *Saint-Langis-les-Mortagne.* Nous prions certaine commère de s'occuper à faire son ménage plutôt que de salir des personnes plus honnêtes qu'elle et de garder sa langue de vipère si elle veut s'éviter des ennuis avec la justice. Mme Pottier et Roger.
>
> « *Mauves.* Je prie les commères de bien vouloir cesser les propos infâmes qu'elles tiennent sur mon compte si elles ne veulent pas faire connaissance avec la justice. Attention et gare ! Pierre Goudet. »

Mais dans les villages, où les cartes d'alimentation, la répartition d'essence, de bons de pneus, de matières grasses, de ficelle lieuse, les réquisitions allemandes et le logement des soldats, les exigences des services du ravitaillement de Vichy constituent désormais le centre des conversations et le cœur des disputes, remontent également à la surface les haines électorales de 1934 et de 1936 que seuls des ignorants de la psychologie populaire auraient pu croire oubliées.

En temps utile, on se souviendra donc avec une précision diabolique, et l'on s'en souviendra pour alerter le préfet, que, le 15 août 1936, le maire du village a défilé en tête de ce cortège qui, drapeau rouge en tête, s'est rendu devant l'église à l'instant où, sous le porche, défilaient des communiantes doublement émues.

Il est banal de se plaindre de la mauvaise distribution des permis de circuler mais, lorsque l'on peut ajouter, dans sa lettre de doléances, que le maire responsable a refusé de donner le nom du maréchal Pétain à la rue Salengro, on est assuré de retenir l'attention. De même sera immédiatement suspecte la directrice d'école qui était « autrefois de tous les cortèges, chantant *l'Internationale*[1] ».

Ainsi, les rancœurs et les humiliations du passé nourrissent-elles les délations du présent. Lorsqu'il s'agit de se venger, les Français n'ont jamais la mémoire courte.

Pour le seul département de l'Allier, les maires d'Ainay-le-Château, de Deneuville-les-Mines, de Charroux, de Courcaix, de Créchy, de Deux-Chaises, de Louroux-Bourbonnais, de Meillard, de Serbannes, de Theneuille, de Tréteau, de Trézelles, de Vieuvre, sont dénoncés par la Légion des combattants.

Ils sont accusés de « nuire à la révolution nationale », de ne pas favoriser les entreprises légionnaires et de laisser subsister, dans leurs petites mairies villageoises, le buste de Marianne. Le maire de Tréteau se verra même reprocher l'achat de deux bouteilles de vin, bues pour célébrer la mort de Chiappe, tué au cours d'un engagement aérien entre Britanniques et Italiens, alors qu'il rejoignait le poste auquel il venait d'être nommé en Syrie.

Soyons justes. Si des légionnaires dénoncent, si les dirigeants de toutes les sections disposent d'un questionnaire leur permettant de signaler à leurs chefs les tièdes ou les opposants, François Valentin, directeur général adjoint de la Légion, critiquera vivement, devant les chefs légionnaires assemblés, la délation : « maladie française de l'heure[2] ».

Et, s'il est vrai que le gouvernement insiste, à plusieurs reprises, sur son effort « en matière d'épuration et de réorganisation administrative », s'il est vrai qu'il existe des préfets accueillant favorablement les

---

1. Dénonciation en date du 10 mars 1941.
2. *Cf. Quarante millions de pétainistes*, p 243 et suiv.

lettres de délation et refusant même de rechercher leurs auteurs, Vichy s'efforce d'établir un contre-feu dans l'espoir de maîtriser l'incendie dont il est en partie responsable.

En janvier et février 1942, différents d'écriture, identiques de pensée, des communiqués officiels sont publiés par la presse de zone non occupée comme de zone occupée. « Ces pratiques, écrit le préfet de l'Eure, en parlant de la délation, créent une atmosphère insupportable de suspicion et ont amené maints incidents regrettables du fait du profond malaise qu'elles font régner. » En conséquence, les lettres anonymes feront l'objet, affirme-t-il, d'une enquête de police, d'une expertise et d'un contrôle des empreintes digitales.

Remarquons cependant que seules sont visées les lettres sans signature.

Pour l'honneur de l'administration les P.T.T. refusent de communiquer la correspondance adressée aux juifs, correspondance que réclament certains directeurs régionaux aux Questions juives. Des gendarmes préviennent les juifs ou les résistants qu'ils ont l'ordre d'arrêter. Des commissaires de quartier refusent d'enregistrer les plaintes de concierges haineuses[1] ou même maltraitent des délateurs[2].

Et il se trouve des « collaborateurs » pour refuser d'accorder crédit aux lettres de délation. Simone Delb, secrétaire de Jean Hérold Paquis, dira, lors du procès de l'éditorialiste de Radio-Paris, et son témoignage ne peut être récusé, que les messages de dénonciation reçus par son patron étaient tous systématiquement jetés au panier.

Des officiers de l'armée allemande, écœurés par une servilité qu'ils n'exigeaient pas, se désintéressent ostensiblement, de leur côté, de dénonciations qui toutes n'étaient pas infondées. C'est ainsi qu'entre le mois de février 1941 et juin 1942 la *Feldkommandantur* d'Evreux

1. Une concierge parisienne se plaint, le 17 janvier 1943, au Commissariat général aux Questions juives, du commissaire de police de son arrondissement à qui elle est venue dénoncer des locataires juifs qui sont partis pour la zone libre et qui lui a répondu : « Est-ce que l'on vous a mise à la porte de l'immeuble avec un fusil pour les garder ? »

2. Le comité d'action antibolchevique se plaint que l'un de ses adhérents, le jeune Martinez, ait reçu « deux coups de poing à la face de la part du commissaire » de la gare Saint-Lazare auquel il était venu dénoncer deux juifs sans étoile et, dans les lavabos d'un cinéma voisin, « honteusement occupés à des choses qui n'ont rien à voir avec le cinéma ».

n'accordera aucun crédit aux lettres signalant les détenteurs d'effets militaires, de pigeons voyageurs, de stocks illicites [1].

Enfin, plusieurs tribunaux condamnent les dénonciateurs. 50 000 francs d'amende à Georges X..., de Mayenne, qui avait accusé faussement G... d'abriter des prisonniers de guerre évadés.

Un an de prison et 100 francs d'amende pour P... qui, grâce à deux lettres anonymes, a prévenu la *Standortkommandantur* d'Etampes que l'un de ses voisins cachait des armes.

Un an de prison, le 4 janvier 1943, à Paul G..., de Clamecy, qui a dénoncé son beau-frère... après avoir chargé son fils de dissimuler chez celui-ci un fusil de chasse !

Il existe des cas où, pour atteindre les délateurs et les agresseurs, les magistrats doivent faire preuve d'un courage certain et d'une obstination évidente.

Dans une grande ville du Sud-Est, cinq jeunes gens appartenant « à des familles honorables », précise le rapport du substitut du procureur général près la cour d'appel de X..., en indiquant que l'un prépare Saint-Cyr, l'autre l'Ecole navale et que plusieurs sont fils de magistrats, se sont mis en tête de persécuter les juifs. Pas n'importe quels juifs. Des amis de leurs parents : les G... qui ont reçu plusieurs des garçons à leur table, et en août 1941, passé les vacances dans le même hôtel que la famille des principaux coupables.

Dans la soirée du 27 novembre 1941, quatre adolescents apposent sur la porte de l'appartement de G... un placard ainsi libellé : « Sales juifs, on aura votre peau. » Le papier est fixé à la porte par un poignard sur le manche duquel — faute d'orthographe comprise — se trouvent écrits ces mots : « A mort les juifs, vangeons (*sic*) la France, on aura votre peau, profitez-en. »

Avant de s'enfuir, les garçons sonnent violemment à la porte de l'appartement dans lequel dînent non seulement les G... mais encore Gilbert X..., leur complice, et son père !

Le 14 décembre, vers 18 h 30, nouvelle initiative. Les « cinq »

1. *Cf.* Baudot, *L'opinion publique sous l'occupation allemande.*

imbibent de pétrole le paillasson des G... et y mettent le feu. Trois jours plus tard, ils adressent à G... un journal en marge duquel ils ont écrit : « A mort les juifs, nous aurons ta peau (1er avertissement). »

Le lendemain, un poignard est à nouveau planté dans la porte de G.. Il soutient un écriteau représentant un juif pendu à une potence, accompagné de ces mots : « Youpins, 2e avertissement. »

Enfin, le 23 décembre, vers 18 h 30, G... et sa femme ayant quitté la ville, les cinq garçons attaquent l'appartement où ne se trouvent plus que trois femmes âgées[1]. Ils les bousculent, les frappent, dévastent l'appartement et ne sont mis en fuite que par l'apparition des concierges. Ils ont pris soin de dissimuler leur visage sous une cagoule, mais la police réussit à les identifier et à obtenir, le 28 janvier 1942, des aveux complets.

Le procureur de la République convoque à son cabinet M. X..., père de l'un des coupables et l'un des notables de la ville : « J'eus la surprise de me trouver en présence d'un père de famille qui paraissait approuver hautement l'attitude de son fils et de ses camarades et qui osa même me dire que, si son fils était poursuivi, il promettait de faire envoyer G... dans un camp de concentration. M. X... n'hésitait pas à déclarer qu'il écrivait dans plusieurs journaux, qu'il était même à la veille de devenir le directeur d'un grand journal de Vichy, qu'il entretenait les meilleurs relations avec M. l'amiral Darlan et M. Pucheu, ministre de l'Intérieur, dont il parlait d'ailleurs en disant simplement : " Darlan et Pucheu. " Il ajouta même que les jeunes gens avaient reçu de nombreuses félicitations à la suite de leurs exploits, notamment de la part de leurs propres professeurs, d'officiers de marine, etc.[2] »

Sermonné par le magistrat, M. X... promet enfin que son fils et ses camarades iront faire des excuses à leurs victimes et qu'ils écriront même une lettre au maréchal Pétain. J'ai, sous les yeux, datée du 3 février 1942, cette lettre au Maréchal dont les premières lignes, hypocrites et confuses, masquent très mal la satisfaction vaniteuse d'agresseurs qui s'efforcent de justifier leur agression.

« Le sieur G... a établi... un véritable centre d'accueil d'étrangers venus on ne sait d'où... La famille G... a organisé une fête de

1. La belle-mère de G... (72 ans), sa sœur (65 ans) et une domestique.
2. Document inédit.

famille suivant le rite judaïque et à l'occasion de laquelle il a été dépensé une somme de cinq mille francs pour les fleurs... De plus, après le champagne, les invités ont mangé une glace confectionnée avec dix-huit œufs et un gâteau fabriqué avec douze œufs... Si nous avons devancé votre justice, nous espérons que, comprenant notre légitime indignation, vous nous accorderez votre confiance comme par le passé. »

Quatre jours plus tard, dans la nuit du 7 au 8 février, la vitrine d'un magasin juif est brisée. Parmi les auteurs de l'attentat, deux des signataires de la lettre au Maréchal. Brièveté des remords [1]...

Dans les deux premières années de l'occupation au moins, la vague de délation ne va pas, d'ailleurs, sans provoquer de multiples réactions de la part de ceux qui s'estiment calomniés.

On le voit à l'occasion de l'exposition « Le juif et la France » organisée à Paris, au palais Berlitz. Voici comment *L'Illustration,* dans son numéro du 20 septembre 1941, présente l'exposition dont le capitaine Sézille est l'un des réalisateurs [2].

« Boulevard des Italiens. Une foule se presse sur le trottoir devant l'entrée du palais Berlitz qu'ornemente une grande composition allégorique représentant une sorte de vampire à longue barbe, aux lippes épaisses et au nez crochu, dont les doigts décharnés, semblables à des serres d'oiseau de proie, s'agrippent à un globe terrestre... »

---

1. Grâce à la fermeté du procureur de la République, deux informations seront ouvertes contre les agresseurs de la famille G... et contre les briseurs de vitrines.

2. C'est le Conseiller de Légation, Dr Zeitschel, chef des Questions juives à l'ambassade d'Allemagne qui a pris l'initiative de cette exposition mais, précise Abetz dans un télégramme du 5 septembre 1941, « aux yeux du public, c'est l'Institut français des Questions juives, dirigé par le commissaire général des Affaires juives qui en est chargé ».

Après Paris l'exposition sera présentée à Bordeaux, à Nancy (juillet 1942), puis dans plusieurs villes de zone non occupée : Marseille, Nice, Cannes, Toulouse, Lyon.

Cinq salles permettent aux visiteurs — ils seront 43 181 entre le 5 et le 16 septembre, 276 412 entre le 5 septembre et le 14 décembre [1] — de « tout » savoir sur les juifs, leur histoire, leur origine, leur « jargon », le sort qui leur est réservé en Allemagne, en Roumanie, en Bulgarie, en Hongrie, mais ce sont les salles 2 et 3 qui retiennent particulièrement l'attention.

Dans ces salles, en effet, de vastes tableaux montrent « l'hégémonie juive sur les manifestations essentielles de l'activité française : la littérature, l'industrie, la radio, le palais, les finances, la presse, le commerce, les spectacles, la médecine, la politique et, enfin, et par-dessus tout, le cinéma. Des assemblages photographiques, poursuit Robert de Beauplan, auteur de l'article de *L'Illustration*, déjà cité, nous remettent sous les yeux des têtes bien connues d'hommes qui étaient, il y a peu de temps encore, les maîtres de Paris [2] ».

Des noms sont cités. A tort et à travers.

Des photos sont exposées. Avec une telle légèreté que les protestations fusent.

Lettres recommandées au capitaine Sézille de Maggy Rouff, de Véra Borea et de Raphaël Lopez qui demandent que les noms de leur magasin soient retirés de la liste des maisons juives de couture. Protestation de Me Deblois, huissier près le tribunal civil de la Seine, contre l'exposition de la photo de M. Veber, marquée d'une étoile de Sion. Requête de Me Pouard exigeant que le nom de son client, M. Alary, soit retiré de la liste des collaborateurs juifs du 101e ministère de la IIIe République.

Lettre de Maurice Lehmann, directeur du Châtelet : « ... C'est une photographie me représentant qui est placée parmi les directeurs de

1. Le prix d'entrée est de 3 francs. Le jeudi, l'entrée est gratuite pour les élèves accompagnés de leurs professeurs ou de leurs parents. D'après Sézille, les entrées gratuites ne sont pas comptabilisées. En octobre 1941, le capitaine Sézille demandera à M. Gast, directeur de l'Assistance publique, ainsi qu'au préfet de la Seine, que les recettes de l'exposition soient exonérées de la taxe dite du « Droit des pauvres », en raison, précise-t-il, « de son but uniquement social et moral ». En novembre, il suggère que les salles de l'exposition soient chauffées, ce qui attirerait davantage de monde.

« Exemple : les cinémas et les cafés ne désemplissent pas vu le manque de chaleur dans les intérieurs particuliers. »

2. Des graphiques informent le visiteur que les juifs contrôlaient 95 % de la publicité et de la banque, 90 % du cinéma, 81 % de la radio, 80 % des sociétés immobilières et de la joaillerie, 75 % des assurances et de la presse, 60 % de la mode ; que 30 % des médecins et 20 % des avocats sont juifs.

théâtre au-dessous du nom de M. Uhlmann, l'ancien directeur du Théâtre Sarah-Bernhardt... Je ne suis pas juif, je n'ai jamais travaillé avec des capitaux juifs, ainsi que le prouvent les documents dont je suis prêt à vous donner connaissance. »

Lettre de Me Albert Willm, avocat à la Cour, furieux d'avoir trouvé son nom parmi une longue liste d'avocats juifs. Sézille lui répond, le 12 septembre 1941, que l'erreur a été réparée et il ajoute : « Nous sommes heureux de vous voir considérer comme injurieux de figurer parmi les avocats juifs. »

Car Sézille répond aux plaignants. Parfois aimablement.

C'est ainsi qu'il propose au violoniste Krettly de faire publier dans *Le Cahier jaune* de mars 1942 un rectificatif ainsi conçu : « Nous reconnaissons volontiers que M. Robert Krettly, le musicien bien connu, n'est pas de race juive... Nous en sommes heureux pour lui. »

Mais il arrive que les rapports entre Sézille et les mécontents soient infiniment plus abrupts. C'est avec un avocat parisien — Me Jean Schuler — que le conflit sera le plus aigu. Me Schuler, dont le nom se trouvait cité sur les tableaux de l'exposition « Le juif et la France », comme juif, puis comme enjuivé, a eu l'audace de réclamer 50 000 francs de dommages-intérêts. Faut-il rapprocher son échec (il est débouté et condamné aux dépens) de la lettre que Sézille a adressée le 15 octobre 1941 à Busher, conseiller à l'ambassade d'Allemagne, et dans laquelle se trouvent ces lignes : « Je vous demande de faire connaître soit à ce M. Schuler en personne, soit au tribunal de référé, ce que vous m'avez dit : " Tout ce qui est contre l'Exposition est contre l'Allemagne. " » ? Vraisemblablement.

Procès et protestations restent discrets. Et le plus souvent secrets. Il n'en ira pas de même lorsque Sacha Guitry sera attaqué par *La France au Travail.* Rien de ce qui le touche ne saurait rester d'ailleurs inconnu d'un public qui a l'habitude, à la scène comme à la ville, de le voir toujours en représentation.

C'est le 31 décembre 1940 que paraît l'article de *La France au Travail* sous le titre :

M. MOÂ EST-IL JUIF ?

« Vous connaissez tous ce bon M. Moâ.

Vous savez bien, cet auteur-acteur-producteur qui, tout récemment encore, vous invitait à remonter (avec lui) les Champs-Elysées[1] (une manière bien commode de s'éloigner du ghetto originel.) Eh bien ! il nous est revenu.

Depuis plusieurs mois d'ailleurs.

Vaguement inquiet au début, il se rassura bien vite.

— Ils ignorent mes origines, confiait-il à son ami Lévy avec un clignement d'œil complice. »

Suit un extraordinaire récit suivant lequel le « juif » Sacha Guitry aurait été chargé de récupérer, contre un million de francs de commission, des tableaux de prix abandonnés dans une banque parisienne par la famille Bernheim.

« L'affaire ne se fit pas. A la suite d'un article de *Paris-Soir,* les autorités alertées s'opposèrent à ce transfert... Dans le questionnaire qu'il remplit (pour prouver ses origines aryennes), n'inscrivit-il pas le nom de théâtre de son père à la place de son nom patronymique ?... Il aura fallu le témoignage de notre correspondant, dont le père a bien connu le grand Lucien, pour attirer l'attention sur les origines judaïques de M. Moâ. »

La France au Travail fondait sa thèse sur un écho publié par le journal juif : *L'Univers israélite,* écho paru le 19 juin 1925 et qui, d'ailleurs, avait été immédiatement suivi d'un démenti de Sacha Guitry. Mais le démenti est oublié au profit de l'affirmation et toute une partie de la presse de la collaboration s'empare d'une affaire susceptible d'embarrasser un homme riche, talentueux, glorieux et donc jalousé.

Les Allemands, ou tout au moins certains Allemands[2], à qui des

1. Allusion au film de Sacha Guitry *En remontant les Champs-Elysées,* tourné et produit en mars 1938.
2. Le conseiller Rahn, notamment, qui convoque Sacha Guitry pour exiger qu'il fournisse les preuves de sa naissance aryenne.

délateurs ont affirmé que la mère de Sacha était juive et russe, prennent au sérieux une campagne de presse dont Sacha Guitry ne peut enrayer les méfaits puisque les journaux qui l'ont mis en cause refusent de publier ses lettres de rectification. C'est alors qu'il se décide à attaquer en justice *La France au Travail* dont la hargne n'a pas faibli. Le quotidien P.P.F. a retrouvé et publié le télégramme assez plat, il est vrai, envoyé le 22 janvier 1938 par un Sacha Guitry en mal de Légion d'honneur, à Georges Mandel, alors ministre des Postes. « Dans la neige [1], on a froid sans cravate et l'on me télégraphie à l'instant que tout dépend de vous, je ne saurais trop le souhaiter. Votre ami qui vous admire [2]. »

Le 2 février 1941, le procès engagé contre *La France au Travail* passe enfin devant la 12e chambre du tribunal correctionnel. Sacha Guitry, que représente Me Maurice Garçon, demande la publication de sa réponse et 50 000 francs de dommages-intérêts. La direction du quotidien — représentée par Charles Dieudonné — cède alors et, le 7 février, le journal publie une longue réplique de Guitry. Après avoir fait justice des accusations portées contre lui, Sacha ressuscite ses ancêtres : un arrière-grand-père André-Robert Guitry né, comme son grand-père et son père, au Merleraut, dans l'Orne ; une arrière-grand-mère, née Scholastique de Dion d'Aumont en 1793 ; une mère, Renée Delmas de Ponjest, qui se trouve être la nièce de Mgr de Bonfils et la petite-nièce du vicaire général de la cathédrale de Reims.

« Alors, poursuit Sacha Guitry, alors qu'on me f... la paix, comme disait Courteline ! »

Mais l'auteur de l'article ne s'en est pas tiré à si bon marché. Sacha a demandé à le voir, il le dépeint : jeune encore, blême de visage, avouant n'être que « l'instrument d'une indigne cabale ».

Si Sacha Guitry, parce qu'il est Sacha Guitry, peut obtenir finalement réparation et voir sa lettre de protestation insérée, suivie des excuses de Charles Dieudonné : « Sacha Guitry n'est pas juif le moins du monde. Toutes les preuves en ont été données. Et nous en sommes très heureux, il eût été vraiment pénible d'avoir à partager avec Israël

---

1. Sacha Guitry est alors en vacances au Royal-Hôtel de Gstaadt, en compagnie de sa femme Jacqueline Delubac.
2. Ce télégramme sera également reproduit par *Au Pilori* le 15 mai 1941.

tant d'esprit parisien, tant de grâce française, d'imagination et de fantaisie [1] », il constitue naturellement une exception.

Dans le monde de 1942 ce sont les délateurs, et non les victimes, qui ont, seuls, le droit de tenir la plume avec l'assurance de se voir imprimés.

1. *Je suis partout* reprend le même thème dans son numéro du 14 février 1941. « Pour avoir la certitude que Sacha Guitry est de notre sang, ne suffit-il pas de connaître son théâtre ? » A la suite de cet incident, Sacha Guitry écrivit en trois jours une pièce intitulée *Mon auguste grand-père,* mais la censure allemande n'accorda pas le visa à cette pièce qui « tournait en dérision les lois raciales ».

7

JUIFS ET CATHOLIQUES

Au fil des mois, au hasard des régions, des villes et des villages, comment saisir et refléter l'évolution des sentiments populaires ? Il n'existe alors aucun institut de sondage capable de les enregistrer correctement et de les faire connaître loyalement. Si l'on ne peut accorder crédit à la presse de la collaboration tout entière favorable à un antisémitisme qu'elle exaspère, si l'on ne peut faire confiance à Sézille, cet excité, lorsqu'il écrit le 15 décembre 1941 à Dannecker que l'amende d'un milliard infligée aux juifs a été bien accueillie par la population parisienne, si les misérables et enthousiastes serviteurs de la délation dont j'ai dit les méfaits dans un chapitre précédent ne sont pas la majorité, il serait faux de croire l'opinion française immédiatement révoltée par les mesures antisémites, qu'elles soient prises par les Allemands ou décidées par Vichy.

Si l'on en croit l'inspecteur principal Marcel Manier, au 4 octobre 1941 encore, « l'ensemble de la population [de Bordeaux] ne prête aucun intérêt aux Questions juives, les sanctions qu'elles comportent la laissent indifférente, sinon parfois disposée à l'approbation[1] ».

Les réactions philosémites restent donc relativement rares dans les premiers mois de l'occupation. Elles correspondent, le plus souvent, au désir de voir résoudre des cas individuels. Intervention, le 27 juin

1. Rapport confirmé par un autre rapport du dernier trimestre de 1943 qui précise que, si la population girondine, « au début des sanctions et mesures prises à l'égard des Israélites a manifesté une certaine hostilité envers les juifs », l'excès des persécutions allemandes a accéléré le revirement.

1941, du secrétaire général du Syndicat des boulangers, Henri Bouille, en faveur des ouvriers boulangers d'origine polonaise et de religion juive. Intervention, le 4 juillet 1941, des habitants de Neuilly en faveur de « Mme Jacques Kupersmidt qui faisait le commerce des pommes de terre et légumes ». Lettre du comité 1939-1940 en faveur de M. Bielawski, juif polonais, certes, mais blessé, pensionné et décoré de la croix de guerre[1]. Pétition le 8 août 1941 signée notamment par Colette, Sacha Guitry, Abel Hermant, Maurice Donnay, pétition qui affirme que le compositeur Marcel Lattes, engagé volontaire en 1914-1918, marié à une catholique, peut prétendre « au titre d'aryen d'honneur étant donné que sa production a honoré et honorera encore la musique française ». Requête non seulement des habitants de La Rochette en Savoie, mais aussi du conseil municipal, de la Direction de la Légion des combattants, du clergé, de nombreux officiers du 93e régiment d'artillerie, afin que Georges Franck, dont le père a été tué en 1915, dont l'oncle, fondateur de l'usine, a été décoré à Verdun de la Légion d'honneur et de la croix de guerre, puisse conserver un poste de technicien au sein des Cartonneries de La Rochette[2].

L'amitié explique ces démarches mais, au début des persécutions, lorsque nul ne peut imaginer à quoi elles conduiront, les mesures contre les juifs ne vont pas sans provoquer chez de nombreux Français

---

1. M. Bielawski est interné à Drancy.

La plupart des lettres sont adressées à Fernand de Brinon qui intervient auprès des Allemands mais n'obtient, de plus en plus souvent, que des réponses négatives.

2. Le texte de la lettre adressée au Maréchal par plusieurs officiers du 93e régiment d'artillerie, unité dans laquelle G. Franck a servi, me paraît particulièrement révélateur de la liberté d'écriture qui existait encore, en mai 1942, en zone non occupée.

Les officiers et leur chef, le commandant Party, s'élèvent en effet « contre une mesure qui frappe un orphelin de la guerre 1914-1918, père de trois jeunes enfants et unanimement connu comme un Français sans reproche et un chef d'industrie de valeur... ; témoignent de leur profonde estime et de leur affection pour un camarade de grand cœur et de beau caractère qui brûlait de servir la France et de venger son père ; sollicitent respectueusement de M. le chef de l'Etat qu'il veuille bien faire rapporter d'urgence une mesure aussi arbitraire et accorder à leur camarade la dérogation que sa Société avait sollicitée et dûment motivée, à l'effet de maintenir M. G. Franck dans ses fonctions d'ingénieur, chef de fabrication et directeur du service des approvisionnements de l'usine des Cartonneries de La Rochette ».

Inédit. Suivent huit signatures d'officiers de réserve habitant l'Isère.

un plus ou moins discret sentiment de jubilation, sentiment que, le 31 octobre 1940, l'écrivain Paul Léautaud traduira ainsi dans son *Journal*[1].

> « Tantôt, visite de Pierre Varenne. Il n'a pas très bon moral quant à " l'occupation "... Très affecté aussi par les mesures prises contre les juifs. Des écrivains, des auteurs dramatiques ne pourront plus écrire, n'ayant plus de débouchés (je crois qu'il exagère)... Je lui réponds que moi-même je trouve tout cela bien dur, mais qu'il convient de se rappeler que les juifs, il y a deux ou trois ans, *quand ils tenaient le bon bout*[2], nous ont fait doter d'une loi nous interdisant de médire d'eux d'une façon ou d'une autre[3]. *La roue a tourné*[2].
>
> Les affiches prescrites à la devanture des magasins juifs, cela est certes peu français, mais la loi en question déclarant les juifs tabous, faisant d'eux une classe privilégiée, cela aussi n'était guère français. »

Que la roue ait enfin « tourné » n'est donc pas pour déplaire à de nombreux Français dont la propagande attise les rancœurs. Installé à Montpellier, que certains décriront pourtant comme une ville particulièrement accueillante aux juifs, René Katz, qui se cache sous le nom de René Brivet, remarque, en novembre 1941, qu'il suffit d'écouter « les conversations dans les trains, les cafés » pour mesurer la montée de l'antisémitisme. Dans un autre passage de son journal, il signale que « la publicité permanente faite autour du mot " juif " au cinéma, dans les journaux, le fait de présenter le juif comme un étranger, tout cela agit ». Aux raisons politiques et philosophiques qui s'efforcent de légitimer l'antisémitisme viennent s'ajouter, on l'a déjà vu, des raisons qui, pour être médiocres, n'en sont pas moins puissantes.

---

1. Paul Léautaud n'a jamais été favorable aux juifs. En 1899, on relève son nom dans l'une des listes de la souscription ouverte par *La Libre Parole* pour permettre à Mme Henry de poursuivre Reinach. La somme recueillie se montera au total à 131 110 frs 15. Pour sa part, Paul Léautaud a versé 2 francs.
2. Je souligne intentionnellement.
3. Il s'agit du décret-loi du 21 avril 1939 modifiant les articles 32, 33 et 60 de la loi du 29 juillet 1881 sur la liberté de la presse et réprimant les articles racistes, c'est-à-dire antisémites.

Lorsque, le 24 novembre 1940, soixante-dix juifs de nationalité polonaise arrivent, en Charente, dans la petite ville de Chalais, ils se trouvent en présence d'une population qui n'a jamais côtoyé de juifs. Si, à l'indifférence, succède une hostilité, qui se transformera même, selon certains témoins, en satisfaction lorsqu'ils seront conduits, le 14 mars 1942, par la gendarmerie dans un camp près de Poitiers [1], c'est donc moins parce qu'ils sont juifs que parce qu'ils sont étrangers et que nul ne comprend leur langage, n'accepte leur comportement.

Problèmes de communication.

Problèmes de ravitaillement. Les plus irritants sans doute.

Tous les juifs ne sont pas de « pauvres juifs ». Xavier Vallat l'écrira : « De toutes parts, on nous les signale courant la campagne, d'abord pour leur propre ravitaillement, ensuite pour le ravitaillement — bien payé — des autres. » Mais il ne sera pas le seul. « Nous commençons à trouver, écrit, en janvier 1942, le maire de Noirétable, que ces gens sont néfastes. Ils courent la campagne et achètent à tout prix. »

En provoquant la fuite des juifs de zone occupée en zone non occupée, les rafles et les arrestations de juillet 1942 vont entraîner un afflux de population dans tous les villages qui bordent la ligne de démarcation et soulever d'abord plus de protestations que de manifestations de pitié.

> « En ce moment, écrit le 5 août 1942 une habitante de Samadet à Marianne R..., qui réside à Casteljaloux, nous sommes envahis par un populo innombrable de juifs qui passent la ligne vers la zone libre, il en passe une cinquantaine par jour sinon plus. C'est terrible de voir ça. Ils achètent tout à des prix fous. Et les gens de par ici peuvent y aller dans les maisons où ils sont passés pour trouver quelque chose, je t'assure qu'il y en a qui gagnent des sous avec ces gens-là [2]... »

La lettre envoyée par Mme V..., qui habite Grenade, dans les Landes, à l'une de ses amies de Montpellier, est plus charitable, mais elle exprime les mêmes plaintes [3].

---

1. Ils seront transférés à Drancy, puis conduits dans des camps d'Allemagne d'où, seuls, trois reviendront vivants
2. Inédit.
3. Lettre inédite en date du 1er août 1942.

« Je t'assure qu'en ce moment nous assistons à un deuxième exode plus triste si l'on peut dire que le premier. Je veux parler des juifs, pauvre bétail humain traqué de partout. Il y en a bientôt plus ici que de Grenadois. Il en part 200 et, le lendemain, c'est 400 qui arrivent, c'est lamentable. De plus, ils nous prennent le peu qui nous reste, car ils achètent au prix fort, ce sont des récriminations sans fin soit au commissariat, soit à la mairie. »

« Ce sont des tablées de 80 personnes à faire manger au *Terminus* où l'hôtesse est " sur les dents ", ne s'étant pas couchée de huit jours, écrit un autre Landais. Alors, tu penses que la contrée est écumée pour les ravitailler. »

Dans le Cher, aussi bien que dans l'Indre, les rapports de police signalent de leur côté, en juillet et août 1942, que toutes les chambres disponibles sont occupées par des juifs.

Mais c'est sans doute sur la Côte d'Azur, et plus particulièrement dans la région niçoise, que l'opposition entre la population autochtone et les juifs sera la plus vive.

Après la défaite, des Isréalites en grand nombre se sont précipités vers Marseille, vers Cannes, que le peintre Jean-Gabriel Domergue propose immédiatement de « baptiser » Kahn[1], vers Juan-les-Pins dont le vieux Tristan Bernard affirme en se moquant, et en détachant les syllabes, que les habitants s'appellent désormais des Is-ra-é-li-tes, vers toutes ces villes de la Côte où, d'après un rapport allemand du 17 juillet 1942, ils « attendent l'occasion favorable, préparent leurs combines et vivent dans un confort qui fait scandale ».

Or, la situation alimentaire de la région est détestable.

Décrivant ce que fut le mois de septembre 1941, un Niçois égrène, dans une lettre à une amie nantaise[2], la longue liste des privations

« Pas une seule distribution de pommes de terre, pas de pâtes, rien. Dans tout le mois, 50 grammes de beurre et 50 grammes de

1. *Candide*, 24 juillet 1940.
2. Inédit. Lettre en date du 1er octobre 1941.

fromage... Comme viande, 72 grammes par semaine. Comme vin, un litre par semaine. Et pas de légumes : ils ont complètement disparu du marché, pas de carottes, pas de haricots, pas même de salades, rien... Quelques tomates et quelques melons verts que s'arrachent les femmes qui se battent au marché et qu'il est difficile de se procurer. Pas de poisson... »

Parmi les causes de la pénurie, l'auteur de la lettre énumère la traditionnelle sécheresse, « la paresse des habitants », mais surtout l'action des juifs étrangers qui, expulsés de Cannes et de Nice, logés dans les petites villes et les villages de montagne, « se sont trouvés dès lors dans les centres de production et se sont livrés à des trafics insensés, alimentant à prix d'or le marché noir des villes et leurs coreligionnaires sur la Côte ».

A partir du 11 novembre 1942, date à laquelle les troupes italiennes occupent les Alpes-Maritimes, le Var, les Hautes et les Basses-Alpes, l'Isère, la Drôme, la Savoie et la Haute-Savoie[1], cependant que les Allemands envahissent tous les autres départements de la zone libre, les juifs auront d'autant plus de raisons de se précipiter vers les départements du Sud-Est méditerranéen, ou de n'en pas bouger lorsqu'ils ont réussi à s'y installer, qu'ils y trouvent, de la part des Italiens, une protection précieuse en des temps où les refuges se font rares.

Influence de l'Eglise catholique, caractère bon enfant du peuple italien, absence de sympathie des militaires et fonctionnaires italiens pour leurs homologues nazis et leurs doctrines, ferme volonté de Mussolini[2], tout contribue à faire que, dans leur zone d'occupation,

---

1. Au mois de juin 1940, l'Italie n'avait occupé que les territoires conquis par ses armées : 800 km².

2. Le 25 février 1943, Ribbentrop ira, sur ordre d'Hitler, expliquer au Duce qu'il fallait, en matière d'antisémitisme, aligner la position italienne sur la position allemande, mais il repartira sans avoir convaincu son interlocuteur.

A la grande colère de l'*Obersturmführer* Röthke de la police de sûreté allemande, les Italiens s'étaient déjà opposés à ce que les juifs italiens tombent, en France occupée, sous le coup des mesures antisémites.

les Italiens entendent, suivant les termes méprisants d'un rapport allemand, régler le problème juif « à la manière latine », antithèse de la « manière germanique ». Et même de la « manière de Vichy ».

Les incidents opposant armée italienne et administration française sont assez nombreux pour prouver qu'en matière d'antisémitisme l'occupant italien se montre infiniment moins sévère que l'occupé français.

Influencé sans doute par Angelo Donati[1], juif de nationalité italienne qui, depuis longtemps, vit à Nice où il dirige une banque franco-italienne et a d'innombrables amitiés justifiées aussi bien par sa carrière que par sa francophilie[2], le général Guido Lospinoso, chargé de régler la Question juive dans la zone d'occupation italienne, est de ceux qui s'opposeront le plus fermement aux mesures décidées par Vichy.

A partir de décembre 1942, les Italiens empêcheront ainsi les internements ordonnés par le préfet des Alpes-Maritimes ; le départ des juifs vivant dans « leur » zone pour l'Ardèche, zone d'occupation allemande ; l'apposition du cachet « juif » sur les cartes d'identité et, lorsque les policiers français voudront, en août et septembre 1943, opérer des rafles devant le Centre d'accueil israélite du boulevard Dubouchage, le colonel Mario Bodo et ses collaborateurs, les capitaines Salvi et Tosti, menaceront de les faire arrêter[3] !

> « Je suis à Grenoble parce qu'à Lyon ce sont les Allemands qui sont là et on ne sait ce qui peut nous arriver, tandis qu'ici ce sont les Italiens qui règnent et sont vraiment très chics avec nous.

1. Capitaine d'aviation, officier de liaison de l'armée italienne en France pendant la guerre 1914-1918, administrateur de nombreuses sociétés en France, commandeur de la Légion d'honneur, grand officier de la Couronne d'Italie, Angelo Donati a été exempté des mesures antisémites. En septembre 1943, les Allemands chercheront à l'arrêter, ce qui serait pour eux « d'une importance capitale ». Ils échoueront mais captureront en novembre sa secrétaire, Mme Germaine Mayer, qui se cache sous le nom de Marie Gauthe.

2. C'est du moins ce qu'affirment Allemands et collaborateurs.

3. Malgré l'intervention italienne 800 Israélites seront arrêtés par la police française

Tu m'écris que tu voudrais venir ici, je te crois, car ici c'est la vraie Palestine et on peut s'amuser comme dans le vieux temps.

Je sais malheureusement que tu n'as pas d'argent, ici il y a un comité qui donne 300 francs par personne et par mois et un autre qui donne 400 francs par mois et par personne, c'est l'argent américain. »

Lettre de Marcel Gumblott à Hans Bella, qui habite Paris. Lettre du 3 mai 1943.

Dans moins de quatre mois, la « vraie Palestine » aura disparu. En juillet 1943, après la chute de Mussolini, les Italiens décident, en effet, d'abandonner aux Allemands les huit départements français qu'ils occupent et de se contenter de contrôler Nice et sa banlieue vers lesquels se précipitent des milliers d'Israélites (ils sont plus de 2000 dans le seul village de Megève), ce qui ne manque pas de soulever l'hostilité d'une partie de la population. Hostilité dont le préfet des Alpes-Maritimes rend compte dans un rapport — inédit — en date du 8 septembre 1943.

« Les décisions prises par les autorités italiennes et leur désir nettement affirmé de défendre les juifs ont provoqué un afflux considérable d'Israélites venant de tous les autres départements des Alpes qui étaient, jusqu'à ces dernières semaines, également occupés par les troupes italiennes et auxquels vient de s'étendre l'occupation allemande. Dans le département lui-même, la très grande majorité des juifs habitant la rive droite du Var vient de se transporter sur la rive gauche, c'est-à-dire entre Nice et Menton, étant donné que seule cette portion de territoire correspondant à l'ancien Comté de Nice sera exclusivement occupée par les troupes italiennes... Ainsi, sur une étendue de moins de 30 km de côté... vont désormais vivre, déclarés ou non, munis ou non de fausses pièces d'identité, près de 30000 Israélites de toutes nationalités, dont la moitié seulement sont français d'origine. Il est certain que, quelle que soit l'hostilité des populations d'origine locale à l'égard des occupants et leur désapprobation des méthodes de violence employées par les Allemands contre les Israélites, un certain antisémitisme commence à se faire jour et il est fréquent d'entendre critiquer âprement l'attitude de certains juifs qui vivent trop bien et trop aisément grâce à la fortune dont ils disposent, alors que de nombreux autres Français sont soumis à des mesures particulièrement pénibles[1]... »

Le jour même où le préfet des Alpes-Maritimes signe son rapport au ministre de l'Intérieur, c'en est fini de la protection dont jouissaient les juifs. C'est le 8 septembre, en effet, qu'est connue la nouvelle de l'armistice conclu entre l'Italie de Badoglio et les Alliés. Le 9, les troupes allemandes occupent Nice et René Katz (René Brivet) qui, obéissant au mouvement général qui pousse les Israélites vers la seule ville-refuge encore entre les mains des Italiens, a fui le petit village de Duingt, les voit avec effroi entrer dans la ville. « Je suis assis depuis près de deux heures ici sur la Promenade des Anglais et, depuis deux heures, des camions militaires allemands passent, passent sans arrêt. La loueuse de chaises dit que c'est ainsi depuis ce matin à 11 heures. »

Avec les troupes arrivent les services de police : le *Hauptsturmführer* Brunner, le *Hauptscharführer* Brückler qui procèdent, suivant leurs propres mots, « au nettoyage complet des juifs de l'ancienne zone d'influence italienne ».

Le préfet Chaigneau peut bien répondre à Brunner que les Italiens ont emporté toutes les fiches de recensement des juifs. Dans une ville où le juif abonde, il suffit de placer des « physionomistes » près des gares, d'organiser des rafles dans les hôtels ou dans les rues pour être assuré, après avoir fait baisser culotte pour un rapide « examen racial », de capturer ceux que l'on poursuivait parfois depuis des années et qui, de pays envahi en pays envahi, avaient fui jusqu'à cette ville d'espérance.

Les fauteuils de la Promenade des Anglais, sur lesquels était allé s'asseoir René Brivet, ont été rapidement « libérés » des juifs.

> « La ville de Nice, écrit le chef régional du Service d'enquête et de contrôle antijuif, a perdu son aspect de ghetto depuis l'arrivée des troupes allemandes. Les juifs ne circulent plus ; les synagogues sont fermées et la Promenade des Anglais offre aux promeneurs aryens de nombreux fauteuils qui, jusqu'à présent, étaient occupés par les juifs[2]. »

---

1. Les Italiens s'opposent, par exemple, au départ des juifs pour l'organisation Todt.

2. Inédit. « Il y a de quoi s'occuper », écrit à l'un de ses amis M. B..., inspecteur divisionnaire du P.P.F., qui ajoute : « Depuis quelques jours, tu penses si nous nous amusons de la tête que font ces youtres. »

Entre les dernières semaines de 1942 et les premiers jours de janvier 1943, ce sont 7 500 juifs qui seront arrêtés, aussi bien par les services allemands que par la police française.

Mais, lorsque, à la fin de l'année 1942, ont lieu, à Nice, des rafles dévastatrices, il y a plusieurs mois déjà que l'opinion française est alertée.

Contrairement à ce que l'on serait en droit d'imaginer, elle ne l'a pas été par la radio gaulliste et résistante de Londres, qui ne manifeste d'abord que fort discrètement son opposition aux mesures antisémites, soit qu'elle en devine mal encore l'importance et l'affreuse logique, soit qu'elle soupçonne qu'elles ne sont pas toutes désapprouvées par l'opinion publique, soit enfin que le nombre relativement important des Israélites participant aux émissions d'*Ici Londres*, plus qu'un encouragement, constitue un frein aux manifestations d'indignation [1].

Après la dénonciation par Maurice Schumann, le 20 octobre 1940, de la législation raciste, après l'hommage le 14 janvier 1941 rendu par Raymond Aron à Henri Bergson, à peine peut-on signaler [2], le 12 avril 1941, à l'occasion des fêtes de Pâques le message aux Israélites de France du Pr René Cassin. Message d'une incontestable élévation de pensée et d'une grande noblesse d'écriture mais qui, tout en évoquant les persécutions et la « solidarité fraternelle » de la population, admet

---

1. Raymond Aron, qui se trouvait à Londres en 1940, fera une très subtile et très loyale analyse de ses réactions. Evoquant les raisons qui, sur l'instant, lui ont fait garder le silence, il dira dans *Le Spectateur engagé* :

« La première [raison] c'est que nous étions à Londres des résistants français. En tant que Français, nous étions évidemment contre toutes ces mesures antisémites. Mais il y avait une espèce de convention d'en parler le moins possible. Probablement parce que moi-même j'étais juif, j'en parlais le moins possible.

« Il y a probablement une autre raison plus profonde et qui n'était pas à mon honneur, mais qui est compréhensible : toutes les mesures que pouvaient prendre les Français contre les juifs me touchaient en profondeur, précisément parce que je suis français, si je puis dire, avant d'être juif. C'était une espèce de précaution émotionnelle pour moi-même de songer le moins possible à ce que certains Français faisaient aux Juifs. De ce fait, j'ai parlé moins que je n'aurais dû de cet aspect de la réalité, moins que des autres aspects de la réalité française. »

Raymond Aron ajoute que les journaux anglais et américains ont relativement peu parlé de la question juive pour ne pas « alimenter » la propagande allemande qui « ne cessait de répéter que c'était la guerre des Juifs ». Il précisera aussi : « Est-ce que j'ai su que des millions de Juifs étaient exterminés ? Je crois que je ne l'ai pas su. »

2. Tout au moins parmi les textes publiés dans le tome d'« Ici Londres », qui rassemble les émissions les plus importantes et les plus significatives.

que « quelques Français ont pu de bonne foi se laisser gagner à l'idée que la défaite devait être rachetée par l'expiation » et recommande aux juifs de conserver, malgré les épreuves, leur fidélité à la patrie occupée.

En vérité, c'est seulement en août et septembre 1942 que le ton changera véritablement, non sans retard parfois sur l'événement. C'est ainsi que les rafles du 16 juillet ne seront évoquées que le 8 août par André Labarthe.

> « Alors la France devient terre de pogrom, terre de honte ? Alors, en France, on martyrise les juifs, on détruit les familles, on arrête, on déporte, on écrase, on piétine les innocents ? Laval livre du juif aux Allemands, du juif mort ou vif, Laval le traître, le goujat, jette chaque jour aux nazis sa cargaison de martyrs qu'il a prélevée sur la terre de France, dans nos rangs.
>
> Notre patrie devient un coupe-gorge, une ruelle d'Europe, où, par désespoir, les parents se tuent après avoir assassiné leurs enfants. La France est une chambre de torture, la France serait la fosse aux juifs !
>
> Français, vous ne laisserez pas faire ça... Catholiques, protestants, libres penseurs, une grande heure humaine vient de sonner... Au nom de votre foi, de votre idéal, faites la chaîne des braves gens. »

De son côté, dans son émission du 9 septembre 1942, Jean Marin prend vigoureusement à partie l'Allemagne hitlérienne et le gouvernement de Vichy[1]. A écouter son discours, à lire son texte, l'on pourrait croire cependant que l'antisémitisme est, en France, un phénomène récent, que rien de grave ne s'est produit entre 1940 et 1942 et que l'arbre monstrueux est un arbre sans racines.

> « Les Allemands *viennent de lancer*[2] sur la France la vague des persécutions les plus méthodiques et les plus spectaculaires qu'on ait pu jusqu'ici observer dans notre pays depuis l'arrivée de

1. Jean Marin a évoqué le 1er juillet le massacre de 700 000 juifs polonais et signalé l'existence des chambres à gaz.
2. Je souligne intentionnellement.

l'ennemi. Cette vague de persécutions est dirigée contre les Israélites. Les détails les plus monstrueux nous parviennent de la zone occupée. Et, déjà, nous apprenons que, dans la zone non occupée soumise aux autorités de Vichy, les persécutions commencent à battre leur plein. Les autorités de Vichy se sont targuées vingt fois de leur désir de conduire la politique originale qui leur est propre, et cela, nous ont-elles dit, pour le plus grand bien, dans le plus haut intérêt de la France...

Mais l'initiative hitlérienne, bassement soutenue par les initiatives de Vichy, vient trop tard. *Au moment où il juge opportun de lancer sa vague d'antisémitisme*[1], Hitler trouve en face de lui une France engagée, depuis deux ans, dans le dur combat quotidien de la résistance à l'Allemagne, à la collaboration et à l'Ordre nouveau. »

« Au moment où il juge opportun de lancer sa vague d'antisémitisme... » La vague, en réalité, roulait depuis de longs mois, toutes les mesures ponctuelles, décidées après la victoire allemande de juin 1940, conduisant scientifiquement, et par étapes, aux rafles de juillet 1942 et aux déportations qui suivront.

Le parti communiste a pris position bien avant les gaullistes de Londres, mais en prenant soin de distinguer toujours les « travailleurs » juifs des capitalistes juifs.

C'est le 26 août 1940 que l'on trouve, pour la première fois, dans *L'Humanité* clandestine, une allusion aux manifestations antisémites organisées à Paris « avec la complicité des autorités[2] ». Le 10 septembre 1940, un écho de sept lignes — la place, il est vrai, demeure mesurée dans un journal clandestin — dénonce l'antisémitisme, « invention des réactionnaires pour empêcher les travailleurs de s'unir contre leurs ennemis de classe ». Le 3 octobre 1940, le journal communiste se félicite de ce que les biens de M. Maurice de Rothschild

1. Je souligne intentionnellement.
2. « Autorités » dont le nom et la nationalité ne sont pas précisées.

aient été confisqués, « mais exproprier un capitaliste parce qu'il est juif et laisser les autres ne résout rien ». Le 5 mars 1941, fidèle à la même ligne politique, reprenant, sans le connaître sans doute, le cri de Péguy, « Est-ce qu'il y a une finance qui est française ? », *L'Humanité* écrit que les travailleurs, aryens ou juifs, ont « pour ennemis les capitalistes, qu'ils soient aryens ou juifs », et les malheurs des banquiers, médecins, joailliers juifs laissent parfaitement indifférents un journal et un parti qui dénonceront bientôt les « gros » juifs « collaborateurs » placés à la tête de l'U.G.I.F.

Un tract du 12 juillet 1941 « *A bas les mesures racistes prises contre les petits et moyens commerçants juifs* » affirme également que « seule l'expropriation sans indemnité des gros capitalistes, juifs et non juifs, au profit de la collectivité populaire est une mesure révolutionnaire » ; et c'est dans un texte de deux pages, rédigé vraisemblablement quelques jours avant l'invasion de l'U.R.S.S., mais diffusé en juillet 1941, que l'on peut le mieux discerner la pensée qui guide le parti communiste dans sa lutte contre l'antisémitisme, lutte dont l'objectif, ici comme dans d'autres domaines, a d'abord pour but de favoriser les desseins de l'U.R.S.S. et de célébrer la gloire de Staline, qualifié, dans ce tract, de « plus grand génie de tous les temps ».

> « Les communistes dénoncent l'antisémitisme comme étant le moyen d'assurer la défense de la sacro-sainte propriété capitaliste et mettent en garde les travailleurs contre cette diversion déshonorante et grossière. Leurs auteurs accumulent sur leurs épaules des crimes et des forfaits dont ils devront rendre compte devant le peuple de France.
>
> On tente de faire croire aux chômeurs français qu'en chassant les ouvriers juifs ils auront du travail. Ce n'est pas vrai puisque ces mêmes cyniques individus veulent désindustrialiser la France et la ravaler au rang d'une nation agricole... On tente de faire croire aux petits commerçants et artisans que la liquidation des petites entreprises juives leur ouvrira de nouveaux débouchés. Ce n'est pas vrai puisqu'en interdisant toute augmentation de salaires pour les travailleurs et en favorisant constamment la hausse du coût de la vie, les trusts privent les petits commerçants de nombreuses affaires qu'ils réalisaient auparavant avec les masses laborieuses... En U.R.S.S., cent peuples, différents tant par leur langue que par leurs races, vivent fraternellement côte à côte

dans l'harmonie la plus complète... Ce magnifique exemple doit inspirer tous ceux qui veulent œuvrer à la réalisation d'une véritable fraternité humaine. »

Il n'est jusqu'au tract faisant suite aux rafles du 16 juillet 1942 qui ne cède à la tentation de la politisation excessive. Si le rédacteur anonyme décrit exactement les pitoyables conditions d'hygiène du Vélodrome d'hiver, évoque le sort des malades et des femmes enceintes, parle des suicides, il note également que les « boches n'ont pas arrêté ces juifs millionnaires comme Bader, des Galeries Lafayette, avec qui ils font des affaires [mais qu'] ils ont arrêté de pauvres gens au lendemain du jour où ils avaient payé leur terme, ce qui rend autant de logements meublés disponibles pour les civils boches qui viennent chez nous[1] ».

> « Unissons-nous, défendons-nous, ne nous laissons pas emmener comme du bétail ; que tous les Français, qu'ils soient juifs ou non juifs, n'oublient jamais qu'ils sont tous menacés et que le seul moyen pour eux de se sauver, c'est de s'unir et de lutter. »

Ce sont les derniers mots du tract communiste de juillet 1942 mais, en 1942, ce sont les catholiques, et non les communistes, qui font toujours l'opinion.

1. Vallat, de son côté, écrit dans son rapport à Moysset : « Tant qu'il ne s'est agi que d'éliminer de l'administration française les juifs qui s'y trouvaient, sauf pour deux ou trois cas, personne ne s'est beaucoup ému. Il n'en est plus de même aujourd'hui où les juifs sont menacés dans leur puissance financière et économique. Nous sentons la violence de leurs réactions aux démarches qu'ils suscitent ou qu'ils tentent eux-mêmes auprès du Commissariat général d'abord, auprès des autorités du Parc ensuite... Il est bien entendu qu'il ne faut pas donner aux juifs le droit de crier à la persécution. Je ne cesse de protester auprès des autorités occupantes contre les mesures qui n'ont pour résultat que de faire plaindre « le pauvre juif ». Mais j'attire votre attention sur la nécessité de tenir la bride serrée aux juifs de la zone libre. »

Le 9 septembre 1941, le capitaine Sézille reçoit, dans son bureau de l'Institut d'études des Questions juives, une curieuse carte postale. Elle représente le grand rabbin Abraham Bloch, aumônier au cours de la guerre de 1914-1918, apportant sur le champ de bataille, à un soldat blessé à mort, le crucifix qu'il réclame ; et tombant, victime de son dévouement à une religion qui n'est pas la sienne.

Au verso de la carte postale, ces mots tracés à l'encre bleue :

« Toutes les religions sont respectables.

Gaston Rémy
Homme de lettres
Ancien commandant de compagnie et adjudant
Major d'infanterie, décoré de onze ordres
Avenue du Tené, Bayonne »

Toutes les religions sont respectables... Est-il vrai qu'elles soient, alors, toutes respectées par ces catholiques qui, dans l'été 1940, se sont rangés en majorité derrière Philippe Pétain, ont accepté, voire acclamé, un programme de « rénovation française » passant non seulement par l'aide aux établissements d'enseignement religieux et l'exaltation des vertus traditionnelles, mais encore par la dissolution de la franc-maçonnerie et la ruine de l'influence juive considérées comme responsables du triomphe d'un matérialisme qui rendait inévitable la défaite ?

Par qui, d'ailleurs, les catholiques auraient-ils été alertés, pourquoi auraient-ils entendu les rares avertissements ?

Au contraire des protestants dont les publications [1] rapportent, en mai 1936, la condamnation d'un pasteur de Brunswick qui a invité ses élèves à ne pas s'associer « aux criailleries antisémites », en août 1937 l'arrestation du pasteur Niemöller, suivie, quelques semaines plus tard, de celle de soixante-dix à quatre-vingts pasteurs, et font largement écho à l'émotion manifestée le 29 novembre 1938, c'est-à-dire après « la nuit de cristal », par le Conseil de la Fédération

1. Au titre desquelles on peut citer *Le Nouvel Echo,* mensuel qui diffuse 20000 exemplaires dans l'Ardèche et la Drôme, et dans lequel la plupart des articles écrits par Marcel Fourniol, professeur de philosophie au lycée de Valence, concernent l'Allemagne.

protestante de France, les catholiques ont été moins sensibles aux périls qu'entraînaient les succès du nazisme, considéré trop longtemps, à travers l'encyclique *Divini Redemptoris,* comme à travers les paroles de Pie XII et les prises de position de certains prélats, comme l'ultime barrage au bolchevisme.

Sans doute, une revue comme *Esprit* a-t-elle consacré son numéro 16 aux « pseudo-valeurs spirituelles fascistes », sans doute ouvre-t-elle largement ses numéros 81 (juin 1939) et 82 (juillet) aux « réprouvés » et aux juifs, l'article de W. Rabinovitch qui leur est consacré se terminant sur cette phrase malheureusement prophétique : « Aujourd'hui, ce n'est pas un homme qu'il s'agit de sauver, un homme éloigné à l'île du Diable. C'est sept millions d'hommes et de femmes en danger de mort, les sept millions de juifs de l'Europe centrale », mais *Esprit* n'est que le porte-parole d'une faible minorité de catholiques « de gauche », donc suspects.

Les *Semaines religieuses* font bien allusion, pour les condamner, aux « mesures de stérilisation et d'élimination » prises en Allemagne, donnent bien un bref compte rendu d'un article du père de La Brière sur les persécutions antisémites, paru le 20 décembre 1938, dans la revue des jésuites *Etudes,* mais, très rapidement, dans les mois qui suivent la défaite de la France, ces mêmes *Semaines religieuses* considèrent la révision des naturalisations comme une « réponse du ciel » au même titre que la dissolution des sociétés secrètes, que la refonte des institutions scolaires, la répression de l'alcoolisme et des menées communistes [1].

Lorsque l'on parle à Mgr Pic, évêque de Valence, des persécutions religieuses, ces mots évoquent d'abord pour lui non l'antisémitisme, mais le combisme. Se souvenant s'être trouvé à Rome en 1904, il répète combien il a souffert « de cette figure hargneuse que donnaient alors à la France, principalement à l'étranger, les persécutions religieuses ».

De son côté, Mgr Caillot, évêque de Grenoble, qui, ayant eu vingt ans en 1880, est resté prisonnier non seulement des souvenirs mais encore des amertumes de sa jeunesse, rangera, le jour de Pâques 1941, la franc-maçonnerie et la juiverie au nombre des « puissances malfaisantes ».

---

1. Exemples tirés d'une étude des *Semaines religieuses* de cinq diocèses : Annecy, Grenoble, Valence, Lyon, Chambéry.

Sans doute établit-il une distinction entre les juifs, son discours, ne visant que les « métèques », ceux qu'il compte au nombre des « puissances des Ténèbres », ceux dont, « heureusement », le Maréchal « vient d'assurer la dispersion » ; mais il n'en reste pas moins que, pour lui, « face au problème juif, la France catholique était comme anesthésiée[1] ».

Officiellement, au sein d'une Eglise peu et mal informée de la véritable nature du nazisme, au sein d'un épiscopat ayant pour règle de se tenir à l'écart de la politique, aucune autorité ne s'élèvera donc CONTRE LES PREMIÈRES MESURES ANTISÉMITES ALLEMANDES ET FRANÇAISES[2], celles qui préparent le terrain aux rafles en culpabilisant les juifs, en accoutumant les catholiques à des actions sans cesse plus contraignantes et dont la logique sera de conduire, après les exclusions et les interdictions, aux arrestations et aux déportations.

Vallat, rappelant à son procès que, de 1221 à 1775, vingt-neuf papes ont promulgué cinquante-sept bulles ayant trait aux questions juives, qu'il existe une doctrine antijuive de l'Eglise fondée, selon lui, sur un passage du chapitre 2 de l'épître aux Thessaloniciens de saint Paul, « les juifs ne sont pas agréables à Dieu et sont ennemis des autres hommes », et sur un texte de saint Thomas d'Aquin d'après lequel, s'il est interdit d'opprimer le juif dans sa religion ou sa personne[3], le pouvoir civil a le droit de « l'empêcher d'obtenir une influence trop grande sur la société, car il ne serait pas bon de lui livrer le gouvernement », Vallat ne fait qu'utiliser pour sa défense des thèses qui ont été celles de l'Eglise de France au moins jusqu'à l'été de 1942.

A l'exemple de Mgr Delay, de nombreux prélats accorderont donc à l'Etat des droits dont l'exemple allemand aurait dû montrer à quels excès ils pouvaient conduire.

---

1. Par la suite, Mgr Caillot s'abstiendra de prendre position et, à la Libération, les juifs le remercieront pour son aide.

2. Lors d'une assemblée épiscopale des évêques de zone non occupée qui s'est tenue à Lyon le 31 août 1940, la position prise à l'égard du problème juif fut la suivante : reconnaissance des droits de l'État envers une « communauté qui a résisté à toute assimilation... afin que la persistance de cette unité ne porte préjudice au bien commun de la nation » (Mgr Guerry), mais respect de la justice « vis-à-vis des juifs qui sont citoyens comme les autres ».

3. On sait ce qu'il en ira de cet interdit ! Un débat théologique s'instituera, au cours du procès de Xavier Vallat, entre l'accusé et l'un des vice-présidents de la Haute Cour, le M.R.P. Maurice Guérin, qui rappellera la parole de saint Paul : « Avec la loi nouvelle, il n'y a plus ni juifs, ni Grecs, ni Gentils. »

« Nous n'ignorons pas, écrit le 6 septembre 1941, l'évêque de Marseille, que la question juive pose de difficiles problèmes nationaux et internationaux. Nous reconnaissons bien que notre pays a le droit de prendre toute mesure utile pour se défendre contre ceux qui, en ces dernières années, lui ont fait tant de mal[1]. »

Ceux-là mêmes qui s'émouvront et se révolteront un jour restent longtemps fidèles à une distinction subtile entre l'antisémitisme condamné par Pie XI et l'antijudaïsme légitime puisqu'il soumet les juifs à des mesures d'exception non point par haine de leur race, mais en raison des troubles sociaux et politiques qu'ils sont censés provoquer dans la nation.

« On a voulu simplement, écrit *La Croix de Savoie,* le 22 juin 1941, après les nouvelles lois antisémites décidées par Vichy, mettre fin à l'action politique des juifs. »

Si l'Eglise est restée très longtemps silencieuse[2] et passive, quand ce n'est pas complice, n'est-ce pas parce que le Vatican lui-même, mis au courant, à la demande du maréchal Pétain, des mesures françaises contre les juifs par Léon Bérard, ambassadeur près le Saint-Siège, a laissé entendre qu'il ne les trouvait nullement critiquables ?

Sans doute les deux rapports envoyés par Léon Bérard, à la fin de l'été de 1941, n'ont-ils pas été officiellement divulgués — Xavier Vallat lui-même n'en a été informé qu'avec retard —, mais, révélés à demi-mot, ils ont inspiré bien des commentaires insérés par ordre dans la presse, rassuré bien des consciences[3] et couvert bien des fautes.

---

1. Mgr Delay ajoute cependant, dans le même texte, qu'il existe des limites aux droits des Etats.

2. Il faut tenir, en effet, pour non avenue cette prétendue motion de la faculté de théologie catholique de Lyon, datée du 17 juin 1941, et qui est présentée par Mgr Guerry, dans son ouvrage *L'Eglise catholique en France sous l'occupation,* comme une protestation contre le statut du 2 juin 1941. Cette motion, très souvent citée comme significative de la volonté de résistance de l'Eglise catholique, n'a, en réalité, jamais existé. Il ne s'est agi, en effet, que d'un projet dû, selon le P. de Lubac, à l'abbé Chaine et au chanoine Richard, mis sans doute en forme par ses « inventeurs », mais qui, n'ayant été ni retenu par l'archevêché ni par la Faculté, n'a été conservé dans aucune archive, même si des brouillons ont pu circuler en 1941.

3. Dans une conversation que le cardinal Gerlier aura, le 6 octobre 1941, avec un envoyé de Xavier Vallat, ce personnage, dont le nom ne nous est pas connu,

Comment, en effet, prendre à la légère des phrases comme celles-ci : « J'ai eu l'honneur de vous adresser une première réponse où je constatai que jamais il ne m'avait été rien dit au Vatican qui supposât, de la part du Saint-Siège, une critique ou une désapprobation des actes législatifs et réglementaires dont il s'agit[1] » ou encore : « Je puis affirmer, en outre, qu'il n'apparaît point que l'autorité pontificale se soit à aucun moment occupée, ni préoccupée de cette partie de la politique française et qu'aucune plainte ou requête venue [des milieux religieux de France] lui en ait, jusqu'à présent, donné l'occasion[1] », ou enfin : « Comme quelqu'un d'autorisé me l'a dit au Vatican, il ne nous sera intenté nulle querelle pour le statut des juifs[1] ».

Sans doute n'est-ce pas avec Pie XII que Léon Bérard s'est entretenu, mais, bien qu'il n'ait jamais voulu révéler le nom de ses interlocuteurs et se soit retranché derrière la fiction d'une « correspondance de caractère purement privé entre un chef d'Etat et son ambassadeur », il n'est pas imaginable que les « représentants très autorisés du gouvernement de l'Eglise » évoqués par Bérard n'aient pas été au moins d'importants fonctionnaires de la secrétairerie d'Etat[2].

Pas plus qu'il n'est imaginable que cette très longue lettre du 2 septembre 1941[3] soit la conclusion d'une hâtive conversation ou d'un banal entretien.

Elle fait, en effet, largement mention de l'encyclique *Mit Brennender Sorge* et de sa condamnation du racisme, mais, plus largement encore, des idées de saint Thomas d'Aquin favorables à la limitation

---

précise au cardinal que, d'après Léon Bérard, « notre loi ne contient aucune des seules dispositions de la loi italienne qui sont blâmées par Rome, celles qui sont relatives au mariage mixte. Implicitement, cela signifie bien qu'aucune des dispositions de la loi française n'est blâmée au Vatican ».

Le cardinal, qui ignorait le rapport Bérard, se montrera d'ailleurs assez sceptique.

1. Lettre de Léon Bérard au maréchal Pétain en date du 2 septembre 1941.
2. Selon le nonce, Mgr Valério Valéri, le père Gillet, maître général des dominicains, aurait été le véritable auteur du rapport Bérard et c'est avec Mgr Tardini, secrétaire de la Congrégation des affaires ecclésiastiques, et Mgr Montini, substitut de la secrétairerie d'Etat, que notre ambassadeur aurait eu les plus fréquents entretiens.
3. Elle occupe 10 pages et 456 lignes en annexe dans l'ouvrage *Le Procès de Xavier Vallat.*

de l'influence politique et à la restriction de l'activité économique des juifs[1].

Et, à la lumière des difficultés nées entre le Saint-Siège et l'Italie à propos de la législation fasciste sur les juifs, elle exprime au Maréchal, au nom du Vatican, deux vœux et deux vœux seulement : que les mariages mixtes ne soient pas interdits, « qu'il soit tenu compte, dans l'application de la loi, des préceptes de la justice et de la charité ».

Malgré les demandes allemandes, les mariages mixtes ne seront jamais interdits par Vichy. Mais peut-on écrire que les « préceptes de la justice et de la charité » aient été respectés ?...

A quel moment les catholiques ont-ils évolué, à quel moment sont-ils passés d'une attitude d'acceptation au doute, puis à la critique d'un gouvernement qui, tout d'abord, avait recueilli leur adhésion ?

Au cours d'un récent colloque sur l'*Eglise et les Chrétiens dans la Deuxième Guerre mondiale,* l'abbé Glasberg dira :

— Pour ma part, j'ai cherché ce moment et je crois l'avoir trouvé : c'est la victoire de Stalingrad. Si je ne me suis pas trompé, cela expliquerait tout.

— Non, répliquera le pasteur Roland de Pury, faire reculer le « changement » à Stalingrad (c'est-à-dire dans les premiers jours de 1943), c'est vraiment considérer qu'il n'y a pas eu un seul chrétien dans l'Eglise protestante ou dans l'Eglise catholique, et que tous ceux qui ont attendu Stalingrad pour changer n'étaient donc que ceux qui attendaient de savoir de quel côté il fallait courir pour voler au secours de la victoire !

Roland de Pury a raison. Bien avant Stalingrad, il y a eu, de la part des catholiques comme des protestants, des initiatives individuelles

1. La transition est assurée, dans la lettre de Léon Bérard, par ces deux phrases : « L'Eglise a donc condamné le racisme comme elle a condamné le communisme. De ces enseignements touchant les idées racistes, on ne saurait pourtant déduire, il s'en faut de beaucoup, qu'elle condamne nécessairement toute mesure particulière prise par tel ou tel Etat contre ce que l'on appelle la race juive. Sa pensée comporte, là-dessus, des distinctions et des nuances qu'il convient de noter. »

relevant sans doute de la charité chrétienne, mais n'en prenant pas moins, par la force des choses, une coloration politique.

L'abbé Glasberg, d'origine juive, dont le hasard a fait le vicaire de la petite église de Saint-Alban, à Lyon, le créateur des « Centres d'accueil » et le délégué du cardinal Gerlier, archevêque de Lyon pour l'aide aux réfugiés, ne sera-t-il pas l'un de ceux qui contribuera le plus efficacement, avec des hommes comme Jean-Marie Soutou, des femmes comme Germaine Ribière, au camouflage des juifs avant de jouer, en septembre 1942, un rôle capital dans le sauvetage des enfants ?

Emmanuel Mounier, qui le 19 octobre 1940, c'est-à-dire quelques jours après la promulgation du premier statut des juifs, a écrit dans ses carnets : « Je me sens vieilli comme par une maladie », ne commence-t-il pas à battre le rappel de tous ceux qui, autour de lui comme autour de Stanislas Fumet, à travers *Esprit* comme à travers *Temps nouveaux*[1], s'opposeront de plus en plus vigoureusement à la politique de Vichy et en détacheront les catholiques ?

A Saint-Etienne, Mlle Juliette Vidal, directrice de l'*aide aux mères,* n'a-t-elle pas voué son organisation à la protection des juifs ? A Roanne, les deux responsables de la Corporation paysanne, Mlle Hamyss et Mme Touzet, n'ont-elles pas, également, réussi le placement de nombreux juifs dans les fermes voisines ? Les religieuses de Pradines n'ont-elles pas accueilli, en septembre 1940, cinq Israélites polonaises et les dominicains de Marseille n'ont-ils pas tout fait pour sauver l'encombrant Erich Noth[2], écrivain allemand recherché en vertu des conventions d'armistice qui obligeaient Vichy à livrer un certain nombre d'antinazis réfugiés en zone non occupée ?

C'est pour avoir dénoncé l'antisémitisme dans deux articles de *La Vérité française* que le R.P. Guihaire, dominicain du couvent Saint-

---

1. *Esprit* reparaîtra en novembre 1940, *Temps présent,* rebaptisé *Temps nouveaux,* en décembre 1940. Les deux revues, qui s'efforcent de ruser avec la censure et dénoncent l'antisémitisme, seront interdites par l'amiral Darlan en août 1941.

2. D'après le témoignage du R.P. Bruckberger, qui l'a bien connu, Erich Noth, dans les familles où il était accueilli, ne montrait aucune discrétion : « S'il y avait une jeune fille ou même une femme moins jeune il l'exaspérait par ses sollicitations ; il était sans cesse à la recherche de la cachette où se trouvaient le vin, le sucre, le tabac. »

Jacques de Paris, rue de la Glacière, sera arrêté le 21 novembre 1941, en compagnie des pères Desobry, Chenaut et Chevignard [1].

Et, si le R.P. Guyard, qui, à Saint-Louis de Vichy, fait, en mai 1942, prier pour quatre-vingt mille Français de zone occupée à qui l'on va imposer l'étoile jaune, n'est pas inquiété, c'est à Xavier Vallat qu'il le doit.

Ce Vallat dont la politique est depuis plusieurs mois dénoncée par le clandestin *Témoignage chrétien* dont le premier cahier, en novembre 1941, parle de l'antisémitisme comme d'un « des procédés sournois de pénétration et de persécution employés par l'esprit hitlérien ». A ceux qui seraient tentés de l'oublier, le Père Fessard (qui conserve naturellement l'anonymat) rappelle la condamnation de l'antisémitisme en 1928 par le Saint-Office, en 1938 par Pie XI, et il s'élève contre l'internement de juifs étrangers à Gurs, contre la projection du film *Le juif Süss* et contre la campagne antisémite de la presse collaborationniste.

Le cahier II-III (décembre 1941 — janvier 1942), qui sera diffusé à 10 000 exemplaires, poursuit la campagne de dénonciation de l'antisémitisme, « véritable empoisonnement intérieur », « violation des normes chrétiennes de justice et de charité », « attentat aux justes libertés de la conscience en matière religieuse ».

Si le cahier IV-V, *Les racistes peints par eux-mêmes* (février-mars 1942), est consacré à la réfutation du racisme nazi et à l'affirmation de l'universalisme chrétien, c'est dans le cahier VI-VII, *Antisémites,* publié en avril et mai 1942, qui se trouvent réaffirmés un certain nombre de grands principes : incompatibilité de l'antisémitisme avec le christianisme, impossibilité, pour l'Eglise, de laisser croire qu'elle se fait la complice d'une injustice sanctionnée par des lois, respect de la personne humaine, de sa dignité, de ses libertés essentielles, principes qui, diffusés clandestinement, avant d'être, dans quelques mois, affirmés publiquement par un certain nombre de prélats, n'en influencent pas moins déjà une importante partie de la population et du clergé.

Le 25 janvier 1942, une note des renseignements généraux sur l'évolution des esprits en zone libre, après avoir souligné « les tendances actuelles du clergé, qui reflètent une grande anxiété devant

---

1. Le père Guihaire, condamné à mort en 1942, puis gracié, sera cependant fusillé en Allemagne.

la poussée des théories allemandes en France et qui se traduisent par une prise de position hostile à l'occupant », ajoute que « les représentants de l'Eglise réprouvent aussi toute aggravation des mesures concernant les juifs et n'admettent pas la politique raciste ». Deux mois plus tard, le 28 mars 1942, l'auteur d'un rapport de la police aux Questions juives sur « l'état d'esprit dans la région de Limoges » indique également que, « d'une façon générale, le clergé n'approuve pas les mesures contre les juifs... Les couvents sont souvent les refuges de juifs. La sympathie des démocrates-chrétiens leur est acquise et c'est peut-être à ce titre que M. Marc Henry, directeur du Secours national du département de la Dordogne, a fait un don de 80 000 francs à l'*Entraide sociale israélite de Périgueux.* »

Lorsque l'ordonnance allemande du 27 septembre 1940 indique que sont « reconnus comme juifs ceux qui appartiennent ou appartenaient à la religion juive, ou qui ont plus de deux grands-pères juifs », c'est-à-dire de religion juive, lorsque la loi française du 2 juin 1941, fondée sur les mêmes critères d'appartenance, précise que « la non-appartenance à la religion juive est établie par la preuve de l'adhésion à l'une des autres confessions reconnues par l'Etat avant la loi du 9 décembre 1905 », on comprend que la chasse aux certificats de baptême (vrais, mais surtout faux) se développe à une cadence accélérée. A défaut de salut spirituel, n'assurent-ils pas d'abord le salut temporel ?

L'archiprêtre de Lesparre, en Gironde, déclare ainsi avoir vu « le Dr Ibrahim Barsoum, issu de parents catholiques, comme en témoigne son acte de naissance légalisé le 19 septembre 1940, venir assister à la messe du dimanche ». Il se peut que ce certificat sauve une vie mais, lorsque l'abbé Duputs, responsable, à Paris, de la paroisse Saint-Ferdinand, affirme le 24 juillet 1941 que les enfants Moyse, dont la mère est catholique, se préparent au baptême, le C.G.Q.J., où Vallat est seul habilité à signer les certificats de non-appartenance à la race juive, réplique que ces enfants doivent être considérés comme juifs.

Ces prêtres, l'abbé Pézeril, alors curé de Saint-Etienne-du-Mont, à Paris, qui « fêtera », en octobre 1943, son millième faux certificat de baptême ; l'abbé Bourdette, de Nistos, dans les Hautes-Pyrénées ; l'abbé Mazet, de Saint-Denis de Montpellier ; l'abbé Lemoing, de

Notre-Dame-de-Lorette à Paris ; l'abbé Aube, de Saint-Ferdinand-des-Ternes[1], ces prêtres et des centaines d'autres, agissent avec une telle générosité que Schweblin, chef de la police des Questions juives, face à la multiplication des faux certificats, décide, le 28 avril 1942, de ne prendre en considération que les actes religieux authentifiés par l'évêché.

Face à la vague des conversions, dont elle sait bien qu'elle correspond seulement à la vague des persécutions, l'Eglise sera malheureusement amenée à imposer des stages de six mois à un an aux catéchumènes. Voici un extrait du journal — inédit — de M. Batt dont le beau-frère, demi-juif roumain, dénoncé par un confrère jaloux, a été arrêté :

> « 8/6/43. Incarcéré à Drancy, nous avons pu lui faire passer un colis et nous entreprenons des démarches pour obtenir sa liberté, eu égard à sa situation de famille ; il est père de huit petits enfants. Avant le 15 juillet, mes deux sœurs et moi devons fournir nos extraits de baptême et ceux de nos ascendants. Je crois la cause perdue d'avance.
>
> 28/6/43. C'est la douche écossaise ; espoir d'un côté, désillusion de l'autre. Il faut les certificats de baptême des huit enfants qui ne sont pas baptisés et l'Eglise impose, pour les grands, six mois d'instruction religieuse. »

Six mois. Pour qui songe sérieusement à se convertir, c'est effectivement un délai convenable. Mais, lorsqu'il s'agit de ruser avec la Gestapo, six mois représentent un « stage » infiniment trop long. Le beau-frère de M. Batt ne sera pas sauvé.

Dans l'enthousiasme de la charité, certains prêtres iront d'ailleurs jusqu'à défier tout bon sens.

Intrigué par une dizaine de certificats de baptême datés de 1810 ou de 1820 et tous émanant du petit village de Châteauneuf-sur-Loire, dans le Loiret, Xavier Vallat n'a aucune peine à découvrir qu'en 1810

---

1. Qui, en novembre 1942, refusera notamment à un inspecteur de la Section d'enquête du C.G.Q.J. l'accès au registre des baptêmes.

SEPT juifs seulement habitaient le département du Loiret[1] ! Par quel providentiel hasard ces sept juifs auraient-ils été tous convertis au catholicisme et tous regroupés à Châteauneuf-sur-Loire ? La supercherie rapidement dévoilée, le juge d'instruction d'Orléans poursuivra MM. de la Bigne et Mansion, curé et vicaire de Châteauneuf-sur-Loire[2]. En septembre 1942, le dossier des deux hommes aboutira sur la table des autorités d'occupation. Ne tenant aucun compte de l'ordonnance de non-lieu du juge d'instruction d'Orléans, elles condamneront, le 8 février 1943, l'abbé Mansion à deux ans de prison et l'abbé de la Bigne à quatre mois de la même peine.

Prisonniers d'une religion qui les condamne aux camps et à la déportation, des juifs s'efforcent cependant de prouver qu'ils ne sont pas ce qu'ils sont.

L'écrivain Elian Finbert fait part, le 3 janvier 1943, au préfet des Hautes-Alpes, des doutes qui l'assaillent.

> « Je fus élevé au sein d'une absolue liberté religieuse. Aucun des membres de ma famille n'a pratiqué un culte quelconque. J'ignore totalement le rite israélite et je n'ai jamais fréquenté la synagogue... Ma mère était anglaise d'origine et sans doute protestante... Mon père professait une admiration très grande pour l'Islam. »

Mme Alice R... écrit qu'à Moudros la tombe de son mari, Victor R..., mort aux Dardanelles le 28 mars 1915, est surmontée d'une croix et qu'à Nice le tombeau de sa famille a été élevé dans l'enclos des pères capucins et que « seules les vieilles familles catholiques de Nice y avaient droit de concession ».

Enfin, il existe des juifs qui, à la question « Es-tu catholique ? », apprennent à leurs enfants à répondre « oui ».

---

1. Chiffre connu à la suite du recensement ordonné par Napoléon. Pour la France entière, à l'exception des trois départements de l'Est appartenant alors au duché de Lorraine, ce recensement cite les noms de 10000 juifs.

2. Vallat dira qu'il s'était contenté de faire recommander le prudence aux prêtres du Loiret et qu'il ignorait la suite qui avait été donnée à cette affaire.

Alors parmi des milliers de lettres émouvantes, l'une des plus bouleversantes dans sa simplicité me semble être celle que Mme Lise K... adresse, le 1er septembre 1942, à des parents aryens qui habitent Moissac.

> « Chère tante, cher oncle,
>
> « Depuis quelques jours, nous vivons dans un cauchemar constant. Nous sommes cachés quelque part ; Fritz là, moi ici, le petit Frédi ailleurs ; car on cherche les juifs pour les déporter en Pologne (où l'on crève de maladie et de faim). Les enfants séparés des parents sont changés de papier d'identité, afin que plus jamais ils ne puissent retrouver leurs parents. Notre cher Frédi ne peut rester longtemps là où il est... Est-ce que notre cher enfant pourrait venir à Moissac ? L'enfant lui-même ne se trahit pas. Il a compris. Quand on lui demande où sont ses parents, il dit : " Je ne sais pas, à l'étranger. " " Es-tu catholique ? " " Oui !... " Il faut agir vite, vite... Chaque jour, chaque nuit, chaque heure peut amener l'irréparable. Je vous supplie de nous aider [1]. »

En vérité ce ne sont pas les victoires soviétiques de Stalingrad, au début de 1943, mais bien les grandes rafles de l'été 1942 qui, en zone occupée, puis, quelques semaines plus tard, en zone libre, susciteront l'émotion de l'Eglise, une émotion qui, loin de s'apaiser, ira augmentant tandis que, chaque jour davantage, l'incroyable horreur deviendra plus crédible.

Les rafles qui, à Paris, les 16 et 17 juillet 1942, ont conduit à l'internement de 12 884 juifs étrangers à Drancy, Pithiviers, Beaune-la-Rolande, ont provoqué la première protestation officielle : celle de l'assemblée des cardinaux et archevêques de France de la zone occupée.

En leur nom, le cardinal Suhard adresse au maréchal Pétain une déclaration (elle sera transmise par Mgr Chapoulie) qui comporte ces

1. Inédit.

mots sans ambiguïté : « Profondément émus par ce qu'on nous rapporte des arrestations massives d'Israélites opérées la semaine dernière et des durs traitements qui leur ont été infligés notamment au Vélodrome d'hiver, nous ne pouvons étouffer le cri de notre conscience » et s'achève sur un appel « angoissé » en faveur des mères et des enfants.

Ce texte, cependant, ne sera pas publié. Ce qui ne signifie nullement qu'il demeurera inconnu puisque chaque évêque se voit chargé de le transmettre aux membres de son clergé et qu'il y sera fait écho dans plusieurs tracts de la résistance ainsi que, le 15 septembre par exemple, au cours des émissions d' « Ici Londres ».

Plus encore que les rafles parisiennes de juillet 1942, ce sont les rafles de juifs étrangers qui ont lieu, à la demande des Allemands, en zone non occupée et qui débutent dans les premiers jours d'août, qui sensibiliseront l'opinion catholique. Aboutissant à l'arrestation, puis à la déportation, de 11 184 juifs, elles susciteront les réactions de plusieurs prélats.

A Lyon, après la rafle du 20 août, dès que la nouvelle d'une prochaine rafle est connue, les responsables de l'*Amitié chrétienne*, de l'*O.S.E.* et de la *CIMADE* se retrouvent rue de Constantine au siège de l'*Amitié chrétienne* pour élaborer un plan de sauvetage des enfants, à défaut de pouvoir faire échapper les adultes. Les juifs, arrêtés le 26 août à Lyon, sont enfermés au fort Chapeley ainsi que dans une usine désaffectée de Vénissieux, ayant servi de lieu de rassemblement à des travailleurs coloniaux et qu'entourent des murs de brique de trois à quatre mètres de hauteur.

Les opérations de tri dureront trois jours.

Le préfet Angeli a reçu, le 5 août, l'ordre de transférer en zone occupée les Israélites allemands, autrichiens, tchèques, polonais, esthoniens, lithuaniens, lettons, dantzikois, sarrois, soviétiques et russes apatrides, mais cet ordre excepte de la déportation onze catégories bien précises. Les vieillards de plus de 60 ans, les enfants de moins de 18 ans *non accompagnés,* les hommes ayant servi dans l'armée française ou dans une armée ex-alliée pendant trois mois au moins ainsi que leur conjoint, leurs ascendants et descendants, ceux et celles qui ont un conjoint français ou dont le conjoint n'appartient pas à l'une des nationalités énumérées, les intransportables, les femmes enceintes, les parents ayant un enfant de moins de cinq ans, ceux et celles qui ne peuvent quitter leur emploi sans préjudice grave pour l'économie nationale, qui se sont signalés par leurs travaux artistiques, littéraires, scientifiques ou qui, à un autre titre, ont rendu des services à la France.

Selon René Nodot[1], sur les 4000 juifs arrêtés à Lyon en août 1942, 2700 devaient être relâchés, cependant que 1300 seraient envoyés à Drancy puis déportés en Allemagne.

L'*Amitié chrétienne* ayant obtenu, au titre du service social, de participer au tri, l'abbé Glasberg, l'avocat lyonnais Charles Lederman, Jean-Marie Soutou, Georges Garel, qui commence ainsi son admirable travail de sauvetage[2], se rendent donc immédiatement à Vénissieux.

C'est dans un monde de désespoir qu'ils pénètrent. Un monde où le désordre est roi. Sous la direction d'un officier[3], quelques Indochinois exécutent des travaux de nettoyage et s'occupent du ravitaillement cependant qu'un seul médecin — le Dr Adam — doit non seulement soigner les malades dans une infirmerie improvisée mais encore déterminer, en fonction de leur état de santé, quels sont ceux qui peuvent et ceux qui ne peuvent pas partir pour Drancy.

Glasberg, Soutou, Garel circulent dans un camp plongé dans l'obscurité à la suite d'une panne d'électricité. Persuadés que les enfants qui accompagneront leurs parents en zone occupée subiront un sort cruel, même s'ils n'imaginent pas l'absolue cruauté du destin qui les attend, ils s'emploient à convaincre les familles de s'en séparer pour les sauver. Ils vont de groupe en groupe, parlent à des hommes et à des femmes qu'ils ne connaissent pas et qui ne les connaissent pas, qui souvent, d'ailleurs, comprennent mal le français et qu'il faut décider en quelques secondes à rompre les liens les plus sacrés.

De ce que fut cette première nuit, Garel devait faire un bouleversant récit[4].

> « Vous pouvez imaginer la scène, quand nous nous adressions à des parents en leur disant : confiez-nous votre enfant. Les uns

1. *Les enfants ne partiront pas.*
2. On pourra après la fin de la guerre parler d'un véritable « réseau Garel ».
3. Le général de Saint-Vincent, gouverneur militaire de Lyon, refusera de faire participer la troupe aux arrestations, comme cela lui a été officiellement demandé, ainsi qu'à la surveillance des camps dans lesquels les juifs sont internés. Il sera immédiatement mis à la retraite par le général Bridoux, ministre de la Guerre.
4. A Any Latour.

comprenaient la situation et nous remettaient leur enfant ; pour garder une notion de son identité, nous lui attachions une étiquette au cou ou au poignet, où nous marquions nom, prénom et date de naissance.

J'avais conscience que le sort de ces gens serait vite réglé. Mais nous ne pouvions pas dire brutalement : vous, vous êtes condamnés à mort, permettez au moins à vos enfants de survivre. Nous pensions donc les convaincre en leur disant le minimum de choses possibles sur le sort réservé aux partants. Cependant, avec la panne d'électricité, nous nous sommes trouvés dans l'impossibilité de repérer les baraques où restaient encore des enfants, les familles auxquelles il aurait fallu parler de nouveau... Voyant le temps qui passait, nous sommes devenus plus autoritaires et nous avons déclaré aux parents : “ Nous venons chercher vos enfants ”. Quelques familles se sont exécutées. Mais cette autorité n'a pas toujours suffi et, sans aller jusqu'à nous battre, il est des cas où il a fallu retirer leurs enfants aux parents malgré leur résistance physique. Lorsqu'une mère se cramponnait à son enfant, on devait le lui arracher d'une manière aussi civilisée que possible... »

Entendant le cri des femmes à qui l'on enlève leurs enfants, Cussonac, l'intransigeant préfet de police qui préside aux opérations [1], éprouve quelques remords et dit à l'abbé Glasberg : « C'est abominable ce que nous faisons là ». Au bout de quarante-huit heures, cependant il quitte le camp et son absence facilitera le sauvetage d'une centaine d'enfants.

Dans trois cars, leurs sauveteurs les conduisent hors de Vénissieux, vers des maisons amies et des refuges discrets. Par une dramatique coïncidence, en s'éloignant ils longeront quelques-uns des autobus dans lesquels sont entassés leurs parents promis à la déportation. Ces enfants — 108 dira Garel —, que des hommes de bonne volonté et de volonté ont réussi à faire sortir de Vénissieux, ne sont pas sauvés puisque, immédiatement, Vichy les réclame au nom du REGROUPEMENT FAMILIAL !

Le préfet Angeli intervient donc à plusieurs reprises auprès du

1. Cussonac sera condamné à mort et exécuté à la Libération.

cardinal Gerlier à qui il demande de convoquer l'abbé Glasberg, Jean-Marie Soutou et leurs amis afin d'obtenir qu'ils « restituent » les enfants.

Sur la scène qui va suivre, et qui aura pour théâtre le bureau du cardinal, nous possédons des témoignages contradictoires qui montrent la difficulté que peuvent avoir des hommes de bonne foi, mais également passionnés, pour s'accorder sur le rôle et le caractère du cardinal Gerlier.

Est-ce bien le même homme, en effet, dont, le 13 mai 1942, à l'occasion de l'assemblée du Rabbinat, le président Helbronner parlera comme du « Prince de l'Eglise, compatissant et charitable à toutes les infortunes [1] » et dont certains résistants juifs — Nina Yourfinkel, par exemple — diront qu'il était le plus « souple », le plus « avisé » des évêques, cependant que l'abbé Glasberg, qui fut l'un de ses proches, sinon l'un de ses confidents, dénoncera « l'attitude complaisante » envers Vichy ?

A ces jugements catégoriques dans l'éloge comme dans la critique, les uns ne prenant en compte que les interventions de Gerlier en faveur des juifs et notamment des juifs anciens combattants, les autres s'irritant des éloges décernés par le cardinal au maréchal Pétain, il faut préférer un jugement plus subtil prenant en compte aussi bien la situation d'une Eglise lente à s'émouvoir, répugnant à s'opposer à cet Etat français qui défend des valeurs qui sont les siennes, que le caractère d'un homme, de par sa vocation tardive et sa formation d'avocat, mieux fait pour les débats où l'éloquence et la courtoisie tiennent le premier rôle que pour ces grands chocs dans lesquels le caractère a plus d'importance que l'esprit de finesse et de repartie.

---

1. Lors du décès du cardinal Gerlier, le grand rabbin Kaplan rendit hommage à sa mémoire en adressant au cardinal Villot, nouvel archevêque de Lyon, un télégramme dans lequel il déclarait notamment : « La protestation publique du cardinal Gerlier contre la persécution, l'asile aux enfants pourchassés, la résistance spirituelle présente aux côtés de la résistance armée, tout demeure et vivra dans notre mémoire fraternelle. »

Et dans son livre *Justice pour la foi juive,* paru en 1977, il évoquera longuement ses entretiens d'août et septembre 1942 avec le cardinal Gerlier.

Le cardinal Gerlier a donc réuni, le 2 septembre, dans son bureau, à la demande du préfet Angeli, plusieurs responsables de l'*Amitié chrétienne*.

D'après l'abbé Glasberg, le cardinal, après avoir dit à Glasberg et à Soutou qu'ils avaient agi à la légère, aurait ajouté :

— J'ai pris un engagement envers le Maréchal : vous allez me donner les adresses actuelles de ces enfants. Je vous garantis qu'on ne les communiquera pas à la police allemande, le Maréchal a donné sa parole et je lui fais confiance. Donnez-moi ces adresses.

— Eminence, on vous les donnera, réplique Soutou, à la grande fureur de Glasberg qui, en sortant de la pièce, lui fait part de ses craintes.

— Calmez-vous ! réplique Soutou. On donnera de fausses adresses. Je n'ai aucune confiance en Gerlier, et puis on verra ce qui va se passer.

Si l'on en croit l'abbé Glasberg, la police française se serait, dès le lendemain, présentée aux (fausses) adresses fournies par Jean-Marie Soutou[1].

Pour le père Chaillet, qui assistait également à la réunion, la discussion aurait été interrompue par une communication téléphonique d'Angeli.

— Ce soir, à 6 heures, il y a un train qui vient du camp des Milles[2] avec des juifs qu'on va livrer aux Allemands. On ajoutera un wagon pour y mettre les enfants que vous avez sortis du camp de Vénissieux. Je vous demande de faire assurer le transport de ces enfants à la gare[3].

Au terme d'une longue conversation que Mgr Gerlier interrompait de temps à autre par des boutades qui se voulaient drôles mais qui exaspéraient les assistants, le cardinal se serait exclamé :

— Eh bien, monsieur le préfet, si vous voulez monter à l'archevêché, montez à l'archevêché ! Mais les enfants, vous ne les aurez pas !

---

1. Jean-Marie Soutou sera arrêté le 27 janvier 1943 G. Ribière dira que, si le cardinal a contribué à sa libération, « il fallut le faire avancer l'épée dans le dos, vraiment l'épée dans le dos ».

2. Près d'Aix-en-Provence.

3. Angeli a fait également téléphoner au Dr Joseph Weill, l'un des premiers à avoir compris, en Z.N.O., qu'il fallait disperser les enfants dans des familles non juives, pour l'informer qu'il serait arrêté si, dans les vingt-quatre heures, les enfants n'étaient pas livrés.

(ajoutant, à l'intention de Glasberg, Soutou, Garel et leurs amis :) Fichez-moi le camp, je ne veux plus vous voir ; le préfet monte ici pour me demander de livrer les enfants, et je ne veux surtout pas savoir où ils sont. Débrouillez-vous. Au revoir [1].

Débrouillez-vous ! C'est plus facile à dire qu'à faire. Mais ce sera fait cependant. Mgr Saliège, le premier prélat, on le verra, à protester contre les persécutions, a mis Garel en contact avec son coadjuteur, Mgr de Courrèges, qui l'introduit auprès d'une œuvre diocésaine, *Sainte-Germaine,* dont la directrice, Mlle Thèbes, acceptera de prendre plusieurs enfants juifs aux identités naturellement camouflées.

Mgr Saliège a remis également à Garel une carte de visite sur laquelle il a tracé ces mots : « Le porteur de la présente est M. Georges Garel dont la bonne foi est certaine. »

Muni de ce sésame, l'incroyant Georges Garel peut ainsi, d'œuvres catholiques en institutions laïques [2], tisser sur trente départements un efficace réseau d'accueil [3]. Efficace mais insuffisant puisque des milliers d'enfants juifs, avec ou sans leurs parents, sont, eux aussi, envoyés, dans des camps de Pologne et d'Allemagne.

La livraison des enfants juifs sera portée au débit de Pierre Laval puisque c'est indiscutablement lui qui se trouve à l'origine d'une initiative aux conséquences dramatiques.

---

1. Des tracts circuleront à Lyon dans les premiers jours de septembre 1942 : « Hommes de cœur, empêchez un crime abominable. Sauvez 100 enfants israélites que l'on veut livrer aux bourreaux nazis. Les organisations catholiques de Lyon ont réussi à sauver 100 enfants dont les parents ont été déportés en zone occupée... Ces enfants sont sous la protection de l'Eglise. »

2. La Grande Chartreuse ouvrira ses portes aux juifs persécutés. 800 familles seront recueillies par les sœurs de Notre-Dame de Sion dans leur maison de Grenoble. D'après Lévy (*La Grande rafle du Vél' d'hiv'*), ce sont 8 000 enfants juifs qui seront sauvés.

3. A ces sauvetages, participent des responsables du très officiel Secours national. C'est ainsi qu'à Limoges Germaine Ratner-Masour, qui se dévoue sans compter pour, dans la nuit, arracher quelques enfants aux trains de déportés qui stationnent, peut opérer sous la protection de l'insigne que lui a remis la directrice du Secours national.

Dans un télégramme adressé le 6 juillet 1942 à Eichmann, Dannecker, résumant les conversations qui ont eu lieu avec le gouvernement français [1], indique en effet : « Le président Laval a proposé, lors de la déportation des familles juives de la zone non occupée, d'y comprendre également les enfants âgés de moins de seize ans. La question des enfants juifs restant en zone occupée ne l'intéresse pas. »

Mais elle intéresse les Allemands qui, après avoir pris connaissance de la position de Pierre Laval, décident qu'à partir de l'âge de deux ans, et non plus de seize, les enfants seront internés et déportés.

Lorsque l'on sait que pas un seul de ces petits déportés ne devait revenir des camps, l'attitude de Laval entraîne condamnation et, cette condamnation, l'immense majorité des historiens l'a prononcée, en voulant voir dans la proposition de Laval une cruauté venant s'ajouter à toutes les cruautés allemandes [2].

Or, dans son *Mémoire en réponse à l'acte d'accusation*, rédigé en prison en septembre 1945, et alors que l'on ne sait pas tout encore de l'horreur des camps de concentration, Pierre Laval devait affirmer qu'il n'avait pris aucune part à la rédaction des lois antisémites de 1940 (ce qui est exact), que, dès son retour au pouvoir, il avait, à la demande de Bousquet, supprimé la police antijuive créée par Darlan, rejeté plusieurs projets de loi aggravant le sort des juifs, lutté afin que les juifs français soient protégés alors que les Allemands, ne s'embarrassant pas de distinction de nationalité, avaient l'intention de déporter tous les juifs, qu'ils soient étrangers ou citoyens français [3].

En conclusion du chapitre de son « mémoire » consacré aux juifs, Laval allait écrire :

---

1. C'est le 2 juillet que le Conseil des ministres a été mis au courant, aussi bien par Laval que par Darquier, des exigences allemandes. Le 4 juillet, Laval a eu un long entretien avec Knochen.

2. Le conseiller Rahn a demandé, le 27 juin, à Pierre Laval que les Français « fournissent » 50 000 juifs et il a précisé que l'âge limite des futurs déportés avait été fixé à 16 ans.

3. Laval devait se féliciter également d'avoir pu écarter plusieurs projets d'inspiration allemande prévoyant la révision des ventes de biens juifs supposées fictives ; le cantonnement de l'hypothèque légale de la femme mariée à un juif à une somme fixée par expert, afin de hâter la liquidation de ses droits dans la communauté ; l'interdiction de revente d'un bien juif par son acquéreur avant un délai de deux ans et, surtout, le port de l'étoile jaune qui, effectivement, ne sera jamais imposé après l'occupation de la zone libre.

« Je ne puis accepter la responsabilité des mesures inhumaines et injustes qui frappaient les juifs étrangers. Dans toute la mesure de mes moyens, j'ai tenté de les sauver. *J'ai obtenu notamment que les enfants ne soient pas séparés de leurs parents*[1], mais je ne pouvais agir autrement que je l'ai fait sans sacrifier nos nationaux dont j'avais d'abord la garde. »

Laval aurait-il écrit ces mots *J'ai obtenu notamment que les enfants ne soient pas séparés de leurs parents,* mots qui apparaîtraient comme une révoltante manifestation de cynisme, s'il avait connu le sort effroyable qui menaçait les enfants juifs ?

Pour juger les intentions de Laval, il est indispensable de se replacer dans le climat de l'été 1942. Faut-il alors laisser les enfants de moins de seize ans à leurs parents ou doit-on les séparer ? La réponse dépend de l'idée que l'on se fait, en zone non occupée, de l'avenir réservé aux déportés.

Si l'abbé Glasberg, Jean-Marie Soutou, le Dr Joseph Weill sont partisans, dans l'espoir de les protéger, d'enlever les enfants qui se trouvent internés avec leurs parents, les évêques français, dans toutes leurs protestations, s'élèveront contre la dispersion des familles. Mgr Saliège évoquera « les membres d'une même famille... séparés les uns des autres », Mgr Théas parlera « des familles disloquées », Mgr Gerlier écrira de son côté : « Nous assistons à une dispersion cruelle des familles où rien n'est épargné, ni l'âge, ni la faiblesse, ni la maladie » et il soulignera que l'Eglise souhaite « en cette heure sombre et en présence de ce qui nous est imposé [affirmer hautement] les droits imprescriptibles de la personne humaine, le caractère sacré des liens familiaux »...

De son côté, le pasteur Bertrand, vice-président du Conseil de la Fédération protestante, qui a rencontré à Paris Mgr Beaussart, en vue d'une démarche commune, précisera, le 8 août 1942, que le prélat a fait demander « que les enfants ne fussent pas séparés de leurs parents ».

Tandis que, dans le numéro 2 du clandestin *Lettres françaises,* en septembre 1942, Edith Thomas parle de « l'arrachement des enfants aux mères », Jean Marin s'indigne en ces termes dans son émission d'« Ici Londres[2] » :

1. Je souligne intentionnellement.
2. Le 9 septembre 1942.

« On demeure stupéfait quand on apprend que des enfants sont arrachés à leur mère, quand on apprend que ces enfants sont mis dans des maisons de correction, qu'ils y perdent leur identité, tandis que leurs parents sont emmenés comme un bétail vers l'Allemagne, ses cachots, ses chantiers de travaux forcés, ses camps de concentration. »

Il est vrai que les Allemands cachent soigneusement le sort qu'ils réservent aux juifs, qu'à partir du 13 mai 1942 ils interdisent d'employer les termes « déportation », « envoi vers l'Est », recommandant, le 15 juin[1], de ne parler que de la « transplantation » des juifs, laissant même dire aux policiers français qui procèdent aux rafles des 16 et 17 juillet que les personnes arrêtées seront conduites dans un ghetto près de Lublin. Thèse qui sera acceptée par les autorités de zone non occupée puisque le 26 août 1942 la préfecture de l'Ardèche, dans ses instructions aux services de police chargés d'arrêter les juifs étrangers, précise qu'il « peut être indiqué aux étrangers israélites qu'ils sont envoyés en Pologne (Lublin) où est créé un Etat juif et que l'Allemagne a donné l'assurance au gouvernement français qu'ils ne seront pas maltraités[2] ».

Rapportant une conversation qu'il avait eue le 9 septembre 1942 avec Pierre Laval, conversation au cours de laquelle il s'était efforcé en vain de lui faire comprendre que des familles françaises, en les adoptant, pouvaient sauver bien des enfants juifs, le pasteur Boegner allait conclure sur ces mots : « Que pouvais-je obtenir d'un homme à qui les Allemands avaient fait croire — ou qui faisait semblant de croire — que les juifs emmenés de France allaient en Pologne du Sud pour y cultiver les terres de l'Etat juif que l'Allemagne affirmait vouloir constituer[3]? Je lui parlais de massacres ; il me répondait jardinage... »

---

1. Rapport de Dannecker.
2. A la fin de 1941, déjà, les Allemands faisaient courir le bruit que les juifs déportés iraient travailler en Allemagne où ils seraient assimilés à des travailleurs étrangers.
3. Oberg le dira effectivement à Laval. Et Laval, de son côté, après avoir quitté Oberg, fera cette réflexion à Jean Jardin : « Je viens d'une réunion épouvantable. Ils veulent nous laisser les enfants. Je leur ai dit : " Ce n'est pas l'habitude chez nous de séparer les enfants de leurs parents ". »

S'il est possible que Pierre Laval ait ignoré le sort auquel étaient promis les déportés, n'avait-il pas cependant le devoir de prendre en considération ce texte par lequel, le 25 août 1942, le Consistoire central lui faisait savoir que les Allemands avaient la volonté d'exterminer les juifs « impitoyablement et méthodiquement » ?

> « Le Consistoire central ne peut avoir aucun doute sur le sort final qui attend les déportés, après qu'ils auront subi un affreux martyre. Le chancelier du Reich n'a-t-il pas déclaré dans son message du 24 février 1942 : " Ma prophétie, suivant laquelle, au cours de cette guerre, ce ne sera pas l'humanité aryenne qui sera anéantie, mais les juifs qui seront exterminés, s'accomplira. Quoi que nous apporte la bataille et quelle qu'en soit la durée, tel sera son résultat final. " Ce programme d'extermination a été méthodiquement appliqué en Allemagne et dans les pays occupés... Enfin, le fait que les personnes livrées par le gouvernement français ont été rassemblées sans aucune discrimination quant à leurs aptitudes physiques, que, parmi elles, figurent des malades, des vieillards, des femmes enceintes, des enfants, *confirme que ce n'est pas en vue d'utiliser les déportés comme main-d'œuvre que le gouvernement allemand les réclame, mais dans l'intention bien arrêtée de les exterminer impitoyablement et méthodiquement*[1]. »

N'était-il pas, lui, Pierre Laval, mieux placé que des Israélites de condition modeste, se fiant uniquement à leur instinct, pour connaître, non certes tout ce qui se passait en Allemagne et en Pologne, mais du moins pour être exactement informé des effroyables conditions de vie dans les camps français comme dans les wagons qui emmènent le « cheptel juif » — pour reprendre un mot de Dannecker[2] — en direction du IIIe Reich ?

Cette prescience, cette curiosité, ce scepticisme aussi vis-à-vis des assurances allemandes, qui font tant défaut à Pierre Laval, M. Blumenau, qui habite Nice et s'adresse, le 15 août 1942, à une correspondante de Zurich, les aura :

1. Je souligne intentionnellement.
2. Note de Dannecker en date du 6 juillet 1942.

« Vous avez certainement déjà entendu que la plus grande partie des internés de Gurs et des autres camps ont été déportés en Pologne et Roumanie et que les maris, femmes et enfants ont été séparés, de sorte que l'on ne sait pas où vont les autres...

Dans un état de profond danger moral et corporel, je vous demande s'il n'y aurait aucune possibilité pour nous, au moins pour nos enfants, d'aller en Suisse... Nous devons sauver notre vie, car un voyage en Pologne équivaut pour nous, comme pour des dizaines de milliers des nôtres, à une mort certaine... »

Les drames d'août 1942 représentent pour l'Eglise de zone non occupée le véritable choc moral d'où datera son désengagement envers Vichy plus, sans doute, que son engagement dans la Résistance.

La première en date de toutes les protestations, la plus célèbre également, tant à cause de la personnalité de son auteur que de l'importance que lui donneront « Radio-Londres » et tracts clandestins, sera celle de l'archevêque de Toulouse, Jules-Géraud Saliège. Mis au courant le 20 août, alors qu'à l'occasion d'une retraite pastorale il est entouré de tout son clergé, des scènes qui viennent de se dérouler dans les camps de Noé et de Récébédou, il dicte immédiatement à sa secrétaire, Mlle Buisson, l'une des seules personnes capables de comprendre sa parole déformée par la maladie, vingt-trois lignes qui placent le débat sur son véritable terrain : celui de la nécessaire révolte de la conscience face aux exigences de la dictature.

LETTRE DE S.E. MONSEIGNEUR L'ARCHEVÊQUE DE TOULOUSE SUR LA PERSONNE HUMAINE.

« Mes très chers Frères,

Il y a une morale chrétienne, il y a une morale humaine qui impose des devoirs et reconnaît des droits. Ces devoirs et ces droits tiennent à la nature de l'homme ; ils viennent de Dieu. Il n'est au pouvoir d'aucun mortel de les supprimer. Que des enfants, des femmes, des hommes, des pères et des mères soient traités comme un vil troupeau, que les membres d'une même famille soient séparés les uns des autres et embarqués pour une destination inconnue, il était réservé à notre temps de voir ce triste spectacle.

Pourquoi le droit d'asile dans nos églises n'existe-t-il plus ?

Pourquoi sommes-nous des vaincus ?

Seigneur, ayez pitié de nous.

Notre-Dame, priez pour la France.

Dans notre diocèse, des scènes d'*épouvante* ont eu lieu dans les camps de Noé et de Récébédou. Les juifs sont des hommes, les juives sont des femmes. Tout n'est pas permis contre eux, contre ces hommes, contre ces femmes, contre ces pères et mères de famille. Ils font partie du genre humain ; ils sont nos frères comme tant d'autres. Un chrétien ne peut l'oublier.

France, Patrie bien-aimée, France qui porte dans toutes les consciences de tous tes enfants la tradition du respect de la personne humaine, France chevaleresque et généreuse, je n'en doute pas, tu n'es pas responsable de ces *horreurs.* »

Immédiatement polycopiée, remise aux prêtres qui, au lendemain de leur retraite, regagneront leur paroisse, envoyée par cycliste ou courrier à travers tout le diocèse, afin qu'elle soit, le dimanche suivant, lue aux fidèles, comment cette lettre pastorale ne parviendrait-elle pas rapidement sur le bureau du préfet ? La première réaction du représentant du gouvernement est d'en interdire la diffusion et il fait télégraphier à tous les maires du département pour que défense soit faite aux curés de lire en chaire le texte dicté par leur évêque. Un texte auquel Mgr Saliège a cependant accepté d'apporter deux modifications, remplaçant les mots « épouvante » et « horreurs [1] » par « émouvantes » et par « erreurs », mais dont il maintient la lecture obligatoire, tançant vivement, dans *la Semaine religieuse,* les curés qui, en lui désobéissant, par crainte du pouvoir établi, ont prêché « un évangile nouveau... ».

Sans doute, le 27 septembre 1942, Mgr Saliège publiera-t-il, toujours dans *la Semaine religieuse,* un texte réaffirmant son loyalisme à l'égard du maréchal Pétain et s'élevant « contre l'usage indécent que certains

---

1. Soulignés intentionnellement, afin qu'ils soient plus facilement repérés, dans le texte tel que je l'ai reproduit. Les tracts clandestins, qui reproduiront la lettre de Mgr Saliège, conserveront « épouvante » et « horreurs ».

ont fait de sa récente lettre », mais, même s'il faut voir, dans ce qui paraît une marche arrière, le souci de prendre une contre-assurance, le mal ou, plus exactement, le bien, est fait.

En zone non occupée, les protestations épiscopales vont désormais se succéder. Celle de Mgr Saliège ayant donné le ton, elles seront, sur le fond, identiques, la forme seule permettant de deviner l'âge, la personnalité, les opinions politiques, le degré d'attachement au maréchal Pétain, du signataire.

Le 28 août, c'est Pierre-Marie Théas, évêque de Montauban, qui informe le préfet François Martin de son intention de faire lire une lettre de protestation à toutes les messes.

Plus courte que celle de Mgr Saliège, la lettre pastorale de Mgr Théas est plus vigoureuse encore. Après avoir évoqué les drames qui, en zone non occupée comme en zone occupée, ont ravagé la communauté israélite, Mgr Théas écrit, et les mots, depuis toutes les chaires du diocèse, pénètrent la conscience de fidèles peu accoutumés à un vocabulaire aussi fort : « ... Ces mesures antisémites actuelles sont un mépris de la dignité humaine, une violation des droits les plus sacrés de la personne et de la famille[1]. »

Le 6 septembre, Mgr Delay, évêque de Marseille, et le cardinal Gerlier prennent position à leur tour. Sans doute font-ils, l'un comme l'autre, référence « aux difficiles problèmes nationaux et internationaux » (Delay), « aux difficultés auxquelles doit faire face le gouvernement » (Gerlier) et même au devoir que notre pays a « de punir sévèrement tous ceux qui abusent de l'hospitalité qui leur fut si libéralement accordée » (Delay), mais ces phrases de circonstance, même lorsqu'elles se font l'écho de vieilles passions, ou reflètent le respect dû au pouvoir établi, ne sauraient masquer l'essentiel : c'est-à-dire la très nette prise de position contre les persécutions et contre les persécuteurs.

Que les lettres pastorales aient eu sur l'opinion une influence considérable et immédiate, nous le savons par les réactions du Commissariat aux Questions juives et des journalistes de la collaboration.

1. Mgr Théas renoncera cependant à ce que sa lettre soit lue, en présence du préfet, à la messe de la Légion, ce qui lui vaudra cette réflexion de M. François Martin : « Monseigneur, dans mon cabinet, je vous ai parlé en préfet, aujourd'hui, dans votre église, je vous parle en chrétien, je vous approuve et je vous félicite. »

Le capitaine de corvette Lécussan, responsable du C.G.Q.J. de Toulouse, voit dans la lettre de Mgr Saliège la preuve que « certains membres du haut clergé — qui n'a d'ailleurs jamais été épuré — ont gardé la même mentalité que lorsqu'ils souhaitaient la victoire des républicains espagnols », et il réclame « une intervention énergique [1] » auprès de la nonciature.

Des enquêteurs du Commissariat signalent que, dans le Sud-Ouest, « les milieux juifs et sympathisants » font circuler la lettre de l'archevêque de Toulouse, cependant que la censure de Pau a arrêté au dernier instant cette annonce destinée à paraître dans *Le Patriote* du 5 septembre 1942 : « Famille chrétienne réfugiée du Nord demande à adopter un enfant israélite pendant les hostilités, petite fille de préférence. »

Sans citer une fois encore *Au Pilori,* qui redouble de fureur antisémite et réclame la tête de Gerlier, « cardinal talmudiste délirant, traître à sa foi, à son pays, à sa race [2] », contentons-nous de signaler que, dans *L'Œuvre* du 23 septembre 1942, Marcel Déat évoque la « levée des crosses épiscopales ». « L'archevêque de Toulouse, poursuit-il, et bien entendu le cardinal Gerlier se sont distingués en cette occasion... Le pasteur Boegner est aussi catastrophique que ses collègues catholiques. » *Je suis partout* du 16 octobre 1942 accuse « ces messieurs du haut clergé français d'entraver l'action de Darquier de Pellepoix », tandis que *Le Matin* du 6 novembre dénonce les forces « curieusement coalisées des maçons et des cléricaux, des juifs et des maurrassiens ».

Ainsi, ces prélats qui, aux yeux des uns, ne s'engagent pas assez, aux yeux des autres prennent trop violemment position.

Dans l'espoir de contrecarrer l'action de ces lettres épiscopales qui, recopiées, circulent en zone non occupée, les services de l'Information vont rédiger un article inspiré par les rapports de Léon Bérard au maréchal Pétain, puisque, à l'aide de citations empruntées à saint Augustin et à Benoît XIV, ils s'efforcent de prouver que l'antisémitisme, loin d'être étranger à la doctrine chrétienne traditionnelle, en fait, bien au contraire, étroitement partie. C'est *Le Grand Echo du*

---

1. Le 27 août, quatre jours après la déclaration de Mgr Saliège, Rochat, secrétaire général du ministère des Affaires étrangères, convoquait le secrétaire de la nonciature, Mgr Rocco, et lui transmettait une protestation de Laval.
2. *Au Pilori,* 8 avril 1943

Midi, fondé à Toulouse par *La Petite Gironde,* de Bordeaux, pour concurrencer l'influence de *La Dépêche,* qui acceptera de donner à ce texte officiel une très relative crédibilité journalistique en le publiant sous le pseudonyme de « Saint Julien [1] ». Cet « habillage » réalisé, les services de l'Information peuvent demander « instamment » aux journaux la publication et le commentaire d'un article dont on laisse ainsi entendre qu'il doit tout à l'improvisation, rien à la fabrication politique.

Le 4 septembre, une note d'orientation de Vichy précise le sens à donner à des commentaires qui n'auront qu'à la paraphraser pour épouser la « ligne » officielle.

> « Une propagande sournoise, dont le seul but est de compromettre l'œuvre du Maréchal et de son gouvernement, a réussi à gagner le monde catholique. Il convient d'opposer à d'hypocrites lamentations la sûre doctrine de saint Thomas et des papes. On notera aussi que ceux-là mêmes qui, aujourd'hui, se font les défenseurs des juifs expulsés sont les mêmes qui ne trouvèrent pas un mot de compassion pour les milliers de catholiques suppliciés et expulsés par les rouges espagnols. On soulignera enfin que toute cette agitation est entretenue dans la coulisse par les adversaires de la Révolution nationale. C'est là une manœuvre politique qu'il convient de déjouer... »

Que plusieurs journaux, dont *La Croix,* aient refusé de publier le texte du *Grand Echo* puisqu'il n'émane pas de la hiérarchie catholique et prétend faire la leçon au Saint-Siège et aux évêques, que les autres aient fait paraître des articles sans signature n'ayant donc pas, comme le déplore le directeur régional du Commissariat aux Questions juives de Pau, « la portée nécessaire », témoigne, face aux persécutions, de l'évolution des esprits [2].

---

1. Pseudonyme habituel au rédacteur en chef du journal, Jules-A. Catala. Il faut signaler que Maurice Sarraut, directeur de *La Dépêche du Midi,* a refusé que son journal soit la fusée porteuse de ce texte.

2. L'article parut dans le numéro du 25 septembre 1942 du *Bulletin religieux de Rouen,* mais, le censeur ayant ordonné d'enlever la mention « on nous communique », qui devait le précéder, Mgr Petit de Julleville décida la suppression du *Bulletin* qui disparut effectivement après une dernière parution, le 2 octobre 1942.

Mais, dans le bulletin hebdomadaire du Comité départemental lotois de la propagande sociale du Maréchal, un article signé Raoul Berenguier, après avoir tenté de justifier les actions antisémites de 1942 par les décisions ou les textes antisémites des papes Alexandre III, Innocent III, Pie V, s'achève sur ces mots à qui la réalité des événements donne aujourd'hui toute leur couleur tragique[1].

> « Il convient également de détruire certains bobards sur la barbarie des mesures prises... Nous avons réexpédié dans leur pays d'origine les juifs étrangers rentrés en France depuis 1933... S'il est exact que l'on a séparé des enfants de leurs parents, cette mesure a été prise pour faciliter le transport, et à la demande expresse du Consistoire israélite de France[2]. »

« Le pasteur Boegner est aussi catastrophique que ses collègues catholiques... », écrit Marcel Déat, dans *L'Œuvre*. Il est même, ajoute-t-il, en avance sur « ses collègues catholiques ».

S'il est vrai que les protestants ont, comme tous les autres Français, été d'abord sensibles à la mythologie pétainiste, que, dans la Drôme et l'Ardèche notamment, les maires protestants nommés par Vichy se sont montrés respectueux de l'ordre établi, que le pasteur Noël Nougat, l'un des responsables spirituels d'une centaine de protestants royalistes vivant dans la région de Lourmarin, a reproché par écrit au pasteur Boegner son anglophilie et son amitié pour les juifs ainsi que

---

1. Ce même bulletin affirmera qu'il n'y a pas unanimité dans l'Eglise et il en donnera pour preuve le message adressé par le clergé du Sud-Est au maréchal Pétain, message dans lequel l'archevêque d'Aix, les évêques de Fréjus, Nice, Monaco, les abbés de Lérins et de Frigolet adressent « au chef de l'Etat, sauveur et reconstructeur de la Patrie, l'assurance respectueuse de leur vénération loyale et de leur entière collaboration à son œuvre de redressement religieux, moral et matériel de la France nouvelle ».

2. Allusion à un passage de la lettre de protestation du Consistoire central adressée le 25 août 1942 à Pierre Laval, mais ce passage n'est pas replacé dans le contexte. Le Consistoire demandait que soient au moins exclus de la déportation tous les anciens combattants et volontaires étrangers, et leurs familles, les enfants de moins de 18 ans isolés, « et en tout cas les jeunes filles », les parents d'enfants âgés de moins de 5 ans, ainsi que toutes les femmes enceintes.

pour les maçons, il n'en reste pas moins que les protestants, sensibilisés avant les autres au péril nazi, s'opposeront avant les autres aux persécuteurs.

Dans les jours qui suivent la défaite, les membres du groupe « Christianisme social » — Elie Gounelle, Wilfrid Monod, André Philip — manifestent une clairvoyante inquiétude et, alors que la mode est au *mea culpa*, le pasteur Roland de Pury, parlant, à Lyon, au temple de la rue de la Lanterne, prononcera des paroles qui tranchent avec le discours de l'époque.

> « Mieux vaudrait la France morte que vendue, défaite que voleuse. La France morte, on pourrait pleurer sur elle, mais la France qui trahirait l'espoir que les opprimés mettent en elle... nous aurait dérobé jusqu'à nos larmes. »

A travers des rassemblements au camp des Bérards, dans la Drôme, au Clos Rond, entre Beaufort-sur-Gervanne et Gigors, les renseignements s'échangent, les sentiments se précisent et se renforce cette hostilité au nazisme qui existait avant la défaite grâce à un solide « adossement théologique », mais également grâce à l'écho donné au témoignage de Karl Barth qui, en 1934, avait dû quitter l'Allemagne pour la Suisse et ne cessait de dénoncer le danger que faisait courir à la civilisation chrétienne la montée des fascismes[1].

Dès la défaite également, la CIMADE[2], créée en septembre 1939 pour venir en aide aux évacués d'Alsace et de Lorraine, se mettra au service des réfugiés puis de ces « étrangers de race juive » que la loi du 10 octobre 1940 permet d'interner et Mlle Barrot, en compagnie de quelques-unes de ses amies, commencera au camp de Gurs une action admirable qui bientôt s'étendra aux camps de Rivesaltes, Récébédou, Nexon, Noé, Les Milles[3], cependant que la région de Chambon-sur-

1. En 1938, Karl Barth a participé à une « pastorale » en Ardèche. C'est en 1939 qu'il rédigera sa « lettre aux protestants de France » et en octobre 1940 que paraîtra *Une question et une prière aux protestants*.
2. Comité Intermouvements d'aide aux évacués.
3. L'argent nécessaire à l'action est fourni par le Comité de coordination de Nîmes, organisme officiel comprenant aussi bien la Croix-Rouge, le Service social d'aide aux émigrants que des organismes étrangers, suisses en plus grand nombre. C'est par le pasteur Guillon, qui réside à Genève, que transitent les fonds collectés par les Eglises protestantes suisses, suédoises, et par le Conseil œcuménique des Eglises.

Lignon deviendra, sous l'impulsion du pasteur Trocmé, une terre d'asile pour des centaines d'enfants de persécutés, de prisonniers et de déportés.

De son côté le pasteur Boegner, qui a entrepris, auprès des collaborateurs du Maréchal[1], des démarches dès la parution de la loi antisémite d'octobre 1940, recevra, en mars 1941, mission du Conseil national de l'Eglise réformée réuni à Nîmes d'adresser une lettre de sympathie au grand rabbin de France et une lettre de protestation à l'amiral Darlan, vice-président du Conseil.

Datées du 26 mars, les deux lettres ne sont certes pas destinées à la publication, mais la première sera révélée par *Au Pilori,* qui s'en indigne, comme par certains milieux protestants qui s'en félicitent. Quant à la lettre à Darlan, qui sera suivie d'une rencontre Boegner-Darlan, elle a pour but, à l'annonce de la prochaine création d'un Commissariat aux Questions juives, non point de nier l'utilité de l'institution, mais de suggérer qu'elle travaille à adoucir ou même à réparer les injustices créées par les textes précédents[2], ce qui était de la part des protestants témoigner de beaucoup d'optimisme et de quelque naïveté.

Au fur et à mesure que les persécutions s'intensifieront, les prises de position des protestants, généralement transmises par le pasteur Boegner qui rendra notamment visite, le 27 juin 1942, au Maréchal pour protester contre l'obligation du port de l'étoile, se feront plus nombreuses et plus insistantes.

Mais les rafles de juillet trouveront les chefs de l'Eglise protestante — comme ceux de l'Eglise catholique — en vacances.

---

1. Bon nombre des protestations du pasteur Boegner passeront par le canal de René Gillouin, fils de pasteur, l'un des plus fidèles amis, mais également des plus intransigeants censeurs, du Maréchal.

2. « Nous savons, Amiral, que vous avez le ferme désir, par la nomination d'un haut-commissaire aux Questions juives, de faire ce qui sera en votre pouvoir pour éviter de plus grandes épreuves aux Français israélites. Nous croyons pouvoir vous assurer que les confessions chrétiennes vous approuveront sans réserve dans votre effort, dont elles mesurent la difficulté. Toutefois, nous vous prions instamment d'aller plus loin et d'examiner, dès à présent, une réforme de statut imposé aux Français israélites qui soit de nature, d'une part, à prévenir ou à réparer de grandes injustices, d'autre part à atténuer l'impression désastreuse faite dans une grande partie du monde civilisé par la loi d'octobre dernier. »

Aussi n'est-ce que le 8 août 1942 que le pasteur Bertrand, vice-président du Conseil de la fédération protestante, qui revient des Deux-Sèvres, écrit à tous ses collègues pour leur faire part de la visite qu'il a rendue le 3 août au coadjuteur du cardinal Suhard, Mgr Beaussart, après qu'il a appris les rafles dont ont été victimes à Paris, les 16 et 17 juillet, les juifs étrangers.

Les précisions du pasteur Bertrand éclairent utilement la position du cardinal Suhard, archevêque de Paris, ainsi que la nature de ses interventions et les limites qui y sont mises par les autorités d'occupation.

> « Le prélat [Mgr Beaussard] m'a paru inquiet pour l'avenir, plus encore que meurtri par le passé ; je ne saurais vous rapporter ici notre conversation dont je parlerai au Conseil de la fédération. Le cardinal-archevêque [Suhard] n'a pas *fait*[1] de démarches auprès des autorités d'occupation ; mais il en a *fait faire*[1], en vue d'obtenir la dispense de l'étoile jaune, d'abord pour les juifs chrétiens, ensuite pour les juifs mariés à des aryens ou à des aryennes comme cela est prévu en Belgique ; ensuite, après le 17 juillet, il a fait demander que les enfants ne fussent pas séparés de leurs parents. L'intermédiaire a essuyé trois refus et a été invité la troisième fois, sous les menaces les plus brutales, à s'abstenir désormais d'interventions de ce genre. »

Le pasteur Bertrand ajoute qu'il a pris l'initiative d'envoyer une lettre de protestation à Fernand de Brinon. Au cas, toutefois, où son audace se trouverait désavouée par le Conseil de la fédération protestante, il se dit prêt à offrir sa démission.

Il n'aura pas à le faire.

Le 20 août, en effet, Marc Boegner, président du Conseil de la fédération protestante de France, écrit au maréchal Pétain pour protester contre la livraison par Vichy de ces juifs allemands qu'Hitler a envoyés à l'automne de 1940 en zone non occupée et qu'il vient de « reprendre » pour les faire périr. Lettre d'une grande élévation morale et, sous la courtoisie des mots, d'une terrible sévérité.

Marc Boegner évoque, en effet, « l'indicible tristesse des Eglises »,

---

1. Souligné par le pasteur Bertrand.

signale à Pétain les conditions d'inhumanité dans lesquelles se sont déroulées ces déportations, conditions « qui ont révolté les consciences les plus endurcies et arraché des larmes aux témoins ». « Le respect de la personne humaine, poursuit Boegner, que vous avez tenu à insérer dans la constitution dont vous voulez doter la France a été maintes fois foulé aux pieds. Ici encore, les Eglises sont tenues de s'élever contre une si grave méconnaissance par l'Etat de ses indéniables responsabilités. »

Boegner, s'élevant dans la suite de sa lettre contre les *conditions*[1] de la déportation et non contre leur *principe*, n'approuve certes pas des idées détestables, mais, sans illusions sur la volonté et sur les moyens du vainqueur, du moins souhaite-t-il que la France vaincue dénonce et aménage ce qu'il n'est pas en son pouvoir d'empêcher.

La lettre à Pétain n'a été tirée qu'à trois exemplaires — un pour le Maréchal, un pour le cardinal Gerlier, un pour le pasteur Boegner — et cependant, grâce au cardinal Gerlier qui en a fait donner lecture à plusieurs prêtres, elle sera rapidement connue aussi bien en zone non occupée qu'en zone occupée et M. Tuck, chargé d'affaires des Etats-Unis, en transmettra même le texte à Washington.

Le message que, le 22 septembre 1942, le Conseil national de l'Eglise réformée donnera instruction de lire dans tous les temples aura la même résonance — et comment en irait-il autrement — que les lettres pastorales des cardinaux, archevêques et évêques[2].

> « Une Eglise chrétienne aurait perdu son âme et sa raison d'être si elle ne maintenait, pour la sauvegarde même de la nation au sein de laquelle Dieu l'a placée, la Loi divine au-dessus de toutes les contingences humaines. Et la Loi divine n'admet pas que les familles voulues par Dieu soient brisées, des enfants séparés des mères, le droit d'asile et sa pitié méconnus, le respect

1. « Le Conseil de la fédération protestante en appelle à votre haute autorité pour que des méthodes entièrement différentes soient introduites dans le traitement des étrangers juifs de race chrétiens ou non de religion, dont la livraison a été consentie. Aucune défaite, comme vous nous l'avez rappelé vous-même, ne peut contraindre la France à laisser porter atteinte à son honneur. »

2. Moins d'un mois plus tard, le 14 octobre 1942, un rapport administratif confidentiel établi pour la région de Privas affirmera que c'est « surtout dans les milieux de religion protestante... que se trouve l'esprit gaulliste ou anglophile ».

de la personne humaine transgressé et des êtres sans défense livrés à un sort tragique. »

Paroles admirables qui troublent le silence du conformisme, témoignent face à l'oppression, encouragent les charitables à plus de charité et apportent aux opprimés le réconfort de la fraternité chrétienne.

TROISIÈME PARTIE

LE CRÉPUSCULE DE VICHY

« Quand le Chef de l'Etat et son ex-dauphin se précipitent l'un et l'autre à la radio pour s'expliquer devant l'univers, leur dialogue rappelle celui de Louis XVI avec ses frères émigrés qui le contredisaient en son nom. Cela devient ridicule et un peu pénible, comme un numéro de ventriloque. »

Alfred FABRE-LUCE
Journal de la France
1939-1944.

8

LA SURPRISE DU 8 NOVEMBRE

Dans la chambre de Fernand de Brinon, ambassadeur de France, la sonnerie de l'un des trois téléphones, celui qui relie Paris à Châteldon, retentit. Il est 5 heures du matin, le dimanche 8 novembre 1942. Au bout du fil, Pierre Laval.

— C'est vous, Brinon ?... Je vous réveille ?... Eh bien ! ils ont débarqué... Levez-vous, mettez-vous en rapport avec Abetz et je vous passerai les nouvelles au fur et à mesure qu'elles me parviendront.

Lorsque Laval alerte Brinon il y a deux heures déjà que le commandant Simon, du ministère de la Guerre, a téléphoné à M. de Béarn afin qu'il prévienne Jardel, chef du cabinet civil du Maréchal [1], du débarquement de forces américaines en de nombreux points des côtes d'Afrique du Nord.

Quels points ? Il l'ignore. D'ailleurs, les câbles qui relient l'Algérie à la métropole sont coupés et c'est en vain que l'on s'efforce d'établir des contacts par radio.

A 4 heures du matin, Vichy a été informé de l'arrivée d'un message adressé par le président Roosevelt au maréchal Pétain. Les six cents mots du texte vont être hâtivement traduits, puis communiqués au

1. Poste dans lequel il a remplacé du Moulin de Labarthète.

président Laval qui, à peine arrivé de Châteldon, réunit pour une conférence improvisée Jardel, Guérard, Rochat, Bousquet et Ménétrel.

Ces six hommes vont rédiger un projet de réponse à Roosevelt, discuter de l'offre d'assistance allemande transmise par le consul général d'Allemagne Krug von Nidda, étudier les informations très fragmentaires qui leur sont communiquées par le général Revers, chef, à Vichy, du cabinet militaire de l'amiral Darlan [1].

A 7 heures, Laval, Jardel et le général Campet décident que le moment est venu de mettre le Maréchal au courant des événements. C'est Ménétrel qui pénètre dans la chambre du chef de l'Etat. A peine a-t-il prononcé les premiers mots que Philippe Pétain réplique qu'il n'est nullement surpris. Dans la nuit n'a-t-il pas rêvé d'un débarquement américain en Afrique du Nord [2] ?

Si Pétain n'est pas surpris, les Allemands, eux, vont l'être.

Dans le camp de l'Axe, on avait certes remarqué — comment ne pas le remarquer ? — l'énorme convoi de 310 navires en formation à Gibraltar. Et l'on s'était interrogé sur sa destination. Un homme, le comte Ciano, avait vu juste et, dès le 4 novembre, évoqué dans son journal la possibilité d'un débarquement au Maroc. Mais pourquoi les Allemands tiendraient-ils compte de l'avis des Italiens [3] ?

Depuis le 4 novembre, le front italo-allemand a été rompu à El-Alamein et les forces de Rommel se replient en désordre vers l'ouest. N'est-il pas logique d'imaginer que l'immense convoi amène à Montgomery armes et troupes qui lui permettront d'accélérer encore son offensive ?

---

1. C'est de Casablanca qu'arrivent, entre 3 h 50 et 4 h 38, les premières informations. Elles indiquent qu'un mouvement gaulliste « a éclaté à zéro heure avec participation général Béthouard annonçant débarquement américain ».

2. Il faut toutefois indiquer que le général Bergeret, ancien secrétaire d'Etat à l'Air du cabinet Darlan, en contact avec les Alliés, avait le 30 ou le 31 octobre, mis le Maréchal au courant d'un débarquement qu'il pensait devoir se produire après le 15 novembre. Alerté par un message secret le 5 novembre au soir, Bergeret quittera, par avion, Vichy pour Alger le 6 sans avoir revu le Maréchal.

3. Mussolini et l'état-major italien partagent l'opinion de Ciano qui le rapporte dans son *Journal* à la date du 7 novembre.

C'est la thèse qu'Hitler soutient le 7 novembre. « Les prévisions, indique le journal de guerre du haut Commandement de la Wehrmacht, varient sur l'objectif de ces forces comprenant de nombreux transports de troupes. Le Führer incline vers l'idée qu'une grande entreprise de débarquement de quatre ou cinq divisions pourrait avoir lieu à Tripoli ou à Benghazi. L'officier de liaison de la marine auprès du Quartier général d'Hitler, l'amiral Krancke, évalue les troupes de débarquement alliées à deux divisions [1]. »

Krancke se trompe. Ce sont bien cinq divisions qui se trouvent à bord des navires de transport alliés.

Et Hitler se trompe. Ces troupes n'ont nullement pour destination Tripoli ou Benghazi.

Les récents rapports d'Abetz n'avaient alerté personne. L'ambassadeur du Reich à Paris envisageait certes, en septembre et octobre, des points de débarquement aussi différents que Dakar, Casablanca ou la côte de la Méditerranée française, mais il voyait clair en annonçant qu'ici ou là des « Américains seraient envoyés tout d'abord, parce qu'ils sont aimés en France, à l'inverse des Anglais contre lesquels il existe une vive irritation [2] » et qu'ils ne rencontreraient pratiquement aucune résistance.

Pour la plupart des Allemands qui « n'ont d'assurance que sur la terre ferme [3] », pour Hitler dont les passions racistes limitent les incontestables dons de stratège, l'Afrique avec ses nègres n'offre d'ailleurs qu'un médiocre intérêt.

Y vaincre n'apportera aucune gloire historique et ceux qui, comme Goering ou Guderian, prêchent, dès juin 1940, l'occupation de l'Afrique du Nord française ne sont pas plus entendus que ne sera écouté Théodor Auer, ancien conseiller à l'ambassade d'Allemagne à Paris, nommé consul général à Casablanca et qui, presque ouvertement, se désespère de voir « l'âne bâté de Berlin, notre Führer [4], se

---

1. Le 6 novembre cependant, le colonel Görhardt, remplaçant à la Commission allemande d'armistice le colonel Böhme, avait signalé au colonel Vignol, de la Délégation française, que l'hypothèse d'une attaque contre la France métropolitaine ou africaine ne pouvait être écartée et qu'une formation d'avions allemands allait survoler le territoire non occupé, le 7 novembre, pour attaquer les convois anglo-américains.
2. Rapport du 3 octobre 1942.
3. Maréchal Juin, *Mémoires*.
4. Avec une franchise stupéfiante, c'est ce qu'Auer déclarera à l'Américain Murphy, envoyé spécial du président Roosevelt en Afrique du Nord.

désintéresser de la Méditerranée et ne jamais regarder vers le sud. »

Pour tous ceux, enfin, qui se souviennent du récent désastre anglo-canadien de Dieppe, en tirent des conclusions exagérées et négligent le profit que les Alliés ont pu et su retirer de leur échec, rien ne se fera avant le printemps de 1943.

Par mépris de l'adversaire et méconnaissance de ses capacités, l'Allemagne, jadis si souvent reine de la surprise, connaîtra ainsi, le 8 novembre 1942, l'une des plus cruelles surprises de la guerre.

La France de Vichy affiche le même scepticisme.

Sans doute, en juillet 1941, c'est-à-dire cinq mois avant l'entrée en guerre des Etats-Unis, le comte de Paris, dans le même temps où il demande au Maréchal de se faire représenter au baptême de ses jumeaux[1], a-t-il alerté Philippe Pétain sur l'importance que les Etats-Unis attachent au Maroc. Information qui, si l'on en croit le général Laure, est reçue avec joie par l'entourage immédiat du Maréchal. « En voulant en toute loyauté nous signaler un danger grave pour nous permettre d'en éloigner les menaces, le comte de Paris se trouve être le premier à nous faire pressentir l'entrée en ligne, militairement parlant, des Etats-Unis dans le sens que nous souhaitions ardemment[2]. »

Sans doute le lieutenant-colonel Baril, chef du 2e Bureau de l'état-major de l'armée, a-t-il, le 4 janvier 1942, annoncé dans un substantiel et prophétique rapport que le bloc anglo-saxon ne pouvait plus être battu et ajouté que la France avait, d'ores et déjà, le devoir d'envisager la position qu'elle prendrait dans le cas où « une force américaine se présente[rait] devant [ses] possessions d'Afrique occidentale ou du Maroc, en quête des bases nécessaires à l'Amérique pour participer à la lutte contre l'Axe[3]. »

---

1. Ce que le Maréchal refusera.
2. Journal (inédit) du général Laure à la date du 25 juillet 1941. Au mois d'août 1942, au cours de l'entrevue qu'il aura avec le Maréchal, entrevue qui fait suite à un échange de lettres qui a permis au comte de Paris de poser sa canditature à la succession de Philippe Pétain et au Maréchal de se retrancher derrière le mandat que lui a confié à Vichy l'Assemblée nationale, le comte demandera au chef de l'Etat quelle sera son attitude en cas de débarquement allié en Afrique du Nord.
3. Le lieutenant-colonel Baril ne cache pas ses convictions. Rencontrant M. Lucien Lot en juillet 1942, il lui déclare tout net : « Mon cher Lucien, les

Sans doute le commandant Faye, qui revient de Londres et appartient à ce réseau « Alliance », chargé de faire embarquer Giraud vers l'Afrique du Nord, annonce-t-il, à la fin de septembre 1942, au commandant de France, du cabinet du Maréchal, le débarquement imminent des Anglo-Américains, mais ces pronostics sont trop peu nombreux, trop imprécis, ils ressemblent beaucoup trop encore à des vœux, pour alerter et influencer ceux qui dirigent l'Etat français.

Des hommes comme l'amiral Darlan n'ont certes pas écarté la probabilité d'un débarquement, mais, aveuglés par leur compétence, ils en repoussent l'échéance à une date lointaine.

Pour Darlan, l'Amérique ne possède encore ni l'industrie, ni les soldats, ni le commandement à la hauteur de ses ambitions.

Sous-estimant les Etats-Unis, plus encore, sans doute, par vanité professionnelle et sentiment naturel de supériorité qu'en souvenir de ce qui s'était produit en 1918 lorsque la France avait dû équiper les troupes américaines, Darlan estime qu'un débarquement anglo-américain conduirait à un échec qui porterait un coup fatal aux espérances des Alliés et entraînerait, pour la zone libre, de redoutables conséquences.

Après que les Allemands eurent, en quelques heures, repoussé les Anglo-Canadiens débarqués à Dieppe, Darlan dira même à son fils Alain :

— Tu vas peut-être penser que je suis d'un cynisme abominable, mais il est cependant bien vrai que, si les Alliés débarquent un jour avec des forces et des moyens insuffisants, soit dans la métropole, soit dans l'Empire, et sans la détermination d'y rester à tout prix, il sera préférable, dans leur intérêt même, que les troupes françaises, sans solliciter ni accepter aucun secours de l'Axe, les rejettent à la mer plutôt que de les laisser commencer une campagne qu'ils ne seraient pas capables de mener à bonne fin... Je sais fort bien qu'un tel raisonnement serait difficile à faire comprendre à beaucoup de gens, mais il faut se rappeler que, parfois, la seule manière d'empêcher un ami de se jeter du haut d'un pont est de l'étourdir d'un coup de poing.

Boches sont foutus ! Ils n'ont pas pris Moscou en 41 ; les Japonais ont attaqué Pearl Harbour et ont tout manqué. La masse humaine de la Russie et la production industrielle américaine vont se combiner et écraser le Reich. J'ai remis un rapport en ce sens au Maréchal. » (Témoignage de M. Georges Lot.)

Cette tactique du coup de poing à l'ami imprudent ou suicidaire guidera apparemment Darlan jusqu'au 8 novembre.

Grâce à l'amiral Fenard, secrétaire général de la délégation du gouvernement à Alger, dont la femme, d'origine anglaise, affiche des sentiments favorables aux Alliés, Darlan a cependant été, dès le début de 1942, en contacts informels et indirects avec Murphy qui représente Roosevelt en Afrique du Nord.

Le couple Fenard, qui très souvent reçoit Murphy à sa table, héberge Alain Darlan à chacun de ses passages d'affaires et d'information à Alger. En février 1942, Alain Darlan aura ainsi une longue conversation avec Murphy au domicile des Fenard. Première rencontre qui sera suivie de deux autres, Fenard étant chargé ensuite, pour ne pas éveiller l'attention des espions allemands et italiens, de faire connaître à Murphy non point les propositions — il n'en fait pas — mais les idées, mais les « vues » de Darlan, à Darlan non point les propositions — il n'en fait pas — mais les idées et les « vues » de Murphy qui, des positions de Roosevelt, divulguera seulement celles qui ne gêneront en rien le secret des opérations.

Alain Darlan fait ainsi savoir à Murphy la préférence de son père pour un débarquement conjugué en Afrique du Nord et en Provence, débarquement qui ne saurait avoir lieu avant le printemps de 1943.

Alain Darlan et Fenard transmettent à l'amiral Darlan ce qu'ils ont retenu des propos de Murphy et ce qu'ils ont retenu correspond aux pronostics comme aux vœux de l'Amiral, c'est-à-dire que les Etats-Unis seront en mesure d'envisager « une intervention armée, d'assez grande envergure, en Afrique du Nord et en Europe, au printemps 1943 [1] ».

Même lorsque l'amiral Darlan se dira prêt à négocier directement avec les Américains, offre qui sera transmise le 12 octobre 1942 au commandant Chrétien, chef des services secrets pour l'Afrique du Nord, on ne lui fournira aucune des précisions qu'il réclame légitimement avant de « s'embarquer ».

A un homme dont ils doutent, et dont les Anglais doutent bien davantage encore, les Américains ne veulent confier ni la date de l'opération qu'ils envisagent, ni les moyens et les effectifs qu'ils entendent mettre en œuvre.

---

1. Précisions apportées par M. Alain Darlan à Claude Paillat. *Cf.* Paillat, *L'Echiquier d'Alger,* tome 1, p. 382 et suiv.

Aussi, au retour d'un voyage d'inspection en Afrique qui lui a donné l'occasion de renouveler l'assurance que la France défendrait son Empire contre quiconque, Darlan, malgré toutes les informations qui lui ont été communiquées et les bruits de plus en plus nombreux d'une prochaine intervention américaine, persiste à croire que rien d'efficace ne pourra être entrepris avant le printemps de 1943.

Il fera part de son scepticisme et de son inquiétude à son fils, deux mois à peine avant la réussite du débarquement.

— Je ne puis arriver à croire que les Anglais ou les Américains soient encore capables d'effectuer avec succès des opérations militaires en Afrique, à moins qu'il ne s'agisse de raids locaux uniquement destinés à inquiéter les Allemands. Si mon opinion est bonne, de telles opérations risquent d'être désastreuses pour nous ; elles prouveraient qu'en dépit de ce que nous avons dit et répété à l'amiral Leahy les Américains n'ont jamais rien compris, non seulement à notre position, mais encore à la situation en général.

Qu'a-t-il dit, en avril 1942, à l'ambassadeur des Etats-Unis, quelques heures avant que celui-ci ne regagne son pays ? Cette phrase qui constitue l'une des explications de sa politique attentiste.

— Lorsque les Etats-Unis auront les moyens de débarquer en France avec 500 000 hommes, 3 000 avions et 3 000 tanks, moi, François Darlan, je serai prêt à donner l'ordre à toutes les forces armées françaises de combattre à vos côtés pour libérer mon pays, et je serai en mesure de faire exécuter cet ordre.

Weygand n'avait pas fait répondre autre chose aux Anglais qui, en septembre 1940, le pressaient de reprendre en Afrique du Nord un combat pour lequel il ne disposait d'aucun moyen, pour lequel ils étaient incapables de l'aider et qui se serait achevé en catastrophe.

— Si vous venez avec 4 divisions, je vous tire dessus, avec 20 je vous embrasse.

En clair, cela signifie : si vous êtes les plus forts et si votre tentative n'est pas un coup d'essai, je serai avec vous. Opportunisme ? Non, réaction naturelle d'hommes qui, conservant l'amer souvenir de ces événements de mai et juin 1940 que les Français avaient dû affronter presque seuls, souhaitent voir écarter de leur pays toute opération que de trop faibles moyens condamneraient à un échec infiniment plus dommageable pour les populations occupées que pour les assaillants.

500 000 hommes ? 20 divisions ? Ce ne sont pas 500 000 hommes qui se présenteront le 8 novembre devant les côtes d'Afrique du Nord, mais 72 000 soldats dont 49 000 américains.

Bien avant l'entrée en guerre des Etats-Unis, Roosevelt avait compris le rôle que pouvait jouer l'Afrique du Nord dans la sauvegarde des communications maritimes de l'Angleterre et pour la contre-offensive qu'il faudrait un jour lancer contre une Allemagne maîtresse de l'Europe.

En décembre 1940, dans le même temps où il désignait l'amiral Leahy pour l'ambassade de Vichy, Roosevelt décidait de faire de Murphy son représentant PERSONNEL en Afrique française.

Que Murphy ne se soucie ni du Département d'Etat ni des bureaux qui, d'ailleurs, ignorent à peu près tout de l'Afrique du Nord et tout des sentiments des Français qui y vivent.

De Murphy, qui a servi dix ans en France, parle couramment le français, a souffert, presque à l'égal d'un Français, de la défaite de juin 40, Roosevelt attendra donc qu'il le renseigne directement, secrètement et sans aucun intermédiaire.

Il lui assignera pour mission première de convaincre le général Weygand, qui vient d'être nommé délégué général en Afrique, de la puissance et de la volonté américaines. Et, puisque Murphy est catholique, qu'il mette à profit cette communauté de religion pour tisser avec Weygand des liens de complicité politique !

— Vous pourriez même aller à la messe avec lui, suggère, en effet, Roosevelt qui imagine que l'ombre des cathédrales est favorable à l'éclosion de vastes complots.

Ainsi, dès le mois de décembre 1940, Roosevelt joue Weygand et non de Gaulle, qu'il ne connaît qu'à travers la tentative manquée de Dakar. Il devait rester longtemps fidèle à cette ligne politique. Maître d'œuvre de toute l'opération en direction de l'Afrique du Nord, il interdira à Churchill de fournir à de Gaulle le moindre renseignement[1] et, trois jours avant le débarquement, écrira même au Premier

1. « Je considère comme indispensable que de Gaulle soit tenu à l'écart de cette affaire et ne puisse avoir aucun renseignement d'aucune sorte, quelque irrité et irritant qu'il puisse devenir. »

ministre britannique, qui jugeait convenable d'informer le chef de la France Libre, ces mots sans ambiguïté :

> « J'aurais les plus grandes inquiétudes sur les répercussions fâcheuses que toute intervention du général de Gaulle dans l'opération d'invasion pourrait avoir sur les efforts féconds que nous faisons pour rallier à notre expédition une grande partie des troupes françaises d'Afrique. Je considère donc qu'il est inopportun que vous fournissiez à de Gaulle le moindre renseignement sur l'invasion tant que nous n'aurons pas réussi à débarquer. »

Les renseignements que communique à Roosevelt le Département d'Etat[1], les querelles parfois sanglantes, toujours ardentes, qui ont opposé les Français à travers les « affaires » de Dakar, d'A.E.F., de Saint-Pierre et Miquelon, de Syrie, l'inciteront jusqu'au bout à penser que la plus légère initiative gaulliste serait nuisible à une opération dont le succès repose sur la complicité, ou tout au moins sur la passivité, des forces françaises fidèles à Vichy.

Cette prise de position américaine sera à l'origine de longues rancœurs gaullistes visant aussi bien Roosevelt et l'Amérique coupables d'aveuglement politique, que Weygand coupable d'avoir été choisi par l'Amérique, que les pieds-noirs et l'armée d'Afrique coupables de n'avoir pas su, assez tôt, préférer de Gaulle à Darlan et à Giraud.

C'est à Dakar, où Weygand s'est rendu en voyage d'inspection, que Murphy, le 21 décembre 1940, rencontrera pour la première fois le Général. De l'entretien, qui s'est déroulé dans le bureau du gouverneur général Boisson, Murphy sortira convaincu qu'il ne se trouve,

1. Le 31 décembre 1941, dans une note adressée à Roosevelt, le secrétaire d'Etat Cordell Hull indiquera que, si « 95 % de l'ensemble des Français sont antihitlériens, plus de 95 % de ces derniers ne sont pas gaullistes et ne suivraient pas de Gaulle. Ce fait nous amène tout droit à reprendre nos projets pour l'Afrique du Nord et à nous passer de la coopération du général de Gaulle à cet égard. »

contrairement aux affirmations anglaises et gaullistes, aucun Allemand en Afrique occidentale et que la France défendra l'Empire contre tout agresseur.

Weygand et Boisson offrent d'ailleurs spontanément à Murphy la possibilité de rencontrer librement leurs subordonnés.

Immédiatement mise à profit [1], cette liberté de manœuvre permettra à l'envoyé de Roosevelt non seulement d'apprécier la loyauté et la lucidité de Weygand, mais également de vérifier la cohésion de ces immenses territoires que des administrateurs prudents et compétents, ainsi qu'une petite troupe mal armée mais revancharde, conservent, sans grands problèmes, malgré la défaite, dans la souveraineté française.

Aussi, depuis Lisbonne, préconise-t-il, dans un câble adressé à Roosevelt le 17 janvier 1941, l'adoption immédiate de ce plan d'aide alimentaire et pétrolier à l'Afrique française que Weygand avait, en octobre 1940, vainement proposé au consul général des Etats-Unis, M. Cole.

Les accords Weygand-Murphy ne se feront pas sans difficulté. Ils ont contre eux, à Vichy, ceux qui jalousent l'autorité accrue de Weygand ; à Londres, de Gaulle, partisan d'un blocus rigoureux dont il attend qu'il fasse basculer dans son camp populations affamées et commerçants appauvris, les Anglais, prompts à se saisir de tous les bruits qui courent sur des infiltrations nazies en Afrique du Nord, pour refuser les autorisations indispensables ; à Washington, bon nombre d'Américains crédules, persuadés par la propagande journalistique que le maigre ravitaillement franchissant les barrages du blocus anglais ira nourrir les armées de l'Axe ; à Berlin, enfin, les Allemands mécontents et justement inquiets de cette pénétration politique américaine qui, en Afrique du Nord, va se faire sous les bannières de la charité.

Le protocole d'accord, signé le 26 février 1941 par le général Weygand et par Robert Murphy, est moins important, en effet, par ce qu'il apportera à l'Afrique que par ce qu'il apportera aux Etats-Unis. A l'Afrique, à la fin d'août 1941, 12 000 tonnes de gas-oil, 10 000 tonnes d'essence, 6 000 de pétrole lampant, 4 000 de charbon, 900 tonnes de cotonnades, 1 250 tonnes de ficelle lieuse, 300 tonnes de lait

1. En quinze jours, Murphy se rendra à Dakar, Gao, Tunis, Rabat, Casablanca, tout en faisant plusieurs escales à Alger.

condensé. Aux Etats-Unis, la possibilité d'envoyer en Afrique du Nord des représentants chargés de « contrôler dans les ports et les chemins de fer » que les produits reçus des Etats-Unis ne seront en aucun cas réexportés.

Que ces « contrôleurs », qui auront, ce qui, vu les circonstances, est exceptionnel, liberté d'utiliser la valise diplomatique et de correspondre en code, soient, en réalité, des agents de renseignement, personne n'en doute du côté français. Même si Murphy a eu toutes les peines du monde à rassembler une douzaine d'hommes plus ou moins au fait de la psychologie des Français et des Arabes [1], il n'en reste pas moins que les banquiers Utter et Woodruff, que l'universitaire Boyd, que le marchand de vins Ridgeway-Knight, que l'ancien de Saint-Cyr Knox, que Rounds, King, Bartlett, Reid, Kenneth Pendar, Culbert et Murphy lui-même attirent bientôt les snobs, les bavards, les ambitieux, les affairistes, les comploteurs, les patriotes aussi.

Dans ses *Mémoires*, Cordell Hull devait écrire que ce personnel officieux, auquel il faut joindre les espions, parfois maladroits [2], du général William J. Donovan, « épiait la situation comme une nuée de faucons ».

En vérité, souvent gênés par leur ignorance du métier d'informateurs, par leur méconnaissance de l'histoire du pays et des mœurs de ses habitants, les Américains sont épiés par les services secrets du commandant Chrétien plus encore qu'ils n'épient, infiltrés plus encore qu'ils n'infiltrent. Mais leur présence constitue un encouragement pour tous ceux qui, désirant reprendre la lutte, mais ne faisant pas confiance à l'Angleterre, placent tous leurs espoirs dans l'Amérique.

---

1. En 1940, seuls cinq consulats américains étaient ouverts dans toute l'Afrique française. Leur personnel ne dépassait pas une douzaine de personnes. Les douze « vice-consuls » recrutés par Murphy parmi des hommes d'affaires, des avocats et des industriels ayant quelque idée de la psychologie française n'arrivèrent à Alger que le 10 juin 1941, le Département d'Etat ayant refusé, par économie, de les faire voyager en avion. Les agents allemands signaleront immédiatement « leur manque total de méthode, d'organisation et de discipline ».

2. En accord avec des Arabes qui réclament pour l'opération la somme alors fabuleuse de 50000 dollars, l'un d'entre eux n'a-t-il pas imaginé de faire déposer le bey de Tunis, jugé pro-allemand pour le remplacer par un bey pro-allié. Or, il a été convenu que les Américains ne s'immisceraient en rien dans les affaires intérieures des pays sous tutelle française et dans lesquels leurs commissions de contrôle étaient acceptées.

Au premier rang de ces hommes, le commissaire Achiary, responsable à Alger de la brigade de surveillance du territoire, poste qui lui offre autant de possibilités d'observation que de camouflage. Et surtout ceux qui, pour l'Histoire, formeront « le groupe des Cinq ». Lemaigre-Dubreuil, administrateur des Huiles Lesieur, passionné de politique, jouissant de cette liberté de mouvement que donne, même en temps de guerre, beaucoup d'argent et de grandes affaires, conspirateur qui est allé jusqu'à utiliser des procédés de mauvais feuilleton (ne s'est-il pas fabriqué un dossier de sympathisant pronazi ?), mais dont Murphy, qu'il a rencontré dès le mois de décembre 1940, dira : « Personne n'aurait pu, durant ces deux années-là, nous rendre d'aussi grands services en Afrique. »

Jean Rigault, qui a travaillé avec Lemaigre-Dubreuil avant la guerre, dans le cadre de la Fédération des contribuables, l'une de ces associations que les Français, mécontents du fisc, appellent toujours de leurs vœux, mais qu'ils soutiennent rarement de leurs cotisations, mais aussi comme secrétaire général du *Jour,* influent journal de droite, a gagné l'Algérie après la défaite. Lui aussi — un de plus — proposera à Weygand de prendre la tête de la dissidence. Lui aussi — un de plus — se heurtera à un refus. Mais, ayant rencontré Murphy, il lui remettra, à l'intention de Roosevelt, de nombreuses notes où éclatent son esprit de synthèse et son intelligence des situations.

Le lieutenant Henri d'Astier de la Vigerie, officier de renseignement, monarchiste, séduisant, cordial, imprévisible, que certains, qui croient déceler en lui « un rien d'improbité dans le regard, un excès d'amabilité fardée dans les attitudes », baptiseront « Milord l'Arsouille »[1], mais qui a le sens de l'action et le goût des responsabilités.

Van Eck, un ancien officier de la Coloniale qui, après avoir « travaillé » à Anvers pour le 2e Bureau, dirige en Algérie les Chantiers de la Jeunesse, ce qui aplanit bien des difficultés administratives, ouvre bien des portes — c'est ainsi que Van Eck fera muter d'Astier d'Oran à son état-major d'Alger —, légitime tous les déplacements.

Jean Tarbé de Saint-Hardouin, enfin, secrétaire général adjoint auprès du délégué général du gouvernement, c'est-à-dire auprès de Weygand, poste qui offre à celui qui l'occupe la possibilité de

1. Lucien Adès.

connaître tous les dossiers et de nouer, dans presque tous les milieux, les contacts les plus efficaces.

A l'instigation de Lemaigre-Dubreuil, Rigault entrera en relation avec le capitaine Beaufre qui, depuis qu'il a rejoint l'Algérie, ne cesse de travailler à des plans de débarquement américain [1] et surtout avec le lieutenant-colonel Jousse dont le poste à l'état-major d'Alger lui vaudra tout naturellement de devenir l'expert et le conseiller militaire des « Cinq ». Lorsqu'il s'agira de préciser aux Américains quels seront les besoins de l'armée française d'Afrique pour les combats qui l'attendent, Jousse n'oubliera ni les 50 000 ceinturons, ni les 100 000 musettes, ni les jumelles, ni les télémètres, ni les voitures sanitaires, ni les ateliers de réparation qui, presque au même titre que les avions, les canons, les chars, sont indispensables à la guerre moderne. Et, en mars 1942, lorsque les pourparlers avec Murphy seront plus avancés, c'est Jousse encore qui dressera un véritable plan de bataille, indiquant les points où les débarquements seront les plus faciles, la répartition des forces assaillantes qui lui paraît le plus convenable, mais également l'état des défenses françaises.

Autour de ces quelques hommes, dont le nom reviendra à plusieurs reprises au long de ce chapitre, quelques centaines d'hommes qui, tout en connaissant des conditions de vie bien meilleures que celles des résistants de zone occupée et même de zone libre [2], n'en sont pas moins, par le cœur et l'activité, des résistants. A l'exception de ces nombreux jeunes juifs [3], révoltés par l'abolition du décret Crémieux, brimés par les lois antisémites, ils se dressent d'abord moins sans doute contre Vichy, lointain, contre l'Allemand, invisible, que contre l'acceptation morose de la défaite.

Les « Cinq » et leurs amis mènent un jeu parallèle à celui Murphy. Ils ont des contacts avec l'Américain mais ne lui sont nullement

1. Lemaigre-Dubreuil reconnaîtra plus tard que c'est Beaufre qui, le premier, a pris contact avec Murphy.

2. Dénoncé par l'un de ses camarades de promotion, le commandant Loustaunau-Lacau qui, sous le pseudonyme de Lambin, a rejoint l'Afrique du Nord, sera arrêté en mai 1941, puis relâché, grâce à Achiary, cependant que Beaufre, Faye, le major belge van Spichelen seront transférés en France pour y être jugés.

3. « Pour un Beyler ou un Mario Faivre, écrira l'un de ces jeunes résistants juifs, Lucien Adés, il y a dix Temine, Chiche, Cohen ou Morali. »

subordonnés, et c'est peu à peu que chaque parti prendra l'habitude de considérer l'autre comme « interlocuteur valable ».

Aussi, après le rappel en France de Weygand, rappel qui intervient le 17 novembre 1941 et dont la jalousie de Darlan est responsable presque au même titre que les inquiétudes et les soupçons des Allemands, Murphy poursuivra-t-il son travail. Il le poursuivra encore, Pierre Laval revenu au pouvoir, mais les menaces que ce retour fait planer aussi bien sur l'activité des anciens collaborateurs de Weygand, sur celle des « contrôleurs » américains, que sur celle des « Cinq », vont contribuer à accélérer le mouvement.

C'est le 1er mai 1942, en effet, que les « Cinq » ont remis à Murphy une note qui constitue, selon Claude Paillat, « un véritable ultimatum », note à laquelle Washington finira par donner une réponse favorable puisque c'est avec eux seuls que l'Amérique affirmera vouloir désormais traiter.

Cette note coïncide, il est vrai, avec l'annonce de l'évasion du général Giraud. Le chef militaire de renommée internationale que Weygand aurait pu être [1], voici que tous les comploteurs croient l'avoir trouvé.

Ce général Giraud, dont tous les journaux de la Résistance soulignent le caractère intrépide, dont *Combat,* qui accordera plus d'importance à son évasion qu'à un message capital de De Gaulle à la Résistance, écrit qu'il importe peu de savoir « s'il est républicain, royaliste, bonapartiste, démocrate, ou s'il rêve d'autocratie », l'essentiel étant qu'il ait gardé « son épée immaculée pour le service de la France », INTÉRESSE en vérité tout le monde. Les Anglais, déçus aussi bien par le petit nombre des ralliements à de Gaulle que par le caractère susceptible et irritable du Général ; les Américains qui voient

1. A la fin du mois de janvier 1942, le général Weygand recevra dans sa retraite de Grasse le neveu du général MacArthur, Douglas MacArthur, secrétaire de l'ambassade des Etats-Unis à Vichy, qui lui remettra un message du président Roosevelt et lui exposera les inquiétudes (mais non les projets) des Américains concernant l'Afrique du Nord. A ce visiteur, comme à tous les autres, Weygand répondra qu'il n'est pas l'homme des menées souterraines et que son loyalisme envers le maréchal Pétain lui interdit toute action secrète.

en Giraud l'homme « possédant à la fois les qualités requises d'un chef et le prestige indispensable aux yeux des militaires et des civils [1] » ; de Gaulle qui souhaite que Giraud rejoigne rapidement l'Angleterre autant pour l'utiliser que pour qu'il ne soit pas utilisé ; les résistants de France avec qui Giraud noue de nombreux contacts et, bien entendu, les résistants d'Afrique du Nord.

Durant sa captivité à Kœnigstein, Giraud, qu'anime, on le sait, un constant esprit de revanche, a mis au point un plan général de soulèvement des populations occupées. Intervenant au printemps de 1943, ce mouvement serait appuyé par l'armée française de l'armistice, mais également par les Polonais de France rassemblés autour du général Kleeberg et par les forces yougoslaves de Mihailovitch.

Mis au courant le 19 mai par Lemaigre-Dubreuil, puis par Rigault, des rapports noués entre les « Cinq » et les Etats-Unis, Giraud, qui ne manque ni d'imagination ni de romantisme, mais se refuse à prendre en compte toutes les réalités du moment, élargit son plan à l'Afrique du Nord et suggère que les Américains aident à cette révolte populaire générale à laquelle il tient mais pour laquelle rien n'est prêt, en créant deux têtes de pont, l'une près de Nantes, l'autre sur la côte méditerranéenne.

Ce plan, Giraud aura l'occasion de l'expliquer sur la carte au général de Lattre de Tassigny, qui commande à Montpellier, au cours d'une véritable « tournée des popotes » qui le conduira tout d'abord à Toulouse où il rencontrera le général Frère qui lui a succédé, en 1940, à la tête de la VIIe armée, puis à Aix-en-Provence, à Grenoble, à Lyon, où il recevra non seulement des officiers, mais aussi plusieurs industriels et hauts fonctionnaires.

Ce n'est qu'à la fin de ce voyage, à cœur et presque à ciel ouvert, car, s'il voyage sous le nom de comédie de M. Simignon, il est accompagné de deux chauffeurs militaires... en civil, il est vrai [2], que Giraud rejoindra son refuge de la Verpillière, dans l'Isère, où la police française, alertée mais guère empressée, manquera le saisir un beau matin.

---

1. Rapport de l'ambassadeur Tuck qui a succédé, à Vichy, à l'amiral Leahy (2 mai 1942).
2. En plus de ces deux chauffeurs, mis à sa disposition par le colonel Mollard, responsable du camouflage du matériel militaire, le général Giraud est accompagné d'un ancien officier de marine, agent des services secrets ainsi que du général Chambe.

Exalté par la réussite de son évasion, par l'importance que lui ont accordée les Allemands, par la facilité avec laquelle il vient de se déplacer en France non occupée, ce qui est à verser au crédit de son courage, mais également de la bonhomie des autorités de Vichy, surpris par le nombre des concours qui se sont offerts à lui, par les contacts qu'à travers le groupe des « Cinq », mais aussi de façon tout à fait indépendante [1], il a noués avec les Américains, comment Giraud, seul en piste depuis que Weygand a réussi à convaincre ses interlocuteurs qu'il ne participerait à aucune entreprise qui n'ait la bénédiction de Pétain, n'envisageant, avec de Gaulle, que des rapports de supérieur à inférieur, ayant sur la puissance américaine des idées fausses et sur la vertu de ses plans de révolte populaire des idées plus fausses encore, ne se verrait-il pas naturellement porté à la tête des forces de la coalition dès lors qu'elles comprendraient des unités françaises ?

Cette prétention, Giraud la communique à tous ceux avec lesquels il entre en pourparlers.

A Douglas MacArthur, qui fait en quelque sorte la tournée des bonnes volontés françaises, puisque, en janvier, il a déjà, mais vainement, sollicité Weygand [2] et qui lui demande, par l'intermédiaire du général Baurès, à quelles conditions il serait prêt « à travailler avec le président Roosevelt à la Libération de la France », Giraud adresse une réponse en quatre points. Il désire que la France, avec son empire, soit rétablie dans son intégrité territoriale ; que la souveraineté française demeure entière partout où des Français combattront à côté des Américains ; que « le général Giraud [ait] le commandement en chef des forces alliées sur le théâtre d'opérations où combattront des forces françaises » ; enfin que le taux du franc, par rapport au dollar, soit équivalent à celui consenti par l'Angleterre au général de Gaulle dans les rapports entre la livre et le franc.

Ainsi, entre le mois de mai et le mois de novembre 1942, les Américains, les Cinq, Giraud, vont-ils mener, dans l'ordre et le désordre, la sincérité et la dissimulation, une partie qui n'a pas fini, on le verra au moment du passage à l'action, de réserver bien des surprises.

1. C'est ainsi qu'au château de Fromentes Giraud aura des entretiens avec Mlle Constance Harvey, vice-consul des Etats-Unis à Lyon.
2. *Cf.* p. 362.

C'est le 8 juillet 1942 que Churchill donne son accord pour ce débarquement en Afrique du Nord qui offrirait, écrit-il à Roosevelt, « la meilleure chance de soulager le front russe »... Et qui constituerait également le meilleur moyen de soulager le front anglais de Libye puisque Rommel, une fois de plus victorieux, vient de s'emparer de Tobrouk et, avec la ville, de 30 000 soldats de la VIIIe armée ainsi que de stocks importants.

Envoyés de Roosevelt auprès de Churchill, le général Marshall et l'amiral King vont donc dresser avec les Britanniques les plans de ce débarquement en Afrique du Nord qui, bientôt, prendra pour nom de code ce mot *Torch,* destiné à passer à l'Histoire.

S'ils acceptent que le général Eisenhower ait la direction de l'ensemble des opérations, que les soldats anglais qui débarqueront soient, pour quelques jours, revêtus d'uniformes américains, que de Gaulle ignore tout de l'entreprise et cela jusqu'au dernier jour, les Anglais insisteront cependant auprès des Américains pour qu'ils conservent le secret vis-à-vis de ces Français d'Algérie dont ils se méfient et de ce général Giraud dont les prétentions les irritent. Recommandations superflues. Les responsables américains sont bien résolus à taire l'essentiel, même si leur attitude doit placer Robert Murphy dans une situation difficile vis-à-vis de ses associés d'Afrique du Nord et vis-à-vis de Giraud.

Aussi, lorsque, le 22 octobre 1942, Murphy accompagné du général Clark, adjoint d'Eisenhower, qui a rejoint en sous-marin, se rend dans une ferme de la région de Cherchell, à 120 kilomètres d'Alger, pour rencontrer le général Mast, représentant Giraud mais surtout adjoint au commandant du 19e corps d'armée, le lieutenant-colonel Jousse, Rigault, le capitaine de vaisseau Barjot, le commandant Dartois, que les « Cinq » ont choisi pour responsable des opérations aériennes [1], est-il lourd de secrets qu'il n'entend pas dévoiler.

Si bien que le compte rendu de la conférence de Cherchell, rédigé

1. La protection des conjurés est assurée, du côté français, par Henri d'Astier de la Vigerie, du côté américain par plusieurs commandos britanniques. Une alerte obligera à un départ précipité.

par Rigault, et que Lemaigre-Dubreuil va transmettre sans plus tarder à Giraud, comportera de nombreuses inexactitudes : involontaires de la part de Rigault, volontaires de la part de Clark et de Murphy.

Elles portent aussi bien sur l'importance des forces : 500 000 hommes appuyés par 2 000 avions, que sur le fait « qu'aucune troupe britannique ne mettra le pied en Afrique du Nord », ou encore sur l'assurance que le commandement sera remis à un Français dans les heures qui suivront le débarquement.

C'est donc à un plan incomplet, imprécis et inexact que Giraud donnera son accord le 27 octobre.

Il ne sera informé que le 2 novembre de la date exacte du débarquement. A cette révélation qui l'a fait bondir d'indignation, il riposte en disant qu'il ne pourra se trouver à Alger avant le 20 novembre. Pris en flagrant délit de dissimulation par ses amis français, menacé d'être abandonné au moment décisif par Giraud, mais également par les « Cinq » que les procédés américains ont ulcérés, Murphy tentera en vain de faire retarder de deux semaines une opération géante, trop engagée déjà pour que l'on puisse modifier son déroulement.

Du moins, grâce à une dernière lettre aux silences trompeurs, Murphy, en affirmant que le gouvernement américain souhaitait remettre « dès que possible » le commandement militaire à un Français [1], décidera-t-il Giraud à précipiter quelque peu un départ qui, grâce au dévouement du réseau « Alliance » [2], s'effectuera dans la nuit du 5 au 6 novembre à bord du sous-marin britannique *Seraph*, placé pour ménager la suceptibilité du général français, et pour conserver aussi longtemps que possible la fiction d'une opération tout

1. « Toutefois, ajoute Murphy dans sa lettre à Giraud, pendant le débarquement et jusqu'à ce que la sécurité de nos troupes soit assurée en Afrique du Nord, il semble préférable de ne rien changer à l'organisation mise sur pied au prix de tant d'efforts pour une opération aussi complexe. »

Dans sa dernière lettre à Giraud, Murphy devait faire silence sur la participation des forces anglaises au débarquement et ne rien dire de l'opération sur le littoral métropolitain souhaitée par le général. « Je reconnais que j'ai trompé Giraud et son entourage », avouera plus tard Robert Murphy.

2. Avec Giraud, ont pris place à bord du *Seraph* son fils Bernard, le capitaine Beaufre et l'enseigne de vaisseau Viret. Un deuxième sous-marin britannique allait, le lendemain, prendre à son bord d'autres résistants mais, au Lavandou, l'état-major d' « Alliance » sera arrêté par la police de Vichy.

entière sous le contrôle des Etats-Unis, sous le commandement d'un officier américain, le capitaine Jerauld Wright.

Lorsque Giraud, après une journée d'attente pour cause de mauvais temps, quitte la barque du pêcheur, qui a accepté de le prendre en charge, pour monter à bord du *Seraph*, son concurrent le plus redoutable se trouve déjà à Alger.

Ceux qui ne voyaient péjorativement en Darlan qu'un habile manœuvrier, comment pourront-ils croire que seul l'amour paternel a cette fois inspiré le voyage du destin ? Il en est bien ainsi cependant. Victime d'une poliomyélite, hospitalisé à l'hôpital Maillot, d'Alger, Alain Darlan se trouve condamné par les médecins et c'est pour répondre aux lettres angoissées de Mme Darlan que l'Amiral arrive par avion spécial à Alger le 5 novembre à 12 h 35.

Que sait-il ce jour-là des projets américains et des complots français ?

Aussi surprenant que cela paraisse : rien de précis.

A Vichy, beaucoup d'officiels auront d'autant plus de mal à croire à cette ignorance que son voyage impromptu fait suite à une longue tournée d'inspection au Maroc, en Afrique occidentale et en Algérie. Alors que, revenu à Vichy le 30 octobre, il en repart brutalement moins d'une semaine plus tard, pourquoi ne pas imaginer qu'il a été mis au courant de ce qui se tramait et que, fidèle à son personnage, il profite de la circonstance pour se laisser emporter par le vent ?

C'est cette opinion, fort répandue, que traduit le 14 novembre le général Serrigny qui est, on le sait, l'un des familiers de Pétain.

> « Le 13 au matin, Féat me met au courant de la situation en Afrique du Nord. Darlan se trouvait *par hasard*[1] à Alger lors du débarquement. Il y était venu sous *prétexte* de ramener en France son fils atteint de poliomyélite. Un télégramme d'Alger *l'aurait*[1] incité à ce voyage. Aux yeux de l'amiral Fernet qui est de ses amis, tout ce *scénario*[1] n'était qu'un *camouflage*[1]. Darlan était

1. Je souligne intentionnellement tous les mots qui mettent en doute la bonne foi de Darlan.

depuis longtemps au courant, *notamment grâce à Murphy*[1], des événements qui se préparaient, il avait *choisi*[1] son orientation et était venu en Afrique *pour retourner sa veste*[1]... »

Si les Français partagent le sentiment de Serrigny, pourquoi les Allemands auraient-ils une opinion différente ? Lorsqu'il rapportera les paroles que lui a dites Hitler le 10 novembre, Pierre Laval mentionnera cette phrase : « Il croit que le voyage de l'amiral Darlan en Afrique du Nord cachait un complot. »

J'ai déjà indiqué[2] la relative lenteur de l'évolution de Darlan, le flou des contacts pris, à travers Alain Darlan, avec Robert Murphy, le poids, sur un homme habitué à réagir en technicien et non en sentimental, d'événements militaires qui, dans le Pacifique, en Libye, où la contre-offensive de Montgomery n'est pas encore déclenchée, en Russie, où Stalingrad demeure toujours un combat douteux, « pouvaient difficilement, écrira l'amiral Darlan, être interprétés comme des garanties de l'invincibilité militaire des Alliés, ni même de leur degré de préparation ».

C'est donc un chef de guerre qui estime avoir le temps pour lui qui arrive le 5 novembre à Alger.

C'est surtout un père angoissé dont l'angoisse, pour un moment, submerge tous les autres sentiments.

En persistant dans des « négociations furtives[3] », en se refusant à faire connaître à Darlan, et par lui au Maréchal, l'importance de leurs préparatifs, en perdant ainsi l'occasion de traiter avec l'autorité légitime, les Américains ont-ils perdu la chance d'obtenir le ralliement de la flotte française, ou, tout au moins, la cession immédiate et sans combats coûteux en vies humaines pour les deux camps, des bases algériennes, marocaines et aussi tunisiennes ? Alain Darlan l'affirmera, mais également Robert Murphy. « Je suis persuadé que les Français n'auraient pas résisté du tout, nulle part, s'ils avaient été prévenus en temps voulu. »

Mais entre le risque d'avoir à affronter les défenses françaises surprises par le débarquement inattendu d'un adversaire inconnu

---

1. Je souligne intentionnellement tous les mots qui mettent en doute la bonne foi de Darlan.
2. *Cf.* p. 353 et suiv.
3. Le mot est d'Alain Darlan.

(pendant plusieurs heures, certaines troupes vont ignorer contre qui elles se battent) et celui de se trouver, à la suite de quelque fâcheuse indiscrétion, ou de quelque trahison, en proie aux attaques conjuguées des sous-marins et des avions de l'Axe, les Américains avaient choisi le premier et, pour eux, le moindre risque [1].

Samedi 7 novembre 1942. Pour tous les Européens d'Afrique du Nord, un samedi comme les autres. Plus que de cet énorme convoi, qui, selon les militaires, se dirige évidemment vers Malte, on parle de la sortie du dimanche.

Pour Robert Murphy, il faut absolument que ce samedi 7 novembre demeure, en apparence, un jour comme les autres. S'efforçant de ne pas laisser paraître son inquiétude, il remplira donc ses tâches quotidiennes et, comme à l'ordinaire, recevra plusieurs visiteurs : le nationaliste Fehrat Abbas, venu l'interroger sur les réactions américaines face à une future Algérie autonome ; l'ancien président du Conseil Pierre-Etienne Flandin, très ému par les perspectives d'une possible invasion de la Tunisie par les troupes de l'Axe et qui répète : « Si vous, Américains, ne débarquez pas en force, d'ici un mois, il sera trop tard » ; trois jeunes femmes volontaires d'une unité sanitaire de l'armée qui songent à regagner la France pour s'y employer plus utilement. Que leur conseille-t-il ?

— Il serait peut-être bon, mesdames, que vous reveniez dans quelques jours. D'ici là, j'aurai trouvé une solution.

Pour ne pas alerter la police française par de multiples allées et venues, Murphy a décidé que les points de rassemblement des

1. Il est juste de faire remarquer que, si les Américains craignaient les indiscrétions, les Français les craignaient également. A Murphy, qui regrettera que son père ne se soit pas confié davantage à l'ambassadeur Leahy, Alain Darlan répliquera que son père croyait les Américains incapables de garder des secrets.
« En mon for intérieur, je devais convenir, devait écrire Murphy, que [la remarque] contenait une bonne part de vérité : j'avais souvent été choqué de retrouver dans la presse ou d'entendre à la radio certains renseignements adressés à titre confidentiel à mes supérieurs. »

conjurés seraient fixés dans différents appartements éloignés les uns des autres.

Chez le Pr Henri Albouker, dont l'appartement abrite l'un des P.C., règne, comme à la veille d'une mobilisation générale, le désordre le plus total : tapis souillés de cendres, dossiers sur les fauteuils, machines à écrire sur les guéridons et partout des hommes qui s'affairent, courent, téléphonent, s'interpellent. C'est chez Henri Albouker que l'un de ces garçons juifs, persécutés par Vichy et naturellement mobilisés contre Vichy, le jeune Lucien Adès, reçoit l'ordre de se rendre, en compagnie de Jean Bensaïd, sur une plage près de Sidi Ferruch pour y accueillir les premiers Américains.

Mais il se perdra dans la nuit, n'aura jamais l'occasion de lancer le mot « whisky », d'entendre, naturelle et puérile, la réponse « soda » et ne rencontrera que quelques heures plus tard « ses » premiers Américains dont il laissera une description éblouie.

> « Ils sont très grands, larges d'épaules, leurs vêtements sont totalement inconnus de nous. Ils portent des guêtres courtes, un casque rond et profond enfermé dans un filet. Ils ont des poches partout. Leur visage est maculé de graisse noire. A la main, ils portent de petits fusils mitrailleurs trapus et menaçants. »

Ce sont cependant des garçons comme Adès qui, à Alger, pratiquement sans armes[1], sans entraînement et presque sans directives, se rendront maîtres, au moins pendant la nuit et la matinée, des commissariats, centrales électriques, centres de communications et de transports, d'une ville « murmurante et rageuse qui n'a pas l'air de se sentir soulagée et heureuse de ces bouleversements[2] ».

Dans les premières heures du 8 novembre, ils réussiront même un coup d'éclat en isolant la villa des Oliviers, résidence du général Juin, commandant les troupes françaises d'Afrique du Nord, qu'un coup de téléphone a tout à l'heure tiré du lit

---

1. Les Britanniques avaient promis de livrer dans la nuit 20 tonnes d'armes légères aux clandestins Ils ne le feront pas
2 Lucien Adès

C'est peu après minuit, en effet, que Murphy a demandé à Juin de le recevoir d'urgence. C'est à un homme émergeant de son premier sommeil, dépeigné, vêtu d'un pyjama à rayures roses, et surpris — on le serait à moins —, que l'Américain apprend alors l'approche d'un corps expéditionnaire de 500 000 hommes. Toujours la fable des 500 000 hommes.

— Je vous annonce cet événement parce que, d'après les conversations que nous avons eues ces dernières années, j'ai cru deviner quel est votre suprême désir : la libération de la France. Or, vous savez que votre pays ne se libérera pas sans l'aide des Etats-Unis.

— Comment ? réplique Juin, vous prétendez que les convois qui se trouvent en Méditerranée ne naviguent pas vers Malte mais vont débarquer ici ? Vous m'avez pourtant dit, il y a une semaine, que les Etats-Unis ne nous attaqueraient pas !

Apprenant que les Américains arrivent « à l'invitation » de Giraud (ce qui est fort exagéré), Juin exprimera avec véhémence — comme Darlan le fera dans quelques minutes — ses regrets de n'avoir pas été consulté plus tôt.

Lui non plus n'imaginait pas un débarquement avant le printemps de 1943. Et ce n'est pas le rapport que venait de lui remettre son chef de cabinet, le commandant Dorange, qui aurait pu le détromper.

Mieux que tous les récits écrits, dix ou vingt ans plus tard, par des hommes à la mémoire et au jugement influencés par la connaissance des événements et de leurs développements, le texte rédigé par Dorange, immédiatement après son entretien avec Murphy, le 15 octobre 1942, permet de connaître exactement ce que pouvaient savoir et ce qu'ignoraient des sympathisants à la cause alliée, informés certes des généralités, mais pour mille et une raisons tenus à l'écart des précisions comme des détails les plus importants[1].

A moins d'un mois du débarquement, que dit, en effet, Murphy à Dorange qui lui a affirmé que Juin défendrait l'Afrique du Nord « contre tous ceux qui prétendraient y mettre les pieds » ? Que le gouvernement des Etats-Unis n'a jamais eu l'intention d'intervenir, qu'il ne prendrait d'ailleurs pied en territoire français qu'à la demande

1. Le texte de l'entretien Murphy-Dorange a été publié *in extenso* dans le livre de Claude Paillat, *L'Echiquier d'Alger*, t. 1

du gouvernement français et dans le cas d'une attaque italo-allemande qu'il dit craindre dans un proche avenir. Faisant miroiter l'accroissement considérable de la puissance américaine, Murphy réplique à Dorange, qui vient d'évoquer la faiblesse des forces aériennes françaises, que les Américains sont prêts à fournir aux Français tout le matériel qu'ils désirent.

DORANGE. — Votre production est donc suffisante pour équiper à la fois votre armée et celle des autres ?

MURPHY. — Notre production est infiniment supérieure à tout ce que vous croyez. Nous sommes en mesure de vous fournir tout le matériel que vous nous demanderez : chars, avions, artillerie, etc.

DORANGE. — Il faudrait aussi le transporter...

MURPHY. — Et le débarquer : c'est surtout cela qui m'inquiète, car la capacité des ports où nous pourrions vous le livrer est faible.

DORANGE. — Soit. Mais vous oubliez l'armée Rommel [1].

MURPHY. — Les dispositions que nous sommes en train de prendre sont, je pense, suffisantes pour l'empêcher de nous tourner le dos [2]. Nous serons en mesure de l'attaquer avec de gros moyens à bref délai.

DORANGE. — Ne croyez-vous pas qu'elle soit en mesure de vous devancer ?

MURPHY. — Je ne le pense pas. Nous avons amené à pied d'œuvre tout ce qu'il fallait.

DORANGE. — Cela n'empêche pas les Allemands d'avoir 320 divisions, dont ils peuvent, à tout instant, ramener une bonne partie dans l'ouest, la presque totalité même si la Russie s'effondre, ou si elle se décide, ainsi que les Allemands le laissent entendre, à traiter.

MURPHY. — La Russie ne s'effondrera pas. J'ai vu M. Hopkins à New York. Il rentrait de la mission dont le président Roosevelt l'a chargé en Russie. Le président et lui ont fait le tableau de la situation : la Russie n'est pas sur le point de s'effondrer. Elle pense même très sérieusement à reprendre l'offensive au premier fléchissement des Allemands. Elle ne traitera pas non plus...

---

1. Qui, le 15 octobre 1942, est toujours victorieuse en Libye puisque la bataille d'El-Alamein, qui représentera, pour elle, « le commencement de la fin », ne débutera que dans la soirée du 23 octobre, Rommel se trouvant d'ailleurs absent (il fait une cure dans un établissement thermal autrichien et rejoindra l'Afrique le 25 octobre).

2. J'imagine que Murphy veut dire « nous attaquer dans le dos ».

Murphy affirme enfin à Dorange qu'il a « pleins pouvoirs du président Roosevelt pour traiter avec le gouvernement français ou avec toute personne le représentant[1] » les questions relatives à l'aide que l'Amérique serait susceptible d'apporter à l'Afrique du Nord, étant entendu que le gouvernement des Etats-Unis ne traitera pas avec des groupements dissidents, qu'il répondra seulement à la demande de la France « et dans les conditions fixées par celle-ci », les bruits « relatifs à une attaque américaine, ajoute Murphy, étant dénués de fondement ».

Dans les premières heures du 8 novembre, la surprise du général Juin n'est donc pas feinte. Elle est celle d'un homme sciemment abusé et qui n'a nullement cherché à percer les mystères dont s'enveloppaient ses amis américains.

— Si cette affaire dépendait uniquement de moi, dit-il cependant à Murphy, je serais avec vous. Mais, comme vous le savez, Darlan est à Alger. C'est mon supérieur. Quelle que soit ma décision, il peut l'annuler immédiatement.

— Très bien, consultons Darlan, réplique Murphy.

L'Amiral, à qui Juin propose de venir le rejoindre chez l'amiral Fenard, où il réside, répond qu'il préfère se déplacer. Il sera là dans vingt minutes. Effectivement, le voici à 1 h 25 et sa réaction, en apprenant de la bouche de Murphy l'imminence du débarquement, sera de celles qui s'oublient difficilement.

— Je savais depuis longtemps que les Britanniques sont des imbéciles, mais j'avais toujours cru les Américains plus intelligents. Vous partagez avec eux le goût des gaffes monumentales !

Darlan proteste moins contre le débarquement que contre la méfiance américaine à son égard et contre le fait qu'une action prématurée et mal conduite peut entraîner une réaction victorieuse de la part des Allemands.

Pendant plus d'une demi-heure, Murphy et Darlan, le diplomate suivant l'amiral, faisant demi-tour lorsqu'il fait demi-tour, s'arrêtant

---

1. Le 13 janvier 1966, M. Robert Murphy, ayant en main le rapport Dorange, précisera à Claude Paillat que, bien que n'ayant conservé aucune note sur son entrevue avec le commandant Dorange, il doutait avoir dit à Dorange que le gouvernement des Etats-Unis négocierait avec le seul gouvernement français, dans la mesure où il se trouvait engagé dans des conversations avec le général Giraud.

lorsqu'il s'arrête, vont arpenter ainsi le grand salon, Murphy expliquant à un Darlan, silencieux et qui tire rageusement sur sa pipe, que le débarquement américain a pour but unique de contrarier une prochaine invasion allemande, que ce sont 500 000 hommes — toujours les 500 000 hommes — qui, dans quelques heures, peut-être dans quelques minutes, se présenteront devant les côtes africaines, qu'il serait fou d'opposer dans un combat fratricide les soldats français aux soldats américains qui n'ont oublié ni l'alliance de 1917 ni les combats de 1918 et viennent en libérateurs.

— J'ai donné ma parole à Pétain, dit Darlan, selon Murphy en bougonnant, selon d'autres témoins en frappant du poing sur la cheminée [1]. Depuis deux ans, je n'ai pas failli à mon serment. Je ne peux pas, maintenant renier tout cela. Cette opération est prématurée et ce n'est pas du tout ce que nous espérions.

En apprenant que les Américains, non seulement n'ont pas pris contact avec lui, mais encore ont « traité » avec Giraud, Darlan explosera à nouveau.

— Giraud ? En politique, c'est un enfant, un bon général de division, rien de plus [2].

Et d'ailleurs, où se trouve Giraud ? Oui, où est Giraud ?

Murphy, qui, depuis plusieurs heures, envoie des messages demandant précisément « où est Giraud ? » et qui a fini par apprendre que le *Seraph* n'a pas conduit, comme prévu, le général sur la côte algérienne AVANT LE DÉBARQUEMENT mais l'a confié, en mer, à un hydravion qui l'a déposé le 7, en rade de Gibraltar, est bien en peine d'avouer la vérité à Darlan. Il se contente d'affirmer — comme s'il s'agissait d'une carte qu'il conserverait dans sa manche pour la produire au moment voulu — que Giraud arrivera « sous peu ».

Le retard de Giraud, retard aggravé par sa bouderie lorsqu'il découvrira, en s'entretenant avec Eisenhower, que rien n'est prévu pour un débarquement en France, que l'occupation des aérodromes tunisiens a été totalement négligée et aussi, ou surtout, que son rôle ne

---

1. D'après Jacques Robichon (*Jour J en Afrique*) qui tient sans doute ce renseignement du commandant Chrétien, présent à l'entretien Darlan-Juin-Murphy.
2. « Malheureusement, devait conclure plus tard Robert Murphy, c'était exact. »

sera pas celui qu'il avait espéré et qu'on lui avait (presque) promis, aura des conséquences considérables.

Tandis que les forces anglo-américaines approchent des côtes d'Afrique du Nord, Giraud débat toujours avec Eisenhower du commandement qui lui sera attribué. Mais le général américain affirme tout ignorer des promesses faites par Roosevelt et transmises par Murphy. Comment, d'ailleurs, confier les prérogatives et les attributions de commandant en chef à un général français alors que nul ne sait quelles seront les réactions des troupes françaises d'Afrique du Nord, et que la coalition ne comporte pas seulement des soldats américains, mais également des unités britanniques pour lesquelles il est bien évident qu'aucun engagement n'a été conclu !

— Dans ces conditions, réplique en substance Giraud, étant donné mon acceptation de partager les risques d'une aventure, je ne peux admettre que l'on ne tienne pas les promesses faites.

Après avoir menacé de se désolidariser de toute l'opération et de passer le lendemain en Espagne, Giraud, de fort mauvaise humeur, regagne la chambre que lui offre le général MacFarlane, gouverneur de Gibraltar.

Pendant qu'il rumine ou sommeille, c'est sans lui que les événements se déroulent à Alger et c'est sans lui qu'ils se dérouleront durant toute cette journée du 8 novembre qu'il occupera en partie à une « séance de conciliation » avec Eisenhower, en partie à la visite des différents bureaux de l'état-major américain !

En donnant à Darlan, pendant trente-six heures, une précieuse liberté de manœuvre, le retard de Giraud contribuera à modifier le cours prévisible des événements aussi bien en Afrique du Nord qu'en métropole.

Il va d'abord permettre à Darlan, soutenu par Juin, d'expliquer longuement à Murphy que Giraud, lorsqu'il débarquera, n'aura aucune autorité, que nul ne se rangera à ses ordres et que, n'étant pas suivi, il ne fera qu'ajouter à la confusion et au drame. Seul Pétain ou quelqu'un d'investi par Pétain...

Murphy ayant finalement demandé à Darlan ce qu'il ferait si Pétain lui donnait « carte blanche » et l'Amiral ayant répondu que, dans ces conditions, il se rangerait aux côtés des Américains, il sera décidé de demander l'opinion du Maréchal par un premier télégramme qui ne sollicite, en vérité, ni un accord pour un éventuel cessez-le-feu, ni un encouragement à poursuivre la lutte, mais rend compte tout simplement des événements.

« Amiral Darlan à maréchal Pétain, numéro 6711.

J'ai été demandé à 1 h 15 par le général Juin et j'ai trouvé chez lui M. Murphy qui m'a déclaré que :

Citation : " Sur la demande d'un Français, le général Giraud, le président Roosevelt avait décidé d'occuper l'Afrique du Nord avec des forces importantes ce matin même. "

Que " les Etats-Unis n'avaient qu'un seul but : détruire l'Allemagne et sauver la France qu'ils désiraient maintenir dans son intégrité. " *Fin de citation.*

Je lui ai répondu que la France avait signé une convention d'armistice et que je ne pouvais que me conformer aux ordres du Maréchal de défendre son territoire [1]. »

Veulent-ils envoyer ce télégramme, Darlan et Juin découvrent alors que la villa des Oliviers est cernée par des « résistants »— par « une 5e colonne de civils armés », écrira Darlan — qui, sous le commandement d'un aspirant d'artillerie, ont désarmé la garde sénégalaise.

Cette action est l'une de celles qui avaient été programmées par les « Cinq » et auxquelles Murphy avait donné le feu vert en recevant le message radio annonciateur du débarquement : « Allô Robert, Franklin arrive. » Dans le même temps où ils cernaient la villa des Oliviers — et sans doute avaient-ils l'intention de capturer le général Juin —, les conjurés s'emparaient des généraux Koeltz, Mendigal, Roubertie, ainsi que du préfet d'Alger, Temple, et de nombreux officiers arrêtés au petit matin.

Non sans échanges verbaux sur un mode héroïque, excessif et nerveux.

---

1. Ce télégramme transmis seulement à 7 h 15 car volontairement retardé par M. Kenneth Pendar, vice-consul américain à qui Murphy avait donné consigne de l'expédier, parvint à Vichy après un télégramme 6710 expédié, lui, à 6 h 17 précisant à la fois que « le débarquement serait général et en cours de la côte de Tunisie jusqu'au sud du Maroc » et que les alliés jouissaient de « nombreuses intelligences à l'intérieur du pays ».

Lorsqu'il rédige ces deux télégrammes, l'amiral Darlan est toujours à la villa des Oliviers où ses possibilités de renseignement sont faibles.

— Où sont vos galons pour me parler ainsi ? demande au « résistant » Libine un capitaine d'infanterie.

— Je suis en train de les gagner ; mais pas dans l'armée nazie que vous servez, réplique Libine.

Non sans échange, hélas ! de coups de feu.

Au cours d'une échauffourée, le capitaine Pillafort, qui, « pistolet au poing, semble vivre une grande aventure de Far West[1] », a décidé de faire prisonnier tous les militaires qui traversent le boulevard Baudin. Cette prétention lui vaudra d'être grièvement blessé[2] par le colonel Jacquin qu'il tue en ripostant[3].

Et, à plusieurs reprises, des marins signaleront que, depuis la ville, des inconnus ont tiré sur eux[4].

L'encerclement de la villa du général Juin, les entraves apportées par Kenneth Pendar, vice-consul américain, à la transmission du télégramme de l'amiral Darlan, l'ignorance dans laquelle Murphy se trouve, et du sort de Giraud et surtout du sort des troupes de débarquement qui, depuis trois ou quatre heures déjà, devraient être présentes à Alger, tout contribue à faire penser aux Français qu'ils sont tombés dans un traquenard, et que toute la manœuvre couvre simplement un complot gaulliste.

Jusqu'à 6 h 30, Darlan, Juin, Murphy, dont la fatigue et l'inquiétude ont considérablement augmenté la nervosité, vont demeurer ainsi en

1. Lucien Adès. Un « ex-capitaine », écrira Darlan dans ses *Notes personnelles,* lorsqu'il parlera de Pillafort.

2. Il succombera d'ailleurs à ses blessures.

3. Dans la matinée, l'amiral Battet, que Darlan a envoyé chercher ses bagages chez l'amiral Fenard, sera également arrêté.

4. « Pendant le poste de manœuvre, des balles venant de la ville viennent siffler à nos oreilles, décidément les Algérois ne nous aiment pas ! D'une maison partent des rafales de mitrailleuses vers l'Amirauté, l'*Engageante* amarrée dans le port de l'Amirauté riposte en lui envoyant quatre coups de canon à bout portant qui ont pour effet de faire cesser le feu. »

Journal inédit de M. René Dupont qui se trouvait alors à bord de la *Boudeuse.* L'amiral Darlan fait également allusion à ces coups de feu dans ses notes personnelles.

présence, attendant que le destin décide pour eux. Il peut avoir le visage d'un soldat américain, pommettes et front barbouillés de suie. Il aura le visage du commandant Dorange. A la tête d'une unité de gardes mobiles, Dorange vient, en effet, de disperser facilement les résistants algérois. Il y a un instant, Robert Murphy était en position de dicter sa loi ; le voici prisonnier, arroseur arrosé, recevant même d'un Sénégalais, qui imagine que l'on va le fusiller, sa « dernière cigarette ».

Sans plus s'inquiéter du sort des Américains — Kenneth Pendar a été arrêté en même temps que Murphy —, Darlan et Juin se précipitent au Fort-l'Empereur, P.C. de Juin, cependant que, sur Alger, comme sur toutes les grandes villes d'Afrique du Nord, pleuvent des tracts signés « Dwight D. Eisenhower, lieutenant-général commandant en chef des Forces expéditionnaires américaines ».

Les mots employés pour ces tracts font référence à 1917, affirment que « la souveraineté de la France sur les territoires français reste[ra] entière » ; ils ressuscitent une phrase célèbre de Pétain : « Tous ensemble, on les aura ! » Un peu partout cependant, explosions d'obus et jets de bombes démentent ces manifestations de propagande qui se veulent rassurantes.

Lorsque Darlan et Juin arrivent au Fort-l'Empereur, ils découvrent ce désordre qui naît de toutes les situations mal contrôlées : des officiers généraux et supérieurs, des commandants de régiment entrent et sortent à la recherche d'instructions que nul ne peut leur fournir. Le général Mast a bien commandé aux troupes de rester dans leurs quartiers, le colonel Baril a bien laissé sans réagir les Américains débarquer à Sidi Ferruch, à Blida le général de Monsabert a bien mis le personnel de l'aviation hors d'état de s'opposer à l'occupation du terrain par l'aviation alliée, mais les 45 marins de la batterie Duperré, commandés par l'officier des équipages Larvor, tirent sans relâche sur les assaillants. Les 36 marins de la batterie du cap Matifou [1] les imitent ainsi que les hommes des batteries qui défendent le port et qui, à partir de 3 h 30, ont engagé un duel à mort avec les destroyers britanniques *Broke* et *Malcolm* [2]. Quant aux équipages des quelques navires de

1. Commandés par le lieutenant Jean Beghelli.
2. Le *Broke* sera coulé après avoir débarqué 200 soldats américains qui seront faits prisonniers, le *Malcolm*, gravement avarié, devra se retirer.

guerre à quai[1] — une poussière navale —, ils mitraillent sans complexe les appareils alliés.

« A 8 heures, exactement au moment où je commandais " Envoyez " pour les couleurs, écrit René Dupont qui se trouve à bord de la *Boudeuse*, la *Boudeuse* ouvrait le feu de toutes ses mitrailleuses sur un avion qui piquait vers nous, nous croyons avoir touché au but car nous l'avons vu descendre derrière la digue et ne plus reparaître. L'équipage n'a pas caché sa joie en voyant une flamme s'échapper du moteur et l'avion descendre. »

Pour Darlan, ce ne sont pas ces péripéties qui importent mais de connaître d'urgence la véritable importance du débarquement. S'agit-il d'une opération ayant pour unique but d'installer en Afrique française un pouvoir dissident ou bien, comme Murphy l'affirme, d'une entreprise de vaste envergure que l'armée de l'armistice pourra gêner mais non point faire échouer ?

Avant la fin de la matinée il a fait le point de la situation. Il sait que, sur la côte marocaine, les 105 bâtiments de la Western Task Force, venus directement d'Amérique et transportant 34 200 hommes, se sont présentés simultanément devant Port-Lyautey, Fédala, à une vingtaine de kilomètres de Casablanca et Safi ; qu'à 7 h 50 un combat aérien a eu lieu dans le ciel de Casablanca entre appareils français et américains[2] cependant que, quatorze minutes plus tard, les premiers obus de 406 du *Massachusetts* commençaient à ravager les navires se trouvant dans le port de guerre — cuirassé *Jean Bart*[3], un croiseur léger, 2 contre-torpilleurs, 7 torpilleurs, 11 sous-marins, des avisos et des dragueurs —, ainsi que dans le port de commerce.

1. *Girundia II, Chasseur 3, Engageante, Boudeuse, Angèle Pérez, Sergent Gouarne,* en tout, écrira un témoin, trois canons de 75 et un canon de 100. Les deux sous-marins *Caïman* et *Marsouin* ont pu quitter, non sans mal, le port dès les premières heures du jour.
2. Sept avions français et cinq américains abattus au cours de ce combat.
3. Le *Jean Bart* est inachevé, mais il peut tirer avec une tourelle quadruple de 380.

Il sait que la villa du général Noguès, résident général au Maroc, a été cernée à 3 heures du matin sur ordre du général Béthouart, l'un des animateurs du complot. Sait-il que Noguès, qui a pu, grâce à un fil direct, entrer en contact avec l'amiral Michelier, commandant la Marine, a été assez rapidement délivré par des troupes fidèles et que, croyant, lui aussi, à un simple mouvement gaulliste [1], il a repris la situation en main, donné des ordres pour que soit mis fin à la dissidence et que les unités troublées par les ordres de Béthouart soient rapidement en état de résister à toutes les tentatives alliées, se conformant ainsi à la position prise quelques semaines plus tôt lorsqu'il a dit à Murphy venu faire miroiter les avantages qu'offriraient 500 000 soldats américains bien équipés.

— N'essayez pas. Si vous le faites, je vous opposerai toute la puissance de feu dont je dispose. Il est trop tard. La France ne peut plus participer à cette guerre. La sagesse nous commande de nous tenir à l'écart. Si le Maroc devient un champ de bataille, il sera perdu pour la France.

A Oran, où se trouvent trois régiments d'infanterie, un régiment d'artillerie, ainsi qu'une brigade motorisée reconstituée clandestinement [2], la Marine dispose du contre-torpilleur *Epervier*, de trois torpilleurs d'escadre, quatre sous-marins, cinq avisos ou patrouilleurs. C'est au milieu de cette force en voie d'appareillage, car elle a été alertée à une heure du matin par l'escorteur d'un petit convoi français,

1. L'amiral Michelier, à qui le général Nogès a téléphoné dans la nuit, lui a dit que rien ne laissait pressentir un débarquement. Les Français ne disposent pas alors de radar et, faute de carburant, les reconnaissances maritimes et aériennes sont limitées. Ainsi, l'un des premiers télégrammes envoyés par le commandement de la Marine à Casablanca (amiral Michelier) le 8 novembre, à 3 h 50, fera-t-il seulement allusion à un mouvement gaulliste ayant éclaté à minuit « avec participation général Béthouart annonçant débarquement américain » et aux mesures prises (nomination notamment du général Deshe au commandement de la division de Casablanca, ordre d'arrestation lancé contre Béthouart) pour maintenir les « troupes garnison Casablanca dans la voie du devoir ».

2. Le général Boisseau, commandant la division, prévenu le 6 au soir par le général Mast de l'imminence du débarquement, a refusé de rejoindre la dissidence, mais il n'a pas alerté le vice-amiral Rioult qui commande la Marine.

que, vers trois heures, vont se précipiter, pour leur malheur, les sloops britanniques *Walney* et *Hartland,* chargés de déposer 500 commandos à l'intérieur du port.

Le massacre sera total, les deux navires britanniques, après avoir défilé dans les darses successives devant canons et mitrailleuses qui les hachent à bout portant, venant mourir à proximité de l'*Epervier*[1]. Mais la riposte va être sévère puisque deux des trois torpilleurs, deux des trois sous-marins et l'aviso la *Surprise,* dépêchés pour contrecarrer les débarquements, qui ont lieu en baie des Andalouses et en baie d'Arzew, seront coulés par les navires anglais qui, sous le commandement du commodore Trovbridge, accompagnent la Center Task force [2] et protègent ce corps expéditionnaire qui, avant la fin de la matinée, aura occupé les aérodromes d'Arzew, de la Sénia et de Lartigue.

Ainsi, avant même le début de l'après-midi, Darlan sait à la fois que les forces anglo-américaines ont la puissance nécessaire pour vaincre, que les troupes françaises, et particulièrement la Marine, résistent de façon héroïque, ce qui devrait interdire aux Allemands d'utiliser contre Vichy l'argument da la complicité et surtout qu'aucun « dissident » ne joue le moindre rôle. Béthouart a été arrêté ; les jeunes gens qui, dans Alger, ont, dans la nuit et avec une facilité déconcertante, capturé presque toutes les « hautes autorités » se sont dispersés ou ont été dispersés ; Giraud se trouve toujours à Gibraltar et de Gaulle a été mis hors jeu par les Américains.

Providentiellement pour lui, voici Darlan assuré de tenir le grand rôle. Quoi qu'il fasse et quoi qu'il dise, il est certain d'être obéi, au moins en Afrique du Nord, puisque c'est vers lui que, spontanément, tous se tournent. Ces manifestations de respect hiérarchique (ou de faiblesse de caractère), il les enregistre avec une discrète jubilation dans ses notes quotidiennes : « Les autorités militaires, navales et

1. Sur les 600 Américains et Anglais présents à bord du *Walney* et du *Hartland,* il n'y aura que 200 rescapés.

2. Sont ainsi perdus la *Surprise,* la *Tornade,* la *Tramontane,* ainsi que les sous-marins *Argonaute* et *Actéon.*

aériennes d'Alger (à l'exception de l'amiral Leclerc) m'ont paru désemparées et HEUREUSES de ma présence fortuite pour s'abriter sous mon parapluie. »

Il a suffi qu'il soit là pour que tout rentre dans l'ordre. Dans UN ordre. C'est lui que Juin informe, vers 16 h 30, que les Américains, venant d'El Biar, cernent le Fort-l'Empereur et que, toute résistance devenant inutile, il est nécessaire de mettre fin au combat[1]. C'est lui qui reçoit à 22 h 15 et à l'hôtel Saint-Georges dont il a fait son quartier général après avoir découvert la médiocrité des liaisons du Fort-l'Empereur, le général américain Ryder et M. Murphy, venus évoquer la possibilité d'extension de la suspension d'armes intervenue à Alger à tout le théâtre d'opérations nord-africain. C'est lui qui posera, au cours de la réunion, le problème de la reconnaissance éventuelle d'un gouvernement français *organisé en Afrique du Nord au nom du Maréchal.* C'est lui qui se trouvera, dans les jours qui viennent, au cœur de tous les débats.

En la personne de Murphy, puis du général Ryder, enfin d'Eisenhower, les Américains n'hésitent pas à le considérer comme celui qui peut, et qui, SEUL, peut arrêter des combats coûteux. Ils hésitent d'autant moins que, face à la solitude de Giraud, arrivé le 9 dans l'après-midi, Darlan recueille presque immédiatement l'adhésion de la presque totalité des généraux et amiraux français.

Le sentiment qu'au sortir de ces journées révolutionnaires rien n'est changé et que Vichy — tout en se refusant d'en prendre conscience — se trouve, grâce au triomphe imprévisible et imprévu de Darlan, plus que jamais présent à Alger, s'impose à des comploteurs d'aussi modeste rang que Lucien Adès qui, le 8 novembre à 15 heures, note : « C'est pour nous la journée des dupes. Avons-nous gagné et quoi ? », puis qui, à 17 heures, après avoir appris le cessez-le-feu et reçu de Bernard Karsenty le conseil de se « planquer » pendant la nuit, fait cet amer constat.

> « Jean Bensaïd, que j'ai retrouvé, décide de regagner Blida. Nous partons ensemble à travers le crépuscule qui envahit les rues. Nous sommes silencieux, accablés à la fois par l'ampleur de notre victoire et la présence de notre défaite.

1. A 17 h 20, le général Juin, ayant l'accord de Darlan, demandera donc une suspension d'armes valable pour la seule ville d'Alger.

Nous nous accoudons un long moment au parapet qui borde la ville, des bandes de jeunes fascistes passent en hurlant... " Nez de mouton ! Nez de mouton ! A bas les Juifs, nez de mouton !... "
Les quelques badauds présents sur les trottoirs approuvent et rient de bon cœur. »

Il faut maintenant revenir à Vichy. Réveillé par Ménétrel, le maréchal Pétain a pris connaissance du message du président Roosevelt qui, après avoir évoqué le pillage par l'Allemagne de l'économie et de l'agriculture françaises, légitime ainsi le débarquement américain :

« Aujourd'hui, leurs yeux pleins de convoitise tournés vers cet empire que la France a édifié au prix de tant de labeur, l'Allemagne et l'Italie se proposent d'envahir et d'occuper l'Afrique française du Nord, afin de pouvoir exécuter leur plan de domination et de conquête de la totalité de ce continent...
Il est évident, naturellement, qu'une invasion et une occupation de l'Afrique française du Nord et de l'Afrique occidentale française constituerait pour les Etats-Unis et pour toutes les républiques américaines la plus grave des menaces pour leur sécurité, de même qu'elle sonnerait le glas de l'empire français.
A la lumière de toutes les informations relatives aux intentions et aux plans de notre ennemi, j'ai, en conséquence, décidé d'envoyer en Afrique du Nord de puissantes forces d'armées américaines, afin qu'elles coopèrent avec les délégations gouvernementales d'Algérie, de Tunisie et du Maroc pour repousser ce dernier acte de la longue litanie des crimes internationaux de l'Allemagne et de l'Italie.
Ces indomptables forces américaines sont munies d'un armement massif adapté à la guerre moderne qui sera à la disposition de vos compatriotes en Afrique du Nord dans notre combat commun contre l'ennemi commun. »

En terminant, Roosevelt affirme que les Etats-Unis ne convoitent aucun territoire français, assurance qu'il répétera dans un message au peuple de France.

« Nous venons vers vous uniquement pour écraser et pour exterminer vos ennemis. Croyez-nous, nous ne désirons pas vous faire le moindre mal. Nous vous assurons que, une fois la menace allemande et italienne écartée, nous quitterons immédiatement votre territoire. »

A 7 h 25, la réponse à Roosevelt, préparée essentiellement par Jardel, Rochat, Ménétrel et Laval, mais signée par Philippe Pétain, est commmuniquée au représentant américain à Vichy, puis, dans les minutes qui suivent, télégraphiée, sur ordre de Laval, chef du Gouvernement mais également ministre des Affaires étrangères, aux divers postes à l'étranger, ainsi qu'au général Noguès, à Rabat, au gouverneur général Boisson, à Dakar, à l'amiral Estéva, à Tunis, qu'il s'agit de conforter dans leur volonté de résistance.

« C'est avec stupeur et tristesse que j'ai appris, cette nuit, l'agression de vos troupes contre l'Afrique du Nord. J'ai lu votre message. Vous y invoquez des prétextes que rien ne justifie. Vous prêtez à vos ennemis des intentions qui ne se sont jamais traduites en actes. J'ai toujours déclaré que nous défendrons notre empire s'il était attaqué. Vous saviez que nous le défendrions contre tout agresseur quel qu'il soit. Vous saviez que je tiendrais ma parole.

Dans notre malheur, j'avais, en demandant l'armistice, préservé notre Empire et c'est vous qui, agissant au nom d'un pays auquel tant de souvenirs et de liens nous unissent, venez de prendre une initiative si cruelle.

La France et son honneur sont en jeu. Nous sommes attaqués. Nous nous défendrons. C'est l'ordre que je donne. »

A partir de cet instant et de cette réponse sans ambiguïté, c'est presque minute par minute qu'il faudrait suivre, à Vichy, une situation qui évoluera de façon incohérente et incompréhensible pour des Français mal informés par la presse et la radio officielles, mais également par tous ces postes — anglais, allemands — pour qui l'événement est d'abord matière à propagande.

L'opposition de deux clans qui, avec des fortunes diverses, se disputent le Maréchal, son prestige, sa signature ; les exigences allemandes ; les menaces qui planent sur la ligne de démarcation, frontière oh ! combien fragile ; les informations incomplètes et mal comprises en provenance d'Afrique du Nord, tout va jouer pour faire de cette journée l'une des plus complexes parmi toutes les journées complexes de ces quatre années d'occupation.

Avec les témoignages des principaux acteurs, les notes même imparfaites, même hâtives prises sur le moment, et à la demande du Maréchal, par le Dr Bernard Ménétrel, permettent fort heureusement de reconstituer avec le maximum d'exactitude et de réalisme ces heures à la fois dramatiques et floues [1].

Notes — elles occupent quarante-neuf feuillets — écrites « à la diable » dans lesquelles, bien souvent, pour reprendre la formule de M. Louis Noguères [2], « un signe a la valeur de mot, un mot inachevé celle d'une phrase, une phrase incomplète celle d'un récit », mais qu'en 1945 Bernard Ménétrel devait, à la requête du président Bouchardon, compléter, « traduire » et parfois commenter.

Quelles sont les premières mesures qu'à partir de 7 h 45 vont prendre les responsables français réunis autour du Maréchal ?

Ils décident tout d'abord d'appeler à Vichy le général Weygand, qui séjourne à Cannes, dans la propriété du gendre du maréchal Galliéni, et de faire rechercher Giraud, dont toutes les radios étrangères annoncent, en diffusant un appel signé de son nom, qu'il a pris la tête de la dissidence.

Weygand à Vichy c'est incontestablement un renfort pour ceux qui s'opposeront à l'Allemagne. Laval le sait mais, loin de protester, il approuve cette initiative.

— Quand il s'agit des intérêts du pays, tout s'efface devant cela et je serai heureux d'avoir, à nos côtés, le général Weygand.

C'est donc le commandant Weygand qui téléphonera à son père. Il lui apprend et le débarquement américain, et la convocation du Maréchal. Weygand, arrivé à midi sur le terrain de Saint-Raphaël, aura quelque mal à convaincre le responsable de l'aérodrome qu'il

1. Ces notes ne seront pas utilisées lors du procès du Maréchal.
2. Président de la Haute Cour de justice, M. Louis Noguères a publié les notes de Ménétrel dans son livre, *Le véritable procès du maréchal Pétain.*

exécute un ordre du Maréchal et n'a nullement l'intention de détourner l'appareil vers l'Afrique du Nord[1].

Enfin, accompagné par un jeune officier chargé de le surveiller mais avec lequel il partagera les sandwiches du voyage, Weygand arrive à 14 h 10 à Vichy. Reçu immédiatement par le Maréchal à qui il déclare qu'il faut durcir la position vis-à-vis de l'Allemagne et saisir toutes les occasions offertes par le débarquement américain, il s'entend répondre :

— Je vous ai fait venir non pour vous demander de partir pour l'Afrique, mais pour avoir vos avis.

Il a été aisé de trouver le général Weygand. Il s'avérera impossible de mettre la main sur le général Giraud. M. Rivalland, préfet des Bouches-du-Rhône, a bien reçu l'ordre de se rendre à Aix-en-Provence, au domicile supposé du général, et de l'arrêter s'il ne rétracte pas les proclamations que les radios lui prêtent ; à 9 h 30, à 10 h 30, le préfet Rivalland a bien été pressé par Laval de dire si, oui ou non, il avait découvert celui qui fait de plus en plus évidemment figure de chef rebelle, ce n'est qu'à 12 h 30 qu'il va rendre compte de sa mission : le général Giraud est introuvable. Toutes illusions envolées, le gouvernement donnera, dès 14 h 30, l'ordre de lire à la radio le message de fidélité que, bien imprudemment, Giraud avait, au mois de mai, adressé au Maréchal[2].

La publication de la lettre de Giraud, immédiatement après un communiqué du gouvernement demandant aux Français « de ne pas se laisser abuser par certaines radios étrangères » et leur rappelant que « l'amiral Darlan est sur place », tend, incontestablement, à opposer la duplicité de l'un à la loyauté de l'autre.

Que répondre cependant aux télégrammes que Darlan a envoyés dès la fin de la nuit ? Préparé par l'amiral Auphan[3], mais accepté par le maréchal Pétain, le télégramme qui partira à 8 heures en direction d'Alger pèsera lourd dans la suite des événements.

---

1. Pendant tout son séjour à Cannes, le général Weygand a été étroitement surveillé et s'est plaint, sans résultat, de ce permanent espionnage de la police française.

2. *Cf.* p. 56.

3. Qui, par ailleurs, a envoyé à 8 heures à la Marine française un message l'invitant à suivre les ordres de résistance donnés par le Maréchal.

« J'ai bien reçu vos messages par l'intermédiaire de l'Amirauté et suis heureux que vous soyez sur place. Vous pouvez agir et me renseigner. Vous savez que vous avez toute ma confiance. »

Deux lectures de ce texte sont possibles. Si Auphan et Pétain savent, ou soupçonnent, à l'instant où le télégramme est envoyé, c'est-à-dire le 8 novembre, à 8 heures, que Darlan traitera bientôt avec les Américains, alors le « vous avez toute ma confiance » suppose une évidente complicité entre le chef de l'Etat et le commandant en chef des forces françaises, et cette thèse sera suggérée par la suite.

Si, au contraire, ce que je crois infiniment plus vraisemblable, Auphan et Pétain ne prévoient nullement la suite des événements, le « vous avez toute ma confiance » s'adresse à un amiral Darlan dont toutes les manifestations d'anglophobie laissent à penser que, face à l'agression, il saura prendre les mesures de résistance qui s'imposent.

Quoi qu'il en soit, dans les heures et les jours qui viennent, Darlan mettra remarquablement à profit, tant auprès de l'opinion française qu'américaine, ce « vous avez toute ma confiance ».

Plus encore qu'un blanc-seing, c'est, pour lui, du moins le croit-il ou feint-il de le croire, l'assurance que Pétain vient de le confirmer dans sa position de dauphin.

Les Allemands n'ont pas attendu le débarquement pour se manifester.

Lorsque, tout en se trompant sur ses véritables objectifs, ils ont eu l'impression, le 8 novembre, que la flotte anglo-américaine se dirigeait vers Tunis et Constantine, ils ont immédiatement offert le concours de leur aviation. Offre qui sera renouvelée à 3 h 8, transmise à Alger par Auphan à 5 heures et à laquelle Darlan, prisonnier Villa des Oliviers, ne pourra répondre qu'à 8 heures en indiquant brièvement : « Concours sur transports au large Alger », ce qui ne l'engageait guère, les Allemands étant capables, sans lui, de prendre pareille initiative [1] !

---

1. Voici les textes de ces deux télégrammes. « Secret et personnel n° 58 534, adressé à préfet maritime 4e Région — Réservé — Pour amiral Darlan — Stop — O.K.W. propose concours aviation de l'Axe basée en Sicile Sardaigne — Stop —

A 9 h 25, arrivera un texte comminatoire, dictant au gouvernement français la conduite à suivre, l'incitant, « ce qui va de soi », à rompre les relations diplomatiques avec l'Amérique, mais également à interner tout le personnel des consulats américains en Afrique du Nord, en attendant de le transférer en métropole où il serait utilisé comme « monnaie d'échange [1] ».

A 10 heures, nouveau télégramme d'Abetz qui demande « à quelles aides militaires le gouvernement [français] attache la plus grande urgence », demande qui sera répétée par Brinon, puis, à plusieurs reprises dans la journée, par les Allemands et de façon toujours plus insistante face aux réticences toujours plus grandes de Vichy.

C'est ainsi que, les Allemands, après le Conseil des ministres de 11 h 30, qui accepte le principe de leur « aide », ayant réclamé le départ pour Alger et Tunis d'officiers de liaison avec l'aviation française, Auphan en informe Darlan et Noguès, mais le fait avec force réserves et son télégramme de 18 h 45, qui comporte ces mots « Faites-moi connaître si, dans circonstances actuelles... cette mission est souhaitable et, d'une manière plus générale, dans quelle mesure nos bases aériennes pourraient être ouvertes à l'Axe », constitue une invitation à répondre par la négative.

Ce que ne manquera pas de faire Darlan à 21 h 50.

Il se contente en effet de répondre que, d'Alger à Casablanca, les terrains ne sont pas « utilisables » — ils sont entre les mains des Américains — et, tactique dilatoire qui lui est coutumière, qu'il fera connaître plus tard la situation générale.

Mais, des demandes, les occupants passent rapidement aux menaces. Après avoir sollicité, à 21 h 45, un échange de vues immédiat pour le transfert d'unités aériennes en Tunisie et dans la province de Constantine, c'est un véritable ultimatum qu'à Wiesbaden le colonel Böhme remet, à minuit, au colonel Vignol.

Sous quelle forme et en quel lieu souhaitez-vous ce concours ? Auphan — 0500/8/11 — Amirauté française. »

« Secret et personnel n° 50 765 — Adressé à Amirauté française — Référence votre 58 534 — Stop — Concours sur transports au large Alger — Darlan — 0800/8/11. P.M. 4e Région. »

1. A 10 heures, le département des Affaires étrangères notifiera à Tunis, Alger, Rabat, Dakar, qu'il convient de prendre des mesures de surveillance à l'égard des consuls américains. A 13 heures, l'amiral Estéva (Tunis) annoncera que le consul américain est consigné à son domicile.

« L'O.K.W. estime indispensable la disposition des bases de Tunis et de Constantine. En limitant la portée de l'offre qui lui est faite, le gouvernement français ne paraît pas désirer opposer à l'attaque anglo-saxonne la résistance qui s'impose. En conséquence, l'O.K.W. attend dans une heure l'accord du gouvernement français pour baser ses avions sur Constantine et Tunis. Si cet accord ne parvient pas dans ce délai, l'O.K.W. prendra les mesures nécessaires. »

Dans sa rigueur, ce texte a le mérite de prouver que les Allemands ne sont nullement dupes du jeu de Vichy.

Il met fin également à la manœuvre montée dans la matinée par Abetz et par Brinon également prêts, une fois encore, à enfourcher les chimères de la collaboration militaire.

Dans la matinée du 8 novembre, en effet, à 10 h 20, l'ambassadeur Abetz, qui n'en est ni à sa première tentative d'interpréter à sa manière les rapports franco-allemands en les peignant auprès de ses supérieurs sous un jour faussement favorable à l'Allemagne, ni à sa première intervention auprès d'un gouvernement français auquel il laisse entendre qu'Adolf Hitler est prêt à des concessions purement imaginaires[1], a fait dire à Laval que le gouvernement du Reich serait favorable à un « projet de déclaration allemande en faveur de l'empire français dans le sens des conversations de Montoire[2] ».

1. Etudiant, en annexe de son *Histoire de Vichy* la question de savoir si, comme le parquet de la Haute Cour l'avait prétendu à l'occasion des procès de MM. Benoist-Méchin et Bouthillier, le gouvernement de Vichy avait décidé de déclarer la guerre en janvier 1942, Robert Aron répondra par la négative et montrera, preuves à l'appui, qu'entre le 8 octobre 1940 et le 15 novembre 1942 Abetz, prenant ses désirs pour des réalités, avait à six reprises annoncé la prochaine entrée en guerre de la France contre l'Angleterre. *Cf.* également p. 26.

2. Le texte transmis à Krug von Nidda, qui se trouve à Vichy, par Abetz est ambigu et confus puisqu'il débute ainsi : « Veuillez faire savoir au président Laval que j'ai informé le gouvernement du Reich du projet de déclaration allemande en faveur de l'empire français, etc. » Comme il est difficile d'imaginer qu'Abetz a informé le gouvernement du Reich d'un projet venant de ce même gouvernement, le texte comporte une omission dans la rédaction.

Abetz aurait dû signaler, en effet, qu'il était, avec Brinon, l'auteur de ce projet de déclaration, projet qu'il soumettait à Hitler afin qu'il revienne ensuite, approuvé, et soit communiqué à Pierre Laval.

Une heure plus tard, à 11 h 30, le Conseil des ministres est informé d'une communication téléphonique de Brinon, qui s'attribue l'initiative de la proposition allemande. « L'O.K.W. est d'accord pour la conversation politique qui avait été suggérée ce matin par M. l'ambassadeur de Brinon. »

Comment cet « accord » va-t-il se manifester ?

Par la remise à 14 h 50 à Pierre Laval, d'un message du Führer, offrant à une France belligérante une alliance totale avec le Reich.

> « Le chancelier Hitler demande au gouvernement français s'il est disposé à combattre aux côtés de l'Allemagne contre les Anglo-Saxons. En présence de l'agression à laquelle viennent de se livrer les Anglo-Saxons, la rupture des relations diplomatiques ne saurait être considérée comme suffisante et il faudrait aller jusqu'à une déclaration de guerre aux Anglais et aux Américains. Si le gouvernement français prend une position aussi nette, l'Allemagne est prête à marcher avec lui pour le meilleur et pour le pire. »

Les derniers mots de la note allemande *durch Dick und Dünn,* qui signifient littéralement « à travers le clair et l'obscur », et qui seront traduits tantôt par « pour le bon et le mauvais » ou encore par « pour le meilleur et pour le pire », peuvent certes passer pour une proposition formelle d'alliance si l'on ignore qu'ils reflètent davantage la pensée d'Abetz que celle d'Hitler.

Le Führer, qui s'est rendu le 8 novembre à Munich, n'a nullement, en effet, mentionné la France dans son discours de la brasserie Löwenbräu. A peine consacre-t-il quelques phrases à Roosevelt qui « lance aujourd'hui son agression sur l'Afrique du Nord en prétextant qu'il doit la protéger contre l'Allemagne et les Italiens : les mensonges de ce vieux gangster ne méritent même pas un mot ». A l'amiral Raeder, depuis longtemps conscient de l'importance du théâtre méditerranéen, qui lui a demandé de tout mettre en œuvre pour « obtenir l'entrée de la France dans le combat européen », il s'est contenté de répondre, le jour même, que les conséquences politiques et militaires des événements survenus en Afrique du Nord n'apparaissaient pas nettement et « qu'il n'était pas encore établi de façon indiscutable que les conditions d'une collaboration avec la France fussent effectivement réunies... Collaborer militairement avec la France n'équivaudrait [il] pas à remplir un tonneau sans fond[1] ? »

Ainsi Hitler n'est-il nullement prêt à s'engager dans la voie de cette alliance *durch Dick und Dünn* dont rêvent Abetz et Brinon.

Pétain et Laval non plus.

Réunis à 18 h 15, et mis au courant du cessez-le-feu intervenu à Alger, les ministres se borneront à constater que les U.S.A., en portant la guerre sur un territoire français, ont, *ipso facto*, rompu les relations diplomatiques. Mais ils ne seront pas informés de la proposition transmise par Krug von Nidda.

Pour Laval, en effet, qui s'est d'ailleurs entendu dire par Weygand qu'il jouait « le mauvais cheval », il n'est pas question de passer des paroles aux actes. Il peut bien se déclarer favorable à la victoire de l'Allemagne, il se gardera d'y aider en engageant la France dans une aventureuse coopération militaire.

Interrogé le 21 septembre 1945 par M. Schnedecker, membre de la Commission d'instruction près la Haute Cour de justice, Pierre Laval, après avoir évoqué l'enthousiasme montré par Krug von Nidda pour la proposition d'alliance intime, devait poursuivre :

— Je manifestai moins d'enthousiasme et je ne lui cachai pas que, si l'intention du chancelier Hitler s'expliquait par ses bons sentiments vis-à-vis de la France, il ne me paraissait pas qu'elle pût être aussi facilement réalisée. Je n'avais eu aucune hésitation dans l'esprit ; c'est un refus que je voulais opposer, mais j'étais tenu dans la forme à beaucoup de circonspection pour ne pas attirer les représailles qu'une réponse négative brutale risquait de provoquer. Je mis naturellement le Maréchal au courant, je lui fis part de l'impossibilité absolue de déclarer la guerre à l'Angleterre et à l'Amérique et d'accepter une alliance avec l'Allemagne. Il me donna son plein accord pour opposer ce double refus... Je revis M. Krug von Nidda pour lui dire que l'offre de son gouvernement serait très prochainement examinée.

---

1. Pendant un court moment, le général Warlimont fut désigné cependant pour établir la liaison avec le haut commandement français et, dans les archives de la Marine allemande, on trouve cette indication : « La France demande l'aide militaire de l'Allemagne et s'offre à réarmer toutes ses batteries côtières en métropole, en Tunisie et en Corse, ainsi que tous les sous-marins », ce qui ne correspond aucunement à la réalité.

Cf. Eberhard Jäckel, *la France dans l'Europe d'Hitler*, p. 344 et suiv.

La suite des événements devait montrer qu'en 1945 Pierre Laval ne fardait pas la vérité pour les besoins de sa défense. Décidé à gagner du temps, pour « refuser sans rien casser, selon le témoignage de M. Jean Jardin, c'est-à-dire sans faire promouvoir à sa place un gouvernement de Paris qui eût signé l'alliance et déclaré la guerre aux Alliés », il accordera cependant aux Allemands cette autorisation d'atterrissage sur les terrains tunisiens, qu'ils étaient bien décidés à prendre quelle qu'ait été sa décision.

A Tunis, c'est l'amiral Estéva qui commande.

Homme de bonne foi ; catholique sincère et tolérant[1] ; anti-allemand, favorable, en juin 1940, à la poursuite de la lutte ; ayant averti Pétain et Laval, le 9 novembre, de l'effet déplorable que l'arrivée des avions allemands produirait sur des Français ayant « gardé au fond de leur cœur leurs sentiments contre les ennemis de 1939 et de 1940 », il se trouvera cependant très vite prisonnier de sa conception d'une stricte obéissance aux ordres reçus — quels que soient ces ordres —, qui lui fera approuver ce qu'il hait, appliquer avec un zèle suspect des consignes qu'en un autre temps il aurait jugées infamantes et se féliciter un jour d'aider l'ennemi qu'il aurait tant aimé combattre.

Dans une lettre au Maréchal, il en viendra, en effet, le 9 mai 1943, à se vanter d'avoir mis en œuvre, « d'accord avec les représentants des puissances de l'Axe, les moyens d'action dont disposait la Régence » et affirmé « les principes de la collaboration en face des agresseurs et des dissidents ».

Témoignage d'autosatisfaction auquel Ribbentrop joindra un témoignage de satisfaction en écrivant à Estéva, qui vient de regagner la France après la fin de la bataille de Tunisie : « qu'il a facilité la coopération des différentes parties de la population tunisienne avec les

---

1. Il interviendra à plusieurs reprises, après l'occupation allemande de la Tunisie, en faveur des juifs arrêtés. Déjà, avant cette occupation, et plusieurs témoignages en seront apportés à son procès, il adoucira les conséquences des mesures antisémites prises par Vichy. Le 20 décembre 1941, Estéva avait, d'ailleurs, été traité de « projuif » par le poste de Stuttgart.

autorités germano-italiennes et, par là même, la conduite de la guerre par les puissances de l'Axe ».

Mais, ce 9 novembre 1942, c'est à peine si l'engrenage, par lequel Estéva et bien d'autres se trouveront broyés, commence à se mettre en marche.

Le 9, en effet, l'amiral Estéva et le général Barré ont été prévenus de l'arrivée d'avions allemands que précède le lieutenant-colonel Gieche. Ce sont 60 appareils qui atterrissent sur le terrain d'El Aouina. Le 10 novembre, leur nombre atteindra 104 et, avant que les hommes qui, pour la France, commandent en Tunisie aient eu le temps de choisir entre des déclarations contradictoires qui les incitent, suivant qu'ils écoutent Alger ou Vichy, Darlan ou Pétain, à rédiger de vibrants ordres du jour anti-allemands, puis à les déchirer et à les renier deux heures plus tard [1], les Allemands auront mis à profit cette dramatique valse-hésitation pour se retrouver 35 000 sur le sol tunisien dès le 19 novembre.

La journée du 9 en Algérie également sera, presque tout entière, occupée par les problèmes militaires. Un peu avant 5 heures, le Maréchal a fait télégraphier à Darlan que Laval, absent — il est en route pour Munich —, « aucune négociation ne saurait être envisagée avant son retour », télégramme auquel Darlan réplique en faisant savoir qu'il n'est nullement dans ses intentions de négocier, mais « d'écouter et de rendre compte [2] ».

Cependant, à 9 heures, en réponse au Maréchal qui lui a demandé de faire le point de la situation, Darlan adresse à Vichy un texte à la

---

1. Le 11 novembre, l'amiral Derrien, informé de l'invasion de la zone libre, public un ordre du jour à la marine de Bizerte qui s'achève sur ces mots : « Après deux jours de discussion et de confusion, l'ordre vient de me parvenir, formel et précis, désignant l'ennemi contre lequel vous allez avoir à vous battre. Cet ennemi, c'est l'Allemand et l'Italien. Soldats, marins, aviateurs de la défense de Bizerte, vous êtes fixés : allez-y de tout votre cœur contre les adversaires de 1940. »

Mais l'amiral Derrien, « repris en main » par Vichy, comme le sera Estéva, se verra durement condamné à la Libération et ira mourir au bagne.

2. Sauf pour Alger, il le précise, où les combats, qui ont fait 20 morts dont 11 marins, ont cessé depuis la veille.

fois pessimiste (comment ne le serait-il pas ?) sur l'évolution prévisible de la bataille et quelque peu cauteleux dans l'exposé des solutions envisageables. En homme, comme le dit méchamment Laval, qui lit tous les matins le communiqué afin de savoir quel camp choisir, l'Amiral se garde bien de se prononcer avant que les événements n'aient pris leur cours définitif.

Nous devons tenir nos engagements envers les Allemands, écrit-il en substance, dans le 6e paragraphe de son télégramme, et ne pas accepter de suspension d'armes pour les territoires non occupés par les Américains.

Mais — paragraphe 7 —, si les Allemands n'interviennent pas en Tunisie, l'Afrique du Nord tout entière sera occupée par les Américains. Dans cette perspective, il est urgent de négocier avec eux pour écarter les Anglais et les dissidents.

Il ne paraît pas d'ailleurs souhaitable — paragraphe 8 — de solliciter une aide étrangère (c'est-à-dire allemande) en Tunisie, ce qui aurait pour effet de transformer l'Afrique du Nord en champ de bataille.

Si, malgré tout — paragraphe 10 —, l'Allemagne « nous aide, il est essentiel qu'elle modifie la situation née de l'armistice ».

Le 9e paragraphe du télégramme de Darlan comportait ces mots : « solution très compliquée ». Comment n'apparaîtrait-elle pas plus compliquée encore à ceux qui, à Vichy, ne savent rien de l'évolution politique et n'apprennent que par des télégrammes d'une dramatique sécheresse l'effondrement rapide des résistances françaises ?

A 6 heures du matin, Noguès a télégraphié qu'au cours de la nuit, partout, au Maroc, la situation s'était aggravée devant l'importance des débarquements intervenant à Fedallah, à Safi, aussi bien qu'au nord de l'embouchure du Sebou. Cependant, forces navales anéanties, aviation réduite à 50 % de son potentiel, Noguès, qui a refusé l'aide de la Luftwaffe offerte par le général von Wulhish, mais hésite toujours entre les ordres de Darlan et ceux de Pétain, poursuivra pendant trente-six heures un combat perdu et au terme duquel on recensera 803 morts français.

A Oran, dans la journée du 9, les navires encore à flot se sont engagés avec courage mais insuccès contre l'énorme flotte anglo-américaine. L'*Epervier* coulé, ils ont été sabordés dans le port[1].

Ainsi la guerre va-t-elle finir non faute de combattants, mais faute de matériel et, à 18 heures, l'amiral Darlan télégraphie au Maréchal le projet d'accord — en dix-huit points — qui vient de lui être remis par le général Ryder et qui concerne la totalité du théâtre d'opérations. Projet qui prévoit l'arrêt immédiat des hostilités, la mise à la disposition des Américains de tous les moyens de défense et du matériel portuaire, mais qui garantit, avec les droits de la France, ceux de tous les personnels civils et militaires, assurés de conserver ainsi (et comment y resteraient-ils insensibles ?) « commandement, fonctions, appointements, etc. »

A 19 h 34, Darlan fait savoir à Pétain que les généraux Juin, Koeltz, Mendigal et l'amiral Moreau, jugeant impossible de poursuivre un combat qui conduirait au massacre des unités engagées, sont favorables à l'arrêt des hostilités. Ils veulent aussi, ajoute Darlan, et l'argument sera très souvent repris dans les heures qui suivent, éviter « la dissidence de beaucoup de militaires et de civils qui seront soumis à la propagande Giraud ».

Et lui, Darlan, quel est son avis ?

Une fois encore, il ne le donne pas, se contentant d'indiquer : « Nous ne pouvons que nous en remettre au Maréchal en lui assurant que son ordre sera exécuté. »

Les Américains n'auront pas la patience d'attendre que les Français en aient terminé avec leurs débats de conscience. Ils ont exigé une réponse pour le 10 novembre au plus tard. Et, le 10, à 10 heures, voici en présence Darlan, les généraux Juin, Koeltz, Mendigal, l'amiral Fenard, du côté français, le général Clark et Robert Murphy, du côté américain.

Publié par Alain Darlan, le compte rendu de cet entretien montre des Américains bien décidés à en finir, accordant trente minutes à Darlan pour qu'il se décide, et un Darlan embarrassé, hésitant, flairant le vent, se retranchant constamment derrière le Maréchal. « Je ne puis rien de plus, je suis lié par les ordres du Maréchal », « J'obéis aux ordres du Maréchal », « Les ordres du Maréchal subsistent », « Tant

1. A Oran, où les combats prendront fin dans l'après-midi du 10 novembre, 347 Français dont 243 marins ont été tués

que le Maréchal ne m'a pas laissé les mains libres, je suis tenu de lui obéir, sinon je serais un misérable. »

A l'heure où, en France métropolitaine, Pétain va être obligé de s'incliner devant la volonté allemande, de s'effacer totalement devant Laval et d'assister, impuissant, à l'invasion de la zone libre, puis à la dispersion de l'armée de l'armistice et au sabordage de la flotte, c'est plus ou moins sincèrement en son nom que tout s'accomplira dans cette Afrique française où l'armée demeure prisonnière de son serment, où les populations ont été marquées par les principes de la Révolution nationale, comme par le culte du chef.

Conscients des limites de leur prestige et de leur influence, se sachant dépositaires et non propriétaires d'une autorité dont ils n'ont pas eu l'audace, à l'exemple de De Gaulle, de s'emparer immédiatement, c'est donc au nom de leur fidélité à Pétain que les responsables qui se trouvent en Afrique vont, au moins en apparence, puisque toute une partie du jeu entre Alger et Vichy demeurera cachée, trahir Pétain.

Qu'on leur arrache le drapeau « Pétain » et ils ne sont plus que des hommes sans légitimité, donc sans pouvoirs. Egaux alors à Giraud. Et inférieurs à de Gaulle qui a eu priorité dans l'audace et la décision.

Darlan se retranche donc constamment derrière le Maréchal. C'est en son nom qu'il prendra, le 10, autorité sur l'Afrique du Nord. Et, le 13, il achèvera sa proclamation par les deux slogans accouplés auxquels, depuis plus de deux ans, l'Afrique du Nord était accoutumée :

VIVE LE MARÉCHAL !

VIVE LA FRANCE !

« J'ai bien spécifié [aux Américains] que je parlais en votre nom, écrira, de son côté, le 12, le général Noguès, et que c'était en votre nom que l'amiral Darlan avait commencé à traiter à Alger. Je crois que c'est la chose importante. »

« Vive la France ! Vive le Maréchal ! » Ce double cri terminera également, le 23 novembre, le message du gouverneur général Boisson aux Français et Françaises d'Afrique occidentale, message qui fait allusion non seulement à la libération de la France, mais aussi à celle de son chef : Philippe Pétain [1]. Le général Barrau, commandant en chef les forces terrestres, maritimes et aériennes de l'A.O.F., affirmera, de son côté, toujours le 23 novembre, que « l'action des autorités civiles et militaires de l'Afrique du Nord reste entièrement dans la ligne tracée par le maréchal Pétain ».

Et le 29 novembre, le bulletin d'information diffusé par le 2e Bureau de l'état-major des forces aériennes en Afrique du Nord, sous la signature du général Mendigal, avant d'expliquer que l'amiral Darlan détient, « au nom du Maréchal les droits de souveraineté sur le territoire nord-africain », parlera de Philippe Pétain comme de « l'incarnation la plus hautc dc la patric ».

C'est l'influence qu'exerce toujours Philippe Pétain auprès de l'armée et de la population, mais aussi la fidélité qui le lie personnellement au chef de l'Etat, qui permettent de mieux comprendre les hésitations de Darlan face à des Américains de plus en plus impatients.

C'est alors que Murphy et Clark vont abattre leur meilleure carte, celle qui emportera la décision : l'appel à Giraud.

— Le général [Clark] est pressé, dit Murphy, et doit prendre des mesures de sécurité. Si vous ne pouvez donner l'ordre de cesser le feu, il posera la question au général Giraud.

Et encore, quelques minutes plus tard.

— Un matériel très moderne et en quantité suffisante peut être mis à votre disposition pour l'équipement des troupes françaises ; la libération de la France est proche. Saisissez l'occasion. Si le général demande au général Giraud de donner l'ordre de cesser le feu, quelle sera votre attitude ?

A la demande de Darlan, les Américains, qui ont menacé quelques secondes plus tôt, si l'on n'en finit pas, de mettre l'Amiral en résidence surveillée, quittent pour un moment la réunion. Se déroule alors, entre

1. En janvier 1943, en voyage officiel à Conakry, le gouverneur général Boisson sera reçu par l'administrateur-maire qui évoquera la fidélité de la ville au Maréchal. Boisson s'entretiendra avec les légionnaires et les dames légionnaires et, dans son discours, il évoquera l'A.O.F. qui, pendant deux ans, a été « la carte maîtresse du Maréchal ».

Ce n'est que le 22 mars 1943 que les portraits du Maréchal, les timbres-poste et les documents officiels portant son effigie seront retirés de la circulation.

Français délivrés du regard et du jugement des témoins étrangers, un dialogue au long duquel Juin, Fenard et Koeltz apparaissent, infiniment plus que Darlan, maîtres de la décision.

JUIN. — Giraud signera certainement, bien qu'il n'ait aucun pouvoir.

DARLAN. — Mes ordres sont clairs.

JUIN. — Si vous ne signez pas, ce sera la gabegie complète et la guerre civile. Vous pourriez dire au Maréchal : « Je prends la décision de signer dans l'intérêt supérieur du pays ; les minutes comptent. » Les troupes de Tunisie pourraient être neutralisées ; les hostilités seraient aussitôt suspendues en Algérie et au Maroc.

FENARD. — L'intérêt supérieur du pays vous commande de signer.

JUIN. — J'insiste : si on ne signe pas, ce sera la gabegie ; nous ne pouvons pas continuer ; il faut obtenir le stade transitoire de la neutralité. Faites-vous désigner en qualité de délégué général du gouvernement français en Afrique du Nord.

KOELTZ. — Si nous continuons la résistance, c'est une question d'heures. Nous n'avons ni chars ni aviation. Nous risquons de perdre sur les deux tableaux.

L'amiral Darlan se décide — ou se résigne — à rédiger alors un message au Maréchal puis, à la demande de Clark et de Murphy, qui viennent de revenir dans la pièce, à dicter un ordre de cesser le feu à l'intention des chefs militaires d'Afrique du Nord[1].

Cet ordre précise que Darlan prend « l'autorité sur l'Afrique du Nord au nom du Maréchal », ce qui constitue beaucoup plus qu'une anticipation, mais également que les chefs militaires conservent leur commandement, que l'armature politique et administrative reste en place et qu'aucune mutation ne pourra être effectuée sans l'accord de l'Amiral.

Que cette consécration du pouvoir établi par Vichy comme des chefs qui, il y a quelques heures encore, donnaient des ordres de résistance contre les Américains ait pour but premier d'écarter Giraud, arrivé la veille à Alger mais, pour l'instant, éloigné de tout et de tous, la suite de la conversation entre Français et Américains en apporte la preuve.

1. C'est-à-dire aux généraux Juin, Noguès (Maroc), Barré (Tunisie), Mendigal (Aviation) et aux amiraux Moreau (Algérie), Michelier (Maroc), Derrien (Tunisie).

JUIN. — En Tunisie, les troupes reçoivent l'ordre de ne pas se battre contre les Américains.

MENDIGAL. — Attention à Giraud dans le règlement de l'affaire.

KOELTZ. — Les troupes restent sous les ordres du commandement actuel. Personne d'autre n'a à intervenir.

MURPHY. — Le but de la réunion d'aujourd'hui est de régler le cessez-le-feu ; il y aura plus tard des négociations au sujet de Giraud.

JUIN. — Je reste commandant en chef.

Après le cas Giraud[1], les participants à la conférence franco-américaine entendent bien régler celui de ces officiers dissidents : Béthouart, Mast, Monsabert, Baril, Jousse, dont Darlan, le 9 novembre, a réclamé la destitution et le jugement au maréchal Pétain et dont il exige maintenant des Américains vainqueurs qu'aucun poste ne leur soit confié. L'embarras de Murphy et de Clark est grand. Mast, Béthouart, Jousse, Baril ne sont pas, eux, des ouvriers de la treizième heure. Dans les jours difficiles, et lorsque presque tous doutaient du succès des armes américaines, n'ont-ils pas travaillé à rendre ce succès possible ? Les sanctionner aujourd'hui, ne serait-ce pas faire preuve d'une immense ingratitude ?

A Murphy qui plaide, assez mollement, la cause de ces bons et fidèles alliés, Darlan va répondre par un mot d'une stupéfiante inconscience ou d'un cynisme remarquable.

— Quand on sait qu'on désobéit à son chef, on n'a qu'à donner sa démission. J'insiste et je demande que ces gens-là n'aient pas de commandement dans l'armée française.

Giraud qui n'a pour l'instant aucun moyen d'action et qui ne rassemble que peu de partisans, Giraud exactement jugé par Darlan (« un bon général de division »), Giraud qui acceptera très vite, autant par patriotisme que par limite non d'ambition mais de caractère, un second rôle, va être encore utilisé comme un épouvantail dans ce

1. Dans une lettre du 12 adressée au Maréchal Noguès précisera, lui aussi, qu'il faut « séparer nettement les forces françaises qui restent, les forces de la France du Maréchal, des forces à tendance dissidente dont Giraud veut prendre le commandement... pour reprendre le combat à côté des Américains ».

télégramme 2140 que Darlan adresse à Pétain et qui constitue un petit chef-d'œuvre d'habileté.

« Numéro 2140. Très secret pour Maréchal Pétain.

1. Les Américains, sur mon refus d'ordonner cessation combat en A.N.F., se sont déclarés décidés à traiter avec Giraud et à couper tout contact avec vous.

2. Je crains qu'il n'en résulte des désordres graves pour le pays, et dans les esprits, et que l'Afrique ne soit perdue pour nous.

3. La lutte est sans issue et le sang coule inutilement. Nos engagements ont été remplis.

En conséquence : j'ordonne suspension des hostilités en Afrique du Nord et attitude neutralité entière vis-à-vis des belligérants, sous réserve que je conserve autorité totale sur l'Afrique en votre nom. »

Lorsque, à 13 h 30, le télégramme de Darlan parvient à Vichy, les collaborateurs du Maréchal sont réunis depuis plusieurs heures déjà. Les séances de travail se succèdent, s'enchaînent dans le bureau du Maréchal, dont l'amiral Auphan écrira qu'il était devenu « un forum plutôt une foire », jusqu'à ne plus former qu'une seule réunion à peine interrompue par de courtes haltes ou, comme dans la tragédie, par l'irruption de messagers toujours porteurs de mauvaises nouvelles puisque, il faut le signaler, même si, pour la facilité de la lecture, on sépare des événements intimement mêlés, les menaces qui pèsent sur la zone libre inquiètent le Maréchal et son entourage au moins autant que le drame qui se joue en Afrique du Nord.

Laval a fini par arriver à Munich, après un voyage difficile effectué dans le brouillard.

Absent physiquement de Vichy, il demeurera cependant politiquement présent et va influencer le cours des événements.

« Deux camps, notera le général Weygand, séparaient les hôtes habituels de l'hôtel du Parc comme ceux que les circonstances du moment y appelaient. »

L'ancien généralissime devait ajouter qu'il ne pouvait sortir du bureau du Maréchal « sans trouver en attente à sa porte des enragés de l'autre camp » qui, reçus à leur tour par le chef de l'Etat, s'efforçaient d'effacer, dans l'esprit d'un homme fatigué, « des impressions qu'ils jugeaient néfastes et de faire prévaloir leur point de vue ».

Et il est vrai que cette journée du 10 novembre est, à Vichy, une journée où chaque camp, celui qui défend l'accord secret avec les Etats-Unis, celui qui s'effraie d'une rupture avec le Reich, paraît tour à tour assuré de l'emporter dans un conflit qui se déroule dans les cris et la passion[1], la volonté faiblissante du Maréchal constituant, cette fois encore, le véritable enjeu.

Au début de la matinée, les collaborateurs du Maréchal ont mis au point, avec son accord, un plan qui aurait l'avantage d'éviter au chef de l'Etat de se compromettre davantage. Le gouvernement démissionnerait et ne serait pas remplacé, des « grands commis d'Etat » occupant les postes techniques et traitant avec l'occupant les problèmes de leur « département ». Tandis que le général Weygand se verrait appeler auprès du chef de l'Etat, pour veiller au maintien d'une position intransigeante, le général de Lattre de Tassigny, de son côté, remplirait en Afrique du Nord les fonctions de délégué du Maréchal auprès des Américains.

C'est — on le voit — une position très nettement favorable à la cause alliée qui est ainsi étudiée et lorsque, à 12 h 45, chez le Maréchal, se trouvent réunis l'amiral Auphan, le général Weygand, M. Rochat et M. Jardel, Weygand propose donc logiquement qu'un armistice soit immédiatement signé en Afrique du Nord. « L'amiral Darlan a conduit une opération dont nous devons profiter » ajoute-t-il, après avoir précisé « vous savez à quel point, en général, je suis en désaccord avec Darlan, pour la première fois qu'il fait quelque chose de bien, approuvez-le. »

Va-t-on confirmer Darlan dans ses pouvoirs de délégué en Afrique du Nord et lui laisser carte blanche ? Non. Rochat, qui maintient une difficile liaison téléphonique avec Pierre Laval, estime (et ce n'est nullement illogique) que rien ne saurait être décidé avant le retour à Vichy du chef du gouvernement ou, tout au moins, avant que ne soit connu le résultat de son entretien avec Hitler.

1. « Tout le monde criait et discutait avec passion », Amiral Auphan, *L'honneur de servir.*

Dans le duel qui l'opposera à Weygand, c'est Rochat qui finira par l'emporter. L'enjeu du conflit n'est autre que le télégramme qu'il est indispensable d'adresser à Darlan en réponse à son message annonçant sa décision d'ordonner le cessez-le-feu.

— Les chefs qui sont en Afrique, déclare Weygand, se demandent si nous sommes fous de vouloir que l'on se batte à 10 heures, que l'on ne se batte plus à midi et que l'on se batte à 14 heures !

Mais Rochat, pour qui Darlan doit être désavoué, va obtenir du Maréchal, qui a pris, à l'initiative de l'amiral Auphan [1], le commandement en chef des armées de terre, de mer et de l'air, l'envoi d'un télégramme dont le texte, longuement discuté, se durcira à chaque réaction nouvelle.

Le télégramme devait tout d'abord se borner à rappeler à Darlan qu'il n'avait nullement qualité pour signer un armistice.

Qu'il soit ajouté les mots : « la résistance doit être poursuivie », demande Rochat.

Qu'on les complète, réclame Weygand, par la phrase « dans la mesure où elle peut l'être », ce qui laisserait à ceux qui se battent la possibilité d'agir en conscience.

Espérant mettre d'accord tout le monde, le Maréchal va proposer une formule sans ambiguïté mais sans nerf : « J'avais donné l'ordre de se défendre contre l'agresseur. Cet ordre n'a pas été rapporté. » A la demande de Laval, qui téléphone à nouveau, car il n'a pas encore été reçu par Hitler et menace de démissionner si la décision d'armistice de Darlan pouvait, en quelque manière, paraître approuvée par Vichy, le télégramme sera finalement ainsi rédigé : « J'avais donné l'ordre de se défendre contre l'agresseur. Je maintiens mon ordre. » Il est 15 h 10. Informé, toujours par Rochat, de la conclusion du débat, Pierre Laval s'écrie :

— Le Maréchal a sauvé la France !

Phrase que Rochat répétera naturellement et qui lui attirera cette réplique de Weygand :

— Dieu veuille qu'on ne la perde pas !

---

1. « Pour éviter le désordre et coiffer l'état-major de Darlan resté sans chef à Vichy, j'avais suggéré au Maréchal, dans la matinée, d'assumer lui-même, " en l'absence de Darlan ", le commandement en chef de toutes les forces militaires. La nouvelle n'atteignit le public que dans l'après-midi, ce qui eut l'air d'accentuer le désaveu connu en même temps ». Amiral Auphan, *L'honneur de servir.*

Weygand dira encore :

— Vous pourriez fusiller Darlan, mais vous ne pouvez révoquer l'ordre de cesser le feu pour faire plaisir à M. Laval et faciliter sa politique à contre-courant.

Faire plaisir à M. Laval ?... A l'heure où Weygand prononce ces paroles, Laval attend toujours d'être introduit chez Hitler.

Parti pour un voyage dont il craint qu'il ne s'achève par son arrestation, peut-être par son exécution, car il est bien décidé à refuser toute cobelligérance, Pierre Laval s'est muni de cette ampoule de cyanure qui, éventée quatre ans plus tard, ne lui permettra pas d'échapper au peloton d'exécution français.

A Dijon, il a rencontré Otto Abetz. L'ambassadeur, qui sent planer la menace de la disgrâce, est de triste humeur. Lorsque la voiture a repris sa route dans le mauvais temps, il a tout loisir de faire part à Laval des raisons de son amertume et de son inquiétude. N'a-t-il pas eu tort d'accepter de rencontrer Giraud à Moulins et surtout de n'avoir pas ordonné son arrestation ? Les Allemands n'ont-ils pas eu tort d'ouvrir les portes des camps à des officiers qui, en Afrique du Nord, et au mépris de toute morale, se retournent contre leurs libérateurs ? Et surtout n'a-t-il pas eu tort, lui, Otto Abetz, de travailler, sans jamais se lasser, à la réconciliation franco-allemande ?

A Laval, qui vient de rejeter un plan de cobelligérance, qui est avant tout le sien, Otto Abetz dit, avec plus encore de mélancolie que d'irritation :

— Vous venez de perdre une chance inespérée. Vous ne retrouverez pas une pareille occasion pour votre pays.

Quelle « occasion » ? Hitler, recevant enfin brièvement Pierre Laval dans l'après-midi du 10 novembre, ne fera pas un instant allusion à « son » offre du 8 novembre.

Nous le savons par Laval déposant, le 21 septembre 1945, devant M. Schnedecker .

— Je dus attendre plusieurs heures à Munich avant d'être reçu, Hitler, me disait-on, étant en conférence avec le comte Ciano. Quand je le vis, le comte Ciano était présent, je n'eus pas à lui parler du message qu'il m'avait adressé, car il ne me posa aucune question à ce sujet[1].

Alors de quoi Hitler a-t-il parlé ? Si l'on en croit Laval, il aurait égrené des banalités : promesse de chasser les Anglo-Américains d'Afrique du Nord, réflexions aigres-douces sur la faiblesse de la résistance française, menaces vagues sur l'avenir des colonies françaises, exigences, mais pour l'aviation italienne seulement[2], de bases en Tunisie.

Ciano, dans son journal, confirme les déclarations de Laval. L'interprète Paul Schmidt également. Il est possible qu'Hitler, et surtout son entourage, ait éprouvé la tentation d'offrir à la France une avantageuse cobelligérance, mais, dès le 9 au soir, ce fugace désir a été chassé par les événements comme l'est un nuage par la tempête.

Ciano, qui, en l'absence de Mussolini, souffrant et qui n'a pas fait le voyage, a eu, dès son arrivée à Munich, un entretien avec Hitler, a noté que le Führer ne se faisait pas « de grandes illusions sur la volonté des Français de se battre ». Aussi, avant même de recevoir Laval, est-il décidé à ne rien changer à un plan qui comporte l'occupation totale de la France et à ne rien dire encore de ce plan au chef du gouvernement français.

La conversation Hitler-Laval du 10 novembre, à laquelle, selon le mot de Paul Schmidt, Laval ne prendra qu'une part « infime », ressemble donc à ces rapides audiences accordées par charité à des serviteurs maladroits et, en pensée, déjà disgraciés.

Sans soupçonner qu'un jour son sort allait préfigurer celui de Pierre Laval, le comte Ciano laissera donc libre cours à une ironie subtilement protectrice dans le récit qu'il fera d'un entretien qui lui avait paru « presque superflu ».

---

1. Pierre Laval devait ajouter : « Je compris que, si Hitler avait connu le refus de la France d'accepter l'alliance qu'il nous offrait, je n'aurais pas été convoqué à Munich. J'eus aussi une autre certitude, c'est que, si je n'avais pas prononcé certaine phrase qui m'est aujourd'hui reprochée (Laval fait allusion à sa phrase : " Je souhaite la victoire de l'Allemagne... "), il n'est peut-être pas absolument sûr que je n'aurais pas éprouvé personnellement de graves difficultés. »

2. Ce qui, allait dire Laval, le 21 septembre 1945, devait susciter une vive protestation de sa part. « Hitler, allait-il ajouter, ne prit aucune part à cette partie de l'entretien et je constatai, non sans plaisir, que ma réaction violente contre l'Italie ne l'avait pas heurté. »

« Laval, avec sa cravate blanche et son complet mal coupé de Français moyen, est très désorienté dans le grand salon, au milieu de tant d'uniformes. Il essaie de parler sur un ton familier de son voyage et de son long sommeil en voiture, mais ses paroles tombent dans le vide. Hitler le traite avec une politesse glaciale [1]. L'entretien est bref. Le Führer parle le premier et demande en peu de mots si la France est à même de nous garantir des points de débarquement en Tunisie. Laval, en bon Français, s'efforce de gagner du temps ; et voudrait profiter de l'occasion pour se faire donner, par l'Italie, l'assurance qu'elle renoncera à la Tunisie. Je n'ai pas le temps d'intervenir, car Hitler déclare nettement ne pas vouloir porter la discussion sur ce terrain et que, d'ailleurs, les revendications de l'Italie sont des plus modestes. Laval ne peut prendre sur lui la responsabilité de céder Tunis et Bizerte à l'Axe ; aussi nous conseille-t-il lui-même de le placer devant le fait accompli, c'est-à-dire d'envoyer une note à Vichy pour lui communiquer les intentions de l'Axe. Le malheureux était loin d'imaginer devant quel fait accompli les Allemands allaient le placer ! »

Les partisans de Pierre Laval ont-ils définitivement gagné la partie après l'envoi à Darlan du télégramme ordonnant la poursuite des combats ? On pourrait l'imaginer. Il n'en est rien cependant.

Une minute exactement après avoir pris note du départ du télégramme officiel destiné à l'amiral Darlan, Bernard Ménétrel inscrit sur le feuillet où il consigne hâtivement les événements du jour cette phrase volontairement sibylline : « 15 H 15. AM. AUPHAN TÉLÉGR. À D. PERSONNEL D'ACCORD À. »

Commentant, en 1945, à l'intention du commissaire Mathieu, qui l'interroge sur commission rogatoire du président Bouchardon, cette phrase obscure pour tout autre que lui, Bernard Ménétrel allait écrire

1. Apparemment, Laval ne sera pas très sensible aux nuances puisque, dans le compte rendu de voyage qu'il fera, le 11 novembre, au Conseil des ministres, il dira : « Hitler a été bien... Ribbentrop a été bien... Ciano et les Italiens ont fait le chantage. »

que le Maréchal « voulait absolument faire savoir à l'amiral Darlan qu'il avait été obligé de prendre officiellement [une] position qui ne correspondait pas à sa pensée ». Il avait donc demandé à l'amiral Auphan, qui se trouvait à ses côtés en compagnie de M. Jardel, si, tous nos codes ayant été, à l'armistice, livrés aux Allemands, il avait cependant la possibilité de transmettre un message secret à Alger. Auphan répondit par l'affirmative, le capitaine de frégate Jouanin l'ayant informé, quelques heures plus tôt, et devant la gravité de la situation, de l'existence d'un code établi pour le service de Darlan, mais très rarement utilisé, ce qui avait protégé son secret.

A Vichy, le capitaine de frégate Jouanin, à Alger l'amiral Battet possédaient seuls la clef de ce code, « dit de cuisinière », écrit l'amiral Auphan, et qui permettait à Darlan, lorsqu'il voyageait, « de correspondre avec les officiers de son cabinet restés à Vichy pour des questions personnelles ou privées (par exemple, tenues d'uniforme à emporter ou nombre de convives à prévoir pour un repas) ».

Le message mis en forme par Jardel, chiffré par le capitaine de frégate Archambeaud et par le capitaine de frégate Jouanin était le suivant : « Comprenez que cet ordre était nécessaire pour la négociation en cours. »

Le maréchal Pétain, dans une note sur « les événements d'Afrique du Nord », l'amiral Auphan, le Dr Ménétrel, Jardel à son procès, le capitaine de frégate Archambeaud, le général Bergeret, à l'occasion du procès du Maréchal, parleront de ce télégramme — et des deux autres qui suivront — et le feront en termes parfois différents [1], mais sans que le sens général du message se trouve altéré par des variations compréhensibles puisque aucun original ne pouvait être conservé de ce

1. La note du Maréchal est du 6 juillet 1945. « Je ne pouvais, écrit-il de Vichy, l'approuver [Darlan] officiellement. J'étais tenu de le désapprouver pour les tâches qui me restaient encore à accomplir dans la métropole. Mais sa politique était la mienne. C'est ainsi que, par le fil spécial secret, reliant l'amiral Auphan à l'amiral Darlan, j'ai, en date des 10 novembre et 13 novembre 1942, fait savoir à ce dernier que j'étais en complet accord avec lui. »

L'amiral Auphan et le capitaine de frégate Archambeaud indiquent pour texte celui que j'ai cité. M. Jardel dira que le télégramme était rédigé de la façon suivante : « Vous avez toute ma confiance. Faites au mieux. Je vous confie les intérêts de l'Empire. »

Et le Dr Ménétrel : « Ne tenez aucun compte de mes messages et ordres officiels envoyés sous la contrainte. Suis pleinement d'accord avec vous. »

texte gardé secret même vis-à-vis du général Weygand qui l'eût d'ailleurs chaleureusement approuvé.

Sans doute peut-on faire remarquer que tous ces témoignages coïncident avec la période qui suit la Libération, qu'ils sont donc, pour des hommes mis en cause par la justice, autant d'éléments favorables dans des dossiers souvent défavorables.

Pour prouver cependant, s'il en était encore besoin, l'authenticité de ces télégrammes secrets — celui du 10 novembre et ceux du 11 et du 13 —, il existe un document indiscutable. Il s'agit de la lettre écrite le 27 novembre 1942 par l'amiral Darlan à l'amiral Leahy, ancien ambassadeur des Etats-Unis à Vichy.

Après avoir évoqué tous les événements qui se sont produits depuis l'aube du 8 novembre, Darlan en vient tout naturellement à parler de ses rapports officiels et OFFICIEUX avec le Maréchal.

> « ... Me trouvant en Afrique, j'ai fait cesser le combat pour ne pas creuser un fossé entre l'Amérique et la France.
>
> Ayant été désavoué par Vichy, je me suis constitué prisonnier pour ne pas reprendre une lutte que je désapprouvais.
>
> A ce moment, les Allemands ayant rompu l'armistice, en occupant toute la France, et le Maréchal ayant solennellement protesté, j'ai pensé que je pouvais reprendre ma liberté d'action.
>
> J'étais d'autant plus certain d'être dans la bonne voie que, PAR DES MESSAGES CONFIDENTIELS, QUI M'ÉTAIENT TRANSMIS EN CODE SPÉCIAL PAR QUELQU'UN DE L'AMIRAUTÉ [1], j'étais informé que le Maréchal, au fond de soi-même, partageait mon sentiment [2]. »

« Ayant été désavoué par Vichy, je me suis constitué prisonnier... » Ce n'est pas tout à fait exact.

Le télégramme de désaveu du Maréchal : « J'avais donné l'ordre de se défendre contre l'agresseur. Je maintiens mon ordre. », transmis en clair, ayant mis infiniment moins de temps à parvenir à Alger que le

---

1. Je souligne intentionnellement.
2. Le ralliement du gouverneur général Boisson et de l'A.O.F. à Darlan sera la conséquence des « télégrammes secrets ». En effet le 14 novembre le général Bergeret se rendra à Dakar pour donner tous les renseignements à Boisson sur cet échange de télégrammes et Boisson enverra de son côté une mission de trois officiers généraux à Alger pour s'assurer de l'authenticité des messages envoyés par l'entremise de l'amiral Auphan.

message chiffré : « Comprenez que cet ordre était nécessaire pour la négociation en cours », Darlan, sur le conseil du général Juin, dont le rôle tout au long de ces journées aura été de première importance, va répondre au chef de l'Etat qu'il se livre en otage aux Américains et qu'il annule son ordre de cessez-le-feu.

Il ne fera ni l'un ni l'autre, conservant sa liberté et ne changeant rien aux ordres envoyés aux généraux et amiraux commandant en Afrique du Nord. Mais, en prenant connaissance de son télégramme : « Reçu votre message, j'annule mon ordre et me constitue prisonnier », le Maréchal confiera le lendemain matin tous les pouvoirs au général Noguès qui commande au Maroc, ce qui compliquera encore une situation prodigieusement compliquée [1].

La journée du 10 novembre, cette journée trouble, de contradictions et de désordre, cette journée qu'il est si difficile de reconstituer dans sa complexité, où les phrases officielles sont faites pour ne pas être obéies à Alger de ceux à qui elles s'adressent, mais bouleversent une opinion ignorant ces subtilités, où les télégrammes secrets sont faits pour demeurer cachés à une opinion qu'ils rassureraient, où tout dépend de la décision d'un vieillard de quatre-vingt-six ans, chef d'Etat dont la volonté, les paroles, la signature sont objet de disputes entre des collaborateurs dont les passions s'exaspèrent au profit de causes contradictoires, oui, cette journée, la dernière de l'Histoire au cours de laquelle le maréchal Pétain dispose encore d'une semi-liberté d'action, ne peut être comprise si l'on ne tient pas suffisamment compte des difficultés de communication entre Alger et Vichy, entre Munich et Vichy. Et, plus encore, des difficultés de communication

---

1. On peut faire remarquer que l'amiral Darlan accusera réception du télégramme secret dans l'après-midi ou dans la soirée du 10 novembre par ces mots : « Reçu et bien compris », qui, écrit Auphan, montraient « qu'il n'était pas tellement prisonnier qu'il ne put correspondre en chiffre et lui permettaient à lui, Darlan, voyant l'impossibilité où le Maréchal était de commander à son gré, d'en déduire sa propre ligne de conduite. »

Dans ces conditions et si Auphan est persuadé que Darlan jouit de toute sa liberté, pourquoi avoir désigné Noguès le lendemain ? Il est vrai que la confusion qui règne à Vichy est intense et ce peut être là une explication valable.

mentales entre des hommes pour qui, selon qu'ils sont civils ou militaires, qu'ils se trouvent à Vichy ou à Alger, les mots « poursuivre le combat » n'ont pas le même sens, les civils, depuis leurs bureaux clos, ayant, plus que les militaires, sur le terrain, le goût du sacrifice pour les autres. Elle ne peut être comprise, enfin, si l'on perd de vue que, face aux dangers d'occupation totale de la métropole que font peser les Allemands, aux dangers de dissidence totale de ce qui reste d'Empire que font peser les Américains, les dirigeants de Vichy se voient menacer d'être bientôt dépouillés de tout ce à quoi, deux ans durant, ils avaient tant sacrifié.

Et parfois jusqu'à l'honneur.

La journée s'achève cependant sur un sursaut du Maréchal.

Comme il vient d'apprendre, vers 19 heures, qu'à Munich Laval a accepté l'occupation des terrains et des bases de Tunisie, acceptation dont, en vérité, les Allemands étaient bien décidés à se passer puisque, dans le même temps, ils ont pris toutes leurs dispositions pour, avec ou sans l'accord des Français, transporter des troupes en Tunisie, Philippe Pétain se révolte.

Prenant à part l'amiral Auphan, il lui demande s'il a la possibilité de « mettre à l'abri » le président Laval dès qu'il sera rentré de Munich.

— Oui, répond Auphan, à une condition, c'est que vous m'en donniez l'ordre devant lui.

Dans cette attente et cet espoir, Auphan fera immédiatement rassembler un commando de fusiliers-marins.

En interrogeant Auphan, le Maréchal est-il, comme l'écrit Robert Aron, « disposé à faire enfin preuve d'énergie et à tenter sa dernière chance de rallier autour de lui l'unanimité des Français » ? Je n'en crois rien. L'idée de faire arrêter Laval n'est de sa part, semble-t-il, qu'un mouvement d'humeur, une réminiscence de la victoire sans lendemain du 13 décembre 1940.

Mais, en novembre 1942, il n'est plus possible de rejouer avec succès la scène de décembre 1940. Les temps ont changé, les acteurs également. Pétain a vieilli et sa volonté s'est émoussée au fil d'infructueuses tentatives de reconquête d'une indépendance toujours plus strictement limitée. Laval, de son côté, a pris toutes ses précautions pour que ne se renouvelle pas une aventure qui l'a profondément marqué. Et l'on n'imagine pas les Allemands acceptant en 1942 ce qu'ils ont si mal admis en 1940.

D'ailleurs, dans quelques heures, ils vont pénétrer sans rencontrer de résistance en zone libre.

Et c'est bien inutilement que le commando de fusiliers-marins poursuivra son entraînement...

9

LE PALANQUIN D'UN ROI MORT

Un conte parle d'une armée qui suivit longtemps le palanquin d'un roi mort..

Alfred FABRE-LUCE

Laval sera averti le premier.

Le 11 novembre, à 4 heures du matin, alors qu'il repose au Vier Jahreszeiten-Hotel (cet hôtel des Quatre-Saisons qu'avait habité Daladier au moment des accords de Munich), Abetz lui téléphone pour l'informer que dans deux heures l'armée allemande et l'armée italienne franchiront la ligne de démarcation.

Comme Laval proteste, Abetz répond qu'il n'a aucune autorité pour discuter.

— C'est une décision du Führer, il n'y a rien à faire. La France a rompu elle-même les clauses militaires de l'armistice en Afrique du Nord.

— Voyons ! Sommes-nous responsables des décisions militaires américaines ? Je vais protester par écrit.

— Je vous en conjure, n'élevez pas de protestation en des termes aussi violents. N'élevez même aucune protestation, vous seriez en danger et je ne pourrais rien pour vous.

— Je sais, murmure tristement Laval, que nous avons à subir une fois de plus la triste condition d'un pays vaincu, mais pourquoi nous imposez-vous cette humiliation de faire pénétrer chez nous des troupes italiennes qui, elles, ne nous ont pas battus ?

Que dit encore Laval ? Qu'il va donner sa démission. Argument négligeable pour Abetz, déjà touché par la disgrâce, et qui répond que le Führer ne sera pas en peine d'installer en France un autre gouvernement.

5 h 25. C'est Vichy maintenant que les Allemands informent d'une décision exécutoire dans quelques minutes. Vichy où, depuis quarante-huit heures, l'on redoutait une proche invasion.

Car il n'y a pas surprise.

Dès le 9 novembre les responsables français ont été alertés par l'état-major de la 7e division militaire signalant que 24 trains transportant des troupes allemandes doivent passer en gare de Paray-le-Monial dans la nuit du 9 au 10, que les troupes de la région de Digoin-Paray-le-Monial-Chalon-Chagny sont consignées, voitures chargées prêtes à partir, que 12 trains de troupes venant de Paris sont attendus à Chalon, que le terrain d'aviation de Chalon a été rééquipé afin de pouvoir accueillir des appareils provenant d'Amiens.

Le rapport — inédit [1] — s'achève ainsi :

> « 10. De bonne source, on signale que les Allemands à Chalon paraissent satisfaits de la tournure des événements. On note dans leurs rapports avec la population une amabilité anormale.
>
> 11. Impression générale : un mouvement de troupes important dans une direction inconnue est en préparation et imminent.
>
> 12. Origine des renseignements : interrogatoire de frontaliers et de cheminots de zone occupée rentrant en zone libre fournis par 8 postes différents de la ligne de démarcation de Saône-et-Loire. »

De son côté, le 2e Bureau a signalé — le 9 encore — et sous le titre « Indices d'occupation de la zone libre » que, dans la région d'Angoulême, où stationne la division S.S. Totenkopf, d'importants mouvements de blindés ont été observés, cependant qu'à Moulins des chars ont été débarqués et que des réquisitions de voitures ont eu lieu dans la

1 Il est de 22 h 30 le 9 novembre

région de Montceau-les-Mines, Paray-le-Monial où les unités sont prêtes à embarquer[1].

La lettre d'Hitler, une lettre de cinq pages, que Krug von Nidda remet dès 5 h 25 à Rochat, ne constitue donc une surprise ni dans le fond ni dans la forme. Après avoir fait à son habitude un long exposé des relations franco-allemandes, relations dont il affirme qu'il n'a pas dépendu de lui qu'elles aient été excellentes, Hitler poursuit :

> « Dans l'espoir de pouvoir encore porter la guerre en Europe, l'Angleterre et l'Amérique ont, dès lors, commencé à attaquer et à occuper les territoires français de l'Afrique occidentale et du Nord. La France de son côté n'est pas en mesure à la longue de tenir tête à ces agressions. Mais l'Allemagne et l'Italie ne sauraient en aucun cas voir avec indifférence la convention d'armistice entraîner des conséquences qui ne pourraient à la longue que tourner au détriment de ces deux Etats... »

Sachant que « les prochains objectifs de l'invasion anglo-saxonne sont la Corse et le midi de la France », et après avoir mis en cause le général Giraud qui a « simulé une maladie » et profité des adoucissements apportés à sa captivité pour s'évader puis, manquant à la parole donnée au Maréchal, s'est placé « au service des puissances anglo-saxonnes, auteurs de l'agression », Hitler annonce des mesures de « protection » dont il affirme qu'elles ne sont dirigées ni contre l'armée française ni contre le Maréchal qui pourra désormais, ainsi que les membres de son gouvernement, « se déplacer librement sans aucune entrave dans toute la France ».

Et pourquoi pas d'ailleurs puisqu'il n'existera plus, bientôt, qu'une France tout entière occupée ?

A Guérard, à Jardel, aux généraux Bridoux et Jannekeyn, à l'amiral Auphan, à Ménétrel puis à Bousquet, réunis dans son bureau, Rochat donne, à partir de 6 h 15, lecture de la lettre personnelle du Führer.

Pas un seul instant, pendant la discussion qui suit, n'est évoquée une

1. Document inédit. La note de renseignements du 2e Bureau ajoute cependant à propos des mouvements signalés dans la région Montceau-Paray : « Il semble toutefois que ces réquisitions, ainsi que certains préparatifs de départ aient commencé le 7 novembre ; ils seraient par conséquent antérieurs à l'entreprise américaine en Afrique du Nord. »

possible résistance à l'invasion qui commence. Si l'on avait voulu résister, au moins symboliquement, c'était le 8 novembre qu'il fallait prendre les dispositions convenables. Aujourd'hui, il est trop tard.

Dès que le débarquement américain en Afrique du Nord avait été connu, le lieutenant-colonel Clogenson, chef du 3e Bureau, avait cependant fait signer par le général Delmotte la mise en vigueur du « mémento des mesures à prendre en cas de tension intérieure, une mise en alerte dans les garnisons, comportant le rappel des permissionnaires et des détachés, la distribution des munitions et des vivres de réserve. »

En prévision d'une invasion de la zone libre, dont la possibilité avait été étudiée par l'état-major dès le mois d'octobre 1940, deux plans avaient été envisagés. Le premier, signé le 19 octobre 1940 par le général Huntziger, et toujours en vigueur deux ans plus tard, prescrivait simplement que la troupe, adoptant « une attitude de résistance morale empreinte d'ordre, de discipline et de dignité », évitant, « à tout prix tout ce qui ressemble fort à une fuite " attendrait ", dans le plus grand ordre » et dans les casernes où elle demeurerait rassemblée, l'envahisseur allemand. L'attitude prescrite ressemblait fort à celle qui avait été imposée, à partir du 17 et du 18 juin 1940, à certaines unités de l'armée française ainsi regroupées, comme pour être mieux prises au nid bien que la bataille ne soit pas achevée [1].

L'autre plan émanait du général Verneau, qui s'était trouvé au cœur de tous les projets de résistance militaire élaborés dans les mois qui avaient suivi la défaite, projets selon lesquels l'armée de l'armistice tiendrait une tête de pont destinée à permettre le débarquement des Anglais et des Américains.

---

1. Au moment de l'arrestation de Laval (13 décembre 1940), les Allemands menacent d'envahir la zone libre. Le colonel de Grancey est envoyé alors par le général Olry, commandant le 1er groupe de divisions militaires, auprès du général Frère (14e D.M. à Lyon) et du général Keller (7e D.M. à Bourg-en-Bresse). Il est porteur d'ordres de résistance qui, appliqués, permettraient peut-être un repli vers le sud de certaines unités qui tenteraient de s'embarquer pour l'Afrique du Nord, mais Huntziger interviendra pour rappeler tout le monde « à l'ordre ».

Verneau n'a pas changé d'idée quatre jours avant le débarquement et le dit à Paillole, en présence du général Olleris.

— Faute de connaître les intentions alliées, nous avons décidé d'appeler les réservistes et de faire sortir les troupes de leurs garnisons dès que la menace d'occupation de la zone libre sera confirmée. Elles s'établiront en position défensive dans des réduits montagneux et harcèleront l'ennemi. La 15e division (Marseille) et la 14e (Montpellier) s'adosseront à la mer pour établir deux têtes de pont, l'une dans le Var, l'autre dans le Roussillon. Elles pourront faciliter d'éventuels débarquements alliés.

Le 9, tout le monde sait qu'il n'y aura pas de débarquement allié en Provence, mais les instructions de Verneau ordonnent toujours de se battre sur les principaux axes de pénétration et, dans l'après-midi du 9 novembre, il semble bien que ce plan doive être mis à exécution. Le général Olleris, sous-chef d'état-major, demande en effet au colonel Clogenson de rédiger un télégramme qui sera expédié, grâce à un chiffre ignoré des occupants, à tous les chefs des divisions militaires. Le télégramme no 128/EMA/3/SP, dont le codage et le décodage n'iront pas sans difficulté puisque les officiers chiffreurs l'utilisent pour la première fois, ne comporte aucune ambiguïté.

> « 1o En vue d'éviter contact entre troupes armistice et troupes étrangères, les généraux commandant les divisions militaires doivent être prêts en cas d'attaque allemande au-delà de la ligne de démarcation à exécuter déplacement des troupes et E.M. en dehors des garnisons et des axes principaux de pénétration. Toutes munitions seront prises [1].
>
> 2o Mesures d'exécution décidées à l'initiative des commandants de D.M. uniquement sur renseignement certain de franchissement de la ligne de démarcation.
>
> 3o Contact sera conservé avec E.M.A. (état-major de l'armée) par postes radioélectriques mobiles dont vous disposez avec indicatifs et fréquences du réseau de sécurité. »

Ce télégramme, quatre officiers partent dans la nuit pour le confirmer et le commenter aux différents responsables militaires. Les

1. C'est de sa propre initiative que le colonel Clogenson aurait ajouté les passages concernant les munitions et les transmissions.

zones de rassemblement ont été désignées par le général Ruby : région de Seyssel à l'est du Rhône ; la Grande-Chartreuse ; le Vercors, le Ventoux ; la région de Guéret, Boussac, La Souterraine ; le plateau de Millevaches, toutes zones qui, dans moins d'un an, seront, parce que la géographie le veut ainsi, les bastions de la résistance populaire.

Rien, cependant, ne se passera comme prévu par Verneau et comme décidé par Olleris.

Les Allemands, l'impréparation succédant à l'improvisation, l'intervention du général Bridoux, la faiblesse de caractère des exécutants, tout va se liguer pour que les mouvements amorcés soient rapidement stoppés, que les enthousiasmes retombent et que, finalement, à quelques très rares exceptions près, l'armée de l'armistice se trouve prisonnière, dans ses casernes, d'un ennemi qui n'a eu, pour vaincre, qu'à mettre ses moteurs en marche.

D'après tous les renseignements, c'est à 0 heure, le 10 novembre, que les Allemands devaient franchir la ligne de démarcation en deux colonnes, l'une empruntant la vallée de la Garonne, l'autre la vallée du Rhône.

Imputables, sans doute, à l'encombrement des routes et des voies ferrées, des retards vont obliger von Rundstedt à repousser de vingt-quatre heures l'invasion. Sans conséquence pour les Allemands, ce décalage horaire provoquera l'effondrement du symbolique système de résistance français.

Le général Olleris avait demandé qu'un « P.C. Opérations » soit installé à l'extérieur de Vichy. On choisit la ferme de La Rapine, à une trentaine de kilomètres de Vichy, où fonctionne déjà, sous la direction du capitaine Leschi, le service radio du territoire. A côté de son activité officielle, Leschi camoufle essence et matériel, entraîne des opérateurs radio, qui serviront souvent à la Résistance, organise enfin, sur instruction secrète du ministère de la Guerre, une station radio sur véhicule camouflé pour chaque région militaire.

C'est donc vers la ferme de La Rapine que se sont dirigés, dans la nuit du 9 novembre, le général Verneau, les deux généraux sous-chefs d'état-major : Olleris et Paquin, ainsi que le général Picquendar responsable du camouflage du matériel. Ils sont accompagnés d'une quarantaine d'officiers dont les chefs des 1er, 2e et 3e Bureaux. Il est près de minuit lorsque, après avoir roulé en ville tous feux allumés, alors que Vichy est plongée dans l'obscurité, la petite troupe arrive à La Rapine.

Pendant toute la nuit, les officiers dressent des plans, téléphonent aux postes de la ligne de démarcation : « Si les Allemands bougent, prévenez le 162 à Thiers », discutent — les plus optimistes espérant l'arrivée du maréchal Pétain — attendent en fumant cigarette sur cigarette.

Au matin, rien ne s'est produit.

Au moment de quitter La Rapine, car le déplacement du P.C. à la Rapine a été présenté aux autorités supérieures de Vichy comme un simple exercice, le général Verneau dit au capitaine Leschi :

— Leschi, tenez-vous prêt. Nous reviendrons ce soir.

Ils ne reviendront pas. En retardant de quelques heures l'invasion, les Allemands ont également obligé l'armée de l'armistice à dévoiler ses intentions et permis l'intervention de Laval, qui téléphone depuis Munich au général Bridoux, secrétaire d'Etat à la Guerre, l'intervention de Bridoux lui-même et celle de nombreux officiers que ne tente nullement une aventure qui n'aurait même pas le prétexte d'un débarquement américain en Provence.

Aussi lorsque, dans la matinée du 11, les dirigeants de Vichy sont informés du franchissement de la ligne de démarcation, aucune résistance, fût-elle symbolique n'est envisageable, même si des réactions personnelles — celle de De Lattre, la plus connue, ne durant, on le verra, que quelques heures — sont, ici et là, enregistrées.

Tout ce que demande d'ailleurs le général Bridoux à Rochat, c'est que le commandement supérieur de la Wehrmacht fournisse des indications sur la marche de ses troupes afin que les « incidents » puissent être évités !...

A 8 h 30, il téléphonera aux généraux de division pour annuler l'ordre 128, transmis la veille, et qui prescrivait le départ, avec armes et bagages, de toutes les garnisons en direction de positions situées hors des axes de l'invasion allemande.

En vérité, pendant toute cette journée du 11 novembre, s'il y a bien affrontement, ce n'est pas entre Français et Allemands mais, à Vichy, entre partisans et adversaires d'une rupture avec l'Allemagne. Pour les premiers — Weygand, Auphan — il est nécessaire de mettre en quelque sorte à profit l'invasion de la zone libre et l'absence de Laval pour arrêter officiellement les combats qui se poursuivent toujours en quelques points d'Afrique du Nord. Pour les seconds — Rochat et l'amiral Platon — rien ne saurait être décidé avant le retour de Laval qui, depuis Munich, a fait part des menaces de représailles qui pèseraient sur les Français si le gouvernement semblait favoriser la dissidence.

Une fois encore c'est la « volonté » du Maréchal qui représente l'enjeu d'une bataille qui se poursuivra au cours de réunions houleuses et parfois violentes. Auphan à 8 h 20, rencontrant tout d'abord en tête à tête le Maréchal, lui a déclaré qu'il était temps de « faire virer la politique vers les Américains ». En face de lui il a trouvé un homme hésitant, peu décidé à prendre parti, nullement « insensible au ton respectueux » de la lettre d'Hitler, à ces mots « Je dois vous indiquer ici, monsieur le Maréchal, que l'action des troupes allemandes n'est pas dirigée contre vous, chef de l'Etat et chef vénéré des vaillants soldats français de la guerre mondiale », ainsi qu'aux assurances hypocritement, mais longuement, prodiguées.

Au terme de cette première et rapide entrevue mais au cours de laquelle, Jardel et Rochat ayant rejoint, il a été décidé que l'on déléguerait les pouvoirs militaires au général Noguès, Auphan laisse la place au capitaine de frégate Bataille qui est arrivé dans la nuit du Maroc, après un difficile voyage en avion [1], porteur d'une lettre de

---

1. Tous les avions d'un rayon d'action suffisant ayant été détruits par les bombardements américains, le capitaine de frégate Bataille n'a pu partir de Fez qu'à 13 heures le 10 novembre, sur un appareil d'Air France qui se trouvait en réparation, la veille encore. Poursuivi par des appareils américains, puis anglais, l'avion transportant Bataille dut infléchir sa route vers l'Espagne et atterrit enfin à Marseille à 19 h 15. C'est sur un *Caudron Simoun*, piloté par M. Petit Demange que Bataille poursuivit sa route. Arrivé à Vichy, conduit immédiatement à l'hôtel du Parc, il fut reçu à 1 h 30 par le Dr Ménétrel. Ménétrel ayant informé Bataille que le Maréchal l'avait attendu jusqu'à 23 heures, les deux hommes pénétrèrent dans la chambre du chef de l'Etat mais, d'un commun accord, décidèrent de ne pas le réveiller

En 1940, au moment de l'armistice, Bataille avait déjà été agent de liaison entre le général Noguès, l'amiral Darlan et le Maréchal.

Noguès d'une rédaction « nécessairement prudente[1] ». Du moins Bataille est-il chargé de la commenter verbalement dans un sens favorable à l'arrêt des combats, puisque Noguès, après avoir insisté sur l'importance des débarquements américains et l'héroïsme de troupes françaises qui, « se battent [toutefois] sans enthousiasme... par devoir, pour l'honneur des armes » termine en indiquant que si les populations « françaises et indigènes sont calmes et restent dévouées... elles ont peur que la lutte actuelle compromette l'avenir du pays et sont unanimes à désirer qu'elle se prolonge le moins possible ».

Auphan, après s'être rendu à l'Amirauté, pour donner l'ordre à l'escadre de Toulon de faire allumer les feux des chaudières, puis de tenir, par la persuasion, les Allemands hors de portée des navires que l'on sabordera s'ils sont menacés, regagne à 9 h 25[2] le bureau du Maréchal.

Weygand est déjà arrivé. Il sera rejoint, quelques minutes plus tard, par l'amiral Platon, par Rochat, par Jardel, par d'autres hommes, ministres ou responsables, qui entrent et sortent, donnent leur avis dans une atmosphère enfiévrée, s'agitant autour du maréchal qu'Auphan décrira comme « très triste, froid, impassible, écoutant sans prendre part à la discussion ».

Weygand, comme l'a fait et comme continue à le faire Auphan, insiste pour qu'un ordre de cessez-le-feu soit adressé aux généraux Juin et Noguès.

— Continuer les hostilités est une folie, affirme Weygand.

— Je vous demande, réplique Rochat, d'attendre l'arrivée du président Laval qui sera là à 2 heures. N'ajoutez pas de trouble nouveau...

— Dégagez [au moins] Juin de l'attente cruelle où il se trouve, demande Auphan[3].

Dans l'incapacité de se mettre d'accord sur un ordre de cessez-le-feu à envoyer aux généraux d'Afrique du Nord, les participants décident du moins de la rédaction du télégramme informant Noguès qu'il doit désormais se considérer comme le seul représentant du Maréchal. Télégramme dont immédiatement Auphan, qui en assure la transmis-

---

1. Le mot est du commandant Bataille. J'ai évoqué précédemment la lettre de Noguès.
2. Ménétrel dit, dans ses notes, 9 h 37.
3. Ce dialogue est rapporté par le Dr Ménétrel, *Cf.* Louis Noguères, *Le véritable procès du maréchal Pétain.*

sion, annule la portée puisqu'il prend sur lui d'envoyer à Alger (toujours par le « code de cuisinière » utilisé la veille) le texte suivant : « Faites savoir à l'amiral Darlan que la décision du Maréchal (...) n'a été prise que parce que l'amiral Darlan est prisonnier. »

Dans le bureau du Maréchal, la discussion se poursuit maintenant autour du texte de protestation que le chef de l'Etat a l'intention de remettre au maréchal von Rundstedt dont on a appris, dans la matinée, qu'il viendrait se présenter à l'hôtel du Parc.

> « J'ai reçu cette nuit une lettre du Führer m'annonçant qu'en raison des nécessités militaires, il était dans l'obligation de prendre des mesures qui ont pour effet de supprimer, en fait, les données premières et les fondements de l'armistice. Je proteste solennellement contre ces décisions incompatibles avec les Conventions d'armistice. »

Autour de ces mots qui, quarante ans plus tard, apparaissent comme le minimum convenable, le débat qui s'instaure prend rapidement ampleur et violence.

Laval qui a eu, par Rochat, connaissance de cette protestation rédigée la veille, et rédigée en partie par le général Weygand, a fait dire, depuis Munich, qu'on le plaçait dans une situation « impossible [1] ». Ses partisans vont donc s'opposer, sinon au texte lui-même, du moins à une diffusion radiophonique qui rompt, il est vrai, avec toutes les habitudes de Vichy dont les protestations, par exemple dans le cas de l'Alsace et de la Lorraine, étaient toujours demeurées secrètes, donc inefficaces devant l'opinion et devant un occupant, insensible à ce qui est tu.

— Estimez-vous, demande l'amiral Platon, que cette protestation soit si urgente qu'il faille la faire entendre dans les deux heures ?

— Amiral, c'est effroyable, réplique Weygand, vous êtes la honte de la France !

Il est difficile de se montrer plus insultant [2].

---

1. Il dira même, quelques jours plus tard, qu'elle a constitué « un véritable appel à la dissidence ».

2. Quelques jours plus tard, l'amiral Platon prononcera à l'intention des officiers et soldats d'Afrique un discours, rédigé à la demande des Allemands, par

Avant de recevoir von Rundstedt, Philippe Pétain va accorder un rapide entretien au capitaine de frégate Bataille qui s'apprête à repartir pour le Maroc. Que lui dit-il ? Nous le savons par une note de Bataille, rédigée le 24 novembre 1959, c'est-à-dire 16 ans après l'événement[1] :

— Les Allemands prennent possession de la zone libre ; dans quelques instants, le maréchal von Rundstedt sera ici et, à partir de ce moment, je serai prisonnier. Vous êtes donc la dernière personne qui m'aura vu libre de mes décisions. Quoi qu'il puisse advenir, souvenez-vous-en et faites-en part.

A Bataille, Pétain dit également que Laval espère obtenir d'Hitler la libération de nombreux prisonniers et qu'il lui est donc impossible de rallier l'Afrique du Nord, avant le retour à Vichy du chef du gouvernement[2]. Le chef de l'Etat demande également que le général Noguès soit exactement informé de sa situation de dépendance, puis attirant Bataille à l'écart, car la conversation ne s'est pas déroulée sans témoins, il a ces mots qui devaient se graver dans la mémoire de l'officier.

— Vous me comprenez bien, Commandant, je ne serai plus libre dans un instant, vous êtes le dernier auquel je puisse me fier. Dites au général Noguès que TOUT[2] ce qu'il décidera aura mon accord, car je

Guérard et Marion, dans lequel il les incite à « une résistance passive constante ». Platon déclare également : « L'Afrique du Nord qu'après cent ans vos frères ont conquise, puis rendue féconde, ne saurait, en quelques jours, devenir un bastion contre la France, la base d'agressions aériennes et maritimes contre la Métropole. »

1. « A part certaines phrases, dont le souvenir est encore vivant dans ma mémoire, précise Bataille, je pense préférable, en raison des événements que je relate, de donner ici le sens général de ses instructions. »

2. Au cours de la première audience, Bataille avait demandé au Maréchal de rejoindre le Maroc.

3. Dans son texte de 1959, Bataille a souligné le mot « TOUT » et indiqué en commentaire : « Je dois cependant préciser qu'au cours des entretiens, la nécessité d'un cessez-le-feu au Maroc a été indiquée par mes soins comme inéluctable et imminente et que lorsque le Maréchal nous isola, tous deux, un instant pour appuyer sur le fait que « tout » ce que déciderait le général Noguès serait conforme aux intérêts de la France, j'ai compris par son ton, son regard, son insistance : " Vous me comprenez bien, Commandant... " qu'il me donnait un accord, qu'il avait précédemment éludé en public, même restreint, et qu'il craignait d'être bientôt obligé de désavouer officiellement. »

sais qu'il se décidera pour la France. Partez vite, Commandant, j'espère que vous passerez. Il est déjà bien tard !

Se tournant vers ceux qui l'entourent, le Maréchal demande enfin :

— Ma voiture est-elle prête ? Que le Commandant parte vite. Adieu, Commandant, je ne sais si nous nous reverrons.

Lorsque Bataille quitte l'hôtel du Parc pour aller, sur le terrain d'aviation de Vichy déjà contrôlé par les Allemands, rejoindre le *Caudron Simoun* qui le conduira à Marignane, d'où il repartira immédiatement en direction de Fez, sa voiture — la voiture du Maréchal — croise la Mercedes noire, portant fanion à croix gammée dans laquelle se trouve le *Feldmarschall* von Rundstedt.

Il est 10 h 40.

L'entrevue entre les deux maréchaux — le français et l'allemand — ne durera que dix minutes.

En grande tenue, bâton de maréchal à la main, croix de chevalier, croix de fer de 1re classe des deux guerres, von Rundstedt, accompagné de Rahn, de Renthe-Fink et de Krug von Nidda, est reçu par le Maréchal qui porte son uniforme bleu horizon de Verdun. Pour toute décoration, la médaille militaire. Auprès de Pétain, Jardel et Rochat.

Après les salutations, von Rundstedt notifie au Maréchal l'occupation de la zone libre et les raisons qui, aux yeux d'Hitler, la légitiment.

En réponse, Philippe Pétain lit la protestation dont la rédaction avait si fort agité les esprits de ses collaborateurs, puis il la tend à von Rundstedt qui hésite un instant, mais finit par s'en emparer et la plie en quatre pour la glisser dans la manche de son manteau.

Philippe Pétain avait informé von Rundstedt que sa protestation serait immédiatement rendue publique. Cela n'ira pas sans grandes difficultés.

A l'inspiration de Ménétrel, et dès le départ du maréchal allemand, la protestation devait, en effet, être lue à la radio de quart d'heure en quart d'heure, puis toutes les demi-heures, toutes les heures enfin. C'était compter sans la mauvaise volonté de Paul Marion, secrétaire d'Etat chargé de l'Information à qui le Maréchal a dû faire donner l'ordre de passage immédiat du communiqué. Il sera effectivement diffusé pour la première fois à 11 h 32.

Mais c'était compter également sans la volonté d'obstruction d'Abel Bonnard, de Barthélemy, de Platon qui, en compagnie de Marion, ce dernier faisant abondamment état de ces « arguments techniques » mis au service de toutes les mauvaises causes, viennent faire, un peu après midi, le siège de Pétain, lui dire que, décidément, cette protestation répétée chaque quart d'heure prend l'allure d'une provocation, qu'elle compliquera la tâche déjà si compliquée de Laval qui vole vers Vichy, qu'il faut y mettre un terme, ou tout au moins l'espacer. Le Maréchal, dont la lassitude est extrême, acceptera que sa protestation ne soit plus diffusée que toutes les heures, mais, en occupant à 12 h 35, le poste d'émission, les Allemands mettront, à leur manière, un point final au débat.

La protestation du Maréchal était à l'intention des Allemands. Aux Français, le chef de l'Etat adresse la proclamation suivante :

« Français,

Je croyais avoir vécu les jours les plus sombres de mon existence ; la situation d'aujourd'hui me rappelle les mauvais souvenirs de 1940.

Je salue avec douleur les militaires, les marins, les aviateurs et tous ceux qui tombent pour l'honneur de l'Empire et la sauvegarde de la Patrie.

Français de la Métropole et de l'Empire, faites confiance à votre Maréchal, qui ne pense qu'à la France[1]. »

Mais que savent-ils, que voient-ils, comment réagissent-ils, militaires et civils, ces Français de novembre 1942 qui vivaient jusqu'alors

---

1. Robert Aron, dans son *Histoire de Vichy*, donne le texte d'un message resté en projet et qui comportait ces mots :

« Quoique ma conduite ait pu souvent être mal comprise, je sais, moi, que la France n'avait pas, jusqu'ici, manqué à son honneur. Elle y manquerait aujourd'hui, si elle paraissait accepter les mesures de force qui lui seront imposées et qu'elle est hors d'état d'empêcher. »

D'après Jacques Barnaud, témoignant le 2 mai 1950 devant la *Commission d'enquête parlementaire sur les événements survenus en France de 1933 à 1945*, un disque aurait été préparé mais non diffusé, le 11 novembre, pour donner à toutes les troupes l'ordre du cessez-le-feu, disque « disant que la France était envahie par l'Allemagne, que l'armistice était rompu, qu'en conséquence il fallait arrêter le combat partout ».

dans une « zone » effectivement préservée de la présence allemande, si elle ne l'était pas absolument de l'influence nazie ?

Ecrivant ces pages, j'ai sous les yeux les notes de renseignements communiquées le 11 novembre aux autorités de Vichy. Voici — le document est inédit — dans sa sécheresse et son utile précision horaire l'une de ces toutes premières notes.

> « 23 h 45 — Mouvements de troupes allemandes de Brest vers Moulins.
>
> 0 h 00 — Le passage des troupes aurait commencé par Lyon et Valence. Des cgambres (*sic*) seraient retenues à Vichy pour des Commissions.
>
> 3 h 20 — La ligne de démarcation a été fermée aux trains (rapide Lyon-Châlons arrêté à Mâcon).
>
> 4 h 15 — Trains arrêtés repartis.
>
> 7 h 55 — Franchissements signalés sur toute la ligne de démarcation. Agen signale des passages de troupes à La Réole.
>
> 8 h 10 — La division blindée V3 défile à Mâcon.
>
> 8 h 15 — A Vierzon, à Rignac, barrière fermée. Le 32e R. Infanterie s'en va.
>
> 8 h 55 — La ligne téléphonique Nice-Marseille est coupée.
>
> 9 h 00 — Les Allemands défilent dans Limoges. On pense que certains éléments y resteront. »

Par la suite, les précisions vont affluer.

> « 9 h 30 — Un bataillon allemand allant de Mezin à Condom se trouve à Nérac. Un autre allant de La Réole sur Agen se trouve à 30 km de cette ville.
>
> Interrogés par les gendarmes, les Allemands déclarent occuper la zone libre sur l'ordre du Maréchal et descendre sur la frontière des Pyrénées[1]. »

A 10 heures, des éléments légers de l'armée allemande ont franchi la ligne de démarcation à Moulins, Digoin, Bourges, en direction de La Palisse, Vichy, Montluçon. A 10 h 50, un appareil de transport se pose sur le terrain de Montpellier.

1. Inédit.

A Lyon, M. Chossaland, commissaire de police, qui se trouve à la préfecture où les autorités sont en train d'organiser le service d'ordre prévu pour faire face à la manifestation gaulliste ordonnée par Londres, note sur son carnet :

> « 9 h 40 — Ça y est, un coup de téléphone : " Les Allemands arrivent sur la place des Terreaux. "
>
> Je me souviendrai toujours du regard de bête traquée qu'eut ce colonel de la garde quand on lui annonça la nouvelle. Il eut un mouvement pour ouvrir la porte et fuir.
>
> Et tous nous songeons au sort qui va être celui de l'armée de l'armistice.
>
> 11 h 00 — Des sentinelles boches sont là, devant moi, à la grille de la préfecture où le général vient d'entrer. Et puis c'est l'irruption des blindés... angoisse... rage impuissante.
>
> Et dire qu'il y a exactement 24 ans à cette heure ils demandaient grâce [1]. »

A 11 heures, encore, les Allemands approchent de Marmande, ils occupent Auch et dépassent Pau.

A Villefranche, dans le Rhône, sont passés à 14 heures 156 voitures légères, 143 blindés, 326 side ou motos, 393 camions.

Face à la poussée allemande (9 divisions dont 2 blindées), nulle réaction française sérieuse puisque ce qui avait été préparé se trouve annulé. A Montluçon, par exemple, où stationne le 152e R.I., les garnisons ont bien été mises en état d'alerte dans la soirée et dans la nuit du 8 novembre ; les permissionnaires rappelés par télégramme ; les hommes habillés de neuf ; les armes, F.M., mitrailleuses et mortiers de 60 mm, chargées sur les voitures de compagnie. Dans la matinée du 9, certains officiers annoncent bien à leurs hommes qu'ils gagneront une position de défense en Auvergne. Mais, le 10, un changement subtil et sensible d'attitude se produit. « Les cadres avaient l'air consterné, écrit le caporal Paul Gamelin [2], les ordres de départ semblaient annulés et le jour se passa dans l'attente... de quoi ? Nous ne le savions. »

---

1. Document inédit.
2. Témoignage inédit.

Ils ne vont pas tarder à l'apprendre. Au petit jour, un avion allemand survole leur caserne et laisse tomber « une nuée de tracts », indique Paul Gamelin, tracts qui, après de longues et molles glissades, viennent s'abattre dans la cour.

Il s'agit de la proclamation d'Adolf Hitler aux « Français, officiers et soldats de l'armée française », proclamation tout entière dirigée contre l'Angleterre rendue responsable du déclenchement de la guerre et des malheurs de la France. Si l'armée allemande traverse « la zone non occupée jusqu'à l'heure actuelle », c'est pour se rendre « aux endroits visés par les troupes de débarquement anglo-américaines » : la Corse et la côte de Provence [1].

> « L'armée allemande, poursuit la proclamation, ne vient donc pas en ennemie du peuple français ni en ennemie de ses soldats. Elle n'a nullement l'intention de gouverner dans ces territoires. Elle n'a qu'un seul but : repousser avec ses alliés toute tentative de débarquement anglo-américaine. Le maréchal Pétain et son gouvernement sont entièrement libres et sont à même de remplir, comme par le passé, leurs devoirs. »

Après cette assurance et l'affirmation que le gouvernement allemand et ses soldats « ont le désir, dans toute la mesure du possible, non seulement de protéger ensemble avec l'armée française les frontières de la France, mais encore, avant tout, d'aider à préserver, à l'avenir, les possessions africaines des peuples européens contre des actes de brigandage », quatre lignes de menaces. Elles visent ceux qui, poussés par un « fanatisme aveugle », ou encouragés par « des agents à la solde de l'Angleterre », s'opposeraient à l'avance allemande. Leur résistance serait « forcée par les armes ».

Les armes allemandes n'auront pas à parler. Quels sont, d'ailleurs, le 11 novembre, ceux qui manifestent une velléité de résistance à l'Allemand et une volonté de désobéissance aux ordres venus de Vichy ?

1. Ce qui est très prématuré.

A Grenoble, le général Laffargue lance ses unités en direction de l'Oisans. Le préfet de l'Isère, qu'il a mis au courant de ses intentions, lui a demandé dans quels délais il conviendrait d'alerter Vichy. Malgré cette complicité, il n'ira pas loin. Atteint dans la soirée par l'ordre de ramener ses troupes dans leurs casernes, il découvre qu'il ne sera pas suivi s'il poursuit dans la voie de la résistance. Parmi les officiers réunis à la mairie de Vizille, il ne trouve même qu'un seul partisan de la destruction des armes[1] !

Quant à De Lattre, si son aventure est célèbre, on le doit au prestige que l'homme va acquérir par la suite et non à l'efficacité du geste.

A Montpellier où il a reçu, à 19 heures, le 10 novembre, le commandant de Bermond de Vaux, messager du général Verneau venu lui confirmer le télégramme 128, le général De Lattre décide de ne pas écouter les voix de la prudence qui n'ont cessé de se manifester, mais de suivre celles de l'instinct et de l'honneur patriotique.

Malgré l'appel téléphonique du général Delmotte qui lui affirme que « jamais les Allemands ne pénétreront en zone libre[2] » ; malgré les ordres du général Bridoux qui l'admoneste sèchement ; malgré les hésitations du général Revers ; malgré la « disparition » du général Bonnet de la Tour, commandant les troupes de la 16e division militaire ; malgré les interventions de son chef direct, le général Langlois, commandant le groupe de divisions d'Avignon, de Lattre s'obstine.

L'ordre du général Langlois, reçu le 11 vers 10 h 30, ordre d'avoir à consigner les troupes dans leurs casernes, à annuler tous les mouvements commencés, à éviter tous les incidents avec les Allemands, il le déchire donc, non sans avoir dit à sa femme : « On ne peut concevoir une autre solution que de se battre jusqu'au dernier... La situation géographique est bonne : on pourra les embêter. »

Il est 12 h 30 lorsque, accompagné de cinq autres voitures où se trouvent les officiers qui composeront son P.C., il quitte Montpellier pour Saint-Pons, puis Villerouge, enfin Padern où il attendra en vain l'arrivée des premiers éléments de sa division. C'est que, dans son dos, ses ordres ont été annulés. Le général Langlois arrive à Montpellier à 14 heures, en compagnie du lieutenant-colonel Ghislain. Immédiatement, il obtient l'accord de presque tous les officiers supérieurs,

1. Témoignage du général Laffargue à l'auteur.
2. « Il s'agit là d'une hallucination collective », précise même Delmotte.

prompts à juger ridicule et folle l'entreprise de De Lattre. Il fait fermer les grilles des casernes ; dételer les locomotives qui devaient entraîner les wagons transportant le 8e R.I. [1] ; arrêter ceux — le commandant Constans, le colonel Morel [2], le capitaine Perpère — qui refusent de trahir De Lattre ; établir sur toutes les routes des barrages d'infanterie non contre les Allemands, mais contre ces soldats français qui entendent reprendre le combat. Tombent ainsi dans le piège 150 hommes de l'Ecole des cadres de Carnon et une section d'artillerie sous le commandement du capitaine Quinche. Y tombe également le général De Lattre qui se rend, annoncera 48 heures plus tard le communiqué du ministère de l'Information, « au premier officier de gendarmerie qu'il a rencontré ». C'est, à Saint-Pons, l'adjudant de gendarmerie de la brigade locale, bientôt rejoint par le colonel Duin et le capitaine Tocabens.

Ainsi, en ces journées des 11 et 12 novembre 1942, évocatrices de tant de souvenirs glorieux, l'unique communiqué militaire émanant des autorités de Vichy célébrera-t-il la victoire d'une brigade de gendarmerie sur un général français et sur quelques soldats courageux.

> « Ses partisans [ceux de De Lattre] se sont dispersés. Il a été arrêté. La personnalité du général n'est pas inconnue. Son ambition était de devenir le chef d'état-major des forces rebelles. Sa carrière de factieux aura été courte. Il appartient maintenant à la justice militaire. »

A deux exceptions près donc, aucune réaction des militaires. A une exception près, aucune réaction véritablement digne de mention des civils.

A partir du 7 novembre, la radio de Londres avait lancé des appels à la manifestation : « Pour le 11 novembre, rendez-vous de la victoire. » En zone occupée, c'est à midi — précise Maurice Schumann — que « tous les Français et toutes les Françaises se recueilleront... dans les églises et dans les temples, sur les lieux de travail ou dans les maisons d'habitation ». En zone non occupée, des défilés, toujours à partir de midi, doivent être organisés en accord avec les responsables de

1. Le colonel Guillaut, chef du 8e R.I., deviendra pour Montpellier le chef de l'organisation de résistance de l'armée et sera fusillé par l'occupant.
2. Déporté, mort à Neuengamme.

Combat et de *Libération-Sud* à Lyon, Clermont-Ferrand, Marseille, Nice, Grenoble, Toulouse.

Mais, dans la matinée du 11, il n'existe plus de zone non occupée et les manifestations prévues, lorsqu'elles auront lieu, seront sans ampleur, sauf à Grenoble où, à midi, un cortège de 500 personnes, composé en majorité d'étudiants, se dirige vers le monument aux Diables bleus. « La gendarmerie est intervenue, déclare le rapport de la 14e Légion et est parvenue à grand-peine à disperser les manifestants qui lançaient des pierres, renversaient les voitures. Cinq arrestations[1]. »

Lorsque Laval arrive par avion à Vichy, il est 14 heures. Au Maréchal, il explique :

— J'ai passé des heures dures... Hitler a été bien... Ribbentrop a été bien... Ciano et les Italiens ont fait le chantage... J'ai eu des conversations avec Hitler, Ciano, d'autres... Hitler m'a chargé de ses vœux pour le Maréchal en évoquant Verdun, Douaumont... l'armistice signé par Darlan a, pour cinquante pour cent, justifié la mesure prise par Hitler... Il croit que le voyage de l'amiral Darlan en Afrique du Nord cachait un complot[2].

Laval se retire ensuite dans une petite pièce pour prendre un repas léger. Il est là, entouré de plusieurs Allemands dont Abetz, dira l'amiral Auphan qui, souhaitant le mettre au courant de son point de vue sur le cessez-le-feu en Algérie, renonce à son projet, afin de ne pas avoir à s'expliquer devant les occupants.

C'est en tout cas en compagnie d'Abetz que Laval se rendra à nouveau à 15 h 40, chez le Maréchal qu'il s'agit, pour eux, de

1. Dans la soirée une autre manifestation un peu plus importante aura lieu à Grenoble (1 000 manifestants, dont 60 seront arrêtés) mais c'est sans risque d'être démenti, que le 12 novembre, le général von Rundstedt pourra affirmer à Hitler : « le mouvement s'est déroulé conformément au plan et sans le moindre incident. L'armée française, loyale, aide les troupes. La police française est empressée et pleine de bonne volonté ».

2. Notes de Ménétrel qui, dans un commentaire, ajoute qu'en décembre 1944, arrêté et mis au secret par les S.S., il a subi un interrogatoire long et confus, au cours duquel on l'a interrogé « sur l'affaire Darlan et l'existence d'un accord secret ».

convaincre de confirmer aux troupes d'Afrique du Nord ses ordres de résistance.

— Il faut, déclare Laval, qu'on puisse dire que les Français sont allés jusqu'au bout dans la résistance à l'agresseur. Nous avons tout perdu. L'Empire est par terre. Mon ambition est de sauver notre territoire [1].

Il défendra longuement [2] cette thèse au cours du Conseil des ministres de 17 heures. Après son intervention, c'est l'amiral Auphan qui se voit inviter à dresser un bilan de la situation militaire. Evoquant les bateaux coulés, les pertes subies, Auphan conclut à la nécessité d'un cessez-le-feu « franc et officiel », justifié au moins autant par l'invasion de la zone libre que par l'épuisement de nos moyens militaires.

Des derniers moments de ce Conseil, Auphan devait conserver un souvenir amer :

> « Ce fut un assez beau tapage. Moi, le militaire, je devenais aux yeux des civils (Laval, Abel Bonnard, etc.) une sorte de lâche. On s'était battu à Mers-el-Kébir, à Dakar, en Syrie, à Madagascar. Pourquoi ne pas continuer en Afrique du Nord où, Laval n'en doutait pas, les Allemands allaient faire un gros effort et chasser les Anglo-Américains [3] ?
>
> Si nous ne prenons pas part, me disait-on, à la reconquête de l'Afrique française du Nord, nous perdrons nos droits de souveraineté et les Allemands la garderont. Je me suis défendu comme j'ai pu. Je me rappelle avoir insisté sur l'impossibilité morale pour les marins que je commandais de faire de la “ cobelligérance ” aux côtés du Reich, surtout depuis l'invasion de la zone libre. Bridoux, l'autre militaire, n'a pas ouvert la bouche. Tous les ministres civils, insensibles à mes raisons, ont été contre moi.
>
> Froid et triste, sans dire un mot, le Maréchal, de temps en temps, me regardait douloureusement, ayant l'air de dire : que puis-je faire [4] ? »

---

1. D'après les notes de Ménétrel.
2. D'après l'amiral Auphan : « Comme d'habitude, Laval a pris la parole et ne l'a pour ainsi dire pas lachée. » (Lettre à l'auteur en date du 13 avril 1965.)
3. A 16 heures Ménétrel a traduit une note par laquelle Schleier demande à Rochat que les troupes françaises tiennent jusqu'à l'arrivée des forces germano-italiennes.
4. Lettre du 13 avril 1965.

Il ne fait rien qui soit conforme aux vœux d'Auphan et ne s'oppose pas à l'adoption d'un ordre du jour enjoignant aux troupes d'Afrique de lutter « jusqu'à la limite de leurs forces », ordre responsable de tous ces drames dont, en Tunisie notamment, seront victimes des soldats informés seulement des cocardiers messages officiels et bien incapables de deviner le jeu étrange qui se poursuit à Vichy, à travers des attaques et contre-attaques menées, une fois encore, pour capter l'attention, éveiller la sensibilité, emporter l'adhésion du chef de l'Etat.

Face à la volonté la plus habilement, la plus intelligemment et la plus constamment exprimée, celle de Laval, le renoncement de Pétain coïncidant avec les événements du 11 novembre, avec la fin de la zone libre, avec l'effondrement de toutes ces réalités sur lesquelles Vichy avait bâti tant de fictions, aura, pour beaucoup de ces Français qui continuaient à faire confiance au Maréchal, la même signification que la mort ou, plus exactement, que la déchéance intellectuelle du père.

Pétain ne fait rien. Pouvait-il du moins partir, s'arracher à l'atmosphère trouble de Vichy, à la pression physique des Allemands qui, sous le commandement du colonel von Rost, commencent à installer leurs détachements de liaison, à placer dans le voisinage de la capitale provisoire des batteries de D.C.A. [1], tandis que la Gestapo occupe des locaux situés boulevard des Etats-Unis ?

Pouvait-il le 11, le 12 novembre 1942, donner un cours nouveau à l'Histoire ? A son histoire ? Et le voulait-il ?

Dans son réquisitoire contre l'amiral Estéva, le procureur général Mornet, évoquant la matinée du 8 novembre 1942, s'écriera :

— C'est la revanche qui vient, c'est l'aube de la victoire, c'est le salut. Et ceux qui croient encore dans le Maréchal, il y en a peu, mais il y en a, se disent : « Qui sait s'il ne va pas monter en avion et prendre la tête du mouvement en Afrique du Nord ? » Heureusement non. Qu'y

1. Au lieutenant-colonel Vialet qui proteste contre l'installation de ces batteries, von Rost répond qu'il « croit savoir » que, ce faisant, l'armée allemande a simplement répondu à l'appel du maréchal Pétain. Ce qui est faux.

serait-il allé faire, sinon jeter le trouble et la division parmi ceux qu'on appelait les « dissidents » et qui n'étaient rien moins que la vraie France ? Non, le Maréchal s'est bien gardé de monter en avion et de rejoindre nos troupes d'Afrique[1]...

Qui l'eussent acclamé.

De Gaulle, sans illusions sur ce qu'était véritablement, à la fin de 1942, la réalité de son pouvoir, le confirmera, un soir de 1947, au colonel Rémy :

— Je ne comprendrai jamais pourquoi le maréchal Pétain n'est pas parti pour Alger au mois de novembre 1942. Les Français l'eussent acclamé, les Américains l'eussent embrassé, les Anglais auraient suivi, et nous, mon pauvre Rémy, nous n'aurions pas pesé bien lourd dans la balance. Le Maréchal serait rentré à Paris sur son cheval blanc.

Ils sont nombreux cependant ceux qui lui ont demandé de partir dans les heures ou les jours qui suivent l'invasion de la zone libre. Le général Héring, le général Serrigny, Trochu, le général Georges, Lehideux, le colonel de Gorostarzu, Gibrat, Lamoureux, Bouthillier, Jardel...

Le 8 novembre, avant de s'envoler clandestinement pour l'Afrique du Nord, le colonel Ronin, chef du service de renseignements de l'Armée de l'air, a dit à Gorostarzu :

— Si tu peux embarquer le vieux ce serait au poil.

Le colonel de Gorostarzu m'a raconté son entretien du 11 novembre avec le Maréchal.

— Monsieur le Maréchal, il faut partir. Si, à midi vous vous contentez d'un sandwich, à 3 heures vous serez à Maison Blanche.

— Je ne peux pas voler, à mon âge[2] !

---

1. C'est au cours du procès de l'amiral Estéva qu'il sera fait, pour la première fois, mention par son défenseur Me Chresteil, de la paradoxale position du procureur général Mornet qui requérait, tout en ayant accepté de Vichy, en septembre 1940, la vice-présidence de la commission chargée de réviser les naturalisations concédées depuis 1927. En réponse à Me Chresteil, le procureur général Mornet fera, en ce qui le concerne, l'apologie d'un double jeu dont il niait la valeur lorsqu'il était invoqué, pour leur défense, par les inculpés ou par leurs avocats.

2. « Son âge, sa santé », me dira l'amiral Auphan, « c'est ce qu'il répondait aux raseurs ». Cependant M. Barnaud dira en mai 1950 : « Je ne lui ai pas [au Maréchal] comme d'autres l'ont fait, conseillé de partir en Afrique du Nord... Je savais que je n'y parviendrais pas. Le Maréchal était trop âgé pour prendre une pareille décision. »

— Nous volerons à 1 500 mètres et les Fritz ne nous rattraperons pas. Nous pourrons nous faire escorter par la chasse d'Aix.

C'est en vain que Gorostarzu insistera : Selon son mot Pétain « l'enverra sur les roses ».

Le Maréchal a-t-il craint de prendre l'avion ? On l'a souvent affirmé, et de Gaulle lui-même :

— Depuis juin 1940, à Bordeaux, jusqu'à Vichy en 1942, l'un des secrets de la guerre est celui-ci : tout aurait changé si le vieux Maréchal avait aimé prendre l'avion. Mais il ne prendra jamais, jamais l'avion...

Lorsqu'il prononce ces paroles, de Gaulle se trouve à Londres. Il ignore que le maréchal Pétain prendra un jour l'avion... sur ses ordres d'ailleurs lorsque, le 15 août 1945, après son procès et sa condamnation, il sera transféré de Paris à Pau, avant d'être enfermé au fort du Portalet.

M. Amor, directeur de l'Administration pénitentiaire, lui apprenant qu'un Dakota l'attendait sur le terrain de Villacoublay, le Maréchal aurait dit :

— En avion, chic alors !

Ce qui dément quelque peu la thèse d'une phobie qui n'était peut-être qu'un camouflage de circonstance, ou la traduction d'une fatigue momentanée[1], car, à Gorostarzu, comme à tous les autres, le Maréchal finira par dire :

— J'ai promis de rester[2].

Il ne fait là que répéter ce qu'il a dit à Baudouin, le 16 juillet 1940, au moment où l'Allemagne, prenant conscience de l'erreur qu'a représentée un armistice qui met hors de sa portée l'Empire français, réclame des bases en Afrique du Nord et que Vichy craint l'invasion de la toute récente zone libre. A son ministre des Affaires étrangères qui lui a proposé qu'un avion soit toujours prêt à le transporter à Alger, le Maréchal a répliqué :

1. Guy Raïssac rapporte en ces termes les propos d'un familier de Pétain : « Si Pétain s'est refusé à se rendre sur l'aérodrome de Vichy-Rhue, où l'attendait un appareil en état de vol, n'est-ce pas tout simplement parce qu'il avait la phobie de l'avion ? Son médecin personnel tenait ce mode de locomotion en horreur, et il l'a aisément convaincu qu'un voyage par air pourrait lui être fatal. »

2. D'après les notes du Dr Ménétrel il dira même, le 11 novembre : « Mon prestige vous est nécessaire. Il faut que je puisse rester, sans cela l'Allemagne ne trouverait rien devant elle. »

— J'y ai déjà réfléchi. Je ne quitterai la France en aucun cas, je me laisserai faire prisonnier et vous serez prisonnier avec moi[1]...

Prisonnier... il semble bien que Pétain soit prisonnier avant tout de sa parole. Lorsque, le 17 juin 1940, l'on a fait à la France : « le don de [sa] personne pour atténuer son malheur », peut-on reprendre son serment... et sa personne ? C'est ce qu'il demandera au général Georges, le 12 novembre.

Le général, son ancien chef d'état-major de 1925, au moment des opérations du Maroc contre Abd-el-Krim, est accouru de Chambéry à Vichy, à la demande de Weygand. Reçu à 16 heures à l'hôtel du Parc, il dit à Pétain :

— Monsieur le Maréchal, le devoir est clair aujourd'hui. Aucun doute n'est possible. Entre les Anglais et les Américains d'une part, et les Allemands d'autre part, aucune hésitation ne saurait être permise à un Français. Pour dissiper l'équivoque, rétablir la clarté et réaliser l'union indispensable de tous les Français au moment où la lutte va reprendre et où le sort de la France va se régler d'une manière définitive, je ne vois qu'un seul moyen, c'est que vous, monsieur le Maréchal, vous alliez immédiatement, en personne, par avion, à Alger, afin d'y grouper autour de vous toutes les volontés françaises.

Georges insiste longuement, mettant en avant tous les arguments susceptibles d'émouvoir le Maréchal.

— Si vous acceptez, demain votre fanion flottera sur les hauteurs d'El Biar et à sa seule vue l'union de tous les Français se fera dans l'enthousiasme... Le voile se déchire, plus de crise de conscience

---

1. Pétain poursuit : « Mais vous avez raison. Il faut que quelqu'un soit toujours prêt à s'enfuir à Alger. Ce ne peut être que le chef de la Flotte, l'amiral Darlan. »

Malgré la demande de Baudouin le Maréchal refusera de signer un ordre de mission devenant immédiatement exécutoire si la zone libre était envahie. « Non, je ne veux pas de papier ; mais vous devez considérer mon ordre comme définitif. Je ne reviendrai pas sur cette décision. D'autre part, il doit être bien entendu qu'elle restera strictement entre nous trois. Personne d'autre ne doit la connaître. »

Connue grâce à Baudouin, cette décision explique également l'attitude de Darlan après l'invasion de la zone libre.

puisque vous serez là pour montrer à tous le chemin... Voyez ces soldats allemands qui entourent votre résidence. L'ennemi ne prend même plus la peine de dissimuler. Oui, en vérité, monsieur le Maréchal, vos gestes et vos paroles ne pourront plus être désormais que ceux d'un prisonnier.

Aux supplications de Georges, Philippe Pétain, après avoir demandé ce que deviendrait la France s'il abandonnait, répondra finalement :

— J'ai fait don de ma personne à la France, je ne peux, sans réfléchir, la lui reprendre.

A-t-il été influencé, comme l'affirme Georges, par le général de la Porte du Theil, arrivé le matin même d'Alger où il se trouvait en voyage d'inspection des Chantiers de Jeunesse et qui assiste à l'entretien, intervenant de temps à autre pour rappeler au Maréchal — mais fallait-il vraiment le lui rappeler ? — que la France a besoin de lui et qu'il lui a fait don de sa personne[1] ?

Le général de la Porte du Theil devait s'en défendre et ajouter que, le 12 novembre, les Allemands se trouvant en force autour de Vichy, « la partie était jouée ».

Ce même 12 novembre, Pétain, sollicité également par le général Conquet, lui a fait la même réponse qu'à Georges :

— Je ne pars pas. J'avais un avion tout prêt. Mais, en 1940, j'ai promis aux Français de rester avec eux. Quand j'ai pris alors le Gouvernement, j'ai dit à certains : « Partez si vous voulez, moi, de toute façon, je resterai. » Je voulais avant tout m'efforcer de protéger les Français, malheureusement, la situation est la même. Mon honneur me commande de rester. Ce que j'ai toujours cherché, c'est épargner au pays de plus grands malheurs et, pour cela, maintenir l'unité contre les divisions.

Et à Serrigny, son vieil ami de 1916, qui à l'annonce de l'entrée des Allemands en zone libre, a bouclé sa valise et rejoint immédiatement Vichy, dans l'espoir de l'accompagner en Algérie « non point avec le désir de reprendre auprès de lui un rôle officiel, mais uniquement afin de lui permettre d'avoir le soir, au coin du feu, comme jadis, un

1. Le récit du général Georges a été publié, grâce au général Chambe à qui il a été remis, authentifié, le 10 février 1944 *Revue de Paris*, numéro de décembre 1966.

interlocuteur bénévole », à Serrigny qui le poussant, le 14 novembre encore, à tenter l'aventure, en embellit les risques :

— Permettez-moi de vous dire que si vous mouriez dans une pareille entreprise, vous rejoindriez Jeanne d'Arc dans l'Histoire.

Il réplique également :

— Je ne peux pas partir parce que j'ai promis aux Français de rester avec eux quoi qu'il arrive.

Thèse que le général Weygand devait confirmer dans ses *Mémoires* avec une conviction d'autant plus grande qu'il est l'un des seuls à avoir bien compris la psychologie du chef de l'Etat.

> « Une question a été posée et est encore bien souvent posée : pourquoi le Maréchal n'a-t-il pas gagné l'Afrique après le débarquement des Alliés ? Il serait, de la sorte, resté pur de ce qui s'est accompli de blâmable dans les années qui ont suivi. La réponse, pour qui a approché le Maréchal, est simple. Dès le premier jour, lorsqu'il avait accepté de prendre en main les destinées du pays, il avait déclaré qu'il ne quitterait jamais le sol de France, à qui il faisait le don de lui-même. Ce n'était pas un vain mot. A la France, il avait fait le sacrifice de ce qui semble ici-bas être le bien le plus précieux pour un homme que de longs et exceptionnels services avaient porté au faîte des honneurs, sa gloire, sa réputation. Rien de tout cela n'entrait en balance avec ce qu'il estimait d'être son devoir envers elle. »

Pour expliquer complètement la position du maréchal Pétain, il faut cependant ajouter aux affirmations du général Weygand un argument fourni par l'amiral Auphan, pour qui il est absolument nécessaire de replacer le problème d'un éventuel départ de Pétain en direction de l'Afrique du Nord dans le contexte exact de ces jours de trouble bataille, d'ignorance et d'inquiétude.

— Il faut dire quel jour, à quelle heure, ces conseils ont été donnés. Les Américains nous ont tiré dessus jusqu'au 11. Quand on vous tire dessus, on ne se précipite pas. Pour partir il fallait d'ailleurs qu'un armistice ait fait taire les canons américains et anglais... A la date du 11, 12 novembre, nous ignorions absolument l'importance et les projets des Anglo-Américains... Il aurait fallu avoir le temps de voir clair. Aujourd'hui, tout nous paraît évident. Mais, à l'époque, il était très difficile de deviner en quelques heures de quoi serait fait l'avenir.

On agissait par réflexe. Et le réflexe du Maréchal a été, comme en 1940, la protection des Français.

La protection des Français ? On peut légitimement penser qu'à partir du 12 novembre, le maréchal Pétain n'a plus aucun des pouvoirs qui lui permettraient de l'assurer encore. Il lui sera même impossible de garantir celle de Weygand dont Oberg a demandé, sur ordre de Himmler, l'arrestation immédiate.

Débute alors, à 10 h 40, chez le Maréchal et en présence de Weygand, une petite réunion[1] où l'on débat du sort qu'il faut réserver au Général.

Après avoir fait part de l'émotion des Allemands qui craignent de voir Weygand rejoindre en Algérie Darlan et Giraud[2], Bousquet poursuit : « J'ai répondu que le général Weygand était l'hôte du Maréchal et que je répondais de lui sur ma tête. »

Laval, de son côté, approuve la réponse de Bousquet aux Allemands.

— Il s'agit de prendre des mesures de sécurité et non de surveillance.

— Tout cela ne m'émeut pas, réplique Weygand. J'ai déjà été surveillé et cela ne change rien à rien. Mais, ayant été menacé par la Gestapo, je ne demande qu'à être protégé.

— Ne pourrait-on pas, Bousquet, demande alors Laval, mettre le général Weygand à l'abri dans une sous-préfecture du Gers ?

C'est entendu, escorté et protégé par trois inspecteurs, Weygand s'éloignera dans l'après-midi, non en direction du Gers, mais de la Creuse, et sa destination sera gardée jalousement secrète. A Guéret, le préfet, tenu dans l'ignorance du nom de son hôte, sera seulement informé qu'il recevra « quelqu'un »...

1. Y assistent, outre le Maréchal et le général Weygand, Laval, Bousquet, Jardel et Ménétrel.

2. Le 8 novembre, des bruits avaient couru, à Vichy, sur un départ de Weygand pour l'Afrique du Nord et l'on a vu les précautions prises au moment où le Général a rejoint Vichy.

Bousquet, sorti du bureau du Maréchal, le général Weygand livre son dernier combat. A Laval, qui agite la menace du bolchevisme pour justifier sa politique, il riposte :

— Je vous répète que le gouvernement, par sa politique, se fait le fourrier du communisme.

Après le déjeuner, le dernier qu'il prendra avec le Maréchal, déjeuner au cours duquel il a encore insisté sur la nécessité de ne pas désavouer Darlan, il se retrouve face à Laval. Les positions n'ont pas changé, ne peuvent plus changer.

— J'ai la hantise du communisme, déclare le chef du gouvernement. Je ne me suis jamais trompé et, si nous ne nous battons pas, je suis certain que le communisme s'étendra sur l'Europe. Je ne conçois pas, par ailleurs, une entente avec l'Allemagne sans une complète liberté spirituelle de notre pays.

— Regardez ce qui se passe pour la Relève, répond Weygand. Les ouvriers anti-allemands deviennent communistes pour ne pas aller travailler en Allemagne ; au regard de l'Amérique, nous devons faire le minimum pour donner satisfaction aux Allemands.

C'est au cours de cette conversation que le général Weygand, après avoir dit que la politique de Laval faisait perdre tout crédit au Maréchal, ajoutera :

— Vous n'avez pas le droit de pratiquer une politique réprouvée par 95 % des Français.

— Vous pouvez dire par 98 %, mais je ferai le bonheur des Français malgré eux.

> « Ce fut le dernier mot que j'entendais de lui, devait écrire le général Weygand, au temps des *Mémoires*. Il n'avait en somme jamais changé d'avis, depuis le mois de juin 1940. Je lui ai toujours été opposé, mais je ne me reconnais pas le droit de mettre en doute sa sincérité. »

A 20 h 30, à la table du Maréchal viennent de prendre place Mme Pétain, les généraux Georges et de la Porte du Theil, Jardel, le colonel Bonhomme, le Dr Ménétrel et quatre autres convives. Alors que la conversation roule sur des sujets sans importance, le Maréchal interroge soudain :

— A-t-on des nouvelles de Weygand ?

— Non, pas encore, répond Ménétrel.

— Extraordinaire, observe le Maréchal.

— Panne de voiture, dit l'un des convives.

— Non, le général Weygand dispose de deux voitures. S'il avait eu une panne, il aurait pris la voiture d'escorte.

— Sans doute, lance un convive dont le général Georges devait parler comme d' « un jeune étourneau », sans doute le général Weygand s'est-il arrêté dans quelque auberge, sur la route, pour y faire un bon dîner de derrière les fagots...

— Vous ne connaissez certainement pas le général Weygand, réplique Georges avec vigueur, il n'est pas homme à fréquenter les bistrots, surtout quand il se sait attendu et que la France traverse des heures aussi cruelles !

— Troisième hypothèse, propose le général de la Porte du Theil, ce sont les brouillards ; ils sont fréquents dans ce pays que je connais.

— Je le connais aussi, ce pays, dit le général Georges, c'est le mien ; je connais par cœur la route de Vichy à Guéret. Il faut normalement de deux heures et demie à trois heures pour accomplir le trajet. Le général Weygand, même avec le brouillard, devrait être depuis longtemps arrivé, puisqu'il y a maintenant plus de cinq heures qu'il est parti. La situation est claire : aucun doute, les Allemands l'ont arrêté [1].

C'est vrai. Quelques kilomètres après avoir quitté Vichy Weygand qui est accompagné de son fils Jacques, et de sa belle-fille, a vu une voiture de tourisme allemande les dépasser rapidement. Quelques instants plus tard, la voiture barre la route. Un officier en est descendu qui fait signe aux Français de stopper, geste qu'un soldat casqué appuie de la menace de son fusil-mitrailleur. Derrière la voiture des inspecteurs français une autre voiture allemande empêche toute velléité de marche arrière et de fuite.

Armé seulement de son parapluie, le général Weygand entend le capitaine S.S. lui signifier qu'il est arrêté sur ordre du Führer. Et c'est

---

1. D'après le récit fait par le général Georges au général Chambe.

dans la voiture des S.S. qu'il arrivera à Moulins où, après un frugal repas, ses gardiens l'inviteront à prendre congé de son fils et de sa belle-fille.

Il est minuit.

Et c'est à minuit que le Dr Ménétrel apprend du préfet de la Creuse, à qui il a téléphoné avec une anxiété grandissante qu'aucun visiteur ne s'est décidément présenté à lui.

Comment les doutes seraient-ils encore possibles ?

Ce n'est cependant qu'à 10 heures, le 13 novembre, que Pierre Laval téléphonera à Abetz pour solliciter la libération de Weygand. Et ce n'est qu'à 13 heures que le Maréchal adressera au gouvernement allemand, toujours par l'entremise d'Abetz, une protestation dans laquelle il sera surtout question du « loyalisme » du Général.

A ces protestations, Ribbentrop répondra, le lendemain, par une longue note, énumérant, avec une parfaite connaissance des faits, les contacts noués entre les Américains et Weygand et s'achevant sur ces mots :

> « Dans de telles circonstances... il ne nous restait plus d'autre chose à faire que de nous assurer de la personne du général Weygand afin qu'aucune autre menée contre l'Allemagne ne puisse être poursuivie par lui. L'état de détention honorable qui est prévu pour le général Weygand en Allemagne prend en considération, dans tous les domaines et sous tous les rapports, son rang de général français et, en raison de tous les faits connus et exposés, cette mesure doit être considérée comme extraordinairement humaine [1]. »

L'arrestation du général Weygand constitue, pour le maréchal Pétain, un véritable camouflet.

---

1. « Nous n'avons jamais su, écrira Ménétrel en 1945, qui avait prévenu les Allemands de la direction prise par le général Weygand. Nous étions peu de personnes à connaître cette direction de Guéret ! »

Quant au général Weygand, il tiendra à affirmer qu'à ses yeux ni Laval ni Bousquet ne pouvaient être soupçonnés d'avoir renseigné l'adversaire.

Dans les jours qui vont suivre, et jusqu'au moment, très proche, où il devra s'effacer totalement devant Pierre Laval, il en subira bien d'autres[1], sa volonté étant quotidiennement usée par ceux qui entendent encore utiliser son prestige pour qu'avec éclat et autorité Darlan et Giraud soient désavoués et, qu'avec éclat et autorité, un rapprochement militaire intervienne entre la France et l'Allemagne.

Dusmont, pilote de l'apparcil sur lequel, le 11, le capitaine de vaisseau Bataille a regagné Fez, est revenu immédiatement à Vichy. Il est porteur d'un long message du général Noguès à l'intention du Maréchal. Dans cette lettre datée du 12 novembre 10 h 30, et qui sera remise au chef de l'Etat un peu après 17 heures, Noguès annonce que les combats ont cessé au Maroc et précise qu'il serait impossible de les reprendre.

Aux Américains, il « a bien spécifié » qu'il parlait — comme Darlan — au nom du Maréchal. Il ajoute qu'il va, sans plus tarder, se rendre à Alger en se gardant, pour l'instant, de faire état de sa désignation de délégué du Maréchal. Ce n'est qu'après avoir rencontré Darlan qu'il fera savoir au Maréchal s'il y a intérêt à ce qu'il prenne le commandement ou s'il n'est pas préférable, pour faire échec à Giraud, comme pour ne pas compromettre les rapports déjà noués avec les Américains, de confirmer les pouvoirs de l'Amiral.

C'est à cette dernière solution qu'il se rangera, après son entretien

1. Notamment la capture par les Allemands, dans les jours qui suivent le 11 novembre, de Georges Mandel et de Paul Reynaud. Internés par décision du Maréchal au fort du Portalet (donc en zone libre), dpuis le 15 novembre 1941, les deux hommes ont, dès l'invasion de la zone libre, envoyé à Philippe Pétain, des télégrammes sévères qui le placent en face de ses responsabilités. C'est ainsi que Georges Mandel lui fait savoir : « Me maintenir au Portalet quand la France entière va être occupée équivaut à me livrer à l'ennemi. Je tiens à ce que vous en soyez averti afin qu'il soit bien établi devant l'histoire que vous serez éventuellement responsable de ce crime », tandis que Reynaud demande : « Allez-vous livrer votre ancien chef à l'ennemi ? » Mais, malgré les promesses de Laval qui a affirmé aux amis de Reynaud que, lui présent, les prisonniers ne seraient pas livrés aux Allemands, une unité de S.S., sous les ordres de Knochen, va s'en emparer et les entraîner en Allemagne. La garnison française (70 gendarmes commandés par le lieutenant-colonel Vidalat) après avoir pris contact avec Vichy ne réagira pas.

avec Darlan. Il le télégraphiera au Maréchal, dans la nuit du 12 au 13, et le fera savoir publiquement dans une proclamation qui, comportant 3 paragraphes et 9 lignes, commence en annonçant que le Maréchal l'a désigné le 10 novembre, avant l'entrée des troupes allemandes en zone non occupée, donc lorsqu'il était libre encore, comme son délégué en Afrique du Nord française, s'achève en affirmant que c'est « en complet accord » avec le chef de l'Etat qu'il « remet ses pouvoirs entre les mains de l'amiral Darlan et se place sous ses ordres ».

Proclamation suivie de celle du gouverneur général Chatel que le débarquement avait surpris à Vichy et qui a regagné hâtivement son poste pour y livrer, dira-t-il bien imprudemment, un « baroud vainqueur », puis de celle de l'amiral Darlan qui annonce aux habitants de l'Afrique du Nord que le Maréchal, le croyant prisonnier, avait désigné le général Noguès comme délégué en Afrique du Nord. Noguès ayant constaté qu'il se trouvait « en liberté totale [1] », c'est sur « sa demande » et « avec l'assentiment des autorités américaines » qu'il assume désormais « la responsabilité du gouvernement en Afrique ».

Ainsi la boucle est-elle bouclée !

Sans doute le 13 novembre, 14 heures, un troisième télégramme secret, — ce sera le dernier puisque, le lendemain, le câble reliant l'Afrique du Nord à la Métropole sera coupé — est-il parti à l'intention, cette fois, de Noguès : « NE TENEZ PAS COMPTE DE LA DÉCISION OFFICIELLE, ACCORD INTIME DU MARÉCHAL ET DU PRÉSIDENT LAVAL [2]. MAIS DÉCISION OFFICIELLE SOUMISE AUX AUTORITÉS OCCUPANTES », mais, comme ceux qui l'ont précédé, ce texte doit demeurer caché.

A la demande des Allemands, la propagande de Vichy et le Maréchal lui-même se voient d'ailleurs rapidement condamnés à démentir tout ce qui pourrait laisser croire à une complicité avec les hommes d'Alger.

1. Ce seront les mots utilisés par Noguès dans sa proclamation.
2 Ce qui paraît très excessif en ce qui concerne Pierre Laval.

Le 14, Ribbentrop a fait savoir, en effet, que le gouvernement allemand ne voyait vraiment pas la nécessité de discuter avec le gouvernement français des « projets » de Darlan, et Abetz, en transmettant cette communication à Fernand de Brinon, mettra les points sur les « i » : « En portant rapidement à la connaissance du président Laval cette prise de position [celle de Ribbentrop] je vous prie de lui communiquer qu'à mon avis les déclarations que le maréchal Pétain a l'intention de faire ce matin ne seront jamais assez énergiques et nettes. »

Le jour même, Pétain informe donc Darlan qu'il a agi en contradiction avec la mission qui lui était assignée et il ajoute : « Je donne l'ordre à l'armée d'Afrique de n'exercer aucune action, en aucune circonstance, contre les forces de l'Axe et de ne pas ajouter aux malheurs de la France. » Et il signe deux messages stigmatisant l'attitude de Giraud et de Darlan, dénonçant l'usage qu'ils ont fait de son nom.

> « J'interdis au général Giraud d'invoquer mon nom et de se réclamer de moi.
>
> Officiers, sous-officiers et soldats, vous ne vous ferez pas les complices de la trahison. Vous lui refuserez toute obéissance. Je suis et je reste votre seul Chef. »

Voici pour Giraud.
Et voilà pour Darlan.

> « Jusqu'à ce jour, je me suis refusé à croire à la trahison de l'amiral Darlan. L'appel que l'amiral Darlan vient de lancer en abusant de mon nom et de ma confiance est une trahison à mon égard.
>
> En se mettant au service de l'étranger, l'amiral Darlan s'est placé en dehors de la communauté nationale [1]. »

1. On doit remarquer que le général Noguès qui, lui aussi, se réclame du Maréchal, est épargné. Peut-être le doit-il à ce long télégramme qu'il adresse à Vichy dans la nuit du 14 au 15 et dans lequel, après avoir montré les difficultés de la tâche des hommes qui, à Alger, ont à faire face aux Américains, il termine sur ces mots : « L'essentiel était de maintenir A.F.N. unie autour du nom du Maréchal et non au nom de la dissidence, de maintenir aussi armature actuelle en

Ces messages connus le 15, seront publiés le 16 dans les journaux qui, par la consigne 971, ont reçu ordre de les présenter sur deux colonnes et de les faire suivre, sous le titre : « la félonie du général Giraud », de la reproduction de la lettre d'allégeance que Giraud avait imprudemment signée, le 4 mai, à l'intention du Maréchal.

La consigne 974 oblige, elle, les journaux du 17 à présenter ainsi ce très sévère message au terme duquel Pétain place Darlan en « dehors de la communauté nationale ». « Les journaux titreront sur 4 ou 5 colonnes : « Un message du Maréchal aux Français de la Métropole et de l'Empire », au-dessous : « L'amiral Darlan est placé en dehors de la communauté française. Je le déclare déchu de toute fonction publique et de tout commandement militaire. »

En zone occupée, il n'est nul besoin de la contrainte de consignes pour exciter les passions contre Giraud et contre Darlan. C'est ainsi que *Le Matin* publiera dès le 11 novembre cette lettre au Maréchal, signée par Giraud le 4 mai et que les journaux de l'ex-zone non occupée ne passeront, sur ordre, que le 17. C'est ainsi que, très vite, l'amiral Darlan ne sera plus que « le traître » Darlan.

Traître, Darlan l'est également aux yeux de De Gaulle. Il le dit à Churchill. « Rien ne justifie des arrangements avec un traître, pas même un intérêt militaire immédiat », il le fait dire à Roosevelt par Adrien Tixier et André Philip, le 20 novembre. mais il est bien empêché de le clamer à la B.B.C.

Ecarté des préparatifs du débarquement, écarté des micros londoniens à la suite d'intransigeantes instructions américaines qui l'exaspéreront au point de le pousser à suggérer à Churchill de se dégager, pour la conduite morale de la guerre, de la tutelle des Etats-Unis, de Gaulle doit se contenter, le 21 novembre et le 7 décembre, des

place pour ne pas inquiéter les indigènes et les pousser à aller chercher des protections ailleurs. Je crois avoir fait de mon mieux, mon devoir.

Je peux assurer que, du moins au Maroc, dont j'ai repris le commandement, aucun acte, après comme avant, ne sera fait que dans ce même esprit de dévouement absolu à la France et au Maréchal qui la représente. »

antennes de « Radio-Brazzaville » et « Radio-Levant » pour dénoncer « un quarteron de coupables, camouflés pour la circonstance sous un parjure supplémentaire » et encore « un quarteron d'hommes qui symbolisent la capitulation, la collaboration, l'usurpation, et qui, ayant usé et abusé contre les libérateurs de la discipline des autres, en usent et en abusent maintenant pour singer l'honneur et le devoir ».

Ne pouvant rien dire contre un homme qu'elle avait, des mois durant, violemment pris à partie, obligée d'interrompre la diffusion de l'un de ses slogans favoris « Un amiral nommé Darlan est garanti pro-allemand », l'émission « Ici Londres » restera, pendant toute cette période décisive, étrangement et douloureusement silencieuse, au grand étonnement d'auditeurs ignorant tout des féroces consignes de la censure britannique[1].

On lui accorde seulement le droit de diffuser le texte par lequel le général de Gaulle et le Comité National Français font connaître qu'ils ne prennent aucune part dans les négociations en cours en Afrique du Nord et que si elles « devaient conduire à des dispositions qui auraient pour effet de consacrer le régime de Vichy en Afrique du Nord [elles] ne pourraient, évidemment, être acceptées par la France Combattante ».

C'est Maurice Schumann qui, le 16, lit, à vitesse de dictée, ce texte important pour l'information d'une opinion égarée.

Et c'est Jacques Duchesne qui, le 18, lit l'intégralité de la célèbre lettre dans laquelle Roosevelt, plus sourcilleux envers Darlan qu'il le sera envers Staline, affirme qu'aucun accord définitif ne sera conclu avec l'amiral Darlan, « l'accord momentané existant en Algérie et au Maroc » n'étant « qu'un expédient temporaire justifié seulement par les nécessités de la bataille ».

Mais le même Jacques Duchesne annonçant, le 24 novembre, qu'il entendait garder, à l'annonce du ralliement de toute l'Afrique occidentale française à Darlan, une totale réserve, réserve fort exceptionnelle de la part d'« Ici Londres », ne pourra s'empêcher de se demander : « Que peut se dire un Français livré à ses seules réflexions, pour s'y retrouver dans la situation actuelle ? » En effet.

1. Ces consignes exigent que Giraud ne soit pas attaqué, que les allusions à Darlan soient rares, qu'elles soient exprimées seulement au cours des informations et encore « le plus sobrement possible ».

« Nous sommes en plein roman-feuilleton » a déjà écrit, le 14 novembre, le journaliste Pierre Limagne, qui s'épuise à tenter de suivre à travers les voltes, les démentis, les contradictions, les serments donnés et repris, une politique qui n'a pas et ne peut avoir de logique.

Feuilleton ? Certes. Roman ? Oui, mais roman noir.

Dès le 13 novembre, les Allemands ont exigé que Vichy déclare la guerre aux Alliés. Le Maréchal va rejeter ce diktat, mais le 14, Brinon apportera à Vichy un télégramme de Ribbentrop qui constitue, également, un nouvel ultimatum. Il faut que la France se décide dans les vingt-quatre heures.

Selon Brinon, Abetz, en lui remettant ce télégramme, l'a commenté ainsi :

— Nous, Allemands, n'avons plus rien à attendre de la France, mais, qu'elle déclare la guerre aux Etats-Unis d'Amérique, et alors seulement, nous pourrons la considérer normalement. Dans le cas contraire, nous n'avons plus besoin d'elle, et nous devons la traiter comme nous avons traité la Pologne.

La Pologne ! C'est encore et toujours ce malheureux pays dont Laval, dans la soirée du 14, évoque les malheurs, comme si, dans le drame général où s'engloutit l'Europe, seul son nom était synonyme de sang, de misère et de mort :

— Il y a des signes que nous sommes à la veille de mesures graves, très graves, de la part de l'Allemagne. Nous sommes exposés au pire : nous risquons de connaître le sort de la Pologne.

Phrase qui accable Pétain, déjà bouleversé par l'arrestation du général Weygand et qui, le 15, a sous les yeux un texte par lequel Laval propose de rencontrer Ribbentrop afin d'obtenir des précisions sur les garanties et les avantages que l'Allemagne offrirait à la France, si, faute de déclarer la guerre, elle « constatait », du moins, qu'après le débarquement en Afrique du Nord, l'état de guerre existe bien entre la France et les Etats-Unis.

Rassemblés, dans l'après-midi, autour de Pierre Laval, les ministres discuteront longuement des dangers et des « mérites » d'une telle prise de position. Discussion confuse et sans autre conclusion que la démission de l'amiral Auphan, de Barnaud et de Gibrat[1] qui se désolidarisent de ceux qui estiment utile et nécessaire de reprendre avec Hitler une conversation d'ensemble aboutissant à une alliance fatalement inégale.

A la proposition de « constater » l'état de guerre avec les Etats-Unis, le Garde des Sceaux Barthélemy trouvera, le lendemain, une parade.

« Notre régime, dit-il à Laval, est fondé sur un pacte, un contrat solennel entre l'Assemblée nationale et le Maréchal. Ce contrat, monsieur le Président, vous le connaissez mieux que personne, puisque c'est vous qui l'avez rédigé : le Maréchal a presque tout, pouvoir constituant, pouvoir législatif, gouvernement, administration, tout, en un mot, ou presque tout. Presque tout, car le texte porte en effet une réserve capitale : Il ne peut décider la guerre qu'avec le consentement de l'Assemblée nationale. Ainsi donc, monsieur le Président, commencez par convoquer la Chambre des députés. »

Il ne saurait, naturellement, en être question et Laval téléphonera à Brinon que la proposition allemande d'une déclaration de guerre aux Etats-Unis n'a pas été acceptée, ce qui n'empêchera nullement les Allemands, à qui l'expérience a enseigné que Vichy n'offrait jamais une résistance sans failles, de la présenter à nouveau, et toujours avec plus d'insistance, dans les heures qui vont suivre.

Tout ce qui se passe, tout ce qui se dit à l'hôtel du Parc demeure, dans le détail, inconnu des Français, mais les rumeurs de plus en plus pessimistes qui filtrent sont assez nombreuses pour alerter un journaliste aussi vigilant que Limagne.

Le 12 novembre il s'est interrogé : « On comprend maintenant que Pétain a fait l'objet d'un chantage effrayant et qu'Hitler a dû menacer de " détruire la France ". Céder au chantage était-ce le moyen de sauvegarder le maximum de vies françaises ? »

1. Ces démissions ne seront rendues publiques que deux jours plus tard.

Le 15, il a noté que « ce qui reste du gouvernement français passe son temps à adresser des protestations au gouvernement du Reich ». Le 16, il estime que le message de Pétain, d'après lequel Darlan s'est placé hors la communauté française, « n'offre aucune garantie d'authenticité ».

Le 17, il inscrit sur son journal les phrases suivantes qui reflètent le trouble et l'embarras régnant dans les milieux officiels de Vichy.

> « Conseil des ministres. On n'ose, on ne veut, ou on ne peut donner un communiqué. Le bruit courait avant la réunion qu'un nouvel et très grave acte constitutionnel allait être promulgué ; que l'on songeait à faire entrer dans le cabinet de nouveaux personnages, par exemple Déat ; qu'une adhésion — politique mais non militaire — au Pacte tripartite était prévue. »

Les choses sont plus compliquées et plus graves encore. Abetz a remis à Brinon une « communication verbale » exigeant que le gouvernement français constate l'état de guerre avec les U.S.A., que les pleins pouvoirs soient accordés à Laval, que le Maréchal enfin adresse une proclamation au pays. De cette proclamation, Abetz a même indiqué les grandes lignes, dicté les points forts !

Quoi d'étonnant à ce que, conscients du trouble, des faiblesses et des dissensions de Vichy, trouble, faiblesses, dissensions dont ils sont les premiers et très efficaces responsables, les Allemands soient très naturellement conduits à souffler les mots qui conviennent le mieux à leur politique, et même à tenir la plume ?

Dans deux jours, le 19, l'un d'entre eux qui se trouve en Tunisie, le diplomate Rahn, ne va-t-il pas demander à l'amiral Estéva de signer la proclamation qu'il vient, lui, Rahn, de rédiger à l'intention des « Officiers et soldats français » ?

Proclamation où ne manquent ni les références au Maréchal ni les allusions à « l'honneur français » ! C'est au nom du Maréchal, chef de l'Etat français « que Rahn voudrait ordonner SOUS LA SIGNATURE D'ESTEVA, non seulement la destitution du général Barré qui a fait tirer sur des avions allemands, mais également la collaboration des officiers français et allemands présents en Tunisie, afin que le calme soit promptement rétabli ».

Estéva refusera certes de mettre son nom au bas de ce texte monstrueux, mais, qu'il ait pu lui être proposé prouve dans quelle piètre estime les occupants tiennent désormais le gouvernement français et ses représentants.

Abetz ne s'est pas montré aussi exigeant ; il n'a indiqué QUE le canevas du discours réclamé à Pétain !

« Cette proclamation, fait-il savoir, doit comprendre :

— L'affirmation que la France n'est pas contre l'Allemagne, ni aux côtés de l'Allemagne, mais avec l'Allemagne ;

— La Légion Impériale est constituée ;

— La dissidence est flétrie ;

— La confiance dans le président Laval est entière. »

Si le Maréchal réussit à éviter la partie la plus périlleuse de ce programme : la constatation de l'état de guerre avec les U.S.A., la participation militaire aux combats de Tunisie se réduisant finalement à l'engagement des quelques centaines de volontaires de la Phalange Africaine [1], s'il réussit à éviter de prononcer un discours trop engagé, pour cantonner son action publique à des communiqués dont on peut croire et dire qu'il n'est pas le seul responsable, il accorde à Laval ces pleins pouvoirs qu'il réclamait d'un chef d'Etat, à la limite de l'épuisement, et que les Allemands avaient exigés pour lui, depuis le début de la crise.

Dans les jours qui précèdent le Conseil des ministres du 17 novembre, Pétain, Laval, Barthélemy, Cathala, Rochat, Jardel, Mme Pétain également, qui se montre hostile aux projets de Laval, discutent en effet et débattent des termes dans lesquels le Maréchal « transmettra » ses pouvoirs à Laval. Les brouillons se succèdent, que l'on retrouvera plus tard, annotés et corrigés souvent de la main du chef du gouvernement. Avec la question d'un transfert de pouvoirs les Allemands ont posé d'ailleurs le problème de la succession. Laval l'a dit crûment à Pétain, le 14 :

— Krug [von Nidda] n'accepte plus que Darlan soit votre successeur, ce en raison de son attitude. Il est impossible que vous remettiez vos pouvoirs à qui que ce soit. En cas d'empêchement pour vous, le

1. La création de cette Phalange Africaine sera saluée avec enthousiasme par la presse de Paris, les 22, 23 et 24 novembre 1942.

Victimes d'une politique ambiguë puisque leur recrutement avait été encouragé par Vichy, 14 soldats de la Phalange, faits prisonniers en Tunisie par une unité de l'armée Juin commandée par le commandant Bourguin, seront immédiatement passés par les armes, tandis que beaucoup d'autres iront pourrir pendant de longues années au bagne de Lambèse, au sud de Constantine.

chef du gouvernement assurera en même temps les charges du chef de l'Etat. Le Conseil des ministres décidera, après un délai de un mois, quel sera votre successeur.

Au nom de l'efficacité politique, au nom des exigences de l'heure, à cause, également, de ce grand âge auquel il n'est jamais fait allusion mais dont tous, pour le déplorer ou l'utiliser, constatent les dommages, c'est à une dépossession globale que Pétain se voit condamné. Utilisant toutes les armes, Laval lui affirme, tantôt que son effacement compensera aux yeux de l'Allemagne les servitudes qu'elle renonce à imposer à la France, tantôt qu'il a tout intérêt à se décharger sur les épaules d'un chef de gouvernement déjà impopulaire, de responsabilités physiquement insupportables et moralement détestables.

— Je ne peux pas vous faire prendre la responsabilité d'une politique que vous pouvez ne pas approuver. Il faut donc que vous en soyez dégagé et que vous n'en ayez plus l'initiative.

Le Maréchal voudrait du moins que cette déchéance ne soit pas rendue publique. Que les journaux se taisent. Que la radio ne souffle mot d'une décision dont il sait bien qu'elle consacrera, aux yeux du pays tout entier, le dramatique affaiblissement de son prestige et dont, à l'instant de s'y résigner, il est gêné comme d'un acte honteux. Renoncement qui fait soudain basculer ce vieillard toujours amoureux de la beauté, toujours fier d'une jeunesse d'allure que prolongeaient encore les compliments, qu'encourageaient les applaudissements, dans une irrémédiable vieillesse.

Mais ses familiers le dissuadent de conserver le secret. Il faut, au contraire, disent-ils, que le pays sache qu'il s'est presque totalement dépouillé pour qu'à l'avenir ses responsabilités historiques soient absolument dégagées.

Et le pays saura.

Marion, responsable de l'information, impose, à toute la presse publiée le jeudi 19 et le vendredi 20 novembre, des titres sur 4 colonnes et sur 6 lignes :

EN RAISON DES CIRCONSTANCES EXCEPTIONNELLES
ET POUR LUI PERMETTRE DE FAIRE RAPIDEMENT
FACE AUX DIFFICULTÉS
LE MARÉCHAL DE FRANCE, CHEF DE L'ÉTAT,
A DÉCIDÉ DE DONNER LES PLEINS POUVOIRS
AU PRÉSIDENT LAVAL.

Le premier sous-titre doit être obligatoirement le suivant :

« LES ACTES CONSTITUTIONNELS DEMEURENT LA PRÉROGATIVE DU CHEF DE L'ÉTAT. »

Et le second :

« L'AMIRAL DARLAN N'EST PLUS LE SUCCESSEUR DU CHEF DE L'ÉTAT. »

Suit, sous la double signature « Philippe Pétain — Pierre Laval » le texte dont les ministres ont eu connaissance, le 17 :

> « Tenant compte des circonstances exceptionnelles, le Maréchal, qui continue, comme chef de l'Etat, à incarner la souveraineté française et la permanence de la Patrie, a décidé de donner au président Laval les pouvoirs qui sont nécessaires à un chef de gouvernement pour lui permettre de faire face rapidement, à toute heure et en tout lieu, aux difficultés que traverse la France. »

Suivent également le texte de l'acte constitutionnel n° 12 relatif aux pouvoirs laissés au chef de l'Etat et le texte de l'acte constitutionnel n° 4 quinquiés, relatif à sa succession.

Les Français ignorent cependant que, sur les conseils de Barthélemy, le chef de l'Etat, dans une lettre secrète, a mis des limites aux pouvoirs presque dictatoriaux que, devant tous les ministres réunis dans son bureau, le 18 novembre, à 13 heures, il a finalement accordés à Pierre Laval.

Laval se voit ainsi interdire d'engager ou de laisser engager « directement ou indirectement la France dans une guerre contre quelque puissance que ce soit ». Il lui est aussi interdit de « constater » un acte de belligérance entre la France et une nation ou une puissance militaire quelconque. Le Maréchal lui demande également de garantir « notamment la sécurité personnelle et matérielle absolue des Alsaciens-Lorrains et des détenus politiques », de respecter enfin « les traditions spirituelles de la France » en protégeant de toute atteinte « les convictions religieuses et philosophiques, l'exercice du culte, les droits de la famille, les mouvements de jeunesse, le respect de la personnalité humaine ».

De quel poids pourront être ces recommandations, alors que la guerre se fera toujours plus rude, les exigences allemandes toujours plus pressantes et que, pour ceux qui assumeront le pouvoir, il ne s'agira plus de poursuivre l'œuvre commencée par le Maréchal, cette Révolution nationale qui agonise depuis le retour au pouvoir de Pierre Laval, mais de survivre en accumulant les concessions et les compromissions, dans l'espoir, chaque fois reculé, d'éviter le pire ?

Que le Maréchal, irrité par la présentation faite dans la presse et par ordre de Marion, des abandons qu'il vient de consentir à Laval, ait eu un dernier sursaut, on peut l'imaginer à la lecture de son message du 19 novembre qui s'achève sur ces mots :

> « Je reste votre guide.
> Vous n'avez qu'un seul devoir : obéir.
> Vous n'avez qu'un seul gouvernement · celui que j'ai le pouvoir de gouverner.
> Vous n'avez qu'une Patrie que j'incarne : la France. »

Mots qui tombent dans le vide et ne sont que le reflet des dernières illusions d'un homme qui, en repoussant ces réalités qui commanderaient un effacement total, laissera encore attacher son nom, sacrifier sa légende à une entreprise dont il n'est plus le maître.

Ce pouvoir désormais presque inexistant, pouvait se flatter encore de quelques apparences : l'Armée, la Flotte.

Elles vont disparaître.

En ordonnant à ses troupes d'entrer en zone libre, Hitler s'était empressé d'affirmer qu'elles n'arrivaient pas en ennemies. Et les chefs de l'armée française s'efforceront de mettre à profit ces heureuses dispositions dont ils ne soupçonnent même pas combien elles seront brèves.

Une « proposition en ce qui concerne les relations à établir avec le commandement et les troupes allemandes en zone libre », rédigée le 12 novembre en prévision de la conférence franco-allemande qui doit se tenir le lendemain à Vichy, établit la liste de ce qu'il faut solliciter d'une armée que les Français entendent considérer comme une armée en opérations et non point comme une troupe d'occupation.

Ainsi est-il recommandé de demander au commandement allemand que ses troupes évitent les agglomérations importantes, laissent à la police française le soin de maintenir l'ordre, respectent les installations de « l'armée de transition », s'interdisent les réquisitions et limitent « au strict minimum » leurs différents achats.

Comment les choses se passent-elles sur le terrain ?

> « Commença alors une curieuse période, celle de la cohabitation avec les troupes allemandes qui logeaient dans des cantonnements autour de Montpellier. Armes et munitions, dont nous n'avions déchargé qu'une partie, étaient toujours en place sur les voiturettes de compagnie et nos cartouchières remplies de la dotation de combat. La vie habituelle reprit son cours comme si rien ne s'était passé, éducation physique et exercice sur le terrain... Le 23 novembre, la journée se passa à délester définitivement les voiturettes : fusils-mitrailleurs, mitrailleuses et mortiers de 60 mm furent rangés dans les armureries de compagnie et les munitions remontées dans les greniers d'où nous les avions sorties quelques semaines auparavant... Le 26 novembre au soir, après une journée sans histoire, nous nous couchâmes sans aucune appréhension. »

Ce témoignage — inédit — de M. Paul Gamelin, caporal du 152e R.I. caserné à Montluçon, débute ainsi.

Le 27 novembre, à 6 h 30, ce n'est pas l'appel du clairon qui sort du lit les hommes du 152e mais deux détonations. Les voilà tous aux fenêtres. Dans la grisaille du petit jour, ils distinguent un canon antichar en batterie au milieu de la cour de la caserne. Deux obus viennent d'être tirés contre une porte « suspecte » fermée à clef... Celle du réfectoire de la 1re compagnie. Lorsque les hommes, rapidement habillés, veulent sortir, ils se heurtent aux sentinelles allemandes qui ont silencieusement investi les bâtiments, avant-garde d'une troupe qui, dans la matinée, rassemblera toutes les armes : fusils Mas 36 et pistolets des sous-officiers.

Partout le scénario est identique.

A 7 heures, à Marseille, les Allemands cernent la caserne Busserade, placent un canon en batterie face au bâtiment principal, s'emparent des armes, coupent le téléphone, enfoncent les portes fermées à clé. Gradés et soldats français sont rassemblés dans la cour, maintenus en respect par deux armes automatiques. Par l'intermédiaire d'un interprète, un officier allemand annonce aux Français : « En accord avec le Führer, le président Laval et le maréchal Pétain, l'armée française est dissoute, car nous ne pouvons plus compter sur les officiers après les actes qui se sont passés [1]. »

A la caserne Audeoud, où stationne le 3e bataillon du 43e R.I.A., le chef de bataillon a été tiré de son lit par trois soldats allemands et, en une heure, toutes les armes sont chargées sur des camions allemands.

A la caserne d'Aurelles, où stationne la 15e compagnie du train, dès 10 h 30 le matériel automobile a été inventorié, puis évacué. Les 15 véhicules Peugeot, les 12 side-cars Indian, les 12 motos-solo Terrot, les 12 camionnettes Renault, les 40 camions Renault de l'unité disparaissent ainsi que le camion-atelier, les remorques-cuisine, la voiture sanitaire, les stocks d'essence et d'huile [1].

A la caserne du Muy [2], c'est une véritable perquisition qui commence. Lorsque, à 10 h 30, les Français ont l'autorisation de remonter dans leurs chambres, un spectacle de désolation s'offre à leurs yeux : les serrures ont été enfoncées, les caisses éventrées, les paquetages retournés, les Allemands, non contents d'emporter les armes et munitions, ont fait main basse sur tous les matériels d'optique, sur le tabac, le savon, les vivres de réserve, les chandails, trousses de toilette, réveils, montres, rasoirs et même sur les brosses à dents.

Pillage ? Tout dépend, en vérité, de l'officier qui a la responsabilité des troupes d'occupation.

« Le colonel commandant les Ecoles [militaires de l'Infanterie], précise le rapport français émanant de la place d'Aix-en-Provence,

1. Inédit.
2. Où se trouve le 43e R.I.A. Document inédit.

doit reconnaître la parfaite correction de l'officier commandant le poste de garde au cours de ces journées ainsi que les facilités accordées par l'état-major de la division allemande [1]. »

A Toulon, le lieutenant-colonel allemand chargé du commandement de toute la zone nord déclare qu'il comprend la surprise des Français et ajoute qu'ayant la plus grande estime pour leur armée, il désire considérer les officiers français « en quelque sorte comme des camarades » et qu'il fera son possible, en ce qui le concerne, « pour atténuer les désagréments résultant de la décision prise par le commandement allemand [2] ».

En revanche, à Orange, c'est en vain que l'intendant Chiaroni demandera à revenir dans les magasins d'habillement du 12e régiment de cuirassiers pour procéder à un inventaire. Le service de santé de la base aérienne du Luc verra, quant à lui, disparaître tout son matériel dans la journée du 28 novembre : bandes, brancards, aiguilles à injection, tubes à essais, attelles, gouttières, tabliers pour médecins et pour infirmiers, inhalateurs, sérums, médicaments et jusqu'aux livres de la bibliothèque.

Au camp de Sainte-Marthe, près de Marseille, où la cuisine, les magasins à vivres, le mess des sous-officiers, le Foyer du soldat et les bureaux ont été pillés, le sergent Zin est acculé dans un coin de son bureau par des gradés S.S. pendant que des soldats enlèvent draps et couvertures [3]. Au camp de Carpiagne, les jardins familiaux sont « visités » dès le 1er décembre par des soldats allemands qui arrachent les carottes tandis que disparaît de la bibliothèque des officiers une table et un appareil de T.S.F., du magasin à vivres du thon en boîte et du chocolat [3]. A Nîmes, les soldats allemands ne se contentent pas d'enlever de la caserne Montcalm, où se trouve l'Ecole militaire de l'artillerie, 130 matelas, ils dérobent dans les bureaux des professeurs, les salles de cours et les chambres des élèves, les ampoules électriques, les rideaux noirs de défense passive, les appareils de chauffage, les miroirs et jusqu'aux étagères d'armoires [3].

A Carcassonne, où ce sont les hommes d'un détachement de S.S.

1. Inédit.
2. Inédit. Cette déclaration « amicale » n'empêchera cependant ni le pillage, ni la garde à vue des officiers français qui ne furent autorisés à circuler et à reprendre contact avec leurs hommes que dans la matinée du 29 novembre.
3. Inédit.

qui opèrent d'abord, le pillage des bâtiments du 2e R.I.C. interviendra le dimanche 29 novembre, au moment de la relève par une compagnie d'infanterie dont le commandant formule « non des demandes mais des ordres », précise le rapport du chef de bataillon Netaye, qui ajoute : « Les Allemands s'introduisent dans toutes les chambrées. Le personnel civil (garde-magasin, garde-réfectoire...) est seul pour assurer la garde du matériel. Il est insuffisant et n'a pas, en général, pour cela la moralité voulue dans les tristes circonstances qui se déroulent. Des portes de magasins sont fracturées et des vols commis. Les soldats allemands, malgré la délivrance faite, sur bon, de bois et de charbon pour la cuisine et le chauffage, ont brûlé dans les poêles bancs et râteliers d'armes, malgré les observations et réclamations formulées auprès de leurs chefs [1]. »

Les Allemands ne négligent aucun casernement, aucune place fortifiée, fût-elle modeste.

> « Le 27 novembre, à 3 heures du matin, écrit M. Revest, gardien du petit ouvrage de Pipaudon [2] éveillé par les aboiements du chien et une forte détonation due à un coup de mine ou pétard, j'ai monté de suite au Fort, j'ai trouvé un fort détachement d'Allemands qui avait forcé les portes. »

Ayant enfoncé 9 portes, brisé 185 carreaux, brûlé 20 planches de lit de camp, 35 caisses à munitions, volé ce qu'il y a à voler dans des pièces inhabitées, des pelles, des pioches, une lampe électrique et une lanterne à huile, les Allemands, au bout de quarante-huit heures, abandonnent leur conquête [3].

A Digne, ce sont les Italiens du chef de bataillon de Marchesi qui occupent, dans la soirée du 28 novembre, les quartiers Desmichels et de Maud'huy, où des scènes de pillage se produiront, officiers français et italiens ne réussissant qu'à chasser les ivrognes et qu'à constater des vols qui n'épargnent ni le matériel de ski, ni les 5 cochons de la porcherie, dont 3, cependant, seront retrouvés dans des caisses à munitions... en compagnie d'un mouton, d'une épaule de bœuf et de boîtes de sardines

1. Inédit.
2. Rapport inédit, en date du 21 décembre 1942, adressé au directeur de la base de transit de Toulon.
3. Inédit.

A la caserne Vassoigne, d'Hyères, se déroulent, le 30 novembre, des scènes qui, en d'autres circonstances, feraient sourire. Tandis que le colonel commandant le génie de la division Piave affirme aux Français que ses hommes se conduiront correctement, les troupes italiennes prennent d'assaut les casernements du 25e B.C.A. Alors que, dans la cour, 3 soldats se disputent un sac de caleçons neufs, les officiers italiens se voient invités par les Français à réprimer le chapardage. Ceux qui volent et ceux qui pourchassent les voleurs composent ainsi, pendant toute une journée, un étrange ballet. Les Français ramènent au magasin des matelas et des couvertures évacués clandestinement sur des camions italiens, mais ce n'est que partie remise puisque tout sera finalement emporté par les occupants [1].

Le commandant Guillot, qui arrive de Corse, signale, le 22 décembre 1942, aux autorités de Vichy que les soldats italiens basés dans l'île (60 000 hommes auxquels il faut ajouter les troupes de montagne en cours de débarquement) ont tendance à échanger de l'essence et des chaussures contre des produits alimentaires.

En Corse, du moins, les forces françaises basées à Ajaccio, à Piedicroce (un bataillon du 173e R.I.A.), à Bastia, pourront, sur ordre du général Humbert, détruire leur armement et le matériel militaire, avant l'irruption des Italiens [2]. La station de pompage de mazout et la station de T.S.F. d'Ajaccio seront également sabotées.

Presque partout, le désordre, né de la surprise, prévaut. Presque partout, le pillage est la règle. Pillage allemand, mais, également, le fait est signalé par de nombreux officiers français, pillage dont les populations civiles, vite alertées et qui font main basse sur le ravitaillement et le matériel de couchage, partagent la responsabilité.

Presque partout les Allemands s'installent dans les casernements d'où ils ont chassé les Français. Accordent-ils cependant quelques

1. Inédit.
2. Le général Humbert sera maintenu au secret du 25 novembre 9 h 30 au 26 novembre 12 heures. Dans son rapport, il signalera que les troupes régulières du général Carboni se sont comportées plus correctement que les Chemises Noires du général Mondino.

délais, certains commandants d'unités françaises en profitent pour organiser une dernière cérémonie. A Auch, le colonel Schlesser, qui commande le 2e dragon, réunit ses soldats dans la nuit du 29 au 30 novembre. Déjà, les hommes sont en civil mais, encore rangés par escadrons, ils se raidissent lorsque les trompettes sonnent à l'étendard.

Un projecteur illumine le drapeau auprès duquel, dans la galerie du premier étage, se tient le colonel Schlesser.

> « Officiers, sous-officiers,
> Et vous tous mes amis...
> Nous communions aujourd'hui dans la même indicible souffrance. Notre régiment, que j'ai eu l'honneur de reformer, ce régiment que j'avais ressuscité, à qui j'avais donné vie, vient d'être lâchement assassiné. Vous, mes petits, dont j'étais si fier, vous qui étiez ma raison de vivre, vous n'avez plus d'uniforme — on vous l'a arraché —, vous n'avez plus d'armes — on les a brisées... Mais rien n'est fini... »

Schlesser demande alors à tous ses hommes de venir embrasser l'étendard, cet étendard qui, un an plus tard, sera transporté clandestinement en Algérie par le capitaine de Neuchèze.

> « En le faisant, je veux que vous juriez de vous regrouper autour de lui, demain, à l'appel de la Patrie. Je veux que vous répétiez le serment de donner votre vie pour que vive la France. »

A Saint-Amand, le 3e bataillon du 1er régiment de ligne (un régiment vieux de quatre siècles) entend un ordre du jour du colonel Bertrand qui comporte ces mots : « Autour de lui [le drapeau], nous nous rallierons tous au jour de la résurrection que nous savons certaine [1]. »

A Lyon, au 2e d'artillerie, le capitaine Bousquet sauve les dix étendards des régiments dissous en 1940. Cachés par Louis Leers, quai

1. Bertrand fait également dissimuler 32 F.M. et 12 mitrailleuses qui seront utilisés par le 1er R.I. reconstitué au maquis. De même, au 41e R.I. de Brive, le capitaine Guesclin et, à Annecy, le commandant Valette d'Ossia réussissent à camoufler, au dernier moment, un certain nombre d'armes qui serviront plus tard aux hommes qui les ont suivis dans la Résistance.

de Serin, ils seront, deux ans plus tard, restitués à la nouvelle armée française.

Dans les heures qui suivent la dissolution de l'armée de l'armistice, les responsables doivent procéder à sa démobilisation. Lorsqu'il évoquera cette courte période, Paul Gamelin, caporal au 152e R.I., mais également secrétaire au bureau de compagnie, s'en souviendra comme « des deux journées et de la nuit les plus folles [1] » de toute cette folle période.

Aidé par deux camarades, il doit, pour chacun des 300 hommes de sa compagnie, calculer le prêt de la quinzaine en cours, distribuer la ration de tabac, établir un titre de transport, un certificat de bonne conduite, ainsi qu'un livret militaire provisoire et, pour les Alsaciens et Lorrains, nombreux au régiment, des papiers d'identité falsifiés afin qu'ils soient en mesure d'éviter l'incorporation dans la Wehrmacht.

Le 29 enfin, Gamelin et ses deux camarades ont la possibilité de songer à leur sort.

> « La séance d'habillage ne fut pas une mince affaire. On nous avait demandé d'emporter le maximum de vêtements (autant de moins à tomber aux mains de l'ennemi) et nous avions décidé d'en porter le maximum sur nous. Nous enfilâmes ainsi deux chemises, deux caleçons, un pantalon de treillis, une vareuse de drap et, pour couronner le tout, la capote. Nous étions prêts à partir pour aller dîner et coucher en ville, et prendre le train le lendemain matin. »

Voici pour les soldats. Que deviendront ces officiers de l'armée de l'armistice à qui une note du secrétariat d'Etat à la Guerre, en date du 23 décembre, demande de s'abstenir « de tout acte, propos ou jugement dont le caractère politique constituerait une imprudence lourde de conséquences » ? Ils ont charge de famille. Et bien peu, alors qu'il leur faut vivre, imaginent de se recaser ailleurs que dans l'administration. Dès le 2 décembre 1942, le général de division Mer, gouverneur militaire de Lyon, a exposé au secrétaire d'Etat à la Guerre — le document est inédit — la situation difficile de tous ces cadres brutalement jetés à la rue.

---

1 Témoignage inédit de M. Gamelin

« La rupture de contrat qui résulte, à leur égard, de la mesure brutale prise le 27 novembre nécessite, *pour tous les cadres*, des mesures compensatrices.

J'ai invité tous les miens à formuler une demande d'emploi dans les administrations civiles dont la liste m'a été envoyée par vos soins, mais il est manifeste que ces quelques administrations ne pourront suffire à reclasser la totalité des cadres de l'Armée d'armistice ; c'est le cas, en particulier, pour les officiers et, parmi eux, pour les officiers généraux et supérieurs.

Or, *tous doivent être reclassés*, sous peine de créer un désordre social et une injustice qui ne pourrait se concevoir, en raison de la loyauté avec laquelle ils ont fait leur devoir, jusqu'à l'extrême limite de ce que leur serment de fidélité pouvait exiger d'eux.

Ce reclassement, à réaliser dans un délai de trois mois, exige que les portes leur soient largement ouvertes dans tous les emplois, y compris les plus élevés, des administrations publiques.

Aucun officier ne doit déroger et *une place doit leur être faite en fonction de leur rang.* »

Ce n'en est pas fini cependant de l'agonie de l'armée de l'armistice. Les quelques stocks qui n'ont pas été emportés par les Allemands et les Italiens entre le 27 et le 30 novembre le seront dans le courant du mois de décembre. Par ordre du Führer, le général allemand, commandant la région de Vichy, fait savoir au gouvernement français [1] que « l'ensemble des armes et engins de guerre, la totalité de l'ancien équipement, ainsi que les installations immobilières des forces armées françaises [devraient] servir à la défense de l'Europe ».

A Digne, le 24 décembre, le lieutenant-colonel Asso s'empare ainsi, au profit de la 4e armée italienne, de plusieurs centaines de fusils et d'une vingtaine de mitrailleuses.

A Aix, ce sont les Allemands qui, occupant les écoles militaires, après avoir cassé tabourets, armoires et carreaux du bâtiment Pétain, s'approprient de nombreux placards d'études ainsi qu'un poêle qu'ils emportent sur le camion W.H. 233663.

1. Le 27 décembre 1942.

A Nîmes, le 27 et le 28 décembre, le colonel-vétérinaire, chef du service de la division allemande en stationnement, ordonne à ses hommes de capturer 487 chevaux français, et l'opération s'effectue malgré les protestations de l'écuyer principal Papillard, instructeur en chef d'équitation, qui, dans les jours qui suivent, se voit dans l'impossibilité de faire travailler les jeunes chevaux restant dans la seule carrière encore libre, carrière qu'entourent des chars allemands dont les conducteurs « s'amusent à provoquer des pétarades d'échappements [1] ».

Au dépôt de munitions de La Ferté-Hauterive, un sous-officier allemand, venu de Bourges le 25 janvier 1943, déclare à l'ingénieur en chef Pernot que, désormais, le camp se trouve placé sous direction allemande. Tout le matériel, toutes les installations étant devenus propriété des autorités d'occupation, le personnel se voit invité à travailler comme par le passé sous les ordres de ses chefs français, mais au bénéfice de l'armée allemande qui traduira devant ses tribunaux les responsables d'actes d'espionnage ou de sabotage.

Il y a infiniment plus grave.

Cette petite armée de l'armistice dont les Allemands avaient laissé la très relative maîtrise à Vichy, j'ai dit dans *Quarante millions de pétainistes* et dans *Le peuple réveillé* quelles étaient les limites mises à ses ambitions, par le vainqueur comme par la timidité de certains de ses chefs.

Mais, grâce à l'action de quelques officiers, qui s'inspirent d'ailleurs de l'exemple donné par l'Allemagne à partir de 1920, elle entreprendra un vaste travail de camouflage. Cachés chez des civils de bonne volonté, dans des fermes isolées, dans des couvents, plus de 65 000 armes individuelles, des mitrailleuses, des canons, sont destinés ainsi à des réservistes dont la trace n'a jamais été perdue, grâce à la Direction de la Démographie, qui s'est substituée au Service du recrutement, et qui viendraient rejoindre les 94 200 soldats de l'armée de l'armistice, au cas où un débarquement allié en métropole pourrait donner quelque chance à un soulèvement national.

Mais prévus pour être mis à la disposition d'une armée française

1. Document inédit.

renaissant de ses cendres, c'est à l'armée allemande où à ses collaborateurs qu'iront les dépôts d'armes.

Ainsi, ce camouflage, s'il se révèle un piège pour les téméraires qui s'obstinent à cacher encore quelques mitrailleuses, un alibi pour les timorés qui se débarrassent rapidement de ce qu'ils avaient accepté de dissimuler lorsqu'il n'y avait guère péril à le faire, ne servira-t-il que faiblement une résistance que la clandestinité dans laquelle elle évolue ne prédispose pas à être reconnue en successeur valable par une armée qui s'évapore.

Aussi, lorsque Paul Paillole demande au général Revers dans l'après-midi du 7 novembre, c'est-à-dire avant le débarquement en Algérie, d'intervenir auprès du général Picquendar pour que les armes camouflées soient remises aux groupes de résistance dès l'instant où l'armée de l'armistice sortira de ses garnisons, il s'entend répondre :

— D'accord, mais quels groupes ?

— Me permettez-vous de dire à Frenay de prendre contact avec vous pour régler ce problème ?

— Entendu.

L'envoyé du mouvement « Combat », Morin-Forestier, sera bien reçu par Revers, puis par Picquendar qui le renverra au commandant Mollard, responsable suprême du camouflage, lui-même subordonné au général Frère, placé à la tête de l'Organisation de la résistance de l'armée par le général Giraud... qui est en route pour l'Algérie. Avant que les Français aient achevé de descendre et de remonter l'échelle de la hiérarchie, les Allemands sont intervenus. Ils l'ont fait d'autant plus rapidement que, s'ils ignorent où sont cachées les armes, ils savent depuis toujours que des armes sont cachées.

Et il ne leur faudra pas longtemps pour les découvrir. Lorsque, le 24 décembre 1942, le chancelier Hilter, qui désire accabler Pétain sous la félonie de ses généraux, fera demander d'urgence, pour la lettre qu'il souhaite lui adresser la liste des dépôts déjà découverts en France non occupée, le commandement de la Wehrmacht lui communique ce chiffre non négligeable : 234.

On sait, et ils le font savoir, que les Allemands ne badinent pas avec la dissimulation des armes de guerre ou de chasse. Dans la zone qu'ils occupent et contrôlent depuis l'armistice de 1940[1], la simple posses-

1. Avenue Foch (31 bis) à Paris, puis 37, avenue Raymond-Poincaré, se trouve un service allemand de dépistage des armes camouflées qui utilise

sion d'un fusil ou d'un revolver peut conduire (et conduit) au poteau d'exécution ou à la déportation.

Les autorités militaires françaises sont donc alertées par des patriotes qui n'ont pas, et cela se comprend, vocation au martyre. Dès que sont connues les premières injonctions allemandes, injonctions répercutées par le gouvernement de Vichy et par un Pierre Laval qui, sans jamais avoir ignoré les camouflages, doute de leur utilité et, quoi qu'il en soit, préfère sauver des vies humaines que quelques pétoires, ces camoufleurs bénévoles demandent donc que l'on vienne les débarrasser d'un matériel encombrant, dangereux et souvent imparfaitement dissimulé.

> « Ce fut " la grande peur " qui se répandit de proche en proche... une avalanche de restitution d'armes et de munitions affluant tant auprès des services du C.D.M. (Conservation du Matériel) que des autorités officielles : préfectures, mairies, gendarmerie, police, etc., émanant de gens affolés qui réclamaient " l'impunité ". »

Publiées dans le bulletin du C.D.M. : « Documents pour l'histoire », ces phrases reflètent la situation de ce triste mois de décembre où ceux qui possèdent des armes ne savent à qui les offrir, où ceux qui en manquent ne savent à qui en demander et où, lorsque la rencontre s'opère cependant entre militaires aux mains pleines et résistants aux mains vides, on se heurte à de complexes sinon insolubles problèmes ralentissant ou paralysant des opérations de transfert qui, pour être efficaces, devraient être rapides.

Ainsi verra-t-on, à Grenoble, un camion d'armes immobilisé deux jours durant près de l'usine à gaz et dont le chargement, faute d'être « récupéré », sera finalement noyé.

Dans le Tarn-et-Garonne, M. Jean Galabert, qui avait accepté de camoufler dans la propriété inhabitée de sa mère une trentaine de tonnes d'instruments destinés au contrôle des fabrications des obus, arrivées clandestinement à son nom en gare de Réalville sous la dénomination « graines de semence », sera informé, quelques jours après le 11 novembre, que ces instruments doivent être rapidement éva-

---

notamment un certain Henri Imard, responsable, en 1944, de l'interrogatoire du général Delmotte.

cués. Enlevés de leur cachette par deux ingénieurs, ils seront précipités dans d'anciennes mines de phosphate situées entre Cazals et Bruniquel[1].

L'inquiétude des propriétaires ou des camoufleurs d'armes de guerre aura naturellement des répercussions au sein d'un état-major divisé sur les positions à adopter.

Le général Delmotte, à qui l'on reprochera d'avoir souhaité que les officiers de la Conservation du matériel participent à la dénonciation des dépôts qu'ils avaient constitués, ou dont ils connaissent l'existence, déclarera lors de son procès :

— A ce moment-là, les personnes à qui on avait demandé de cacher toutes ces armes, tout ce matériel se sont affolées : la peine capitale, c'était tout de même une chose grave... Il me semble que nous avions tout de même une responsabilité au regard de ces personnes.

D'après un bilan, difficilement vérifiable, il est vrai, un tiers des armes camouflées par l'armée de l'armistice ont été découvertes par l'occupant, un tiers sabotées, un tiers transmises au maquis... S'ils l'avaient connu, ce dernier chiffre aurait paru excessif à bien des résistants, tel M. Archidice qui, au procès Delmotte, en affirmant que l'état-major avait fait « le maximum pour refuser le matériel aux boches et le maximum pour le refuser à la résistance, le gardant sans l'utiliser », serrait de près une vérité qui s'explique par la psychologie d'une armée que tout retenait dans les voies d'une obéissante prudence.

Le 9 décembre 1942, quelques jours après la dissolution de l'armée de l'armistice, le colonel de La Rocque, que les Allemands ont toujours traité en adversaire[2], publie dans *Le Petit Journal* un article intitulé « Vive l'armée » qui s'achève sur ces mots :

1. Témoignage inédit de M. Galabert.

2. Voir notamment le rapport du Dr Best, conseiller du *Militärbefehlshaber* en France, en date du 15 mars 1942 : « Il est urgent et nécessaire de prendre des " mesures locales " contre de La Rocque, mais il faudrait d'abord en référer au *Militärbefehlsaber.* »

« Notre armée revivra : nulle mascarade infamante [1] ne pourra lui être substituée. On ne brise pas une tradition : La tradition continue, ou bien elle est trahie et reprend plus tard le dessus.

Tendons notre pensée vers nos frères porteurs, quand même, de l'uniforme et, quand même, requis au service du drapeau : vers nos prisonniers. Dans la douleur, ils assurent la permanence de l'armée française, indissoluble comme la nation.

Alors, pour eux, avec eux, vive l'armée. »

Ces lauriers n'équilibrent nullement le jugement sans indulgence que les Français porteront dans leur majorité sur l'armée évanouie. Une armée qui n'avait jamais eu le goût de se désolidariser du plus illustre des siens.

En marge des grands combats du siècle il lui avait offert, d'ailleurs, ces postes, ces défilés, ces flatteries journalistiques qui la consolait d'une défaite totale dont, bien avant le procès de Riom, journaux et responsables de Vichy affirmaient que les maçons, les juifs et les politiciens portaient seuls la responsabilité.

Et, lorsque la fidélité a paru vaciller, que trop de questions ont été posées sur les limites de l'obéissance, le maréchal Pétain, en août 1941, pour étayer des sentiments ébranlés, a exigé un serment prêté à sa personne.

Sur la « valeur mystique » accordée à ce serment par certains officiers, qui n'étaient certes pas disciples du cynique Talleyrand, assurant au roi Louis-Philippe : « Je dois dire à Votre Majesté que c'est le dix-septième », il faut lire le portrait que Jacques Weygand tracera, en 1960, 19 ans après l'événement, de ces officiers allant avec enthousiasme « vers une soumission dont l'excès même leur semblait contenir le germe du relèvement futur de nos armes humiliées ».

Mais cette soumission de 1941 se traduira par l'immobilisme de novembre 1942, lorsque la Wehrmacht bousculant les dérisoires barrières de la ligne de démarcation, saisira au nid inconfortable de ses casernes une troupe qui s'éveille en bâillant.

---

1. Le colonel de La Rocque fait allusion aux tentatives de reconstitution d'une minuscule armée à travers le 1er régiment de France et la Phalange africaine.

« Le corps des officiers n'a jamais été aussi méprisé qu'en 1943, écrit un chef de poste des services spéciaux dans un rapport envoyé à sa centrale d'Alger le 29 novembre 1943, un an, presque jour pour jour, après le drame. Pour les uns, les officiers sont responsables de la défaite de 1940, pour les autres, ils sont responsables de l'occupation totale et de la démobilisation de l'armée. »

« Novembre 1942 ne nous a pas fait de bien. L'attitude actuelle de la majorité des officiers n'efface rien, bien au contraire. Il faut le savoir pour y pallier. »

Ces lignes sont du lieutenant-colonel Pfister dans une directive du 15 septembre 1943 à ses chefs régionaux. Enfin, mais les citations pourraient être beaucoup plus nombreuses, le capitaine Peynaud, arrivant à Alger en avril 1944, souligne que « l'armée dissoute jouit d'un discrédit jamais égalé, on lui reproche d'avoir perdu la guerre, de s'être installée dans la défaite, d'y avoir pompeusement prôné des vertus qu'elle ne savait pas pratiquer et de s'être laissé prendre au lit à l'aube de ce jour de novembre où la flotte de Toulon, plus théâtralement sans doute, se sabordait ».

Plus théâtralement, la flotte de Toulon ? Sans doute. Plus efficacement ? Certainement pas.

10

SABORDAGE A TOULON

Cette flotte qui va périr, que représente-t-elle ? Pendant son procès, le 12 août 1946, l'amiral Marquis s'efforcera d'en minimiser l'importance.

Au président Noguères, qui a placé sous les yeux des jurés un tableau des bâtiments sabordés, il réplique :

— Oh ! monsieur le président, ce tableau est extrêmement affligeant. Je n'ai pas besoin de vous dire que, moi-même, je ne suis pas très content de le voir. Seulement je voudrais tout de même faire remarquer à MM. les Jurés qu'il y a, je ne dirai pas des motifs de consolation, mais qu'il ne faut tout de même pas exagérer la perte que représente le sabordage.

Et Marquis d'évoquer la *Provence,* transformée en bateau-école, le *Dunkerque,* en grandes réparations à la suite du drame de Mers el-Kébir.

Appelé à témoigner, l'amiral Robin, chef d'état-major de l'amiral Marquis à la préfecture maritime de Toulon, énumérera, de son côté, les bâtiments sans équipage, sans matériel, sans approvisionnements, les navires aux machines démontées, les pontons, le vieux *Jean Bart*[1], le vieux *Condorcet,* « de petites dragues, de vieux petits chalutiers.. des petits remorqueurs, des gabares, des citernes pour porter de l'eau aux bateaux, des grues ».

Cette volonté de sous-estimation ne s'explique que par les circons-

1. Qu'il ne faut pas confondre avec le cuirassé moderne *Jean Bart* qui, lui, se trouve à Casablanca.

tances d'un procès qui, pour l'amiral Marquis, devait s'achever par une condamnation à cinq ans de prison et à l'indignité nationale à vie.

En réalité, au mois de novembre 1942, se trouvent à Toulon plus de 60 bâtiments de combat formant trois groupements distincts dont le plus important, les Forces de Haute Mer, placé sous le commandement de l'amiral de Laborde, comprend le bâtiment de ligne *Strasbourg,* 3 croiseurs lourds (*Algérie, Dupleix, Colbert*), 2 croiseurs légers (*Marseillaise, Jean de Vienne*), 10 contre-torpilleurs, 3 torpilleurs.

Dépendent du vice-amiral Marquis, préfet maritime, un certain nombre de bâtiments d'inégale importance pour le combat : cuirassé *Provence,* transport d'aviation *Commandant-Teste,* 6 torpilleurs, 8 sous-marins ainsi que les bâtiments en gardiennage d'armistice, c'est-à-dire pratiquement désarmés : *Dunkerque,* croiseurs *Foch* et *La Galissonnière,* 8 contre-torpilleurs, 6 torpilleurs, 10 sous-marins.

A ces navires, il faut naturellement ajouter des avisos, des chasseurs, des patrouilleurs, des ravitailleurs, si bien que les chiffres des navires présents à Toulon peuvent varier, sans qu'il y ait tromperie, de 19 (les Forces de Haute Mer) à 154 (la totalité des bâtiments en rade quels que soient leur âge, leur état, leur tonnage)[1].

Portant un jugement assez objectif et très compétent sur la flotte de Toulon, l'amiral Auphan et Jacques Mordal écriront qu'elle totalisait « à peu près la moitié du tonnage total de la Flotte, mais la moitié la plus moderne[2] ».

Plus encore qu'une force militaire, la Marine constituait, avec l'Empire, l'une des seules cartes politiques toujours entre les mains du gouvernement de Vichy. Alors que l'Armée avait disparu dans les batailles de juin, alors que l'Aviation, surclassée en nombre, n'avait pu, à l'instant décisif, protéger le champ de bataille, la marine demeurait invaincue.

« Marine invaincue », deux mots dont la propagande de Vichy devait quotidiennement faire usage. Marine qui assure les liaisons avec l'Empire, mais qui protège également des entreprises anglaises les convois de navires marchands apportant aux Français matières premiè-

---

1. Lors du procès de l'amiral Marquis, l'amiral Robin dira qu'il y avait 135 bâtiments sous les ordres du préfet maritime, bâtiments auxquels il faut ajouter ceux qui composent les Forces de Haute Mer.

2 *La Marine française pendant la Seconde Guerre mondiale*

res et ravitaillement indispensables, même si, de ces matières premières et de ces vivres, les occupants détournent une part.

Marine dont les chefs, dès les premières semaines de Vichy, mais plus encore à l'instant où l'amiral Darlan sera nommé, le 12 février 1941, vice-président du Conseil, ministre des Affaires étrangères, puis cumulera l'Intérieur, l'Information et, après la mort du général Huntziger, la Guerre, se trouveront placés dans presque tous les ministères, à des postes faits pour des civils, postes dans lesquels ils témoigneront de dons plus évidents pour le commandement que pour la psychologie politique.

Que la fidélité de la Marine au gouvernement régulièrement mis en place à Bordeaux, indiscutablement légitimé à Vichy, ait été entretenue par la longue suite des agressions anglaises qui, de Mers el-Kébir à Madagascar, feront des navires français et de leurs équipages des cibles faciles à approcher, capturer ou détruire, qui songerait aujourd'hui à le nier ?

Au mois de novembre 1942, les réactions des marins français ne seront donc pas seulement inspirées par les souvenirs pieusement entretenus de luttes anciennes et d'historiques rancœurs, mais surtout par ces drames récents et ces humiliations morales, dont l'Angleterre et, à un moindre degré, les gaullistes portaient, aux yeux de bien des officiers français, l'entière responsabilité.

Pour trouver des prétextes à des attaques sans objet, l'Angleterre devait, en effet, laisser entendre, par toutes les voix de sa propagande, que les vaisseaux de Vichy, à défaut d'être livrés à l'Allemand, pouvaient du moins être aisément saisis par lui avant qu'aient pu jouer ces mesures de sabordage prévues par l'amiral Darlan dès le 20 juin 1940, répétées le 22, puis le 24, et dont l'Amirauté comme le gouvernement britannique avaient eu connaissance.

Dans ces conditions, il n'y a rien de surprenant à ce que la dissidence ait été la « bête noire [1] » des marins qui ne devaient répondre qu'en petit nombre aux sollicitations gaullistes.

Rien de surprenant à ce que, devant la violence des combats qui se déroulent en Algérie et au Maroc le 8 et le 9 novembre, combats dont les marins français, puisque l'attaque vient de la mer, supportent le

1. Amiral Auphan et Jacques Mordal (*op. cit.*). Le 3 juillet 1940, les effectifs des Forces navales françaises libres s'élèvent à 400 hommes, à la fin de novembre 1940 à 3 100 et à 4 700 au 1er janvier 1942.

premier choc, la réaction sentimentale des amiraux de Toulon soit non point de courir se rallier à la flotte anglo-américaine, qui, surprise, les auraient peut-être reçus à coups de canon[1], mais de foncer sur (et contre) ceux qu'ils tiennent pour des agresseurs.

Telle est, immédiatement, la pensée de l'amiral de Laborde qui, dès le 8, donne l'ordre d'allumer les feux de l'escadre et fait savoir qu'il est prêt à appareiller pour porter secours aux unités françaises qui se battent toujours à Oran et Casablanca.

Telle est, le 9, la réaction de plusieurs amiraux réunis à Vichy sous la présidence de l'amiral Auphan, secrétaire d'Etat à la Marine et chef d'état-major naval.

Telle est, dans la nuit du 9, la réaction de l'amiral Négadelle, commandant l'escadre légère des Forces de Haute Mer, qui proposera une action de ses contre-torpilleurs contre les forces anglo-américaines.

Telle est, le 11 novembre, l'attitude de l'amiral de Laborde qui fait prendre toutes les dispositions pour un appareillage immédiat et répond par l'évocation du mot de Cambronne[2] à un message de Darlan lui demandant de diriger la Force de Haute Mer vers l'A.O.F.

Telle est, dans la matinée du 12 novembre, la prise de position de l'amiral Marquis qui donne au capitaine de vaisseau, commandant les batteries côtières, l'ordre de canonner un cuirassé américain aperçu au large du cap Sicié, cuirassé qui n'est autre que l'aviso français

---

1. Sur les sentiments dans lesquels la Force H de l'amiral Cunningham, qui, sortie de Gibraltar, protégeait les débarquements anglo-américains aurait « accueilli » la Flotte française de Haute Mer, on peut se reporter au témoignage de l'amiral Cunningham : « L'attitude complaisante de la flotte italienne et l'abstention de la principale escadre française ne laissaient malheureusement à la Force H aucune perspective d'engagement... »

De son côté, l'amiral Marzin écrira que, si l'on avait envoyé la Flotte vers l'Afrique, « en cas de rencontre avec les navires alliés, les canons seraient partis tout seuls des deux côtés ».

2. Au second message de Darlan (il n'a pas répondu au premier), l'amiral de Laborde répliquera par ce télégramme :

« Je vous fais la même réponse que le commandant Toussaint de Quiévrecourt à Muselier le 20 septembre 1940. »

C'est à l'occasion du ralliement de la Nouvelle-Calédonie à la France libre que le capitaine de frégate Toussaint de Quiévrecourt, commandant l'aviso colonial *Dumont d'Urville,* avait répondu par le mot de Cambronne à Muselier qui s'efforçait de gagner son équipage à la cause de la France libre.

l'Impétueuse, patrouillant au large, grenouille que, dans la brume, on a prise pour un bœuf.

Marquis fait plus. Il téléphone à von Ruault-Frappart afin que les colonnes allemandes se rendent d'urgence sur les plages de Bandol et de Sanary pour en renforcer les défenses qui sont toujours assurées par des Français [1].

Dans la nuit du 12 au 13 encore, les Forces de Haute Mer reçoivent l'ordre d'allumer les feux. L'amiral de Laborde a reçu l'avis non contrôlé, et qu'il ne cherche pas à contrôler, bien qu'il émane des services de Fernand de Brinon, de la présence au large d'une force navale anglo-américaine.

L'activité du commandant des Forces de Haute Mer est alors si fébrile, elle paraît si dangereuse, qu'Auphan doit lui rappeler que les Forces navales ont interdiction d'appareiller « pour des actions en haute mer [et] pour défendre les parties du littoral français de la Méditerranée actuellement occupées par les troupes de l'Axe [2] ».

Qu'il eût été fou — comme devait l'écrire quelques semaines plus tard, dans son journal inédit, l'amiral Marzin — « de lancer l'Escadre constituée en majeure partie de bâtiments peu robustes et endurants à quatre cents milles de notre seule base disponible, sans couverture aérienne, contre un adversaire beaucoup plus fort, disposant d'une puissante aviation de bombardement et de torpillage », il se peut, il n'en reste pas moins que le très lourd bilan des pertes de la marine française (751 tués, 553 blessés [3]) contribuera à durcir les attitudes.

---

1. J'ai pensé que c'était un piège, dira Marquis à son procès et, comme Italiens et Allemands avançaient sur Toulon, je leur ai dit : « Eh bien ! envoyez vos troupes contre ce débarquement. »

2. Par le câble le reliant secrètement à Alger, Auphan fera connaître la teneur de son message à Darlan, ce qui, dans le cadre d'un débarquement allié sur la côte française, aurait constitué une invitation à ne pas s'en prendre à Toulon. Il faut cependant préciser qu'une commission de liaison composée d'officiers français, allemands et italiens avait été mise en place pour, selon le rapport du contre-amiral Rouyer, « assurer les liaisons entre les forces voisines, non seulement dans la préparation de la défense, mais encore dans la mise en œuvre de tous les moyens en cas d'attaque ».

3. Encore le nombre des blessés est-il, dans la réalité, très supérieur au chiffre officiel. Aux morts et aux blessés, il faut ajouter les navires détruits. *La Surprise* (aviso de 500 tonnes), le torpilleur *L'Epervier*, les torpilleurs *La Tornade* et *La Tramontane*, les sous-marins *L'Argonaute* et *L'Actéon* sont coulés au large d'Oran, cependant que quatre sous-marins, sept patrouilleurs, treize navires de

Comme contribuera à les durcir l'annonce qu'à Alger, presque seuls, les marins de la batterie Duperré (45 hommes), ceux de la batterie du Lazaret (36 hommes), ceux de la batterie du musoir nord ont riposté au feu des Anglo-Américains et qu'à Oran et Casablanca, strictement fidèles aux ordres venus de Vichy, les marins, une fois encore, ont combattu jusqu'au sacrifice total, alors que de nombreux chefs de l'armée de terre, déjà engagés dans les pourparlers dont ils gardaient le secret, ont retenu et ménagé leurs troupes. Si bien que, s'ajoutant à beaucoup d'autres drames, les événements dramatiques d'Alger, d'Oran, de Casablanca devaient conforter la Marine française dans la pensée que seule elle était restée collectivement fidèle à la parole donnée et qu'elle avait, seule, supporté tous les sacrifices[1].

Qu'il se soit bien agi en Afrique du Nord d'une mission de sacrifice, l'amiral Auphan, reprenant les termes du message du maréchal Pétain[2], l'avait confirmé le 8 novembre, à huit heures du matin, par un message adressé à des forces navales qui, depuis plusieurs heures, qu'elles aient ou non pris l'intitiative de l'ouverture du feu, se trouvaient engagées et déjà mutilées.

> « Profitant de notre demi-désarmement et d'intelligences hypocritement concertées avec quelques égarés, les Anglo-Américains viennent d'attaquer cette nuit l'Afrique du Nord. En réponse au message américain qui l'informait *a posteriori* de cette agression, le Maréchal de France, chef de l'Etat, a répondu le seul langage de l'intérêt et de l'honneur français en concluant : " Nous sommes attaqués, nous nous défendrons. C'est l'ordre que je donne. "

---

commerce et le contre-torpilleur *Le Typhon* sont sabordés dans les passes ou le long des quais.

A Casablanca, où se trouvent des forces navales importantes, ce sont le croiseur léger *Primauguet*, les torpilleurs *Fougueux*, *Milan*, *Boulonnais*, *Frondeur*, *Brestois*, *L'Albatros* et sept sous-marins qui vont être détruits, cependant que le cuirassé *Jean Bart* est sévèrement atteint.

1. Le rapport du contre-amiral Rouyer, rédigé après le sabordage de Toulon, s'achève sur l'image d'une marine française unanimement trahie, victime des « coups de poignard » d'anciens alliés qui se sont rendus, pour elle, « à jamais, les plus odieux et les plus méprisables de tous les peuples », mais également « de l'incompréhension d'un ancien ennemi ».

On aura remarqué que le contre-amiral Rouyer est infiniment moins sévère pour « l'ancien ennemi » que pour « l'ancien allié ».

2. *Cf.* p. 60.

« Au nom de la Marine, je l'ai assuré que cet ordre serait exécuté jusqu'au bout. »

On sait[1] dans quelle confusion, à Vichy autant qu'à Alger, se sont déroulées les journées des 8, 9 et 10 novembre. D'un côté comme de l'autre de la Méditerranée, des clans se sont opposés, aucun ne réussissant à faire triompher sa volonté, tandis que d'un bord à l'autre de la Méditerranée, ont été échangés des télégrammes dont les plus importants demeureront cachés à des exécutants qui ne connaîtront que les textes invitant à la résistance à outrance. Et, même lorsque, le 10 novembre, à la fin de la matinée, Darlan, ayant négocié une suspension d'armes avec les Alliés, invitera toutes les forces françaises d'Afrique du Nord à cesser le combat, il ne sera pas immédiatement obéi. Comme si, du moins en ce qui concerne la Marine, les combats avaient été trop violents, menés trop « sincèrement » et en dehors de toute pensée de « baroud d'honneur », pour qu'ils puissent instantanément prendre fin sur l'ordre d'un chef d'ailleurs désavoué par le maréchal Pétain[2].

Mais, le 11 novembre, à l'annonce de l'entrée des Allemands en zone non occupée, et alors qu'au Maroc et en Algérie une page est tournée, quelle sera la position et l'action de l'amiral Auphan que l'absence de Darlan a placé à la tête de la marine française ?

On a vu, dans un chapitre précédent, comment, à Vichy, Auphan s'était rangé du côté de ceux qui prêchaient une résistance active aux volontés allemandes, souhaitaient le départ du Maréchal ou, à tout le moins, une délégation de pouvoir à Darlan avec qui il demeurait encore libre de communiquer grâce à un code ignoré de l'occupant.

Placé le 11 novembre devant le fait accompli de l'invasion de la zone

---

1. *Cf.* p. 349 et suiv.
2. Anglais et Américains « faciliteront » d'ailleurs, notamment à Casablanca, cette poursuite des combats en n'interrompant pas des bombardements aériens et navals qui n'avaient plus d'objet.
Le 13 novembre, le sous-marin *Sidi-Ferruch* sera ainsi coulé à hauteur de Villa Cisneros par une escadrille britannique.

libre, sachant qu'en vingt-quatre heures les colonnes allemandes se trouveront à Toulon, étant dans l'impossibilité d'ordonner à la Flotte de Haute Mer de quitter ses bases pour un port neutre ou pour l'Algérie, décision que seul le Maréchal pouvait prendre, Auphan va tenter du moins de préserver l'intégrité et l'indépendance de la Flotte.

Sans doute n'imagine-t-il pas encore que Toulon et sa banlieue puissent rester comme une zone libre miniature, seul lambeau de territoire dans une France tout entière envahie, mais les instructions qu'il donne à l'amiral Marquis, et la lettre qu'il adresse à l'amiral Raeder, vont conduire les Allemands à adopter cette très provisoire solution.

Le 11 novembre, à 6 heures du matin, Auphan adresse un télégramme à l'amiral Marquis. Après avoir informé le préfet maritime de l'évolution de la situation depuis que le franchissement de la ligne de démarcation est effectif, il lui communique ses instructions sur les mesures à prendre dès l'arrivée des « troupes étrangères ».

Marquis devra s'opposer « sans effusion de sang », ce qui signifie que l'opposition sera brève, à leur entrée « dans établissements, bases aériennes, ouvrages de la marine », s'opposer, dans les mêmes conditions, à leur entrée « à bord des bâtiments de la flotte et, *par des négociations locales, s'efforcer d'arriver à un accord*[1]. En cas d'impossibilité d'un tel accord, saborder les bâtiments ».

L'amiral Marquis, au reçu de ce télégramme, convoque le lieutenant de vaisseau von Ruault-Frappart, officier de liaison allemand auprès de la commission d'armistice italienne. C'est à lui qu'il déclare que rien ne sera fait contre les Allemands, que la Flotte, qui n'a cessé de donner et donne encore des preuves de sa fidélité aux ordres du Maréchal, ne quittera pas le port, mais qu'en échange de cette neutralité il est nécessaire que les avant-gardes de la Wehrmacht soient arrêtées à une certaine distance de la ville[2]. Ce qui aura effectivement lieu le 12 novembre, l'amiral de Feo stoppant l'avance italienne dans la

1. Je souligne intentionnellement.

2. A son procès, l'amiral Marquis affirmera avoir déclaré à von Ruault-Frappart :

« J'ai l'ordre de défendre Toulon. Je continue à défendre Toulon, mais je vous préviens que, si les Allemands continuent à marcher sur Toulon à partir d'une certaine distance et menacent Toulon, je vous préviens que les malentendus les plus graves peuvent se produire. »

région Solliers-Cuers-Bormes et le capitaine Schmidt l'avance allemande dans la zone Ollioules-Bandol.

Presque dans le même temps où Marquis négocie avec von Ruault-Frappart, Auphan, secrétaire d'Etat à la Marine, imagine d'écrire au Grand Amiral Raeder.

Auphan n'a jamais rencontré le chef de la Marine de guerre allemande. Mais une formation militaire identique, le même esprit de caste et de corps, les mêmes éléments affrontés peuvent favoriser, par-delà les animosités nationales, une compréhension mutuelle. C'est sur ces sentiments qu'Auphan va spéculer, c'est à cette compréhension qu'il fera appel dans une lettre tout entière fondée sur la fidélité de la Marine française à la parole donnée et sur les sacrifices qu'elle a consentis depuis l'armistice.

> « Fidèle aux engagements pris et à la parole donnée, la Marine française a combattu farouchement et sans la moindre défaillance ses agresseurs qui étaient vos ennemis et contre lesquels — je parle des Américains [1] — elle n'avait aucune haine.
>
> « Elle l'a fait dans le respect de l'armistice, pour l'honneur.
>
> « Depuis Mers el-Kébir et Dakar, une cinquantaine de bâtiments de guerre coulés ou avariés et des milliers de morts ou de blessés sont la rançon de cette fidélité. Aujourd'hui, les fondements de l'armistice qui préservait l'indépendance de la Marine sont ébranlés.
>
> « Je vous demande instamment de tenir compte de notre passé depuis l'armistice pour que la Marine française soit respectée de même que l'indépendance du Maréchal, pour lequel la Marine s'est battue. »

La réponse de Raeder arrivera le 12 novembre. Positive. Dangereusement positive puisque, à une demande confuse d'Auphan, il fait une réponse précise qui tient compte des entretiens entre Marquis et von Ruault-Frappart.

> « D'après la volonté du Führer, les troupes allemandes qui ont été envoyées à la côte méditerranéenne doivent, *avec l'armée*

1. On remarquera la distinction qu'Auphan fait entre Américains et Anglais (sans que le nom de ces derniers soit écrit).

française[1], entreprendre la défense des frontières françaises contre les attaques ennemies.

« *Jusqu'à présent, l'attitude de la marine française justifie ma conviction qu'elle ne se dérobera pas à cette tâche*[1]. La conduite des chefs de la Marine française à Toulon, l'amiral Marquis et l'amiral de Laborde, auxquels je vous prie de transmettre l'estime que je porte à leur déclaration, me confirme, ainsi que votre lettre, dans cette opinion.

« C'est pourquoi il était possible de confier la défense de Toulon exclusivement à la Marine française. »

On voit le péril qui menace la Marine française et de quel prix elle serait amenée à payer l'honneur de demeurer « indépendante ».

Entre le moment où Auphan écrit sa lettre et l'instant où il reçoit la réponse de Raeder, les événements, d'ailleurs, ont marché. Le 11 novembre, l'amiral Marquis, un peu avant 23 heures, est tiré de son lit par le lieutenant de vaisseau von Ruault-Frappart.

L'officier allemand apporte la réponse d'Hitler à la demande que Marquis, agissant suivant les instructions d'Auphan, lui a présentée dans la matinée. Toulon sera préservé de toute occupation (et la Flotte avec Toulon), mais à une condition qui pose le dangereux principe d'une collaboration militaire limitée.

« L'amiral Marquis a prononcé une déclaration de loyauté et a demandé de confier au haut commandement de la Flotte française la défense de Toulon. Le Führer a donné suite à cette demande. Il doit être exigé du chef responsable du commandement de la flotte de Toulon *une déclaration sur parole d'honneur de n'entreprendre aucune action dirigée contre les puissances de l'Axe et de défendre de toutes ses forces Toulon contre des Anglo-Saxons et des Français ennemis du gouvernement*[1].

« En ce cas, la place forte de Toulon ne doit pas être occupée, mais un détachement de liaison de marine sera délégué auprès du commandant de la marine à Toulon. »

1. Je souligne intentionnellement.

Sur l'instant, l'amiral Marquis répugne à l'idée de donner sa parole à un officier allemand, mais, estimant qu'il doit bien « ce dur sacrifice personnel à la Marine, à la France[1] », qu'on ne lui demande d'ailleurs que de défendre Toulon comme ses camarades ont défendu Casablanca, il s'engage personnellement. Puis il indique à l'officier de liaison allemand qu'il n'est pas seul en cause et qu'il n'a d'ailleurs à sa disposition qu'un nombre limité de bâtiments en état de prendre la mer.

C'est l'amiral de Laborde qui, en effet, commande les Forces de Haute Mer, forces auxquelles, dès que l'escadre sort de la rade, viennent se joindre les navires de la défense de Toulon qui, dès cet instant, échappent à l'autorité de l'amiral Marquis. Que von Ruault-Frappart prenne donc immédiatement contact avec Laborde. Pendant que l'officier allemand se rend à bord du *Strasbourg*, Marquis communique par télé-imprimeur au cabinet d'Auphan ET le texte du télégramme d'Hitler ET l'accord de principe qu'il vient de donner[2].

En attendant, von Ruault-Frappart, qui se présentera accompagné d'un officier en civil, l'amiral de Laborde téléphone à l'amiral Auphan pour lui annoncer la prochaine arrivée de ses visiteurs et lui demander son accord sur le texte qui va lui être soumis et dont il connaît l'essentiel par l'amiral Marquis.

Aussi, lorsque von Ruault-Frappart lui communique le texte du message d'Hitler, l'amiral de Laborde, qui ne voit dans cette convention nouvelle qu'une adaptation des conditions d'armistice à la situation particulière de Toulon, n'élève-t-il aucune objection.

A deux conditions cependant :

— Je ne peux m'engager à respecter cette convention, déclare-t-il, que si ni l'équipage, ni moi-même, ni aucun de mes bateaux n'aperçoivent aucun uniforme ni allemand, ni italien, ni à bord des bateaux, ni autour des bateaux.

Von Ruault-Frappart ayant acquiescé, Laborde ajoute ensuite qu'il

1. C'est du moins ce qu'il affirmera devant le juge d'instruction.

2. C'est l'amiral Marzin qui reçoit le message de Marquis. « Je fus atterré, devait-il écrire dans son Journal (inédit), en recevant cette communication. L'engagement qui venait d'être souscrit ne correspondait ni dans la forme ni dans le fond aux instructions transmises par l'amiral Auphan dans la matinée du 11 novembre : la négociation locale avec un commandant de troupes allemandes se trouvait transformée en parole d'honneur donnée à un chef d'Etat ennemi, et quel chef d'Etat, et quel ennemi ? »

ne peut, en conscience, engager sa parole d'honneur qu'en étant certain d'être suivi par les états-majors et les équipages.

Le 12, à 9 heures, 19 amiraux et commandants de bâtiments se retrouvent donc dans le salon du *Strasbourg* pour une cérémonie exceptionnelle dans les annales de la Marine française. A peine sont-ils assemblés, l'aide de camp de l'amiral de Laborde distribue à chacun d'entre eux une copie du télégramme d'Hitler demandant à l'amiral Marquis et à l'amiral de Laborde leur engagement d'honneur de défendre Toulon. L'amiral de Laborde fait ensuite son entrée dans le salon et prend la parole.

— Je vous ai fait remettre le télégramme que j'ai reçu hier soir du quartier général allemand. J'ai donné la parole qui m'était demandée pour sauver l'escadre. Je vous demande donc de me donner votre parole d'honneur que, dans ces circonstances particulières, je peux compter comme toujours sur votre obéissance sans restriction pour que je puisse tenir la parole que j'ai donnée[1].

Dans l'ordre d'ancienneté, tous les officiers défilent alors devant l'Amiral. Tous promettent obéissance sans restriction ; Tous sauf un, le capitaine de vaisseau Pothuau, commandant une division de contre-torpilleurs, commandement qu'il doit à ses talents mais aussi, et l'amiral de Laborde le lui rappellera avec hauteur lors du procès de mars 1947, à la protection de Laborde qui l'a imposé malgré son jeune âge.

— Amiral, déclare Pothuau, je ne puis vous obéir que jusqu'au moment où je vous remettrai ma demande de mise à la retraite.

— Il n'est pas nécessaire de demander votre mise à la retraite pour cette affaire, réplique Laborde, mais il est nécessaire que vous quittiez immédiatement votre commandement[2].

— Je suis à vos ordres, Amiral.

Lorsque cet incident est réglé[3], plus rien n'empêche l'amiral de

---

1. Depuis « je vous demande donc... », il s'agit du texte exact des mots prononcés par de Laborde. Au procès de l'amiral de Laborde, il y eut débat entre l'amiral Pothuau (témoin) et l'amiral de Laborde, l'amiral Pothuau ayant parlé d'un « serment » et l'amiral de Laborde s'en tenant à la « parole d'honneur ».

2. Ce sera fait à deux heures de l'après-midi, le capitaine de vaisseau Pothuau ayant exigé que le cérémonial de prise de commandement par son successeur soit respecté.

3. A bord du *Verdun,* le capitaine de frégate du Garreau, commandant en second, refusera lui aussi de « donner sa parole », comme vient de le lui demander son chef, le capitaine de frégate Duval.

Laborde de faire transmettre un ordre du jour qui, *pour l'essentiel,* reprend, il faut bien le constater, les termes du télégramme allemand.

Forces de Haute Mer
Etat-Major

Bord *Strasbourg*
Toulon le 12 novembre 1942

ORDRE DU JOUR

Le gouvernement allemand a accepté que la place forte de Toulon ne soit pas occupée et que sa défense soit confiée au haut commandement de la Marine française. Il l'a fait sur la parole d'honneur donnée par l'amiral Marquis, préfet maritime, et par moi, en accord avec le Maréchal, que les forces placées sous nos ordres n'entreprendront aucune action dirigée contre les puissances de l'Axe et défendront Toulon contre les Anglo-Saxons et les Français ennemis du gouvernement du Maréchal[1].

Le territoire de la place forte de Toulon reste donc entièrement français et libre. Sa défense reste entièrement française et confiée à la Marine, sans aucune subordination à un commandement étranger.

Aucun étranger ne paraîtra à bord des Forces de Haute Mer[2].

L'amiral de Laborde
Commandant en chef des F.H.M.
J. DE LABORDE

La « parole d'honneur » donnée par quelques-uns des chefs de la marine française au gouvernement allemand devait être considérée. bien avant la Libération, comme un acte inadmissible de collaboration[3].

Encore ignorait-on que l'amiral Marquis, après avoir demandé à ses

---

1. Dans le télégramme d'Hitler, il est question seulement des « Français ennemis du gouvernement ».
2. Allusion à la promesse faite par von Ruault-Frappart.
3. Pour Auphan et Mordal cependant, « dans le cadre de la politique du moment, c'était la seule solution ».

subordonnés directs la même « parole », s'était également adressé aux responsables des unités de l'armée de terre (une vingtaine de bataillons) envoyés pour renforcer, le cas échéant, la défense de Toulon... contre les Anglo-Saxons.

> « Quelques très rares officiers me firent part de leur répugnance à combattre les troupes françaises dissidentes accompagnant les troupes anglo-saxonnes, allait écrire Marquis dans un rapport adressé, le 4 décembre 1942, à l'amiral Abrial.
>
> « Je leur répondis que je ne pouvais pas concevoir l'éventualité monstrueuse de troupes attaquant Toulon et sa flotte pour les livrer aux Anglais, mais que, si cette monstruosité se produisait, ils pourraient tirer sans remords de conscience contre des Français aussi dénués d'honneur, de cœur et d'intelligence [1]. »

Tout comme le capitaine de vaisseau Pothuau qui n'avait pas été convaincu par Laborde, le colonel Humbert ne se rangera pas aux raisons de Marquis. Commandant la 2e demi-brigade de chasseurs alpins, ne cachant pas ses sentiments anti-allemands, Humbert affirmera que le devoir de ses troupes, en cas de débarquement, serait d'aider Américains et Anglais.

Ayant refusé de rédiger et de signer « une déclaration susceptible de faire revenir les Allemands et l'amiral [Marquis] sur leur suspicion [2] » à son égard, le colonel Humbert sera relevé de son commandement le 17 novembre et Marquis lui interdira même de prendre contact avec son successeur [3].

Après la Libération, les principaux acteurs du drame de Toulon s'efforceront de camoufler plus ou moins habilement des événements qu'ils avaient alors tout intérêt à rendre aussi confus et inintelligibles que possible [4].

---

1. Au cours de son procès, l'amiral Marquis s'efforcera d'atténuer la portée de son rapport.
2. Déclaration du général Humbert.
3. Un successeur, selon le témoignage écrit du général Humbert, en date du 8 août 1945, « décidé à les ramener (les troupes) à la soumission et aux directives de l'amiral et de Vichy ». Affecté à l'état-major du groupe de divisions d'Avignon, Humbert ne rejoignit pas son poste et fut, plus tard, arrêté et déporté.
4. C'est ainsi que l'amiral Marquis non seulement niera avoir exigé le départ du colonel Humbert, mais affirmera être intervenu pour protéger Humbert des menaces qui pesaient sur lui à la suite de ses nombreuses déclarations anti-allemandes !

Cependant, établi et rédigé à la demande du gouvernement de Vichy, dans les semaines qui suivent le drame[1], un long rapport d'enquête du contre-amiral Rouyer mettra abondamment en valeur l'esprit de collaboration des amiraux Marquis et de Laborde.

« La personnalité de l'amiral de Laborde et ses sentiments sont assez connus — écrira le contre-amiral Rouyer dès la seconde page de son rapport — pour qu'il soit inconcevable que les Allemands aient pu avoir, de bonne foi, le moindre doute sur sa bonne foi. »

Quel est-il donc cet amiral Jean de Laborde qui jouera, bientôt, un rôle de premier plan ?

La contribution d'éléments neufs, ou mal connus, me semblant digne de plus d'intérêt pour l'Histoire que la scrupuleuse répétition d'événements — le sabordage lui-même — racontés maintes fois, il me paraît utile, quitte à déséquilibrer quelque peu ce chapitre, de mieux éclairer le visage et le caractère d'un homme qui se trouvera placé au cœur du drame.

Jean de Laborde ? Fernand de Brinon allait écrire qu'il était « connu des militaires et des marins allemands comme très acquis à la politique européenne » et Dominique Sordet, directeur de cette agence de presse « *Inter France* », qui diffuse la bonne parole collaborationniste, le définira ainsi dans une étude du 16 février 1943, consacrée au drame de Toulon : « Le vice-amiral de Laborde offre une des personnalités les plus marquantes de la Marine française, c'est un homme tout d'une pièce. Esprit très droit, psychologie sans détour, un marin... Laborde est non seulement profondément anti-anglais, mais il est sincèrement disposé, dit-on, à la collaboration éventuelle avec nos ennemis de la veille. »

« Psychologie sans détour. » C'est sommaire, mais ce n'est pas mal vu.

Darlan usait, lui, de moins de précautions de style puisqu'il lui arrivait de parler de « ce fou de De Laborde ». C'est à ce « fou », cependant, qu'il avait confié le commandement de la partie la plus moderne de la Marine française : la Flotte de Haute Mer.

1. Il sera remis à l'Amirauté le 27 décembre 1942.

Tout au long d'une carrière[1] menée loin des bureaux, Jean, Joseph, Jules, Noël de Laborde avait manifesté des qualités de courage, d'esprit d'entreprise[2], qui devaient le conduire, une fois accepté son non-conformisme, son manque de diplomatie et le côté quelque peu schématique de son esprit, aux plus hauts postes de responsabilité, dès lors que ces responsabilités consistaient à appliquer avec résolution, rapidité, efficacité, des choix faits, au sommet, par d'autres que lui.

A l'instant où les Allemands approchent de Brest, puis de Saint-Nazaire, on verra Jean de Laborde, qui commande le théâtre d'opérations de l'ouest, réussir le tour de force de faire partir en quelques heures, en direction de l'Angleterre ou de l'Afrique, la quasi-totalité des navires de guerre[3] et de commerce qui encombrent les ports menacés.

Atteint par la limite d'âge depuis le 29 novembre 1940, est-il prolongé par Darlan à cause de ses sentiments d'anglophobie — mais il ne manque pas d'amiraux anglophobes — ou parce que son dynamisme en fait, à un instant où la guerre peut ménager des surprises, un homme d'action utile au commandant en chef ?

Quoi qu'il en soit, au mois d'août 1942, Jean de Laborde sait qu'il devra, avant la fin du mois de novembre, quitter cette fois son navire, le *Strasbourg*, et cette Marine à laquelle il s'est depuis toujours identifié.

Que fera-t-il ?

A soixante-quatre ans, cet homme, qui mourra en 1977 âgé de quatre-vingt-dix-neuf ans, n'éprouve aucun goût pour une calme retraite dans sa maison de... Tamanrasset. Lorsque tant d'autres choisissent de vieillir doucement sur la Côte d'Azur, il a poussé, en

1. Né le 29 novembre 1878, Jean de Laborde entre à l'Ecole navale en 1895. Après avoir fait campagne en Extrême-Orient de 1899 à 1901, il est promu lieutenant de vaisseau en 1908 et se trouve engagé au Maroc et en Extrême-Orient de 1909 à 1912. Pilote d'avion, il est grièvement blessé le 15 mai 1914, commande une escadrille en 1915, puis le centre d'aviation maritime de Dunkerque. Capitaine de frégate en janvier 1917, capitaine de vaisseau en 1923, contre-amiral en août 1928, vice-amiral en octobre 1932, amiral en août 1939, il mène une carrière originale pour l'époque, qui fait de ce marin, un passionné et un familier de l'aviation.

2. Il s'en rendait compte et le dira à plusieurs reprises : « Je ne suis bon, écrira-t-il, le 15 septembre 1942, à l'amiral Platon, que pour le commandement militaire actif. »

3. Notamment le *Jean Bart,* en voie d'achèvement à Saint-Nazaire.

effet, l'originalité jusqu'à fixer dans cette oasis du Sahara algérien, alors à vingt-quatre heures d'avion, le lieu de son éventuel repos.

Son appétit d'action, ou son refus de l'inaction, sa répulsion pour la retraite, comme devant un gouffre où tout disparaîtrait de ce qui donne un sens à la vie, expliquent peut-être, en partie, qu'au bord du désœuvrement Jean de Laborde ait imaginé et proposé aux Allemands la mise sur pied d'une Légion ayant pour mission, sous le commandement suprême de Rommel, de reprendre le Tchad, passé aux gaullistes en août 1940.

Sur cet épisode peu connu mais important pour comprendre la psychologie et les réactions du responsable du destin de la Flotte de Haute Mer, 9 lettres adressées à l'amiral Platon, l'un des 4 secrétaires d'Etat auprès du chef du gouvernement[1], portent témoignage. 8 — celles des 14 et 26 août, 8, 11 et 15 septembre, 14, 24 et 31 octobre — saisies chez l'amiral Platon après son exécution sommaire le 14 août 1944, ont été transmises, en novembre 1944, par un soldat des F.F.I. à une dactylo appartenant au Front national. Par l'intermédiaire de cette dactylo, elles parviendront à M. Chapuis, rédacteur en chef du *Patriote*, de Saint-Etienne. Au moment du procès de l'amiral de Laborde, ces lettres, dont des extraits avaient été publiés par le *Patriote*, seront intégralement lues et abondamment commentées, aussi bien par la défense que par l'acccusation[2].

La neuvième lettre, d'une importance extrême, et qui n'est jamais venue à la connaissance de la Haute Cour de Justice, est datée du 8 octobre 1942. J'en possède la photocopie.

1. Les trois autres secrétaires d'Etat, Fernand de Brinon, Jacques Benoist-Méchin, Paul Marion, appartiennent également au clan collaborationniste.

2. Dans le dossier initialement transmis à M. Chapuis, le nombre des lettres écrites par l'amiral de Laborde s'élevait à 11 dont 9 antérieures au sabordage de la Flotte. 3 lettres sont restées ignorées de la Haute Cour. M. Chapuis avait remis toutes les lettres à M. Saccardi, commissaire du gouvernement près le tribunal militaire de Saint-Etienne pour qu'elles soient envoyées à la direction de la justice militaire de Paris. Ce qui fut fait, mais, les lettres stagnant toujours à Paris dans une caisse d'archives, c'est M. Saccardi qui prit l'initiative de les adresser à la Haute Cour de justice.

Qu'écrit Jean de Laborde? Sa première lettre, celle du 14 août, constitue une entrée en matière. Il fait savoir à l'amiral Platon qu'il abandonnera au mois de novembre le commandement des Forces de Haute Mer.

> « Par ailleurs, poursuit-il, je viens de voir que vous devenez un des dirigeants de la Légion tricolore[1].
>
> « Bien que ces deux faits paraissent n'avoir aucun lien, ils font que je voudrais beaucoup vous parler d'une question qui vous intéresse, mais de préférence de vive voix... »

Du 14 août au 5 octobre, Laborde écrira cinq fois à l'amiral Platon, sans que le mot « Tchad » apparaisse dans la correspondance[2]. Le 26 août, Laborde regrette de n'avoir pu, à la tête de la Flotte, « exercer aucune représaille » pour venger « les insultes sanglantes » subies par notre pavillon[3]. Il demande — toujours le 26 août — que l'on mette à sa disposition un « bras droit » colonial, qui pourrait être le général André, commandant la division de Constantine.

Le 8 septembre, nouvelle lettre à Platon. Laborde explique qu'il vient d'écrire à l'amiral Darlan et au président Laval. Au premier, il a demandé un rendez-vous qui aura lieu le 9 septembre. Il importe non seulement que Darlan ne fasse pas obstacle à ses vœux, mais encore qu'il lève les « scrupules » que Laval pourrait avoir[4] face à cet officier

---

1. La Légion tricolore est créée par un décret du 8 août 1942. Elle n'aura qu'une existence éphémère. *Cf. Les beaux Jours des collabos*, p. 261 et suiv.

2. A son procès et devant des jurés qui s'étonnent, l'amiral de Laborde dira que fait défaut une lettre qui exposait ce qu'il appelle « la question ». « Je lui avais exposé la question dans la lettre précédente qui manque. Elle ne m'a jamais été présentée et j'en ai perdu le souvenir. » J'ai retrouvé cette lettre.

3. Et notamment Mers el-Kébir. Si le mot n'est pas écrit, c'est bien contre les Anglais que Laborde aurait désiré exercer des représailles. Il le précisera lors de son procès et l'amiral Marzin rapporte dans son « journal » que Laborde se serait plaint, à plusieurs reprises, de n'avoir pu attaquer les convois anglais se rendant de Gibraltar à Malte.

4. « Au premier (Darlan), j'expose franchement la situation sans toutefois lui faire part de l'idée que nous avons soumise au Président (Laval) et que j'estime, comme je lui dis, ne pas pouvoir divulguer de moi-même en dehors du chef du gouvernement dès lors qu'il en a adopté le principe. Je demande donc à l'Amiral de lever de lui-même les scrupules que le Président pourrait avoir à ce sujet et lui offrir de m'appeler en mission à la date qu'il désirera...

« Au président Laval, je rends simplement compte de ce que j'écris à l'amiral Darlan... »

général qui ne veut pas d'un poste honorifique et n'ambitionne que de conduire à la reconquête du Tchad cette Légion africaine dont il a conçu le projet. Projet dont, enfin, nous savons tout par la lettre — inédite, celle-là — du 8 octobre, également adressée à l'amiral Platon.

Cuirassé *Strasbourg*
Amiral

Toulon, le 8 octobre 1942

« Mon cher Amiral,

J'ai reçu votre lettre du 5 qui me donne les causes d'un silence que je ne m'expliquais pas après vos premières lettres. Je vous remercie d'avoir bien précisé au Président Laval ce à quoi je pouvais être bon et de lui avoir également dit que me donner le commandement de la Légion tricolore actuelle du front russe serait inopportun... Il n'en est pas du tout de même pour la Légion tricolore africaine que je voudrais créer pour reprendre le Tchad ; s'il est vrai que les effectifs seraient, là aussi, peu importants, le commandement serait pratiquement indépendant. Je pense en effet que, si, pour maintenir la distinction entre la Légion tricolore, organisme offensif, et les troupes françaises qui ne font, hélas ! que défendre nos colonies, il serait nécessaire que cette Légion africaine opérât sous l'autorité du maréchal Rommel, la subordination à travers tout le désert de Tripolitaine serait forcément assez lâche. Je n'éprouverais d'ailleurs aucune gêne à être sous ses ordres malgré son jeune âge ; on n'a que celui de ses artères et je le matcherais sans crainte à n'importe quoi, à cheval, à chameau, au volant d'un engin ou au manche d'un avion ; avec son grade et, par surcroît, ce qu'il a fait, je n'aurais peine à me sentir très sincèrement plus « jeune » que lui[1]...

« L'opération du Tchad serait certainement pour leur guerre africaine [celle des Allemands] une opération très utile au point de vue stratégique ; il serait contre-indiqué qu'ils l'entreprissent eux-mêmes pour des raisons de politique générale qui me paraissent évidentes, aussi bien à leur point de vue qu'au nôtre... La Légion tricolore africaine pourrait donc : être rassemblée en

1. Rommel a alors 51 ans, Jean de Laborde 64.

Tunisie, s'entraîner en Tripolitaine et, une fois partie vers le sud, utiliser les bases du Niger.

« Je suis convaincu que cette proposition présentée sous cette forme aux Allemands, surtout si elle avait l'adhésion du maréchal Rommel, pourrait être adoptée par eux. Il faudrait donc, avant de renoncer, la leur faire le plus tôt possible. Mais la conviction du négociateur serait un facteur essentiel du succès, surtout s'il était en même temps le futur exécutant.

« Je crois donc, au risque de passer pour outrecuidant, que, si les Allemands acceptaient que je négocie moi-même la chose, d'abord et surtout vis-à-vis du maréchal Rommel, il y aurait plus de chances de réussir... »

A la suite de sa lettre, qui ne laisse aucun doute sur ses intentions comme sur la fascination qu'exerce sur lui Rommel, Jean de Laborde sera reçu à Paris le 27 octobre par Pierre Laval que rejoignent, à 18 heures, Abetz et Achenbach. De cette entrevue, nous connaissons l'essentiel grâce à une très longue lettre adressée à Platon le 24 octobre. Se mettant sans cesse en scène, Laborde, après avoir fait étalage de son anglophobie, expose aux deux Allemands un projet pour lequel il réclame 15 à 20 000 soldats. Abetz, qui n'est pas habilité à traiter les questions militaires, promet du moins de mettre Laborde en rapport avec des officiers de haut rang. Mais, avant que cette entrevue puisse avoir lieu, les Allemands font, sans plus tarder, savoir à Vichy — c'est-à-dire à Platon — que, faute de matériel, il leur paraît impossible de mener à bien l'entreprise dans des délais raisonnables [1].

Laborde, qui surestimait les capacités de l'armée allemande, exprimera son incrédulité et sa stupéfaction dans une lettre du 31 octobre [2].

1. Ce n'est nullement une dérobade. Nous savons, par un rapport allemand du 29 octobre 1942, que le Führer s'intéressait aux projets de l'amiral de Laborde, par un texte du 31 octobre qu'Abetz avait été prié « de continuer à traiter d'une façon positive l'affaire de la constitution, sous la direction de l'amiral français de Laborde, d'une Union des Volontaires Français pour la reconquête de l'Afrique équatoriale française », mais aussi, par une étude d'Abetz en date du 1er juillet 1943, que le manque de matériel avait été effectivement invoqué par le haut commandement allemand qui, en novembre 1942, n'estimait pas possible de mettre sur pied l'opération contre le Tchad avant février ou mars 1944.

2. A Platon, toujours.

« Personnellement, même si l'épuisement actuel est réel, je ne crois pas que ce soit un obstacle insurmontable pour les raisons suivantes : les opérations très actives en Russie doivent normalement finir au plus tard fin novembre[1], le front d'Egypte consommant infiniment moins que le front russe, les moyens de production n'ayant pas diminué à ma connaissance, leurs stocks doivent normalement commencer à se reconstituer à partir de fin novembre. Sur la production considérable nécessaire pour cette reconstitution, ce qu'il nous faudrait est peu de chose. Si donc l'opération est vraiment jugée par eux d'une importance capitale pour leur guerre africaine, ils pourraient parfaitement nous fournir ce qu'il nous faut presque dès le début de la remontée de leurs stocks, c'est-à-dire probablement dès décembre... »

En achevant, Laborde suggère à Platon qu'une nouvelle rencontre ait lieu avec les Allemands ou, plutôt, avec un Allemand, ce docteur Rahn qu'il ne connaît pas mais dont Platon lui a dit qu'il était « plus intelligent que les autres et plus franc[2] ». Laborde avait proposé la date du 18 novembre. L'entrevue aura lieu douze jours plus tôt, le 6, alors que voguent, et nul ne s'en doute, les navires qui transportent vers l'Algérie et le Maroc ces soldats anglais et américains qui imprimeront à la guerre un cours nouveau et réduiront à néant les projets de reconquête du Tchad.

L'avion transportant l'amiral de Laborde, qui, au cours d'une halte à Vichy, a été reçu quelques minutes par le maréchal Pétain et par Pierre Laval[3], atterrit au Bourget à 10 h 55. Il pleut. Laborde est accueilli par un officier allemand, « très correct », notera-t-il avec satisfaction dans le rapport que, revenu à Toulon, il rédigera le lendemain[4]. A l'ambassade d'Allemagne, Laborde est reçu par Abetz

1. C'est compter sans Stalingrad !
2. Déclaration de Laborde à son procès.
3. D'après Laborde, Pétain, mis au courant de son projet, se serait contenté de lui dire : « Amiral, ce que vous avez projeté peut avoir des conséquences très importantes. » Interrogé plus tard, le Maréchal affirmera que l'amiral de Laborde l'avait bien informé. « Mais, ajoutera-t-il, ce dont je me souviens, c'est que je l'ai arrêté immédiatement en lui faisant comprendre que son projet était irréalisable et que, au surplus, il était contraire à notre politique. »
4. Ce rapport sera envoyé à Platon le 9, donc après le débarquement anglo-américain. Laborde l'a fait précéder d'un mot indiquant à son correspondant qu'il n'avait plus qu'un intérêt documentaire.

qui le conduit dans un petit salon où se trouvent le colonel Böhme ainsi qu'un officier interprète.

Rahn arrive quelques minutes plus tard. Laborde, une fois encore, expose son plan de reconquête du Tchad, puis énumère les besoins en matériel [allemand][1] de sa future Légion. Comme le colonel Böhme fait remarquer avec réalisme qu'il sera très difficile, voire impossible, de transporter les hommes et le matériel indispensables à la bataille puisque, dès les premiers engagements, les Anglo-Américains, maîtres de la mer, interrompront toutes les relations avec Dakar et que, dans ces conditions, l'attaque du Tchad mettra « le feu à la maison », Laborde réplique qu'il a toujours pensé, en effet, que l'action contre la colonie gaulliste « serait l'allumette qui déclencherait cet incendie » qu'il affirme attendre depuis deux ans[2].

L'image paraît plaire au colonel Böhme, mais déjà il est bien trop tard pour que Laborde et les hommes d'une Légion africaine, toujours à créer, craquent l'allumette qui « mettrait le feu à la maison ». En Afrique, la partie est définitivement perdue pour les Allemands. Le Tchad demeurera gaulliste.

Le projet de Légion tricolore africaine serait resté à jamais enfoui dans le secret des consciences, si le hasard du pillage de la demeure de l'amiral Platon n'avait permis à la Libération, l'exhumation de lettres révélatrices et accusatrices[3].

Lors de son procès, les 27 et 28 mars 1947, l'amiral de Laborde affirmera pour sa défense que son projet n'était pas sérieux, qu'il ne s'agissait que d'une « mystification » à l'usage des Allemands. En réclamant une armée de 15 à 20000 volontaires blancs[4], il voulait,

---

1. Les 100 chars SOMUA que Laborde réclame n'existent pas dans les dépôts français, et leurs délais de fabrication étant d'un an au moins, tout son plan repose sur la possession d'armes allemandes.

2. Ce sont les termes utilisés par l'amiral de Laborde dans le rapport qu'il adresse à Platon le 9 novembre.

3. Après le sabordage de la Flotte et son arrestation provisoire par les Allemands, Laborde a détruit, en effet, tous ses papiers et notamment le « dossier Tchad » qui contenait les lettres de l'amiral Platon.

4. Laborde cite constamment, ce chiffre de 15 à 20000 volontaires blancs,

expliquera-t-il, obtenir, pour chaque volontaire recruté, la libération de deux, trois ou même quatre prisonniers, intention qu'il ne confiera cependant ni à Platon, ni à Laval, ni à Darlan, ni même au Maréchal.

Affrontant la Haute Cour de justice, Laborde dira également que son action avait eu des précédents.

Il faisait ainsi allusion, et son avocat Me Vienot le précisera, à un projet de reconquête du Tchad déjà mis sur pied par Vichy en octobre 1940, projet pour la réalisation duquel la libération de nombreux officiers et sous-officiers de l'armée coloniale avait été sollicitée[1].

Me Vienot citera également pour la défense de son client une déclaration du général Weygand au procès du maréchal Pétain[2], ainsi que le compte rendu d'un entretien entre le maréchal Goëring et le général Juin, entretien au cours duquel, le 20 décembre 1941, les modalités d'une défense *en commun* de la Tunisie contre les Anglais avaient été étudiées[3].

---

mais, dans le télégramme allemand, qui fait immédiatement suite à l'entretien Laborde-Abetz-Rahn-Böhme, voici comment les choses sont présentées :

« L'Union des Volontaires Français pour la reconquête du territoire du Tchad et des colonies françaises voisines devrait comprendre, au minimum, quatre bons régiments motorisés s'élevant environ à 20000 hommes en tout. Ces 20000 hommes se composeraient de 6000 blancs ayant l'expérience de la guerre coloniale et de 14000 indigènes, de préférence sénégalais. »

On voit que les 15 à 20000 « volontaires blancs » ne sont plus que 6000

1. Ces prisonniers furent, pour la plupart, libérés en juillet 1941.

2. Questionné, en effet, le 31 juillet 1945 par un juré, M. Destouches, sur les mesures prises en 1940 par Vichy, « notamment pour la reprise du Tchad », le général Weygand, loin de nier ces préparatifs, les revendiquera, tout en soulignant les immenses difficultés de l'entreprise. « C'est donc une absurdité que nous étudions pour donner quelque chose à manger à MM. les Allemands. »

Parlant des projets contre la dissidence, il dira aussi : « Nous avons toujours dit que rien ne serait tenté avant telle date et celle que nous avions fixée était celle du commencement des pluies. Puisque M. le Président m'a permis d'employer des expressions vulgaires : c'était la Saint-Glinglin. »

Dans le tome troisième des *Mémoires* du général Weygand, *Rappelé au service,* on trouvera (p. 389 à 394) de nombreuses allusions à la manière dont Vichy utilisait des attaques anglaises (Mers el-Kébir, Dakar) ou gaullistes pour obtenir des Allemands non seulement des armes, mais également la libération de certaines catégories de prisonniers.

En juin 1941, après les événements de Syrie, Hitler promit ainsi la libération de plus de 1100 officiers, 800 sous-officiers et 4500 hommes pour l'encadrement des troupes d'Afrique.

3. Dans le cas où les armées italo-allemandes auraient été amenées à retraiter. Juin répliquera à Goering « qu'il y avait lieu de créer un climat nécessaire pour que les troupes françaises, qui n'étaient pas sans souffrir des conditions imposées

Tout cela est exact. Mais, dans l'automne de 1942, l'initiative *individuelle et solitaire* de Jean de Laborde apparaît comme très différente des initiatives *gouvernementales* antérieures. Même lorsqu'il sait devoir se heurter à une fin de non-recevoir, et ces refus prévisibles sont pris en compte dans sa stratégie, le gouvernement de Vichy précise toujours que sa collaboration devra être payée d'un certain nombre de concessions allemandes [1].

Enfin, à moins d'imaginer Laborde sous les traits d'un virtuose du double jeu, alors qu'il se présente, et que tous ceux qui le connaissent le présentent, comme un homme « d'une seule pièce », ses lettres à l'amiral Platon, son attitude et ses déclarations de novembre 1942 ne peuvent laisser planer de doutes sur ses véritables sentiments.

Tandis que l'importance de Jean de Laborde se précise, celle de l'amiral Auphan diminue.

Auphan, qui s'est longtemps opposé aux Allemands, démissionne en effet le 15 novembre après avoir entendu Laval déclarer qu'il fallait, pour sauver la France, adhérer au Pacte tripartite. Démission qui deviendra effective le 19 novembre lorsque l'amiral Abrial, héros de l'évacuation de Dunkerque, mais soldat tout entier dévoué, à travers l'image qu'il se fait de Philippe Pétain, à la politique de Laval, est appelé à lui succéder [2].

« Le départ d'Auphan ne devait pas tarder à se faire sentir, allait écrire l'amiral Marzin. Le 20 novembre, Laval cédait aux Allemands la totalité de la flotte marchande battant pavillon français [3]. »

---

par l'armistice (zone occupée, prisonniers, etc.), se fassent à l'idée de combattre côte à côte avec les Allemands et, *a fortiori*, avec les Italiens ». Sur ce point se reporter également à la page 30.

1. On l'a vu notamment, en juin 1941, au moment où sont étudiés, les « accords de Paris ». *Cf. Les beaux Jours des collabos*, p. 169-194.

2. Avec Auphan, partent du gouvernement Gibrat et Barnaud. De l'état-major de la Marine, Marzin et Aubert, sous-chef d'état-major pour l'Aéronautique navale.

3. A l'exception de 18 navires totalisant 50 000 tonnes que la France conservait pour ses besoins (trafic avec la Corse en particulier). L'ensemble des navires marchands se trouvant dans les ports français représentait 646 000 tonnes. Après l'accord Laval-Kaufmann du 22 novembre, la prise en charge des navires fut signifiée à la France le 5 décembre. Les Allemands émirent par la suite la prétention de nous laisser la charge des frais d'exploitation des navires mis à leur disposition.

En 1939, lors de la déclaration de guerre, la France disposait de trois millions de tonnes de navires marchands.

La lettre que Laval adresse à Hitler le 22 novembre — lettre dont il dira le 18 septembre 1945, au cours de l'un de ses interrogatoires, qu'elle n'avait pas dû être expédiée — présente ce transfert, dont les termes ont été discutés avec le *gauleiter* Kaufmann, comme une « occasion (pour le gouvernement français) de marquer par ce premier acte sa volonté de prendre parti dans le combat gigantesque que vous menez[1]. »

Pour armer ces navires, 5 000 marins allemands sont dirigés sur Marseille.

Ainsi le dispositif allemand : concentration de chars à Bandol et Sanary, envoi à Marseille de munitions et de renforts[2], occupation, le 26, du terrain d'aviation de Palyvestre, se met-il méthodiquement en place tandis que se désagrège le dispositif français.

Lorsque l'amiral Abrial, nouveau secrétaire d'Etat à la Marine, se rend à Toulon (il y passera la journée du 23), quelle est la situation à moins de quatre jours du coup de force allemand ?

Le 18 novembre, les Allemands ont exigé le départ de la quasi-totalité des troupes de l'armée de terre envoyées, certes, pour protéger la base contre une attaque anglo-saxonne, mais dont le comportement demeurait imprévisible[3]. Une dizaine de bataillons demeurent cependant disponibles : deux bataillons du 21e régiment d'infanterie coloniale, six bataillons constitués par des hommes appartenant aux compagnies de débarquement des Forces de Haute Mer, aux unités en gardiennage, aux batteries et ouvrages de côtes.

Mais ces troupes sont soit en réserve (c'est le cas de la moitié d'entre elles), soit orientées vers la mer pour s'opposer, à l'ouest avec les

1. « Je suis résolu à tout faire, ajoute Laval, selon les possibilités de la France, pour vous aider à abattre le bolchevisme et pour empêcher l'emprise de l'Amérique sur l'Europe et sur son prolongement africain. Des conditions morales et politiques doivent être créées en France en vue de cette action. Elles résulteront, j'en suis sûr, d'un entretien que je vous demande et que je souhaite prochain. »

2. Les 5 000 marins ne devaient pas, en principe, être mêlés à l'opération sur Toulon. Eût-elle réussi que leur concours se serait révélé précieux.

3. Le 21, ils interdisent à ce qui reste d'aviation française le survol de Toulon et de sa région.

Allemands, à l'est avec les Italiens, à toutes les tentatives alliées. Les amiraux ne craignent manifestement pas le péril qui pourrait venir de la terre, celui qui pourrait venir de l'Allemand.

Interrogé, le 27 mars 1947, par un juré, M. René Mayer, qui lui demandera s'il avait « vraiment cru » que les Allemands respecteraient la neutralité de Toulon, l'amiral de Laborde devait répondre :

« Je l'ai cru... Je l'ai cru et mes doutes mêmes, à ce sujet, avaient sérieusement diminué. J'avais peut-être tort, je ne connaissais pas les Allemands. Je n'ai jamais été en Allemagne, je n'ai jamais eu aucune relation avec aucun Allemand[1], je les connaissais mal. Mais il est absolument matérialisé et établi, du reste par le procès de l'amiral Marquis et de l'amiral Abrial, que, le 26 novembre, veille du jour où les Allemands ont tenté de s'emparer de la flotte, j'ai proposé à l'amiral Marquis, qui a acquiescé, comme la situation paraissait se stabiliser, de laisser les officiers, sous-officiers et hommes mariés (y compris les hommes d'équipage ou quartiers-maîtres mariés) descendre à terre en petit nombre, avec roulement, étant donné que, jusque-là, nous les avions maintenus complètement à bord, toutes les nuits... Nous commencions à avoir moins de méfiance vis-à-vis des Allemands. »

Si bien que, pour contrôler (on n'ose écrire pour défendre) les deux routes principales qui mènent alors à Toulon, il n'existe que deux postes de surveillance : l'un sur la nationale 8, un peu avant Ollioules, c'est-à-dire à 8 kilomètres environ de Toulon, l'autre à la hauteur de La Valette, à 6 kilomètres de la ville. Trois gendarmes à Ollioules. Trois gendarmes à La Valette.

Ainsi, la sûreté du port et de la Flotte repose-t-elle sur 6 gendarmes disposant de motocyclettes, de bicyclettes et de liaisons téléphoniques. Mais les motocyclettes peuvent tomber en panne (cela se produira), le téléphone peut être coupé (il le sera à Ollioules aussi bien qu'à La Valette). « Au mépris des règles les plus élémentaires, écrira Henri Noguères dans son excellente étude sur le sabordage, ces deux postes ne sont pas doublés. » Quant aux routes secondaires, elles sont totalement abandonnées à l'ennemi !

La modicité du dispositif de « protection » témoigne, de la part des amiraux français, soit d'une ignorance totale des méthodes de rapidité et de surprise constamment utilisées par l'armée allemande, soit d'une confiance qui confine à l'aveuglement.

---

1. On a vu que ce n'est pas exact. *Cf.* p. 486-487.

Quoi qu'il en soit, lorsque les unités de la panzerdivision stationnée dans la région d'Aix-Semenos mettent leurs moteurs en route, le 26 novembre à 23 heures, il est bien trop tard pour que la Flotte française puisse s'échapper.

A son procès, l'amiral de Laborde dira que, passé le 11 novembre au soir, l'appareillage n'était plus possible. Répliquant au capitaine de frégate Blouet qui avait affirmé que, le 13, le 14, le 15, « les risques étaient acceptables », mettant en avant son expérience de commandant d'escadre, montrant la rade de Toulon — cette souricière — sous la menace des mines magnétiques, puis sous la menace de l'artillerie et des chars, l'amiral de Laborde devait s'efforcer de prouver tout le côté aventureux d'une entreprise qu'il n'avait jamais d'ailleurs, on le sait, envisagé de tenter.

Mais les plus optimistes et les plus résolus — Blouet, par exemple — admettent qu'à partir du 23 ou du 24 novembre l'appareillage de la flotte aurait représenté une opération désespérée, et enfin que, dans la nuit du 26 au 27, « le sabordage restait la seule et l'ultime ressource ».

Pour appareiller, un bâtiment de guerre, à l'exception des sous-marins, a besoin — suivant son type et sa catégorie — de quatre à six heures ; le remorquage des filets barrant la passe réclame entre trente minutes et deux heures et, se déroulant sous le feu de la Luftwaffe et de la Wehrmacht, ces opérations auraient conduit à un massacre.

Les blindés qui se mettent en route le 26 novembre, une heure avant minuit, pour obéir à l'ordre d'opération « Lila » (dernier avatar d'« Attila ») signé par Hitler le 19 novembre [1], procèdent suivant une technique rodée au fil des années de guerre et qui allie un secret total à une excellente coordination des différents éléments engagés.

Le premier groupement blindé, qui doit parcourir une centaine de kilomètres, a reçu pour mission, après être passé par Solliès-Pont et s'être introduit dans Toulon par la nationale 97, d'occuper le fort Lamalgue, de se saisir de l'amiral Marquis, préfet maritime, et d'empêcher les autorités françaises de donner l'alerte. Des éléments

1. L'opération d'invasion de la zone libre avait été étudiée dès le 10 décembre 1940.

détachés de ce premier groupement doivent, dans le même temps, envahir l'arsenal du Mourillon, neutraliser la station de radio, s'emparer des sous-marins à quai et pousser une batterie d'artillerie à la pointe sud du Mourillon d'où elle battra la petite rade et la passe, interdisant ainsi toute sortie des navires français.

L'opération est prévue pour 4 h 30.

A soixante kilomètres de son point de départ, le second groupement blindé allemand a pour objectifs la base navale de Saint-Mandrier, l'Arsenal principal, les appontements Milhaud, c'est-à-dire le *Strasbourg,* le *Colbert,* l'*Algérie,* la *Marseillaise* et cinq contre-torpilleurs.

Comme à l'ordinaire, les blindés allemands en marche vers Toulon sont précédés de motocyclistes qui arrachent les câbles téléphoniques. Si bien que les gendarmes français, ceux de Le Camp, de La Valette, d'Ollioules, qu'alertent les bruits de chenilles, se trouvent dans l'incapacité de prévenir Toulon. Leurs téléphones demeurent muets. Sans doute auraient-ils la possibilité d'envoyer l'une ou l'autre de ces estafettes motocyclistes prévues par ce que l'on n'ose appeler le « plan de protection » de Toulon. Mais les gendarmes du poste de La Valette sont neutralisés avant d'avoir pu intervenir, l'un d'eux, le gendarme Le Moign, se voyant même contraint de servir de guide à la colonne allemande.

Seul le chef du poste placé à la sortie est d'Ollioules aura la possibilité de réagir. A défaut d'avoir vu les blindés allemands qui, sans entrer à Ollioules, ont emprunté la départementale 11 pour rejoindre Sanary, il a entendu et compris[1].

Un peu après 3 h 30, une estafette motocycliste quitte donc Ollioules pour Toulon où elle se présente à 4 heures au lieutenant de vaisseau Morel, chef du poste de garde de la porte Castigneau. Immédiatement, Morel alerte l'enseigne de vaisseau Piéters, officier de permanence à la préfecture maritime. A cet instant, les Français disposent encore de vingt-cinq petites minutes de liberté avant l'arrivée des Allemands prévue, par un plan qui sera remarquablement respecté, pour 4 h 30. Ces vingt-cinq minutes, ils vont les perdre. Ayant ouvert la fenêtre, n'entendant, lui, aucun bruit suspect, Piéters demande à

1. Le chef de la brigade de gendarmerie d'Ollioules enverra, avec retard, deux gendarmes à Toulon. N'ayant que des bicyclettes et devant, cette fois, éviter les blindés et motocyclistes allemands qui les ont devancés, ils n'arriveront pas à Toulon avant 6 heures du matin.

Morel de renvoyer le gendarme à Ollioules (huit kilomètres). Si les bruits sont toujours perceptibles, s'il se confirme que des blindés allemands « azimutent » sur Toulon, alors le gendarme reviendra à toute allure.

Il ne reviendra pas.

Moins fiable, en effet, que les machines allemandes, la moto française tombera en panne entre Toulon et Ollioules.

Cependant, à 4 h 15, l'enseigne Piéters rappelle la porte Castigneau. Le gendarme ? Non, on ne l'a pas revu, mais, comme la ville demeure silencieuse, Piéters laisse passer quelques minutes avant d'appeler le fort Lamalgue. Il est 4 h 25. La communication est difficile à obtenir. Lorsque Piéters entre enfin en contact avec le fort Lamalgue et demande l'amiral Robin, il s'entend répondre :

— Impossible... les Allemands sont là !

— Les Allemands ? Quels Allemands ? Ceux de la Commission d'armistice ?

— Je vous répète, lieutenant, que les Allemands sont là.

Ils sont effectivement au fort Lamalgue depuis quelques minutes. A 4 h 25, le premier char — celui qui porte le gendarme Le Moign, qui s'était vainement efforcé d'égarer les Allemands dans les rues de la ville — est arrivé devant la porte du fort. Officiers et soldats allemands se mettent immédiatement à la recherche de l'amiral Marquis. Il est 4 h 30.

4 h 30, l'heure prévue non seulement pour l'occupation de Toulon, mais également pour l' « information » du gouvernement français, qui se trouvera placé ainsi devant le fait accompli.

A 4 h 30, très exactement, Krug von Nidda, consul général d'Allemagne, remet à Pierre Laval, chef du gouvernement français, que l'on a tiré de son sommeil, une lettre d'Abetz et le double de la lettre adressée par Hitler au maréchal Pétain.

Une heure plus tôt, Krug von Nidda avait réveillé Charles Rochat, secrétaire général du ministère des Affaires étrangères.

— Je suis chargé par mon gouvernement de remettre une communication urgente au président Laval.

— Le président est chez lui, à Châteldon...

— Je sais. Je dois m'y rendre immédiatement. Si vous voulez bien m'accompagner, je passe vous prendre...

Krug von Nidda se présente quelques minutes plus tard et, bien entendu, pendant le trajet de Vichy à Châteldon (vingt kilomètres), il ne dit rien à Rochat du message dont il est porteur mais dont tout, et d'abord l'heure insolite, laisse supposer qu'il ne peut être que d'une gravité extrême.

A 4 h 25, la voiture de Krug von Nidda stoppe devant le château de Châteldon, exactement comme, à la même minute, les chars allemands, à Toulon, ont stoppé devant la porte Castigneau. Rochat, qui piétine dans le froid, veut, sans plus tarder, faire ouvrir la porte du château. Krug von Nidda intervient.

— Non, attendons la demie...

4 h 30. Laval, que Rochat a alerté depuis Vichy, ignore tout du message que va lui transmettre von Nidda. Il devine cependant, et comment pourrait-il en être autrement, qu'un nouveau coup va atteindre la France déjà accablée.

Krug von Nidda qui est informé de l'assaut donné à la Flotte française, comme aux casernes où dort l'armée de l'armistice, et qui sait qu'aucune réaction n'est possible, livre à Laval l'information essentielle — occupation de Toulon, démobilisation de l'armée française — avant de lui remettre les deux lettres qui lui ont été confiées, lettres dont la lecture retardera — et ce ne sera pas sans influence sur la suite des événements — le retour de Laval à Vichy.

La lettre d'Hitler à Pétain est longue (huit feuillets dactylographiés), tout entière occupée d'abord de ces réminiscences historiques que le Führer développe systématiquement pour se donner bonne conscience : l'Allemagne n'a pas déclaré la guerre en septembre 1939 ; Montoire aurait « pu jeter les bases d'une détente générale », le retour des cendres de l'« Aiglon » ne constituait nullement un prétexte pour attirer Pétain à Paris et l'y retenir prisonnier ; les généraux et amiraux français ont « failli à leur parole d'honneur à l'égard d'organismes allemands et cela un nombre incalculable de fois ».

> « C'est pourquoi, poursuit Hitler, après avoir eu connaissance de nouvelles violations de leur parole d'honneur commises par des officiers, des généraux, des amiraux français qui ont l'intention, maintenant prouvée, d'ouvrir aux fauteurs de guerre anglo-

juifs la France après l'Afrique du Nord, j'ai donné l'ordre d'occuper immédiatement Toulon, d'empêcher le départ des navires ou de les détruire et de briser par la force, en cas de besoin, toute résistance. Cela ne constitue pas une lutte contre les officiers ou les soldats français conscients de leur honneur, mais seulement contre les criminels fauteurs de guerre, pour lesquels il n'a pas encore aujourd'hui coulé assez de sang et qui cherchent toujours de nouvelles possibilités pour prolonger et pour étendre la catastrophe.

« J'ai, en conséquence, donné l'ordre de démobiliser toutes les unités de l'armée française qui, à l'encontre des ordres de leur *propre* gouvernement, sont excitées par leurs officiers à une résistance active contre l'Allemagne. »

La lettre d'Abetz à Pierre Laval reprend les accusations d'Hitler[1]. Elle les amplifie même, notamment en ce qui concerne la Marine, sans toutefois apporter de précisions convaincantes, car rien ne pouvait laisser croire à une volonté de concertation entre les amiraux français et les alliés, si bien que Laborde protestera violemment, dans les jours qui vont suivre, contre des allégations qui, en ce qui le concerne, sont effectivement sans fondement[2].

Occupation de Toulon, démobilisation de l'armée française, espoir que toute effusion de sang sera évitée, assurance que, si des résistances se manifestent, elles seront brisées, affirmation que le « nettoyage » de tous les éléments hostiles à un rapprochement franco-allemand servira finalement le bien des deux peuples, Abetz énumère et développe plus ou moins longuement ces différents points. Avant de

1. Après les événements de Toulon, Abetz traversera une longue période de disgrâce.

2. « La ville et le port de Toulon, affirme la lettre d'Abetz, n'ont pas été occupés à la demande formelle du gouvernement français et après que les amiraux français eurent donné leur parole d'honneur de défendre Toulon contre toute attaque anglo-américaine. Mais le gouvernement du Reich a été maintenant mis en possession de documents qui prouvent, de façon indiscutable, que les amiraux et officiers dirigeants de la flotte française à Toulon non seulement n'ont pas l'intention de défendre Toulon, mais qu'ils favorisent en secret un débarquement anglo-américain à Toulon et qu'ils veulent passer à l'adversaire au moment fixé. Des parties de l'armée et de l'aviation françaises sont également mêlées à ce nouveau complot fomenté par les ennemis éternels d'une compréhension franco-allemande. »

terminer en transmettant à Laval les remerciements d'Hitler pour la « cession » de la flotte marchande française, Abetz précise que le Führer est décidé « de faire tout ce qui est en son pouvoir et de vous aider pour créer une force militaire absolument sûre pour le gouvernement français ». Quelle sera la vocation de cette « force absolument sûre » ? Aider l'armée allemande à lutter « par tous les moyens contre tout essai de débarquement des forces américo-anglaises débarquées en Afrique et à combattre pour regagner l'empire colonial français [1] ».

Ces mots sont écrits par des hommes — Hitler, Abetz — qui sont en train de détruire ce qui reste encore des forces françaises et, par leur action, rendent leur reconstitution moralement et matériellement impossible...

On comprend que Laval, dans un bien inutile mouvement de colère, ait froissé les deux lettres qui portaient un coup mortel à sa politique et aux illusions sur lesquelles elle reposait.

Après avoir demandé à Rochat de convoquer un conseil restreint, il lui reste à partir en hâte pour Vichy. Il y arrivera à 5 h 15. Trop tard pour que son désir de « parlementer » encore, de « négocier », d'éviter le sabordage en élaborant, pour la flotte de Toulon, un statut équivalent à celui que les Anglais avaient accepté, en juillet 1940, pour la flotte d'Alexandrie [2], puisse, désormais, aboutir.

A Toulon, en effet, l'alerte a été donnée par l'enseigne Piéters et par le commandant Biseau qui, rappelant le fort Lamalgue, obtiennent un interlocuteur allemand — mais aussi par l'amiral Robin. Dans le fort envahi, Robin réussit à s'enfermer dans son bureau et à joindre téléphoniquement l'amiral Dornon, major général.

— Les Allemands occupent Lamalgue, c'est la prise de Toulon par

1. « ... Je suis persuadé, poursuit Abetz, que la fraternité d'armes, créée par la lutte commune à venir qui sera ressentie par les soldats français et allemands inspirés du même esprit européen, contribuera plus que tout à servir de base à une amitié durable entre l'Allemagne et l'Italie, d'une part, et la France d'autre part. »

2. A Alexandrie, alors base anglaise, où se trouvaient en juin 1940, un certain nombre de navires de guerre français que Churchill avait donné ordre, le 3 juillet, de saisir ou de couler, l'amiral Godfroy et l'amiral Cunningham s'étaient mis d'accord pour que la flotte française immédiatement désarmée puisse demeurer sous pavillon français.

la force... Il faut agir en conséquence : appelle le *Strasbourg* et préviens Guérin.

Dornon prend immédiatement le relais de Robin.

A 4 h 40, la communication avec le *Strasbourg* est établie et l'amiral Guérin, chef d'état-major des Forces de Haute Mer, mis au courant de la situation. A 4 h 45, l'amiral de Laborde réveillé, et qui refuse de croire à la réalité (pourquoi les Allemands ne seraient-ils pas fidèles à leur parole puisqu'il est, lui, Laborde, fidèle à la sienne), demande à l'amiral Guérin d'appeler l'amiral Marquis... qui ne répond pas. Et pour cause : il est arrêté.

— Essayez Robin, demande Laborde.

Au fort Lamalgue, l'amiral Robin se trouve, lui, en liberté surveillée.

— Il y a quelqu'un dans mon bureau... Je ne peux plus parler. Raccrochez, ne téléphonez plus.

L'amiral de Laborde, qui a pris l'écouteur, n'hésite plus.

— Faites faire le branle-bas sur tous les bâtiments [1].

Il est 4 h 57.

L'ordre de branle-bas, transmis par ondes très courtes, par téléphone, par signaux touche d'abord les croiseurs de la première escadre. Le *Colbert*, l'*Algérie*, la *Marseillaise*, qui, aux appontements de Milhaud, se trouvent proches du *Strasbourg*, sont alertés immédiatement ainsi que les cinq contre-torpilleurs voisins. De navire à navire, avec parfois des retards explicables par l'absence d'écoute radio pendant les heures de nuit, l'ordre est ainsi répercuté. Au quai Noël, les contre-torpilleurs et torpilleurs, placés sous le commandement du contre-amiral Négadelle, enregistrent à 5 h 4 et 5 h 6 le message émanant du *Strasbourg*. Ailleurs, et c'est le cas pour les équipages des sous-marins amarrés à la darse nord du Mourillon, ce sont les Allemands qui ont donné l'alerte en pénétrant à 5 h 5 sur les quais.

1. « Pour avoir négligé d'isoler totalement le central téléphonique du fort Lamalgue, écrit Noguères, les Allemands ont perdu le bénéfice de la surprise réalisée au moment de l'occupation du fort. L'alerte qu'ils redoutaient est maintenant donnée. » Elle l'est par l'amiral Robin, mais également par le capitaine de corvette Le Nabec, qui a pu s'enfermer dans le local des transmissions du fort Lamalgue et qui, indifférent aux coups des Allemands, qui s'efforcent d'enfoncer la porte, prévient le *Strasbourg*, le commandant du Front de Mer, le P.C. de la D.C.A., la 1re flottille de patrouille, la division métropolitaine de police, le Mourillon et le Ve Dépôt des équipages.

Bruyamment, puisqu'ils tirent plusieurs rafales de mitrailleuses. Sur certains navires éloignés, ou d'équipage réduit, la *Provence,* le *Dunkerque,* ce n'est pas avant 5 h 15, voire 5 h 35 que les commandants seront avertis.

Le branle-bas ordonné, voici les bordées de quart prêtes à allumer les feux ou, plus vraisemblablement, à effectuer les opérations de sabordage. La décision appartient à l'amiral de Laborde. Et cet homme de décision hésite un instant.

— Avant de faire un geste aussi effroyable que de saborder les bateaux, dira-t-il à son procès, je voulais aller jusqu'à la dernière extrémité.

Pour lui, la « dernière extrémité », ce sera le moment où, par la porte Castigneau, les Allemands pénétreront dans l'Arsenal.

C'est fait à 5 h 25, cependant que, par la Pyrotechnie, une autre colonne blindée menace les appontements de Milhaud. Alors, sur 4 m 94, l'émetteur du *Strasbourg* lance à tous le message : « Ici amiral F.H.M., sabordez la flotte... sabordez la flotte... »

Il est 5 h 29.

Sur le *Strasbourg,* la signalisation optique répète le même ordre. Du cuirassé, partent, pour régularisation, des messages écrits à l'intention de tous les commandants.

EXÉCUTEZ IMMÉDIATEMENT
SABORDAGE DE VOTRE BÂTIMENT
AMIRAL DE LABORDE
C.E.C. LES F.H.M.

Voici comment, le 27 mars 1947, devant la Haute Cour de justice, l'amiral de Laborde devait décrire le déroulement des opérations de sabordage à bord du *Strasbourg* et son récit épargnera au lecteur les fastidieuses explications indispensables à la compréhension de manœuvres complexes et dont la réalisation réclame plusieurs heures.

— ... Vers 6 heures moins le quart, je crois, nous avons vu envahir les quais, autour des appontements où était amarré le *Strasbourg,* il faisait toujours nuit, naturellement, puisque c'était en novembre. Nous les avons vus envahis par des soldats allemands qui se sont postés sur les quais ; il y en avait un certain nombre qui entouraient l'appontement du *Strasbourg.* J'avais fait supprimer la passerelle et toute communication était impossible autrement qu'à la nage. Nous avons été parfaitement tranquilles pour le sabordage qui a commencé d'abord en ouvrant les prises d'eau de tous les compartiments. Un homme est en bas et casse la manœuvre, distend la prise d'eau avec une masse, de façon que, la prise d'eau étant tout de suite noyée, personne ne puisse la refermer. Le sabordage principal consiste, avec un chalumeau, à ouvrir la porte de visite des grandes roues qui atteignent trois mètres de diamètre sur le *Strasbourg,* des roues dentées, des turbines, des transmissions de mouvement aux hélices. Le chalumeau atteignant les dents en acier, la roue est finie pour toujours et, par conséquent, les machines sont sabordées instantanément. Pour les chaudières, si elles n'ont pas assez de pression, on est obligé de mettre un pétard pour les faire sauter ; pour les canons, on met un pétard dans la pièce de façon à couler la pièce ou à la faire sauter...

Pendant que, sur presque tous les navires présents à Toulon, commencent les opérations de sabordage, Laval, à Vichy, réunit l'amiral Platon, secrétaire d'Etat, l'amiral Abrial, le général Bridoux et le général Jannekeyn, responsables respectivement des départements de la Marine, de la Guerre et de l'Air, le général Campet et Jardel, qui appartiennent au cabinet du Maréchal. Rochat, qui a accompagné Krug von Nidda à Châteldon, est naturellement présent. L'amiral Le Luc, très rapidement, puis, avec retard, Guérard, secrétaire général du gouvernement, viendront participer à cette réunion improvisée, dont il ne sortira rien, mais qui — commencée quelques minutes plus tôt — aurait pu conduire à l'interdiction du sabordage.

Immédiatement après que Laval eut informé les participants de son entretien avec le consul général d'Allemagne et que Rochat eut traduit les principaux passages de la lettre d'Hitler, le chef du gouvernement reprend la parole. Que dit-il ? Essentiellement qu'il faut « éviter les incidents ». Il le répète — le général Bridoux et le général Jannekeyn s'étant retirés dans une pièce voisine — devant les amiraux Abrial, Le Luc, Platon, devant Rochat, Campet, Guérard et Jardel. Encore faut-il entrer en communication avec Toulon. A la surprise générale, c'est sans aucune difficulté que l'amiral Le Luc, qui a pris l'initiative d'appeler la préfecture maritime, obtient l'enseigne Piéters. Il est alors 5 h 25 ou 5 h 30.

A l'amiral Le Luc, qui l'interroge sur « la situation », Piéters [1], que rejoindra bientôt le commandant Biseau, réplique en dirigeant l'appareil vers la fenêtre ouverte :

— Ecoutez vous-même... les bateaux sont en train de sauter.

— Bon... avez-vous de quoi écrire ?

— Oui.

Et, sous la dictée de Le Luc, Piéters répète à un officier des Equipages des mots dont la signification, aujourd'hui encore, prête à discussion et interprétation.

Ce texte capital a été inscrit, de façon parfois elliptique, au dos d'un message anodin reçu quelques heures plus tôt de l'Ecole des Pupilles de la Marine et enregistré à 23 h 24. Le voici :

POUR AL DE LABORDE
P... MARQUIS
DE LA PART PRÉS. LAVAL
ÉVITER TOUT INCIDENT
DE LA PART AL. ABRIAL
CECI MODIFIE INTÉGRALEMENT
TOUS LES ORDRES ANTÉRIEUREMENT REÇUS [2]

Quelques minutes plus tard, Piéters rappellera Vichy et, à nouveau, il obtiendra l'amiral Le Luc. Soucieux d'obtenir confirmation du message avant de le diffuser, Piéters, qui a ouvert l'annuaire de la Marine, interroge :

— Pouvez-vous me donner vos prénoms et votre date de naissance ?

— Ici, Le Luc, Maurice, Atanase, né le 14 juillet 1885, j'ai 1 m 90 et j'ai les yeux clairs... Où en êtes-vous à Toulon ?

— La rade est noire de fumée.

— Le président Laval est à côté de moi... on va négocier... Le président Laval va vous parler.

Laval ne pourra dire un mot. La communication est coupée. Mais, entre 5 h 40 et 6 h 20, heure où Toulon, cette fois, ne répondra plus à aucun appel, d'autres entretiens rapides, haletants, entre interlocu-

---

1. Le capitaine Piéters a fait plus tard à Henri Noguères le récit de cette nuit dramatique.

2. Ce texte, conservé par le commandant Biseau, déposé au greffe de la Haute Cour de justice, a été produit au procès de l'amiral Abrial.

teurs qui ne font pas toujours connaître leur identité, vont avoir lieu.

C'est ainsi que le commandant Biseau peut joindre à Vichy l'amiral Le Luc, puis, au cours de la même communication, l'amiral Abrial.

— Ici, amiral Abrial. Evitez les effusions de sang et les destructions de matériel inutiles.

Ces mots que Biseau affirmera avoir entendus, Abrial niera, plus tard, les avoir prononcés.

Cependant, à d'autres interlocuteurs, l'amiral Le Luc dira, de son côté, « Arrêtez les frais » et encore, lorsqu'il est informé que le sabordage est en cours, « De cela on se fout. Il s'agit avant tout d'éviter les coups de fusil ».

« Arrêtez les frais », « éviter tout incident », quelle est la signification exacte de ces phrases le 27 novembre 1942 entre 5 h 30 et 6 h 20 ?

On allait en discuter longuement au cours du procès de l'amiral Abrial, Abrial affirmant qu'il n'avait jamais été dans son intention d'interdire ou d'arrêter le sabordage.

— Si j'avais voulu donner un ordre de non-sabordage, j'aurais dit : « Ne sabordez pas. » Jamais on ne donne un ordre de cette importance-là en disant : « Pas d'incident. »

L'amiral Abrial affirmera également que son intervention et celle de l'amiral Le Luc avaient seulement pour but d'éviter, entre assaillants et assaillis, l'échange de coups de feu susceptibles de provoquer des pertes inutiles dans les rangs français.

Venu témoigner, le commandant Biseau confirmera cette thèse. Pour lui, Abrial n'avait jamais voulu arrêter le sabordage. Quant au message du président Laval ordonnant « d'éviter tout incident », il lui avait paru « extravagant » puisque déjà, dans le port, les explosions se succédaient.

Interrogé par le président Noguères sur la signification qu'il aurait accordée aux instructions venues de Vichy *si le sabordage n'avait pas été commencé,* le commandant Biseau refusera d'entrer dans le jeu des suppositions.

LE PRÉSIDENT NOGUÈRES. — Avez-vous eu l'amiral Abrial au bout du fil ?

LE COMMANDANT BISEAU. — J'ai eu l'impression d'avoir l'amiral Abrial au bout du fil...

NOGUÈRES. — Qu'est-ce qu'il vous a dit ?

BISEAU. — Il m'a dit : « Evitez les effusions de sang et les destructions de matériel inutiles. » On a raccroché après cela. C'est le sens, tout au moins, du message de l'amiral Abrial.

NOGUÈRES. — En recevant le premier message, quel est le sens que vous-même lui avez donné ? Quel sens avez-vous donné aux mots : « Ceci modifie intégralement les ordres antérieurement reçus » ?

BISEAU. — Je crois que nous n'avons pas eu à nous demander quel était le sens de ce message, qui nous a paru extravagant. Il tombait dans le vide : nous entendions déjà les explosions du sabordage.

NOGUÈRES. — Par conséquent, s'il tombait dans le vide parce que vous entendiez les explosions du sabordage, c'était qu'il n'avait plus d'objet. S'il avait eu un objet, qu'est-ce qu'il aurait voulu dire ?

BISEAU. — Je n'ai pas eu à me poser la question à ce moment-là. Le message du président Laval disant « éviter tout incident » nous paraissait extravagant, puisque le sabordage était commencé.

Etait-il si « extravagant » ce message de Laval ?

Le haut commandement des forces armées allemandes l'a pris au sérieux puisque, dans son communiqué du 27 novembre, justifiant l'agression, on trouve cette phrase : « Une partie de la flotte française s'est sabordée, *malgré les ordres contraires du gouvernement français*[1]. »

Ces « ordres contraires », Pierre Laval, dans une lettre adressée le 28 novembre au chancelier Hitler, devait écrire qu'il s'était trouvé dans l'impuissance de les donner en temps utile.

L'excès de méfiance d'Hitler, qui a fait coïncider l'instant où Pierre Laval était informé avec l'instant où Toulon se trouve envahi, est-il donc responsable du sabordage ? C'est en tout cas ce que le chef du gouvernement français affirme à Hitler.

> « … J'ai envers vous, monsieur le Chancelier, un devoir : celui d'être franc.
>
> « J'ai la conviction que la flotte française aurait pu jouer un grand rôle dans la défense de la France et de l'Europe et dans la

1. Je souligne intentionnellement.

reconquête de l'Empire. Elle aurait ajouté d'autres pages illustres à une histoire riche en héroïsmes. En attendant, elle eût accepté — avec son abnégation traditionnelle — de dures disciplines, celle même de ne pas naviguer, pour prouver son loyalisme à l'égard du Maréchal de France et permettre à son gouvernement de vous apporter un témoignage de sa fidélité. Les circonstances ne l'ont pas permis.

« Quand, en effet, immédiatement après avoir reçu votre lettre, avec le retard prescrit par vous sur les événements, j'ai fait appeler l'amiral Abrial, afin de transmettre à Toulon les ordres qui eussent permis de sauvegarder l'honneur et peut-être l'existence de la flotte, l'Amirauté venait d'être informée de l'occupation effective de l'arsenal de Toulon, de l'isolement de son haut commandement, le sabordage était déjà commencé.

« J'étais alors impuissant à arrêter l'irréparable. »

La thèse de Laval est, naturellement, celle qu'exprime le même jour Paul Creyssel, responsable de la propagande de Vichy. Dans son éditorial du 28 novembre, consacré au drame de Toulon, il déplore que « la fatalité de la guerre » ait conduit Hitler à agir promptement, « là où l'intérêt de la politique aurait commandé une négociation sans hâte ».

Le même jour, la censure de Vichy arrête un autre éditorial : celui de Jacques Chastenet, codirecteur du *Temps*, qui, sous le titre « La France ne meurt pas », donne raison aux officiers et aux marins de Toulon et se trouve donc en opposition avec la thèse qu'il faut bien considérer comme officielle de ceux qui regrettent que « le contrordre qui eût sauvé [les] navires [1] » ne soit point parvenu à temps [2].

Il ne s'en est fallu d'ailleurs que de quelques minutes.

Et c'est à travers un incident passé presque inaperçu que l'on peut,

1. Paul Creyssel.
2. Jacques Chastenet et Emile Mireaux prendront prétexte de cette interdiction pour arrêter immédiatement la parution du *Temps*.

mieux que par les témoignages et dépositions des procès de 1947, mesurer la véritable influence qu'aurait pu avoir le message de Laval.

Les consignes dictées par l'amiral Le Luc :

DE LA PART PRÉS. LAVAL
ÉVITER TOUT INCIDENT
DE LA PART AL. ABRIAL
CECI MODIFIE INTÉGRALEMENT
TOUS LES ORDRES ANTÉRIEUREMENT REÇUS

Le lieutenant de vaisseau Loury, officier de service au 3e bureau de la préfecture maritime, s'est efforcé à 5 h 45 de les répercuter[1]. Ne pouvant joindre l'amiral de Laborde déjà totalement isolé, sur le *Strasbourg,* il appellera la *Provence* et demandera au capitaine de vaisseau Le Merdy, commandant du navire, non seulement « par ordre de M. Pierre Laval » que « l'opération ordonnée par le major général (c'est-à-dire le sabordage) soit arrêtée », mais également que la consigne soit transmise à l'amiral de Laborde avec qui toutes les communications téléphoniques se trouvent interrompues.

L'ordre d'arrêter le sabordage est donc lancé à un moment où les opérations n'ont pas encore un caractère irrémédiable ; mais plusieurs impondérables vont en empêcher la transmission. Le commandant Le Merdy, n'ayant pas reconnu la voix du lieutenant de vaisseau Loury, ne réussit à obtenir au téléphone, pour une indispensable confirmation, ni la préfecture maritime, ni la Majorité générale, ni l'Arsenal.

Informé de la rupture des lignes téléphoniques, l'amiral Jarry, commandant la division des Ecoles, qui a mis sa marque sur la *Provence* décide donc, avant de faire porter par une vedette le message au *Strasbourg,* d'envoyer à la Majorité générale, le lieutenant de vaisseau Yves Lostie de Kehror. Mais, à peine a-t-il mis le pied sur le quai, Lostie de Kehror est intercepté par une patrouille allemande qui le raccompagne à bord et l'empêche d'accomplir sa mission de renseignement.

Ainsi le destin ne bascule pas...

---

1. Le lieutenant de vaisseau Loury tenait ce message du commandant Biseau qui, lui-même, l'avait reçu de l'amiral Dornon avec ordre d'en assurer la diffusion « par ses propres moyens ». *Cf.* Noguères, *op. cit.*, p. 161.

Il est 5 h 50.

Depuis cinq minutes, le sabordage est commencé sur le *Strasbourg,* mais le début de l'opération a coïncidé avec un violent incident.

Alors que l'équipage, ou ce qu'il en reste (250 hommes), occupe ses postes de combat, un char allemand, qui vient de longer le foyer du marin des Forces de Haute Mer, tire un coup de 88 en direction du *Strasbourg.* L'obus pénètre dans la tourelle 5 et blesse mortellement le lieutenant de vaisseau Georges Fay, légèrement cinq hommes. Sur l'ordre du commandant en second, les brownings arrière répliquent et plusieurs Allemands sont touchés cependant que le char bat en retraite. Ce pourrait être le début d'une rude bagarre, mais l'amiral de Laborde, présent sur la plage arrière, fait immédiatement cesser le feu. Les coups de feu contre le *Strasbourg,* sa riposte, le désarroi passager dans les rangs allemands, tout contribue cependant à donner aux navires amarrés au quai Milhaud un délai de quelques minutes qu'ils utilisent pour accélérer les opérations de sabordage.

Les Allemands sont certes présents, mais les navires ayant été éloignés du quai, les passerelles retirées, ils ne peuvent être, le plus souvent, que spectateurs.

Réussissent-ils à monter à bord, ils le font en très petit nombre : un officier, quelques hommes, et leur mission semble se limiter à la simple injonction faite aux officiers français d'avoir à rendre leur navire intact.

A bord de la *Provence,* c'est pendant que l'amiral Jarry discute dans son bureau avec un lieutenant allemand que le commandant Le Merdy réussit à se glisser par le conduit d'évacuation d'air vicié des chambres de condensation jusqu'aux machines pour donner l'ordre de sabordage, puis il revient « tranquillement » se mêler à une conversation relativement courtoise jusqu'à l'instant où, sentant le bâtiment s'incliner sur bâbord, les Allemands comprennent qu'ils ont été joués et s'écrient : « Il ne faut pas de sabotage... arrêtez sabotage. »

« Tout acte de sabotage est interdit. » C'est également ce que déclare un capitaine allemand au capitaine de vaisseau Malgouzou, commandant l'*Algérie,* mais il se trouve dans l'incapacité d'interrompre des mesures qui se poursuivent presque sous ses yeux et sous les yeux de ses soldats.

En n'envoyant à Toulon que 50 marins aux ordres du capitaine de frégate Hugo Heydel, en confiant à des « terriens », à des néophytes une opération de vaste envergure que seuls des spécialistes auraient pu contrôler et maîtriser, le haut commandement allemand vouait « Lila » à l'échec.

Lorsque le jour se lève, un peu avant 7 heures, le spectacle est de ceux que les témoins — marins et habitants de Toulon, réveillés par le bruit des appareils de la Luftwaffe, par celui des explosions — n'oublieront jamais.

Sur les quais, quelques tanks dirigent leurs tourelles en direction de la rade, les détachements allemands augmentent en importance et la ronde des motocyclistes autour des marins français qui assistent, consternés et furieux, à la mort de leurs navires se fait toujours plus insistante.

Tandis que l'air vibre du bruit des explosions qui répondent aux explosions, dans un ciel d'hiver gris et doux d'énormes fumées d'incendie se répandent.

Si, à bord du *Strasbourg,* le feu n'a fait que peu de ravages, il n'en va pas de même à bord du *Colbert,* de l' *Algérie,* de la *Marseillaise,* dont tous les hauts brûlent tandis qu'explosent les tourelles[1]. A 8 h 30, le *Dupleix,* dont les Allemands ont arrêté, à 6 h 20, le noyage des soutes à munitions, explose dans un vacarme épouvantable. Les 2 croiseurs, la *Galissonnière* et *Jean de Vienne* sont coulés dans les bassins de radoub, 2 des 5 contre-torpilleurs de la 3e escadre légère amarrés au quai Noël, le *Tortu* et le *Guêpard,* ont chaviré, l'*Indomptable* est couché sur bâbord. Dans la darse Castigneau, le contre-torpilleur *Vautour* est presque immédiatement immergé, comme le torpilleur la *Poursuivante,* cependant que l'eau atteint les hublots supérieurs du croiseur *Foch* et que, malgré les ordres qui interdisent le sabordage des petits bâtiments, 3 dragueurs ont été sabordés, à côté des 5 remorqueurs et de la gabare *Endurante.*

Les 3 bâtiments de l'escadre légère amarrés au quai de l'artillerie

1. Des cinq contre-torpilleurs amarrés au quai Milhaud, deux, le *Tigre* et la *Panthère,* à la suite de retards dans les transmissions peu explicables, seront capturés intacts.

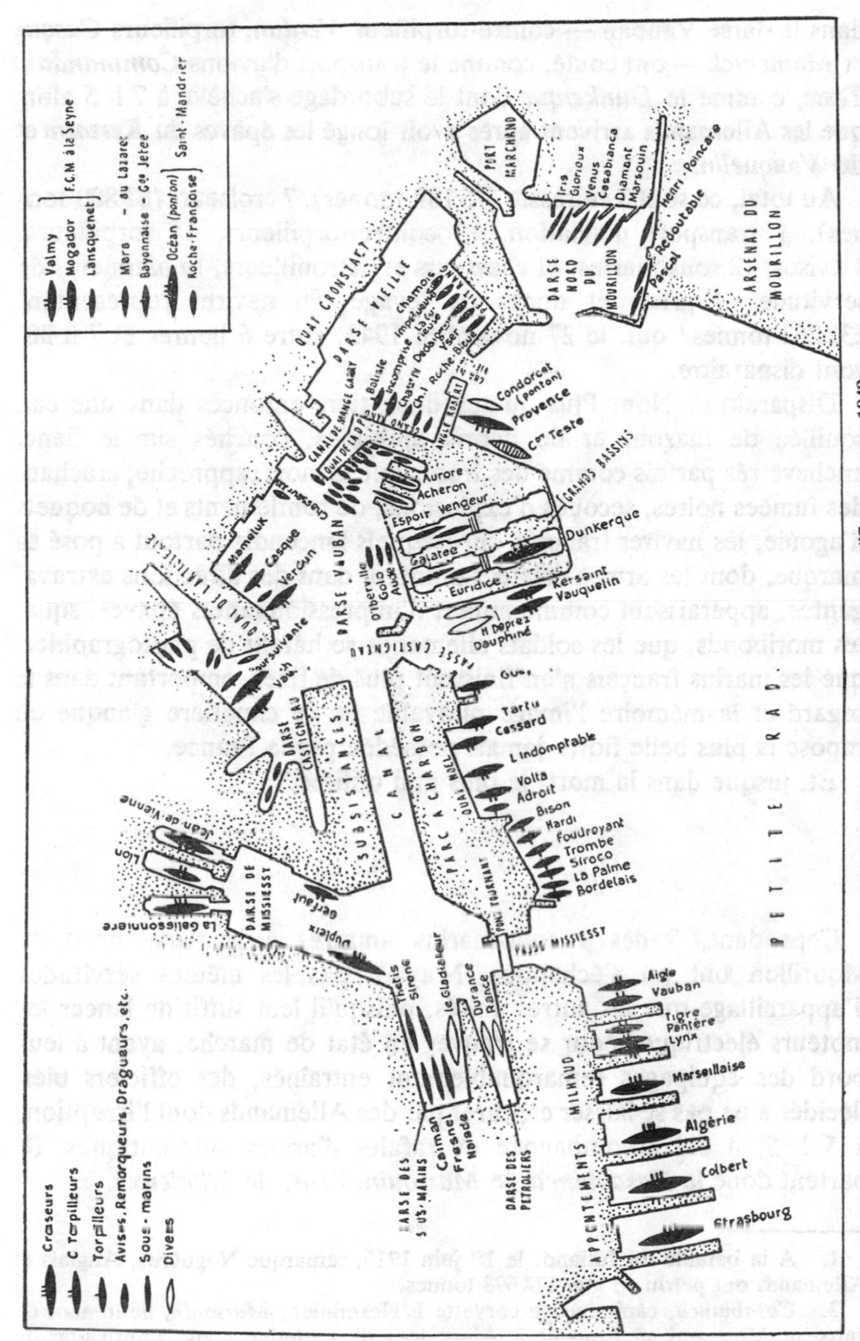

LA FLOTTE FRANÇAISE AU MOUILLAGE DE TOULON LE 27 NOVEMBRE 1942

dans la darse Vauban — contre-torpilleur *Verdun,* torpilleurs *Casque* et *Mameluck* — ont coulé, comme le transport d'avions *Commandant Teste,* comme le *Dunkerque* dont le sabordage s'achève à 7 h 5 alors que les Allemands arrivent après avoir longé les épaves du *Kersaint* et du *Vauquelin.*

Au total, ce sont 3 cuirassés (75 189 tonnes), 7 croiseurs (62 800 tonnes), 1 transport d'aviation, 15 contre-torpilleurs, 14 torpilleurs, 4 avisos, 12 sous-marins, 11 chasseurs et patrouilleurs, 19 bâtiments de servitude, 4 grues et docks de levage, 90 navires représentant 232 263 tonnes[1] qui, le 27 novembre 1942, entre 6 heures et 7 h 30, vont disparaître.

Disparaître ? Non. Plus qu'aux deux tiers enfoncés dans une eau souillée de mazout et de débris multiples, couchés sur le flanc, enchevêtrés parfois comme des frères que la mort rapproche, crachant des fumées noires, secoués d'explosions, de ronflements et de hoquets d'agonie, les navires français, sur lesquels l'incendie partout a posé sa marque, dont les armes éclatées pointent dans des directions extravagantes, apparaissent comme autant d'impressionnantes épaves, squales moribonds, que les soldats allemands se hâtent de photographier, que les marins français n'en finissent plus de fixer, emportant dans le regard et la mémoire l'image pitoyable de ce cimetière glauque où repose la plus belle flotte jamais possédée par la France.

Et, jusque dans la mort, la plus mal utilisée.

Cependant, 5 des 9 sous-marins amarrés à la darse nord du Mourillon ont pu s'échapper. N'ayant pas les mêmes servitudes d'appareillage que les autres unités, puisqu'il leur suffit de lancer les moteurs électriques pour se trouver en état de marche, ayant à leur bord des équipages remarquablement entraînés, des officiers bien décidés à ne pas se laisser capturer par des Allemands dont l'irruption, à 5 h 5, a été accompagnée de rafales d'armes automatiques, ils partent donc le *Casabianca,* le *Marsouin,* l'*Iris,* le *Glorieux*[2].

---

1. A la bataille du Jutland, le 1er juin 1916, remarque Noguères, Anglais et Allemands ont perdu *en tout* 174 698 tonnes.

2. *Casabianca,* capitaine de corvette L'Herminier ; *Marsouin,* lieutenant de vaisseau Mine qui se trouvait à Alger lors de l'attaque anglo-américaine du

La *Vénus,* commandée par le lieutenant de vaisseau Crescent appareille également.

Casabianca en tête, les sous-marins s'éloignent en direction de la sortie de la rade barrée, entre le Mourillon et Saint-Mandrier, par un filet anti-sous-marin et par une estacade antivedettes que les remorqueurs, chargés de libérer le passage, n'ouvriront pas sans quelques retards dus beaucoup plus à l'incompréhension de la situation qu'à la mauvaise volonté des équipages [1].

Dans le ciel, une vingtaine d'avions allemands, tous feux allumés, commencent à lancer des fusées éclairantes, puis des mines et des bombes, l'une d'entre elles venant écraser les servants d'une mitrailleuse de D.C.A. placée à l'extrémité du musoir sud de la jetée, seule arme française, avec le browning du *Strasbourg,* qui ait réagi à l'attaque allemande [2]. Secoués par les explosions, le *Casabianca* et le *Marsouin* vont cependant poursuivre leur route et ils rejoindront l'Algérie cependant que l'*Iris,* dont les réserves de carburant sont trop faibles pour une longue traversée, et le *Glorieux* mettront le cap sur l'Espagne.

Quant à la *Vénus,* le lieutenant de vaisseau Crescent, obéissant aux ordres de sabordage au large donnés aux sous-marins par l'amiral Marquis, la coulera alors que s'ouvrait la mer libre. Son navire englouti, Crescent, qui a pris place avec ses hommes dans un youyou, refusera de monter à bord de l'*Iris.* Sans doute faut-il voir dans cette attitude l'expression d'une vieille rancœur contre l'Angleterre. Au moment de l'opération « Catapult », le 3 juillet 1940, le lieutenant de vaisseau Crescent se trouvait en effet à Plymouth [3], à bord du sous-marin *Surcouf* sur lequel officiers anglais et français s'étaient affrontés, revolver au poing, au cours d'un combat qui devait faire 4 morts dont

---

8 novembre et avait pu échapper aux bombardements et grenadages ; *Iris,* lieutenant de vaisseau Degé ; *Glorieux,* capitaine de corvette Meynier.

1. D'après le commandant L'Herminier, un officier du *Casabianca* aurait dû menacer de son revolver le patron du remorqueur *Dardennes* pour l'obliger à manœuvrer plus rapidement. Faux, répliquera le patron Franceschi, le *Dardennes* se trouvait à vingt ou trente mètres du *Casabianca* et la menace ne pouvait être ni comprise ni efficace.

2. La bombe allemande tuera 4 soldats français et en blessera 8.

3. En juillet 1940, le *Surcouf* se trouvait à Plymouth et non à Portsmouth, comme l'affirment plusieurs ouvrages, notamment le *Dictionnaire de la Seconde Guerre mondiale.* Rallié aux Forces Françaises Libres, il disparaîtra, à la suite d'un abordage ; dans la nuit du 18 au 19 février 1942 dans la mer des Antilles, 130 hommes se trouvaient à bord.

3 Anglais. Or, Crescent avait été placé au cœur de la bataille. C'est à lui que le commander Sprague avait intimé l'ordre de quitter le *Surcouf :* « Si vous ne voulez pas partir, je vous tue », c'est lui qui avait répliqué : « Tuez-moi si vous voulez, je ne partirai pas. » Deux ans et demi plus tard, le drame de Plymouth n'était sans doute pas oublié.

Ces commandants de sous-marins qui, en échappant aux Allemands et au sabordage, ont sauvé l'honneur allaient être poursuivis par la vindicte officielle.

Le 13 février 1943, l'amiral Abrial donnera, en effet, à la justice maritime ordre d'informer contre L'Herminier, Meynier et Mine sous l'inculpation de désertion à l'étranger en temps de guerre et il soumettra leurs cas au garde des Sceaux afin qu'ils soient déchus de la nationalité française [1].

Quelques dizaines de marins font route vers la liberté des combats.

Des milliers de marins — entre 19000 et 23500, nul ne s'accorde sur les chiffres —, après l'évacuation de leurs dépôts, ou le sabordage de leurs navires, encadrés par quelques soldats allemands et déjà séparés de leurs officiers, sont dirigés vers le Ve Dépôt, le stade des Minimes, Malbousquet et quelques autres points de regroupement. Ils n'y arriveront ni en totalité ni toujours en bon ordre, liberté de cambuse ayant été donnée sur certains navires.

Selon le capitaine de corvette Nomura, chef du service d'ordre et de police de l'arrondissement maritime de Toulon, ce sont 2000 à 3000 marins qui, par crainte d'être prisonniers des Allemands, se sont, en effet, répandus dans la ville en quête de caches et d'habits civils.

Lorsqu'ils apprendront qu'il n'est nullement question d'internement

1. Aucune poursuite ne sera, cependant, diligentée, aucun acte d'instruction ne sera accompli, l'amiral Abrial ayant, par la suite, renoncé par écrit à toute action devant le tribunal militaire.

mais, au contraire, que l'on distribue dans les centres de rassemblement vivres, vêtements et aussi les trois mois de solde qu'Abrial a décidé de faire verser à tous les hommes d'équipage, considérés désormais comme permissionnaires, beaucoup de ces évadés d'un jour rejoindront le Ve Dépôt où le capitaine de vaisseau Croiset réussira à nourrir 19 000 hommes et à en loger 13 500.

Sur les quelques navires où ils ont pu pénétrer, et plus largement dans les dépôts, cantines, coopératives, ateliers de la marine, les soldats allemands s'emparent de vivres, de vêtements comme des bagages personnels des officiers. C'est par camions entiers que le butin est emporté de l'arsenal — aussi bien que de Saint-Mandrier et de Lamalgue — et c'est en vain que les capitaines de vaisseau Still, Labbey, Ferrière s'efforceront de faire cesser un pillage que des officiers allemands contemplent sans chercher à s'y opposer.

Malgré les sommations, sur le *Strasbourg* échoué, l'amiral de Laborde, a refusé de partir. Et 17 de ses officiers sont demeurés à ses côtés. Pour Laborde, la violation par l'armée allemande de la parole donnée par Hitler serait-elle plus importante que la disparition de 232 000 tonnes de navires de guerre ?

A considérer l'obstination de l'Amiral et l'insistance qu'il met à rappeler que, *lui*, au moins, a bien tenu parole, qu'il n'est pas, ce sont ses mots, un « amiral Darlan », à lire tout ce qu'il écrira après le sabordage, on a l'impression de se trouver en présence d'un soldat d'un autre temps, et non d'un responsable du xxe siècle, ayant médité sur le machiavélisme des hommes politiques et le peu de crédit qu'il faut accorder à leurs promesses.

Quoi qu'il en soit, Laborde, installé pour « camper » sur un navire qui, depuis 6 heures du matin, n'a plus de communications avec l'extérieur, déjeunant sommairement à midi avec ce qu'il a été possible de dénicher dans les cuisines, reçoit toujours avec la même hauteur les envoyés allemands qui se succèdent sans lui apporter, convenablement rédigé, indiscutablement authentifié, le seul ordre qui pourrait lui faire abandonner son bord : un texte du maréchal Pétain.

Ce n'est qu'à 20 heures que l'amiral de Laborde, contraint et forcé par des allemands en armes, bien décidés, cette fois à ne plus user de ménagements, quittera le *Strasbourg*.

Avant de s'éloigner définitivement, il décroche le portrait du Maréchal et, malgré l'Allemand qui veut l'en débarrasser, le confie à l'un de ses officiers.

L'amiral de Laborde sera transféré dans la nuit à Aix, où il retrouvera les amiraux Lacroix, Bléhaut, Négadelle, Jarry, Robin, Guérin et Danbe, mais, au cours d'une halte à Ollioules, il sera reçu par un général allemand[1]. Ce sera pour lui une nouvelle occasion d'exprimer sa colère devant les manquements à la parole donnée.

Il ne sera pas le seul à manifester son indignation. A ce même général, qui lui demande d'expliquer le déroulement des événements, l'amiral Lacroix a répondu en des termes qui permettent de mieux comprendre la stupéfaction — le mot n'est pas trop fort — d'une partie de l'état-major de la Marine française devant un acte jugé incompréhensible plus encore qu'inexcusable.

— Nous avions la parole d'honneur du Führer que vous n'essayeriez pas de vous emparer de la Flotte. Vous avez essayé de le faire par surprise, malgré la parole donnée. J'ai eu mon bateau mis hors de combat à Mers el-Kébir, j'ai vaincu les Anglais à Dakar, où je commandais en chef les forces navales. Vous deviez savoir qu'en aucun cas aucun bâtiment de notre Flotte ne tomberait intact entre les mains de n'importe quel étranger, qu'il soit allemand, italien, anglais ou américain. Je vois là un officier de marine allemand. Il peut vous dire ce qu'a fait la marine allemande à Scapa Flow[2].

Ce sabordage, qui s'est déroulé sans que les Allemands aient la possibilité de s'y opposer, qui n'a provoqué aucun affrontement digne de passer à l'Histoire, nul, à travers le monde, ne songe, sur l'heure, à

---

1. Dans les jours qui suivront, l'amiral de Laborde se consacrera notamment à la rédaction d'un ordre du jour qu'il recopiera de sa main en plusieurs exemplaires et dans lequel il réaffirmera qu'il n'avait jamais eu l'intention de violer la parole d'honneur donnée le 11 novembre au Führer.

2. Cité par le contre-amiral Rouyer d'après le rapport de l'amiral Lacroix. A Scapa Flow, au nord de l'Ecosse, la flotte allemande qui devait être remise aux Alliés vainqueurs se saborda le 21 juin 1919.

le reconstituer exactement. Pour tous, IL FAUT qu'il ait été la conclusion de combats furieux.

Sans doute y a-t-il eu 6 morts et 26 blessés [1], mais, comme ce chiffre ne sera officiel que le 30 novembre, les spéculations vont bon train. A Vichy, les bruits les plus fous circulent, accueillis d'autant plus favorablement que les radios étrangères multiplient les récits épiques. « La radio et la presse suisse, d'ordinaire apaisantes, note Martin du Gard le 28 novembre, abondent en détails dramatiques qui enfièvrent l'atmosphère à Vichy : les commandants se seraient sacrifiés, des équipages auraient sombré avec les unités, Toulon serait en flammes ! »

Les Anglais sont lyriques. D'après un message, qu'elle dit tenir de Vichy, la B.B.C. annonce, le 27, que les bâtiments qui n'étaient pas en mesure de se saborder immédiatement « ouvrirent le feu sur les Allemands qui essayaient de prendre pied à bord jusqu'à ce que la destruction devînt possible. Il y a un grand nombre de morts et de blessés », cependant que « la plupart » des commandants ont péri sur leur passerelle.

Le 28 novembre, la presse britannique fabrique des combats qui n'ont pas eu lieu, moins, sans doute, par goût du sensationnel que parce qu'il lui semble impensable que tant de navires aient été sacrifiés sans une dernière bataille. « Les marins ont préféré mourir sur leurs bâtiments en flammes », « L'étendard de la France s'est levé à Toulon », « Le soleil brille glorieusement sur la tombe des héros », « Saluons les hommes de Toulon qui, dans la mort, furent fidèles », ce sont des phrases que l'on trouve respectivement dans le *Daily Mail,* le *Daily Mirror,* l'*Evening Standard* et l'*Evening News.*

Le 28 novembre, le *New York Times* écrit, de son côté, que « le souvenir de la journée [du 27] vivra pendant mille ans dans la mémoire des Français » et bien des journaux américains établissent, pour parler de la « bataille de Toulon », de trop flatteuses comparaisons.

Les Soviétiques ne sont pas en retard d'enthousiasme. L'Agence

1. Leurs noms seront indiqués par un communiqué de l'amiral Marquis en date du 30 novembre 1942. Ont été tués le lieutenant de vaisseau Dominique Fay, du *Strasbourg ;* Marcel Godfrein, second maître mécanicien de la D.C.A. ; Roger Auffret, radio-mécanicien à bord de l'*Algérie ;* Charles Laurent, apprenti mécanicien à bord du *Condorcet ;* Roger Bouchinot et Roger Jamet, matelots sans spécialité.

Tass diffuse le récit d'une bataille... à la mesure des batailles qui se déroulent en Russie. Sous la plume d'Ilya Ehrenbourg, le 28, les épisodes héroïques s'enchaînent avec d'autant plus d'outrance qu'ils sont libéralement inventés et l'écrivain soviétique, après avoir fait remarquer, ce qui est exact, qu'avec les navires c'est « l'idée de la " nouvelle Europe " d'Hitler » qui a sombré, achève ainsi :

> « Les explosions de Toulon seront entendues par les soldats du général de Gaulle qui prêteront serment de tirer vengeance des Allemands pour les navires morts.
>
> « Les explosions de Toulon seront entendues par les Alliés qui, profondément émus par la grandeur de la France, répondront à la perte de la flotte française par de nouvelles victoires.
>
> « Les explosions de Toulon arriveront jusqu'aux héros de Stalingrad qui anéantissent les bourreaux de la France et, dans la fumée des combats, les héros de Stalingrad s'écrieront : " Gloire aux marins de Toulon ! Gloire à la liberté ! Mort aux Allemands ! " »

Sur le sabordage, les Soviétiques et les communistes français conserveront, assez longtemps après la défaite d'Hitler, la même position. C'est ainsi que Jean Bartolini, député communiste du Var, regrettera, en novembre 1944, que le gouvernement du général de Gaulle n'ait pas pris l'initiative de commémorer un événement qui, dira-t-il, « a sauvé dans une large mesure l'honneur de la Marine et celui de la France » et dont, le 28 novembre, André Marty célébrera à Toulon tous les mérites.

Un an plus tard, le 29 décembre 1945, *L'Humanité* reproduira un texte de la radio de Moscou. Les derniers mots de Moscou : « Gloire à ces héros de la Résistance française », Me de Chauveron les utilisera dans sa plaidoirie en faveur de l'amiral Marquis. Pourquoi, dira-t-il en substance, pourquoi poursuivre ceux qui ont détruit des armes utiles aux Allemands et ne pas inquiéter ceux — les généraux — qui ont livré, sans tenter le moindre sabotage, les stocks contenus dans les casernes et les dépôts ?

« Pourquoi, ajoutera-t-il, pourquoi faut-il que ce grand acte qui a été ainsi porté au crédit de notre pays, et qu'il peut revendiquer devant les nations quand il s'agira de dresser le décompte de tous les sacrifices qu'il a faits à la cause commune, pourquoi faut-il qu'on en fasse un acte criminel qui souille et déshonore nos drapeaux ? »

Interrogation à laquelle, s'adressant à l'amiral Abrial, le président Noguères répondra d'une façon ambiguë.

— D'un côté, le fait du sabordage est un crime — la preuve que vous êtes là —, mais, si, quand le sabordage était en train, alors que les Allemands étaient sur les quais, si l'ordre a été donné de ne pas saborder, c'était livrer alors aux Allemands ce qui pouvait rester encore de la flotte non sabordée [1]...

Ignorance des Anglais, des Américains, des Soviétiques.

Ignorance de Darlan à Alger.

Annonçant, dans la soirée du 27 novembre, la destruction d'une flotte qui, en grande partie, était son œuvre et dont quelques jours plus tôt il était le chef incontesté, l'amiral Darlan n'échappe pas à la tentation de fabriquer de l'héroïsme.

« Habitants de l'Afrique française,

« Hitler vient de décider d'occuper Toulon et de désarmer la France.

« L'armée est licenciée, la flotte de Toulon, après s'être défendue héroïquement, s'est sabordée ou a coulé en essayant de quitter le port.

« Il était facile de prévoir que l'octroi d'une zone libre à Toulon était un piège pour tenir nos navires sous les canons allemands.

« J'avais invité la flotte à partir. Son chef n'a pas cru devoir m'écouter. Il a cru sauver nos navires. Il les a perdus et a causé la mort de nombreux officiers et marins... »

1. En août 1946, à l'instant du jugement, le sabordage ne sera pas évoqué en ce qui concerne l'amiral Marquis ; par contre, le même tribunal reprochera, le même jour, à l'amiral Abrial, de ne pas « avoir agi de telle sorte que pût être sauvée la flotte de Toulon ».

En ce qui concerne l'amiral de Laborde condamné à la peine de mort le 28 mars 1947, l'arrêt lui fera grief d'avoir « refusé d'écouter l'appel des Forces Françaises Libres » et « sabordé la Flotte que lui avait confiée la Nation ».

Avec davantage de qualité dans l'écriture, de Gaulle, le 27, dans un bref discours à la radio de Londres, épouse également la thèse de la résistance :

> « La France a entendu le canon de Toulon, l'éclatement des explosions, les coups de fusil désespérés, l'ultime résistance. Un frisson de douleur, de pitié, de fureur l'a traversée tout entière [1]. »

Un récit véridique du sabordage a bien été envoyé à Vichy par Paul Lorenzi, correspondant de l'Office français d'information mais, à peine connu, il se trouve bloqué par la censure et les journaux reçoivent la consigne de ne donner aux événements de la journée que le surtitre et le titre suivants.

> *Ce que coûte à la France*
> *la trahison des chefs de l'Afrique française*
> DANS UNE LETTRE AU MARÉCHAL DE FRANCE, CHEF DE L'ÉTAT,
> LE CHANCELIER HITLER EXPOSE LES RAISONS
> POUR LESQUELLES IL A DÉCIDÉ L'OCCUPATION
> DE TOULON ET LA DÉMOBILISATION
> DE L'ARMÉE FRANÇAISE

Le sabordage de la Flotte ne pouvant cependant être totalement passé sous silence, alors que toutes les radios étrangères en font état, et sur quel ton [2], la consigne 1006 imposera à tous les journaux de l'ex-

---

1. Dans ses *Mémoires,* faisant réflexion sur ces jours de novembre où il recevait les « condoléances » de Churchill pour la perte de la flotte française, de Gaulle remarque avec finesse que, « noblement exprimées », elles n'en étaient pas moins « sourdement satisfaites ».

Ce sentiment de satisfaction mal dissimulé devant la destruction d'une flotte concurrente, d'autres que de Gaulle le noteront chez les Anglais.

2. Dans leur synthèse de décembre 1942, tous les préfets noteront que les services de l'information et de la propagande ont été incapables de tenir la population correctement informée. « Les Français, de ce fait, poursuivent-ils, écoutent uniquement les radios étrangères et, par la même occasion, enregistrent les thèmes de propagande qui leur sont adressés. »

zone libre un article émanant de l'O.F.I. qui, sous le titre « Les épreuves de notre marine », sera obligatoirement présenté « à la suite de la dépêche relative au sabordage des navires à Toulon ».

Quant à la presse de la collaboration, elle se déchaîne. « Aujourd'hui 28 novembre, écrit Luchaire dans les *Nouveaux Temps,* la France ne possède réellement ni un pouce de son territoire métropolitain, ni un pouce de son empire, ni l'ombre d'une armée de terre ou d'air, ni un bâtiment de guerre. Elle a tout perdu sauf son ultime chance d'avenir. »

Et quelle serait-elle cette chance pour ceux qui ne cessent de dénoncer le « vaste complot » et, avec Rebatet, les amiraux « invaincus parce qu'ils ne s'étaient jamais battus, mangeurs de bon Dieu pour la plupart [1] », si ce n'est de se lier enfin étroitement à la politique, à la pensée, aux armes de l'Allemagne nazie ?

Cependant que les belligérants s'agitent autour d'un événement dont ils sont incapables d'estimer exactement la portée, autour d'un drame qu'ils jugent en fonction de leurs passions et de leurs intérêts, Victor Sanson, président de la Commission spéciale de Cayeux [2], hisse sur son hôtel de ville le drapeau tricolore interdit et le met en berne.

Il sera immédiatement arrêté.

1. *Les Mémoires d'un fasciste.*
2. Somme.

11
INVENTAIRE AVANT DÉCÈS

« L'an mil neuf cent quarante-deux, le vingt-cinq novembre,
A la demande de Monsieur le Chef du Gouvernement (hôtel du Parc à Vichy), agissant ès qualités, Me Clément-Nestor Coquempot, huissier-audiencier près le Tribunal civil de Cusset, y demeurant, soussigné,
Me suis rendu ce jour à Vichy, avenue des Cygnes, nº 1, en un immeuble appartenant à M. le docteur Camus, y domicilié, occupé jusqu'à la date du 5 novembre 1942 par M. l'Amiral de la Flotte Darlan, en vertu d'un ordre de réquisition dont il était bénéficiaire... »

Ainsi débute le procès-verbal de l'inventaire effectué en présence de M. Henry Villar, chargé de mission auprès du chef du gouvernement et de M. Jean Perin, commissaire de la Marine, désigné pour représenter l'amiral de la Flotte.

La liste des objets personnels de Darlan, qui devront être transportés dans une vaste pièce du sous-sol de l'hôtel du Louvre, occupe 6 pages de 50 lignes chacune.

Lorsqu'il se relit, au terme de cinq jours de travail, Me Clément-Nestor Coquempot énumère 11 costumes civils, 12 paires de chaussures, 27 chemises blanches, 19 caleçons, une seule casquette d'amiral mais 2 bérets basques, 25 cravates, 55 pipes, 16 boîtes de cigares, 37 paquets de tabac et cigarettes, 1 gros paquet de cigarettes, 1 vase noir « Travail, Famille, Patrie et francisque », 1 plaquette ronde « Maréchal », 1 buste en plâtre de l'Amiral, 1 fanion tricolore « Base aérienne de Pau 27 août 1942 », des décorations, et des verres à eau, à bordeaux, à porto, à madère, des coupes à champagne et 16 draps, 79 taies, 51 napperons, 1 service marine brodé rouge et bleu avec ancre, 6 serviettes à thé chiffrées d'une ancre marron...

Une partie des denrées alimentaires : 8 paquets de macaroni, 8 boîtes de petits pois 1/2, 16 boîtes de petits pois 1/4, 4 petites boîtes de thon, 4 bonbonnes de sirop de sucre, 1 bonbonne de rhum, des pommes de terre, des céleris, des confitures, et jusqu'à la boîte de raisins secs entamée ont déjà été remises au Secours National, tandis que la Marine a reçu 500 litres de vin en barrique, 100 litres de vin en bouteilles, 6 kg de café, 15 de sucre, 20 de farine, 25 de gros sel, autant de riz, 5 kg de lentilles, des conserves de thon, de bœuf, d'asperges, 6 boîtes de marmelade d'orange, 1 grande boîte de biscuits, 2 boîtes de dattes. Et 630 morceaux de savon...

630 morceaux de savon ! Pour des Français condamnés à se laver au « savon » de lichen et de chaux éteinte, de farine de marrons d'Inde ou de saponaire en combinaison avec des salicornes, quel rêve !

A l'hôtel du Louvre, Me Coquempot entreposera cependant 225 bouteilles hermitage rouge, 54 bouteilles hermitage blanc (le vin de la propriété du Maréchal), 12 bouteilles château chalon, 40 bouteilles Rousette, 28 bouteilles de pouilly fuissé 1938, 48 bouteilles de beaujolais, 106 bouteilles de champagne, 12 de white Label et 16 de Johnnie Walker[1]...

M. Cocaigne, maître d'hôtel de l'Amiral, ayant veillé à l'emballage, M. Brancher, en ayant assuré le transport, Me Clément-Nestor Coquempot appose enfin, sur la porte de la cave de l'hôtel du Louvre, des scellés composés d'une petite ganse et de deux cachets de cire rouge sur lesquels est gravé son monogramme. Sur la partie centrale des ganses, il a inscrit la date de la fin des opérations : 5 décembre 1942.

Puis, il s'en va.

Dans dix-neuf jours, Darlan sera assassiné.

Ainsi s'achève une période ambiguë où, en sacrifiant l'apparence des choses, on avait longtemps cru pouvoir préserver l'essentiel.

---

1. Tous ces renseignements sont inédits.

Mais l'essentiel était d'ordre moral et le régime, dont Pétain avait dit qu'il serait fondé sur la morale, restera, dans la mémoire de ceux qui lui demeurent le plus favorable, comme celui du double jeu.

Un double jeu dont les historiens exagèrent parfois l'importance mais dont, sur le moment, les subtilités échapperont souvent à des hommes et à des femmes incapables de faire l'exégèse de ces bulles d'excommunication échangées quotidiennement entre Paris, Vichy, Londres et Alger et dont ils ignorent que les mots peuvent être tempérés par des télégrammes ou des accords secrets et, par nature, destinés à le demeurer.

En quelques jours de novembre, des soldats modestes et mal informés se trouveront ainsi soumis à des épreuves qui vont briser leur foi plus que leur courage.

Ce que les politiciens appellent négligemment « retournement de veste » est, pour eux, comme un douloureux retournement d'âme qui les laissera amers, désabusés, parfois moralement brisés même si, par un stratagème que Vichy et Londres, pour des raisons différentes, dénoncent quotidiennement, Darlan affirme à tous ceux qui exécutent ses ordres qu'ils demeurent ainsi scrupuleusement fidèles au serment qu'ils ont prêté au Maréchal.

Lorsque, le 8 novembre, à 4 heures du matin, les cadres du 1er régiment de tirailleurs marocains sont alertés, le commandant Segond leur annonce que, rompant les clauses de l'armistice, les Allemands attaquent la Tunisie et qu'il s'agit désormais d'aller sur les plages à la rencontre des Américains qui arrivent au secours des troupes françaises mais, à peine connues, ces nouvelles sont démenties. Et c'est avec consternation, mais dans l'obéissance, que le 1er R.T.M. se lancera à la reconquête de la Kasbah de Mehdiyia, occupée par les Rangers américains, opération au cours de laquelle il perdra 8 officiers et 11 sous-officiers pour 33 caporaux et tirailleurs, proportion assez inhabituelle pour que l'historique du régiment y voie la preuve « d'un véritable suicide » des chefs des deux bataillons engagés.

« Dans cet imbroglio où est notre devoir?... sommes-nous toujours adversaires des Anglais, sommes-nous neutres ou sommes-nous en état de guerre avec les Allemands ?... Nos sentiments intimes et notre conscience, violemment heurtés déjà, vont avoir bien à souffrir... La situation est quand même troublante et il y a des moments où on préférerait ne pas être français, pour ne pas se trouver devant un si grave et si cruel dilemme [1]. »

René Dupont, officier à bord de la *Boudeuse,* écrit ces lignes au lendemain de ces confuses journées de novembre où la Marine a vu périr, par devoir de discipline, un si grand nombre des siens. Ce devoir de discipline, tout en déplorant qu'il ait été si scrupuleusement suivi, de Gaulle l'évoquera le 16 janvier 1946 encore, lorsque Edouard Herriot, à qui l'âge et sa position de maire de Lyon n'avaient pas permis de gagner ses décorations sur les champs de bataille, lui demandera que soient arrachées « du cercueil des pauvres morts et de la poitrine des malheureux mutilés » des croix décernées trois ans plus tôt après des combats livrés au nom de la servitude plus que de la grandeur militaire.

Sans doute, entre juillet 1940 et novembre 1942, le gouvernement de Vichy n'a-t-il livré à l'Allemagne ni la Flotte ni l'Afrique qui l'auraient mise certainement en position de gagner la guerre, infligeant ainsi un démenti à la propagande anglo-gaulliste qui, deux ans durant, s'était volontairement nourrie des suppositions les plus déshonorantes.

Sans doute, dans l'espoir de ne pas tout donner de ce que l'occupant voulait et pouvait prendre, a-t-il cherché constamment à négocier, mais dans leur principe comme dans leur style, ce sont ces négociations dont souffrira bientôt le plus cruellement un peuple qui se débat dans des contradictions quotidiennes, puisque sur la même page où il apprend les prodigieux événements qui bouleversent le monde, il lit qu'il a droit à 2 kilos de carottes sans fanes !

En juin 1940, il avait souhaité, il est vrai, qu'il soit mis fin au martyre de la défaite, mais après avoir réclamé ce long repos réparateur qui l'a tenu à l'écart des batailles, voici qu'à nouveau, il rêve d'héroïsme.

Pourquoi s'enthousiasmerait-il d'ailleurs pour le théâtre de Vichy sur lequel évoluent des ombres qui n'ont plus rien à lui dire qu'il soit disposé à entendre ?

Darlan n'avait jamais touché son cœur.

---

1 Inédit

Hors du petit cercle qui, tout en exagérant ses capacités de manœuvrier politique, célébrait avec raison d'incontestables qualités toutes mises au service de la Marine, l'Amiral n'obtiendra qu'une faible audience.

A ce Gascon sans panache les Français, qui allaient cependant assister au spectacle de bien des retournements de veste, ne pardonneront pas un brutal réalisme, imposé par la soudaine accélération des événements militaires.

En 1981 encore, à l'occasion du centième anniversaire de sa naissance, des résistants interdiront qu'une gerbe soit déposée à Nérac, sa ville natale, à la mémoire d'un homme qui avait eu le talent de donner à la France l'une des flottes les plus importantes de son histoire, mais également la douleur de la voir presque tout entière périr à Mers el-Kébir, Casablanca, Toulon, massacrée par l'allié de la veille ou se sabordant, sans qu'il ait eu la volonté, en juin 40, l'autorité, en novembre 42, de l'engager dans la grande œuvre de guerre pour laquelle il l'avait créée.

Le 20 novembre 1942, assuré enfin de tous les pouvoirs, Pierre Laval dira : « il faut avoir le courage de choisir une politique et de s'y tenir ». Avec, pour soi, 2 % de la population ? C'est Laval lui-même qui, dans un grinçant et dernier échange avec Weygand, a fixé à ce taux misérable le nombre de ses partisans.

— Vous n'avez pas le droit de pratiquer une politique réprouvée par 95 % des Français...

— Vous pouvez dire par 98 %.

2 % ? il se peut que ce soit trop encore.

Avant même les événements de novembre, les activistes qui sont au gouvernement (Abel Bonnard, Paul Marion, Jacques Benoist-Méchin) et ceux qui se trouvent hors du gouvernement (Doriot, Darnand), rêvent d'un « grand dessein » qui attacherait définitivement le destin de la France à l'avenir de l'Allemagne. Une force militaire française nombreuse, mieux encadrée, moins politisée que la Légion des volontaires Français contre le bolchevisme, se joindrait à l'armée allemande qui, en Russie et pour la dernière fois, couche avec la victoire.

Que l'hostilité du pacifiste Laval envers une aventure militaire que l'opinion désavouerait immédiatement se traduise par des hésitations, des lenteurs, en voilà assez pour que les jusqu'au-boutistes de la collaboration, imaginent et évoquent un gouvernement Laval épuré, réunissant seulement ceux qui, dévorés de l'ambition d'aller jusqu'au bout de leurs passions, dénoncent quotidiennement l'attentisme de Vichy.

En voilà assez également pour que Pierre Laval, depuis le 13 décembre 1940 soupçonneux et attentif, à ce qui ne serait même que l'ombre de l'ombre d'un complot, renvoie, à la fin de septembre 1942, le ministre Benoist-Méchin à ses études sur l'armée allemande.

Mais la rupture avec les ultras de la collaboration, en isolant un peu plus Laval, ne le rapproche pas davantage de la masse des Français pour qui il demeure l'homme des Allemands, alors que les Allemands, même si certains d'entre eux ont travaillé à son retour, ne lui ont rien accordé qui puisse justifier ses prises de position.

C'est que les Allemands, à maintes reprises abusés par les Français, ne croient plus à la sincérité des vaincus. Parce que Giraud a violé sa promesse de ne rien entreprendre contre eux, ils n'accorderont aucun crédit à la parole de l'amiral de Laborde. Parce que Laval a la réputation de finasser, de marchander, de donner plus volontiers la paille des mots que le grain des choses, ils ne le préviendront, le 27 novembre 1942, qu'à l'instant où l'entrée de leurs chars dans l'arsenal de Toulon rend le sabordage fatal, ôtant ainsi toute efficacité à son ultime intervention, mais lui interdisant également une négociation qui aurait pesé lourd sur sa mémoire.

S'il l'avait connue, sans doute Pierre Laval aurait-il souscrit à la très, à la trop subtile conclusion de Fabre-Luce : « l'attentisme déclaré c'était virtuellement l'acceptation de l'occupation intégrale. La collaboration c'était le véritable attentisme », mais comment faire admettre cette thèse par un peuple qui veut ignorer qu'envers leurs vainqueurs tous les gouvernements vaincus ont pratiqué la même politique ondoyante pour continuer, selon le mot de Metternich, au temps où la France dominait l'Europe, « à exister jusqu'au jour probable de la délivrance générale » ?

A partir du mois d'avril 1942, le destin de Pierre Laval semble être de s'exprimer toujours à contretemps et à contre-courant de la sensibilité française.

Il a beau dire aux Français qu'il ne souhaite le succès de l'Allemagne (en vérité, il désire une paix blanche) que pour éviter à l'Europe une interminable colonisation soviétique, son propos révolte.

Que l'avenir puisse bientôt lui donner raison est de peu d'importance encore pour des hommes qui, dans la hiérarchie des périls et des haines, placent l'Allemand, présent, visible, responsable de l'humiliation et des exécutions, mais également du détestable ravitaillement et de la chasse aux travailleurs, bien avant le lointain Cosaque.

Les journées de novembre marquent le crépuscule du Maréchal. Il a soudain son âge.

En quelques jours c'est le flot des événements, plus que la volonté de Laval, qui l'a dépouillé de tous ses pouvoirs. Désirant conserver cette unanimité de l'été 40, qui déjà n'existe plus mais dont, autour de lui, on entretient le culte, il répugne à prendre une position sans ambiguïté.

— Je protesterai peut-être encore, dit-il le 11 novembre, devant Abetz qui lui a reproché la diffusion radiophonique du texte remis à von Rundstedt. Si l'opinion publique se détache de moi, c'est l'anarchie. Mon prestige vous est nécessaire. Il faut que je puisse rester. Sans cela l'Allemagne ne trouverait rien devant elle. Tout aurait pu s'arranger si, dès le début, on avait pu prendre le parti de s'entendre. Les choses peuvent peut-être se réparer. Il faut que vous acceptiez mes petits procédés, mes protestations.

Ainsi, il en est là, aux « petits procédés », aux protestations sans éclat et sans effet, aux demi-mesures, aux tergiversations quotidiennes sous la poussée de forces qui ne s'annulent pas, les extrémistes l'emportant désormais sur les modérés. Que de chemin depuis le grand dessein d'une Révolution nationale qui avait voulu être également une rénovation morale !

Jamais, cependant, on n'a aussi souvent, ni aussi haut, crié « Vive le Maréchal ».

« Vive le Maréchal », à Vichy et dans toutes les cérémonies officielles, qu'elles se déroulent en zone anciennement ou en zone nouvellement occupée.

« Vive le Maréchal », dans la bouche de Darlan, de Giraud, de Noguès, de Boisson, dont toutes les radios de France dénoncent les « trahisons ».

« Vive le Maréchal », dans la bouche de l'amiral Estéva à qui les Allemands décerneront bientôt un brevet de collaboration.

« Vive le Maréchal », dans les rangs de la Phalange africaine qui, sous le casque d'acier allemand, mais avec l'uniforme français, s'apprête à monter en ligne sur les hauteurs dominant la Medjerda.

« Vive le Maréchal », dans les forêts russes où les hommes de la L.V.F. traquent les partisans ; mais, le plus souvent, sont traqués par les partisans.

« Vive le Maréchal », au terme de ces tristes cérémonies où, sous la surveillance de la Wehrmacht, les soldats et les marins de l'armée de l'armistice, pour la dernière fois, saluent leurs drapeaux humiliés.

« Vive le Maréchal », peut-être, secrètement, à Londres, dans l'esprit d'hommes comme le P.S.F. Vallin qui, entrant en dissidence et portant ainsi un rude coup au pétainisme, a reçu des gaullistes un accueil décourageant et plein de réticences.

« Vive le Maréchal ». Mais quel Maréchal ?

Chacun a « son » Maréchal qu'il accommode à sa guise, fait servir à ses desseins et dont il utilise le nom pour couvrir les opérations les plus détestables ou les plus honorables.

Jean Borotra, l'un de ses anciens ministres, qui veut partir se battre en Afrique du Nord — il échouera et sera arrêté par les Allemands — lui écrit ainsi le 16 novembre pour l'informer de son projet : « J'ai conscience, ce faisant, de ne pas manquer à l'engagement envers votre personne que comporte le port de la Francisque que vous avez bien voulu m'accorder un des tout premiers. »

Si Philippe Pétain avait choisi de partir pour l'Afrique du Nord, le 11 ou 12 novembre, sans aucun doute aurait-il imprimé à toute la suite de notre histoire un cours différent. De Gaulle l'avait bien compris, et les gaullistes avec lui, qui faisaient des vœux pour que Pétain ne se décide pas,... quitte à lui reprocher plus tard de n'avoir pas tenté un geste qui aurait compliqué, sinon ruiné, leur entreprise manichéenne.

Mais, avec sa part de danger et de romanesque, le voyage à Alger ne correspondait pas au caractère profond du Maréchal, lié par son serment de 1940 et à qui il était difficile d'ailleurs de partir pour Alger, alors qu'en Afrique du Nord les combats n'étaient pas achevés, et que l'on y mourait toujours par fidélité à ses ordres.

Pétain ne sera plus désormais qu'un symbole dont le prestige s'affaiblira avec les mois qui passent.

Beaucoup de ses amis, qui se battaient pour éviter le pire, se sont éloignés ou ont été écartés. Beaucoup de ceux qui se réclament encore de lui ne sont pas ses amis.

Et il ne peut plus séduire, ni retenir ceux qui, voyant Stalingrad succéder à El Alamein, s'engagent résolument aux côtés de l'Allemagne menacée et idéologiquement durcie par le péril, ou, en bien plus grand nombre, dans le camp d'une Résistance dont les exigences de l'occupant grossiront d'ailleurs chaque jour les rangs.

Minorités actives, dans un cas comme dans l'autre, mais qui vont désormais s'affronter en une impitoyable guerre civile.

PARIS, octobre 1981.

Le prochain ouvrage, le sixième de
LA GRANDE HISTOIRE
DES FRANÇAIS
SOUS L'OCCUPATION
aura pour titre
LA GUERRE CIVILE

REMERCIEMENTS

A la Bibliothèque de Documentation Contemporaine, à la Bibliothèque du Sénat, aux archives du Ministère de la Guerre comme à la Bibliothèque du Centre de Documentation Juive Contemporaine j'ai reçu un accueil dont je suis infiniment reconnaissant.

Je tiens à remercier Mme Antoine et Mme Claverie dont l'aide, depuis le début de cette longue entreprise, m'est toujours aussi précieuse.

Mes remerciements aussi, pour leur témoignage, à :

M. le général Albord, Mme Madeleine Allard, Mme J. Ario, MM. l'amiral Auphan, L. d'Auzac, le Dr Bachelier, Balleraud, Jean Banier, Paul Baton, Batt, Mmes Denise Baumann, Beaume, P. Belliot, MM. Jean Bernard, l'ingénieur général Besson, Billa, Maurice Hendrick Bood, Henri Bourjade, Michel Bousson, Mme Colette Bouvet, M. Louis Briens, Mme Budan, MM. le Dr Cabanac, C. Canonge, Pierre Curdot, Caudrelier, René de Chambrun, de Chantemele, Marcel Chauvenet, René Chauvin, le Dr Hubert Chimenes, André Chosalland (†), Jean-Pierre Clopin, Mme Renée Coulin, M. Maurice Congourdeau, Mme Marie-Thérèse Cordaillat, MM. Robert Courrier, E. P. Cros, M. de Daran, Mme M. C. Delahaye, MM. Delcourt, Fernand Derrida, Georges Druelle, Alexandre Ducoudray, Michel Duhameaux, Paul Dumartheray, Mme Dumas-Cayatte, MM. René Dupont, Paul Emmery, Ralph Feigelson, Ch. L. Foulon, Paul Gamelin, Otto Gigniewsky, Jean Goarnisson, Michel Goldschmidt, Mme Lise Gompertz, Mme R. Grepinet, M. A. Guillou, Mme Geneviève Guyon, A. et J. Irles-Giraud, Mme Lemaître, M. Jacques de Loefler, Mmes Claire Mady, Marzin, MM. Yves Marçais, l'abbé Marc Marchand, Claude Maréchal, Mme Rose Médina, MM. Mehu, le Pr André Meyer, Mme de Moidrey, M. Paul Morgoulis, MM. Edmond Olivier, Daniel Perrin, Guy Raïssac, Mmes Raymond, S. Renaud, Reversat, MM. Roger Reyre, Jacques Romain, W. S. Ruskone, Charles Sadron, Pierre Schoeller, P. H. Siriey, Pierre Soutif, N. Triscos, Mme Vernillat, M. Villani, Mme Villon, Mme André Warlin.

REMERCIEMENTS

BIBLIOGRAPHIE

ABAUTRET (René) : *Dieppe. Le sacrifice des Canadiens* (Robert Laffont, 1969).
ABETZ (Otto) : *Histoire d'une politique franco-allemande — mémoires d'un ambassadeur* (Stock, 1953).
Activités des organisations juives en France (C.D.J.C. 1947).
ADÈS (Lucien) : *L'Aventure algérienne. 1940-1944* (Belfond, 1979).
ALLARD (Paul) : *Ici Londres* (Ed. de France, 1942).
Almanach 1942 de la Légion française des combattants (Lyon, 1942).
ALPHAND (Hervé) : *L'étonnement d'être. Journal 1939-1973* (Fayard, 1977).
AMORETTI (Henri) : *Lyon Capitale, 1940-1944* (Ed. France-Empire, 1964).
AMOUROUX (Henri) : *La vie des Français sous l'occupation* (Fayard, 1961).
— *Le 18 juin 1940* (Fayard, 1964).
— *Pétain avant Vichy* (Fayard, 1967).
ANGELI (Claude) et GILLET (Paul) : *Debout partisans !* (Fayard, 1970).
ANGLADE (Jean) : *Histoire de l'Auvergne* (Hachette, 1974).
ANTHERIEU (Etienne) : *Le drame de l'armée de l'armistice* (Les Quatre Vents, 1964).
ARON (Raymond) : *Le Spectateur engagé* (Julliard, 1981).
ARON (Robert) : *Histoire de Vichy* (Fayard, 1954).
— *Histoire de la Libération de la France* (Fayard, 1959).
— *Nouveaux grands dossiers de l'Histoire contemporaine* (Librairie académique Perrin, 1964).
— *Dossiers de la Deuxième Guerre mondiale* (Plon, 1976).
ASTIER (Emmanuel d') : *Avant que le rideau ne tombe* (Sagittaire, 1945).
— *Sept fois sept jours* (Ed. de Minuit, 1947).
— *Les dieux et les hommes* (Julliard, 1952).
— *De la chute à la libération de Paris* (Gallimard, 1965).
AUBURTIN (Jean) : *Charles de Gaulle. Repères biographiques Choix de textes* (Seghers, s.d.).
AUDIAT (Pierre) : *Paris pendant la guerre* (Hachette, 1946).
AULAS (Bernard) : *Vie et mort des Lyonnais en guerre.* 1939-1945 (Ed. Horwath, 1974).

AUPHAN (amiral) : *Histoire élémentaire de Vichy* (Ed. France-Empire, s. d.).
AUPHAN (amiral) et MORDAL (Jacques) : *La Marine française pendant la Seconde Guerre mondiale* (Hachette, 1958).
AUTRAND (Aimé) : *Le département de Vaucluse de la défaite à la libération. Mai 1940-25 août 1945.*
AYMÉ (Denise) : *Relais des Errants* (Desclée de Brouwer).
AZÉMA (Jean-Pierre) : *La collaboration. 1940-1944* (P.U.F., 1975).
AZIZ (Philippe) : *Tu trahiras sans vergogne* (Fayard, 1969).
Barbelés (les) de l'exil par G. BADIA, F. JOLY. (Presses Universitaires de Grenoble, 1979).
BAREL (Virgile) : *Cinquante années de lutte.*
BARJOT (Pierre) : *Une réussite stratégique : le débarquement du 8 novembre 1942 en Afrique du Nord* (Paris, de Gigord, s. d.).
BARRÈS (Philippe) : *Charles de Gaulle* (Plon, 1941).
BAUDOT (Marcel) : *L'opinion publique sous l'occupation. L'exemple d'un département français, 1939-1945* (P.U.F., 1960).
BAUDOUIN (Paul) : *Neuf mois au gouvernement, avril-décembre 1940* (La Table Ronde, 1948).
BEAU DE LOMÉNIE (Emmanuel) : *Les glorieux de la décadence* (Au Fil d'Ariane, 1964).
BECHTEL (Guy) : *Laval, vingt ans après* (La Table Ronde, 1963).
BELLANGER (Claude) : *Presse clandestine* (Colin, 1961).
BERTHEIL (Louis) : *L'armée de Weygand* (Ed. Albatros, 1975).
BERTHELOT (Jean) : *Sur les rails du pouvoir* (Robert Laffont, 1968).
BERTRAND (Gustave) : *Enigma ou la plus grande énigme de la guerre, 1939-1945* (Plon, 1973).
BETEILLE (Pierre) et RIMBAUD (Christiane) : *Le procès de Riom* (Plon, 1973).
BILLIG (Joseph) : *Le commissariat général aux questions juives* (C.D.J.C., 1955).
BLOCH (Marc) : *L'Etrange défaite* (Ed. du Franc-Tireur, 1946).
BLOCH-MORHANGE (Jacques) : *Le Gaullisme* (Plon, 1963).
BLOND (Georges) : *Pétain. 1856-1951* (Presses de la Cité, 1966).
BOEGNER (pasteur Marc) : *L'exigence œcumémique. Souvenirs et perspectives* (Albin Michel, 1968).
BOISANDRE (André de) : *Petit catéchisme antijuif* (Paris, librairie antisémite, 1899).
BOISDEFFRE (Pierre de) : *De Gaulle malgré lui* (Albin Michel, 1978).
BOISSON (Jeanine), DELPAL (Bernard) et GARMIER (Monique) : *Les réactions des chrétiens d'après les semaines religieuses de 5 diocèses de zone libre* (Colloque de Grenoble, 1976).
BONHEUR (Gaston) : *Charles de Gaulle* (Gallimard, 1958).
BOURDAN (Pierre) : *Carnets des jours d'attente, juin 1940-juin 1944* (Ed. Pierre Trémois, 1945).
BOURDET (Claude) : *L'aventure incertaine* (Stock, 1975).
BOURDIER (Jean) : *Le Comte de Paris. Un cas politique* (La Table Ronde, 1965).
BOURGET (Pierre) : *Histoires secrètes de l'occupation de Paris. T. I : Le joug* (Hachette, 1970).
— *Un certain Philippe Pétain* (Casterman, 1956).

BIBLIOGRAPHIE

BOUTHILLIER (Yves) : *Le drame de Vichy* (Plon, 1950-1951)
BRAIBANT (Charles) : *La guerre à Paris, 8 novembre 1942-27 août 1944* (Corréa, 1945).
BRINON (Fernand de) : *Mémoires* (Imprimeries réunies, 1949).
BRIVET (René) : *Carnets de guerre 1940-1945* (La Pensée Universelle, 1978)
BROSSOLETTE (Gilberte) : *Il s'appelait Pierre Brossolette* (Albin Michel, 1976)
BRUCKBERGER (père R. L.) : *Nous n'irons plus au bois* (Amiot-Dumont, 1948)
— *Si grande peine. Chronique des années 1940-1948* (Grasset, 1967).
— *Tu finiras sur l'échafaud. Mémoires* (Flammarion, 1978).
Cahiers du Témoignage chrétien 1941-1944 (Les Editions Ouvrières, 1980).
Cahiers d'histoire : Occupants, collaborateurs et résistants 1940-1944 (XXII-1977)
CALMETTE (Arthur) : *L'O.C.M. Organisation civile et militaire* (P.U.F. 1961)
CAVANA : *Les Russkoffs* (Belfond, 1979).
CASSOU (Jean) : *La mémoire courte* (Ed. de Minuit, 1953).
CATROUX (général) : *Dans la bataille de Méditerranée* (Julliard, 1949).
CATTAUI (Georges) : *Charles de Gaulle, l'homme et son destin* (Fayard, 1960).
CHABAN-DELMAS (Jacques) : *L'ardeur* (Stock, 1975).
CHAMBE (René) : *Au carrefour du destin. Weygand, Pétain, Giraud, de Gaulle* (France-Empire, 1975).
— *Le maréchal Pétain à l'heure d'Alger* (*Revue de Paris,* décembre 1966)
CHAMINE : *Suite française. La querelle des généraux* (Albin Michel, 1952).
CHAMSON (André) : *Ecrit en 1940* (N.R.F., 1944).
CHARBONNEAU (Henri) : *Les mémoires de Porthos* (La Librairie Française, 2 vol 1967, 1981).
CHARLOT (Jean) : *Le gaullisme* (Armand Colin, 1970).
CHASTENET (Jacques) : *De Pétain à de Gaulle. Juillet 1940-août 1944* (Fayard, 1970).
CHATEAUBRIANT (A. de) : *Cahiers 1906-1951* (Grasset, 1955).
CHURCHILL (Winston) : *La Seconde Guerre mondiale* (Plon).
CIANO (comte) : *Journal.*
Clandestins (les) de Dieu. CIMADE, (Fayard, 1968).
CLARK (général Mark W.) : *Les alliés jouent et gagnent* (Berger-Levrault, 1952)
COINTET (Jean-Paul) : *La France libre* (P.U.F., 1975).
COQUET (James de) : *Le procès de Riom* (A. Fayard, 1945).
CONQUET (Le général Alfred) : *Auprès du maréchal Pétain* (France-Empire, 1970).
COTTA (Michèle) : *La collaboration 1940-1944* (Armand Colin, 1964).
COULET (Françoise) : *Vertu des temps difficiles* (Plon, 1967).
CRÉMIEUX-BRILHAC (J.-L.) et BENSIMON (G.) : *Les propagandes radiophoniques* (*Revue d'Histoire de la Deuxième Guerre mondiale* n° 101).
CRÉMIEUX-DURAND (Julie) : *La vie à Drancy* (Gédalge, 1945).
DAINVILLE (colonel A. de) : *L'O.R.A. la résistance de l'armée. 1939-1945* (Lavauzelle, 1974).
DAIX (Pierre) : *J'ai cru au matin* (R. Laffont, 1976).
DARLAN (Alain) : *L'amiral Darlan parle...* (Amiot-Dumont, 1952).
DARVILLE (Jacques) et WICHENE (Simon) : *Drancy la juive ou la deuxième inquisition* (A. Breger, 1945).

DAWIDOWICZ (Lucy S.) : *La guerre contre les juifs 1933-1945* (Hachette, 1977).
DEAT (Marcel) : *Le parti unique* (Aux Armes de France, 1942).
DEBAT (Georges) · *Marine oblige* (Flammarion, 1974).
DECAUX (Alain) : *Alain Decaux raconte, tomes I et II* (Lib. académique Perrin, 1978-1979).
DELAGE (Jean) · *Grandeurs et servitudes des chantiers de jeunesse* (Ed. André Bonne).
Délégation (la) française auprès de la Commission allemande d'Armistice (5 vol Imprimerie Nationale, 1947-1959).
DEMEY (Evelyne) : *Paul Reynaud, mon père* (Plon, 1980).
Dictionnaire commenté de l'œuvre du général de Gaulle (Plon, 1975).
Dictionnaire de la Deuxième Guerre mondiale (Larousse, 1979).
DILLARD (père V.) : *Suprême témoignage* (Spes, 1949).
DINFREVILLE (Jacques) : *Le roi Jean* (La Table Ronde, 1964).
Documents maçonniques (les) publiés sous la direction de Bernard Faÿ octobre 1941-3e trimestre 1944.
DOCTEUR (vice-amiral) : *La vérité sur les amiraux* (Ed. de La Couronne, 1949).
DUBOIS (Raymond) : *Paris sans lumière* (Payot, s. d.).
DUQUESNE (Jacques) : *Les catholiques français sous l'occupation* (Grasset, 1966)
DURAND (Suzanne-Marie) : *La corde raide. Mon journal des temps difficiles* (Les Cahiers du nouvel humanisme, 1951).
DUROSELLE (Jean-Baptiste) : *Histoire diplomatique de 1919 à nos jours* (Dalloz, 1978).
Ecrits de Paris. « L'Homme Pierre Laval » par Xavier Vallat (mai 1972).
Eglises et chrétiens dans la Deuxième Guerre mondiale : La région Rhône-Alpes (Presses universitaires de Lyon 1978).
EISENHOWER (Dwight. D.) : *Croisade en Europe* (Laffont, 1949).
ELGEY (Georgette) : *La fenêtre ouverte* (Fayard, 1973).
En ce temps-là, de Gaulle : publication hebdomadaire (*Femmes d'aujourd'hui*).
ERLANGER (Philippe) : *La France sans étoile* (Plon, 1974).
EVRARD (Jacques) : *La déportation des travailleurs français dans le IIIe Reich* (Fayard, 1972).
FABRE-LUCE (Alfred) : *Journal de la France* 1939-1944 (Fayard, 1969).
— *Vingt-cinq années de liberté.* Tome 2. *L'Epreuve* (Julliard, 1963).
— *Deux crimes d'Alger* (Julliard, 1980).
FAIVRE (Mario) : *Nous avons tué Darlan* (La Table Ronde, 1975).
Famille (une) comme les autres. (Lettres réunies et présentées par Denise Baumann) (Société d'édition Droit et Liberté, 1973).
FAUVET (Jacques) : *Histoire du parti communiste français* 2 vol. Fayard, 1965)
FERNET (vice-amiral) : *Aux côtés du maréchal Pétain* (Plon, 1953).
FOURCADE (Marie-Madeleine) : *L'Arche de Noé* (Fayard, 1968).
FRAISSINET (Jean) : *Au combat. A travers deux guerres et quelques révolutions* (La Table Ronde, 1968).
FRANCE (Ferdinand de) : *Vous allez passer l'eau* (Texte dact.).
GALIMAND (Lucien) : *Origines et déviations du gaullisme* (Ed. de La Couronne, 1950).

GALTIER-BOISSIÈRE (Jean) et ALEXANDRE (Charles) : *Histoire de la guerre 1939-1945* (*Crapouillot*, 1948).
GANDIN (cdt Robert) : *Darlan, Weygand, Cunningham, artisans de la victoire* (Nouvelles Editions Latines, 1977).
GANIER-RAYMOND (Philippe) : *Une certaine France. L'antisémitisme 40-44* (Balland, 1975).
GARCIN (Paul) : *Interdit par la censure* (Lugdunum, 1944).
GAUCHER (Roland) : *Histoire secrète du parti communiste français* (Albin Michel, 1974).
GAULLE (Charles de) : *Mémoires de guerre* T. I. *L'Appel* (Plon, 1954).
— *Discours et messages* (Berger-Levrault, 1946).
GILLOUIN (René) : *J'étais l'ami du maréchal Pétain* (Plon, 1956).
GIRAUD (général) : *Discours et messages prononcés du 8 novembre 1942 au 30 mai 1943* (New York, édition de la Maison Française, 1943).
GODEL (Jean) : *Monseigneur Caillot, évêque de Grenoble et le régime de Vichy* (Actes du Colloque de Grenoble).
GOSSET (Pierre et Renée) : *Expédients provisoires* (Fasquelle).
GOUNELLE (Claude) : *Le dossier Laval* (Plon, 1969).
— *De Vichy à Montoire* (Presses de la Cité).
GOUBELLE (N.) : *La résistance dans les Landes* (Imp. de la Préfecture des Landes, 1978).
GRANIER (Jacques) : *Un général a disparu* (Presses de la Cité, 1971).
GROUSSARD (Georges) : *Chemins secrets*, T. I, *Paris, Vichy, Londres* (Bader-Dufour, 1948).
— *Service secret 1940-1945* (La Table Ronde, 1964).
— *L'armée et ses drames* (La Table Ronde, 1968).
GROU-RADENEZ (Frédérique) : *Les perles noires* (Grasset, 1971).
GUÉHENNO (Annie) : *L'épreuve* (Grasset, 1968).
GUÉHENNO (Jean) : *Journal des années noires* (Gallimard, 1947).
GUERIN (Alain) : *La Résistance* (Livre Club Diderot, 1972).
GUITRY (Sacha) : *Si j'ai bonne mémoire* (Perrin).
HART (Liddell) : *Les généraux allemands parlent* (Stock, 1948).
HERVET (Robert) : *Les chantiers de la jeunesse* (France-Empire).
HOOP (Jean-Marie d') : *La main-d'œuvre au service de l'Allemagne* (*Revue d'histoire de la Deuxième Guerre mondiale* n° 81).
Humanité (l') clandestine 1939-1944, publié sur l'initiative de Victor Joannès sous la direction de Germaine Willard (Ed. sociales, 1975).
Ici Londres 1940-1944. T. I. *Les voix de la liberté*. T. II. *Le monde en feu*. Edition établie sous la direction de J.-L. Crémieux-Brilhac (La Documentation française, 1975).
Images de la vie de ceux qui sont partis (La platinogravure, 1943).
ISRAËL (Gérard) : *Heureux comme Dieu en France...* (Laffont, 1975).
JÄCKEL (Eberhard) : *La France dans l'Europe de Hitler* (Fayard, 1968).
JACQUEMIN (Gaston) : *La vie publique de Pierre Laval* (Plon, 1973).
JAFFRÉ (Y.-F.) : *Les derniers propos de Pierre Laval* (André Bonne, 1953).
JEANJACQUOT (Pierre) : *Les vagabonds de l'honneur* (Ed. Dorian, 1947).

JEANNENEY (Jules) : *Journal politique. Septembre 1939-juillet 1942* (Armand Colin, 1972).
Juifs en France (Histoire des). (Ed. Privat, 1972).
Juifs sous l'Occupation (les) Recueil des textes français et allemands (1940-1944) : (C.D.J.C.).
JUIN (maréchal) : *Mémoires* T. I : *Alger, Tunis, Rome* (Fayard, 1959).
KAMMERER (Albert) : *La passion de la flotte française. De Mers el-Kébir* (Fayard, 1951).
KAPLAN (le grand rabbin) : *Justice pour la foi juive* (Ed. le Centurion, 1977).
KLARSFELD (Serge) : *Le livre des otages* (les Editeurs Français Réunis, 1979).
KUPFERMANN (F.) : *Pierre Laval* (Masson, 1976).
KOELTZ (général Louis) : *Une campagne que nous avons gagnée. Tunisie 1942-1943* (Hachette, 1959).
LACOUTURE (Jean) : *De Gaulle* (Seuil, 1965).
LALOUM (Jean) : *La France antisémite de Darquier de Pellepoix* (Ed. Cyros, 1979).
LA GORCE (Paul-Marie de) : *De Gaulle entre deux mondes* (Fayard, 1964).
LANGER (William L.) : *Le jeu américain à Vichy* (Plon, 1949).
LAPIE (Pierre-Olivier) : *Les déserts de l'action* (Flammarion, 1946).
LATOUR (Anny) : *La résistance juive en France* (Stock, 1970).
LATREILLE (André) : *Le problème de l'épiscopat français sous l'occupation et à la Libération* (Colloque de Lyon, 1978).
LAURE (général) : *Notes militaires et politiques* (Texte ronéotypé).
LAURENS (Anne) : *Les rivaux de Charles de Gaulle* (Laffont, 1977).
LÉAUTAUD (Paul) : *Journal littéraire* (Mercure de France, 1954-1964).
LEMERY (Henry) : *D'une république à l'autre* (La Table Ronde, 1964).
Lettres d'Allemagne écrites par des ouvriers belges et du Nord de la France (Imp. Steenland, 1942).
LÉVY (Claude) et TILLARD (Paul) : *La grande rafle du Vél'd'hiv'* (Laffont, 1975).
Libération : reproduction en fac-similé de 35 numéros du journal clandestin (Londres, 1944).
LIMAGNE (Pierre) : *Ephémérides de quatre années tragiques* (Bayard, 1945).
Livre blanc anglais : Documents concernant les traitements infligés en Allemagne aux Nationaux Allemands, (Paris, messageries Hachette, 1939).
LONDON (Geo) : *L'amiral Estéva et le général Dentz devant la Haute Cour de Justice* (Roger Bonnefon, 1945).
LOPATA (Charles) : *J'ai survécu* (Ed. Droit et Liberté, 1977).
LORCEY (Jacques) : *Sacha Guitry* (La Table Ronde).
LOUSTAUNAU-LACAU (Georges) : *Mémoires d'un Français rebelle* (Laffont, 1948).
LUBETZKI (J.) : *La condition des Juifs en France sous l'occupation allemande* (Centre de documentation juive contemporaine, 1945).
MADIRAN (Jean) : *Brasillach* (Imp. Réunies, 1958).
MALLET (Alfred) : *Pierre Laval,* 2 vol. (Amiot-Dumont, 1954-1955).
MANNONI (Eugène) : *Moi, général de Gaulle* (Seuil, 1964).
MAST (général C.) : *Histoire d'une rébellion. Alger, 8 novembre 1942* (Plon, 1969).
MARRUS (Michaël) et PAXTON (Robert) : *Vichy et les juifs* (Calmann-Lévy, 1981).
MARTIN-CHAUFFIER (Simone) : *A bientôt quand même* (Calmann-Lévy, 1976).

MARTINET (Jean-Claude) : *Histoire de l'occupation et de la résistance dans la Nièvre* (Ed. Delayance, 1978).
MARTIN DU GARD (Maurice) : *La chronique de Vichy. 1940-1944* (Flammarion, 1975).
MEYER (Daniel) : *Les socialistes dans la résistance* (P.U.F., 1968).
MICHEL (Henri) : *Pétain, Laval, Darlan, Trois politiques* (Flammarion, 1972).
— *Pétain et le régime de Vichy* (P.U.F., 1978).
— *Le Procès de Riom* (Albin Michel, 1979).
MICHELET (Claude) : *Mon père, Edmond Michelet* (Presses de la Cité, 1971).
MOTTIER (Romain) : *Traité de la délation* (s. éd., 1947).
MORDAL (Jacques) : *La bataille de Casablanca (8, 9, 10 novembre 1942)* (Plon, 1952).
MORSE (Arthur D.) : *Pendant que six millions de Juifs mouraient* (Laffont, 1968).
MOULIN DE LA BARTHÈTE (Henri du) : *Le temps des illusions,* (Ed. du cheval ailé, 1947).
MURPHY (Robert) : *Un diplomate parmi les guerriers* (Laffont, 1965).
NAVARRE (Henri) : *Le service de renseignements 1871-1944* (Plon, 1978).
— *Le temps des vérités* (Plon, 1979).
NICOLLE (Pierre) : *Cinquante mois d'armistice. Vichy, 2 juillet 1940-26 août 1944* (André Bonne, 1947).
NOBÉCOURT (Jacques) : *Une histoire politique de l'armée.* T. I *de Pétain à Pétain (1919-1942)* (Seuil, 1967).
NODOT (R.) : *Les enfants ne partiront pas* (Imp. Nouvelles lyonnaises, 1970)
NOËL (Léon) : *Comprendre de Gaulle* (Plon, 1972).
NOGUÈRES (Henri) : *Le suicide de la flotte française à Toulon* (Laffont, 1960).
En collaboration avec DEGLIAME-FOUCHÉ (Marcel) et VIGIER (Jean-Louis) : *Histoire de la résistance en France de 1940 à 1945,* t. I et II (Laffont, 1967, 1969)
NOGUÈRES (Louis) : *Le véritable procès du maréchal Pétain* (Fayard, 1955).
NOLI (Jean) : *Le choix. Souffrances et gloire de la marine française pendant la Seconde Guerre mondiale* (Fayard, 1972).
Notes et études documentaires numéro 161. Requêtes allemandes sur la main-d'œuvre française.
Nous écrivons d'Allemagne (Imp. Mazeyrie, 1941).
OBERLÉ (Jean) : *Jean Oberlé vous parle.* (La Jeune Parque, 1945).
Office français d'Informations : Dépêches, interdits, statistiques, correspondance, Paris-Berlin. 1er juillet 1940-21 septembre 1944 (Bibliothèque de Documentation Internationale Contemporaine, Université de Nanterre) 263 dossiers, 4° 1179/1 à 263.
ORDIONNI (Pierre) : *Le secret de Darlan, 1940-1942* (Ed. Albatros, 1976).
PAILLAT (Claude) : *L'échiquier d'Alger,* 2 vol. (Laffont, 1966, 1967).
PAILLOLE (Paul) : *Services spéciaux, 1935-1945* (Laffont, 1975).
Parti (le) communiste français dans la résistance (Ed. Sociales, 1967).
PAXTON (Robert O.) : *La France de Vichy* (Seuil, 1973).
PELLEGRIN (René) : *La Phalange Africaine* (texte ronéotypé, 1973).
PENDAR (Kenneth) : *Alger 1942. Le débarquement et de Gaulle vus par un diplomate américain* (La Table Ronde, 1967).
Persécution (la) des Juifs en France (C.D.J.C., 1947).

PEYROUTON (Marcel) : *Du service public à la prison commune* (Plon, 1950)
PIERRARD (Pierre) : *Juifs et catholiques français* (Fayard, 1970).
PIERRE-BLOCH (Jean) : *Mes jours heureux* (Ed. du Bateau ivre, 1947).
— *Le temps d'y penser encore* (J.-C. Simoën, 1977).
PINEAU (Christian) : *La simple vérité, 1940-1945* (Julliard, 1960).
PLANCHAIS (Jean) : *Une histoire politique de l'armée* (Seuil).
POGNON (Edmond) : *De Gaulle et l'histoire de France* (Albin Michel, 1970).
— *De Gaulle et l'armée* (Plon, 1976).
POLIAKOV (Léon) : *La condition des juifs en France sous l'occupation italienne* (C.D.J.C., 1946).
L'étoile jaune (C.D.J.C. 1949).
Procès (les) de Collaboration : Fernand de BRINON, Joseph DARNAND, Jean LUCHAIRE (Albin Michel, 1948).
Procès (le) du maréchal Pétain (Albin Michel, 1949).
Procès (les) de la radio : FERDONNET et Jean-Hérold PAQUIS (Albin Michel, 1947).
RAGUENEAU (Philippe) : *Julien ou la route à l'envers* (Albin Michel, 1976).
RAÏSSAC (Guy) : *Un soldat dans la tourmente* (Albin Michel, 1963).
— *Un combat sans merci. L'affaire Pétain-de Gaulle* (Albin Michel, 1966).
— *De la marine à la justice* (Albin Michel, 1972).
RAJFUS (Maurice) : *Des juifs dans la collaboration l'U.G.I.F. (1941-1944)* (Etudes et documentation internationales, 1980).
RAHN (Rudolf) : *Un diplomate dans la tourmente* (Ed. France-Empire, 1980).
RAPHAËL-LEYGUES (Jacques) : *Chroniques des années incertaines* (France-Empire, 1977).
RAYMOND (René) : *La droite en France* (Aubier, 1954).
RENAUDOT (Françoise) : *Les Français et l'occupation* (Laffont, 1975).
Résistance (la) de la France à la déportation. Bulletin d'Information et de Documentation, nº 6, juillet-décembre 1944. (Imp. Nationale).
RESTANY (Joseph) : *Une entreprise clandestine sous l'occupation allemande* (Charles Lavauzelle, 1948).
REYNAUD (Paul) : *Mémoires.* T. I : *Venu de ma montagne.* T. II : *Envers et contre tous* (Flammarion, 1960, 1963).
RICHARD (René) et SÉRIGNY (Alain de) : *La Bissectrice de la guerre.* (Alger, La maison des Livres, 1946).
RIOND (Georges) : *Chroniques d'un autre monde* (France-Empire, 1979).
ROBICHON (Jacques) : *Jour J en Afrique. 8 novembre 1942* (Laffont, 1964).
RUBY (Marcel) : *La résistance à Lyon au cours de la Deuxième Guerre mondiale* (Ed. l'Hermès, 1979).
RUFFIN (Raymond) : *Journal d'un J3* (Presses de la Cité, 1979).
SAUVY (Alfred) : *De Paul Reynaud à Charles de Gaulle. Scènes, tableaux et souvenirs.* (Casterman, 1972).
SCHRAMM (Anna) et WORMEIER (Barbara) : *Vivre à Gurs* (Maspero, 1979)
SIMIOT (Bernard) : *De Lattre* (Flammarion, 1953).
SERIGNY (Alain de) : *Echos d'Alger* (Presses de la Cité, 1972).
SCHUMANN (Maurice) : *Honneur et Patrie* (Ed. du Livre français. 1946)
— *La voix du couvre-feu* (Plon, 1964).

SOUSTELLE (Jacques) : *Envers et contre tout.* T. I : *De Londres à Alger, 1940-1942* (Laffont, 1947).
SPEARS (Major général sir E. L.) : *Deux hommes qui sauvèrent la France* (Presses de la Cité, 1966).
SPEER (Albert) : *Au cœur du IIIe Reich* Fayard, 1971).
SPILLMANN (Georges) : *Les cas de conscience de l'officier* (Librairie académique Perrin, 1970).
SPIRAUX (Alain) : *La dénonciation* (Sedimo, 1967).
STEAD (Philipp-John) : *Le 2e Bureau sous l'occupation* (Fayard, 1966).
STEHLIN (Paul) : *Témoignage pour l'histoire* (Laffont, 1964).
STEINBERG (Lucien) : *Les Allemands en France 1940-1944* (Albin Michel, 1980).
STÉPHANE (Roger) : *Chaque homme est lié au monde* (Le Sagittaire, 1946).
TERRES (Robert) : *Double jeu pour la France 1939-1944* (Grasset, 1977).
TILLON (Charles) : *On chantait rouge* (Laffont, 1977).
TOESCA (Maurice) : *Cinq ans de patience. 1939-1945* (Emile-Paul, 1975).
TOLLET (André) : *La classe ouvrière dans la résistance* (Ed. Sociales, 1969).
TOURNOUX (Raymond) : *Secrets d'Etat.* T. II : *Pétain et de Gaulle* (Plon, 1964).
Pétain et la France (Plon, 1980).
TRACOU (Jean) : *Le Maréchal aux liens* (André Bonne, 1948).
VADON (Jacques) : *Contribution à l'histoire de la résistance dans les Ardennes. Juin 1940-Septembre 1944* (Centre départemental de documentation pédagogique. Charleville, 1969).
VALLAT (Xavier) : *Le nez de Cléopâtre* (les 4 fils Aymon, 1957).
VAN ECKE (général A. S.) : *Les chantiers de la jeunesse au secours de la France* (Nouvelles Editions latines, 1970).
VARILLON (Pierre) : *Le sabordage de la Flotte* (Amiot-Dumont, 1954).
VERNOUX (général M.) : *Wiesbaden 1940-1944* (Berger-Levrault, 1954).
VEYNET (Paul) : *La libération nationale. Les catholiques dans la résistance* (Ed des Saints-Pères, 1946)
Vie (la) de la France sous l'occupation, 3 vol. (Hoover Institute, 1957)
Vie et mort des Français 1939-1945. Textes et documents réunis et présentés par Jacques Meyer (Hachette, 1971).
Vie (la) des travailleurs français en Allemagne (Toulouse, Imp. Fournié, 1946).
VIGNE (Georges) : *J'ai vu des ouvriers français en Allemagne* (Inter-France, 1942).
VIGNERON (Paul) : *Histoire des crises du clergé français contemporain* (Téqui, 1976).
VILLIERS (Georges) : *Témoignages* (France-Empire, 1978).
VOITURIEZ (Albert Jean) : *L'affaire Darlan. L'instruction judiciaire* (Lattès, 1980).
WEILL (Dr Joseph) : *Contribution à l'histoire des camps d'internement dans l'anti-France* (C.D.J.C., 1946).
WELLERS (Georges) : *L'étoile jaune à l'heure de Vichy* (Fayard, 1973).
WEYGAND (Jacques) : *Le Serment* (Flammarion, 1960)
WEYGAND (général Maxime) : *Rappelé au service* (Flammarion, 1950)

LES PASSIONS ET LES HAINES

QUOTIDIENS CONSULTES :

L'Action Française ; le Cri du Peuple ; Le Figaro ; La France au travail ; Le Matin ; L'Œuvre ; Le Petit Parisien ; Le Progrès (Lyon) ; *La Petite Gironde* (Bordeaux) ; *Le Temps.*

HEBDOMADAIRES ET MENSUELS :

L'Appel ; Au Pilori ; La Gerbe ; Gringoire ; L'Illustration ; Je suis partout ; Le Journal de la France ; Les années 40 ; Le Pont ; Revue française de sciences politiques ; Revue d'Histoire de la Deuxième Guerre mondiale, la Revue historique de l'armée, Signal.

On trouvera à la B.D.I.C. de très nombreux tracts et documents édités pour encourager au départ en Allemagne.

TABLE DES MATIÈRES